पेरियार ललई सिंह ग्रंथावली

खंड-3

उत्तर भारत के पेरियार

पेरियार ललई सिंह ग्रंथावली

[कवि, नाटककार, एकांकीकार सर्जक]

साहित्य-चिन्तन

खंड-3

संकलन-सम्पादन

धर्मवीर यादव गगन

राधाकृष्ण प्रकाशन

ISBN : 978-93-91950-70-5

पेरियार ललई सिंह ग्रंथावली : खंड-3

पहला संस्करण : 2024

मूल्य : ₹6000
पाँच खंडों का सम्पूर्ण सेट

प्रकाशक
राधाकृष्ण प्रकाशन प्राइवेट लिमिटेड
जी-17, जगतपुरी, दिल्ली-110 051
शाखाएँ : अशोक राजपथ, साइंस कॉलेज के सामने, पटना-800 006
पहली मंजिल, दरबारी बिल्डिंग, महात्मा गांधी मार्ग, प्रयागराज-211 001
1, अनमोल सोराबजी सन्तुक लेन, धोबी तलाव, मरीन लाइंस, मुम्बई-400 002
वेबसाइट : www.radhakrishnaprakashan.com
ई-मेल : info@radhakrishnaprakashan.com

मुद्रक
विकास कम्प्यूटर एंड प्रिंटर्स
ट्रॉनिका सिटी-201 102

PERIYAR LALAI SINGH GRANTHAWALI : Vol. 3
Edited by Dharamveer Yadava Gagan

उत्तर-आधुनिक राष्ट्र-निर्माण की
सबसे महान परियोजना के महानायक
'मंडल आयोग' के अध्यक्ष बीपी मंडल साहब को सादर!

अनुक्रम

साहित्य-चिन्तन

खंड : क
कवि मन

खंड : ख
नाटककार मन

प्राक्कथन

यह 'पेरियार ललई सिंह ग्रंथावली' के तीसरे भाग का साहित्य खंड है। जिसमें उनका साहित्यकार मन और व्यक्तित्व सार्वजनिक हो उभरा है। उनके साहित्य-चिन्तन को दो भागों में विभाजित किया गया है : पहला कविता खंड है। दूसरा नाटक एवं एकांकी खंड है।

कविता खंड में उनका काव्य-संग्रह—'शोषित संघर्ष' और सम्पादित काव्य-संग्रह—'भीम अभिनन्दन' संगृहीत हैं। अपने कविता-संग्रह में उन्होंने जहाँ शोषित-दमित मनुष्यों की आह को अभिव्यक्त किया है, तो वहीं सम्पादित कविता-संग्रह में बाबा साहब डॉ. अम्बेडकर के व्यक्तित्व, चिन्तन, संघर्ष और धम्म-दर्शन आदि पक्ष को लेकर लिखे गए अनेक पद, दोहे, गीत-गजल, कविताओं आदि को संकलित किया है।

उत्तर भारत अर्थात् हिन्दू हृदय प्रदेश में नवजागरण की चेतना को इनके साहित्य में प्रखरता के साथ अभिव्यक्ति मिली है। यह प्रखर नवजागरण चेतना जहाँ यूरोपीय नवजागरण और प्रबोधन की चेतना को समेटे हुए है, तो वहीं भारतीय नवजागरण के प्रवर्तक और वाहक बुद्ध, फुले, पेरियार और अम्बेडकर की सोच और चेतना से लैस होकर वर्णवाद, पुरोहितवाद, मनुवाद, जातिवाद, सामन्तवाद और पूँजीवाद का घोर प्रतिरोध करती है और समतामूलक समाज का विजन प्रस्तुत करती है, जिसका सहज आधार बुद्धिवाद, तर्क, ज्ञान-विज्ञान आदि से अनुप्राणित होती नवजागरण की चेतना बनती है।

इसी कारण इनकी नवजाग्रत चेतना में मुख्यत: ईश्वर, वर्ण, जाति, भाग्य, स्वर्ग-नर्क, सामन्तवाद, साम्राज्यवाद, पूँजीवाद पर करारा प्रहार है। इसके उन्मूलन की एक अभियानी पहल है, जिस कारण इनके साहित्य-चिन्तन की अधिरचना में समता, स्वतंत्रता, बन्धुता और मनुष्यता है। समतामूलक समाज निर्माण का स्वप्न है—जिसमें

से अभिव्यक्त होते हैं। इनकी साहित्यिक चेतना स्वाभाविक रूप से स्त्री, दलित, पिछड़े, आदिवासी, अल्पसंख्यक के अधिकारों के साथ खड़ी होती है।

अत: यह सोचने की बात है कि हिन्दी नवजागरण की इस मनुष्यत्व की लोकधर्मी चेतना पर अब तक हिन्दी साहित्यकार चुप क्यों रहे? इस चुप्पी के क्या कारण हैं? यह चुप्पी सायास है या अनायास? यह गम्भीर आलोचना बुद्धि से विचार और विश्लेषण का विषय है।

प्रस्तावना

हिन्दी नवजागरण के इतिहास में बहुजन नायिकाओं और नायकों के प्रखर स्वर की घोर उपेक्षा वस्तुतः नवजागरण के व्याख्याकारों के घोर षड्यंत्र का परिणाम है। अतः यह 'ग्रंथावली' आधे-अधूरे हिन्दी नवजागरण को पूर्णता प्रदान करने की दृष्टि से एक महत्त्वपूर्ण ऐतिहासिक दस्तावेज है। ऐसा माना जाता है, हिन्दी नवजागरण का आरम्भ भारतेन्दु के नाटकों से होता है, किन्तु उनके द्वारा लोकधर्मी जमीन पर पूर्णता में लिखे गए नाटकों का अभाव है।

आगे चलकर भिखारी ठाकुर के लोकधर्मी नाट्यों में नवजागरण की लोकधर्मी विरासत का विकास जरूर देखने को मिलता है, लेकिन मुख्यधारा की नाट्य परम्परा में उन्हें वह महत्त्व नहीं मिला जो मिलना चाहिए था। पेरियार ललई सिंह ने हिन्दी में पाँच नाटक—1.वीर सन्त माया बलिदान, 2. अंगुलिमाल, 3. एकलव्य, 4. शम्बूक वध, 5. नागयज्ञ तथा एक एकांकी 'सिपाही की तबाही' लिखी, जिनकी नोटिस तक नहीं ली गई।

नवजागरण के व्याख्याकारों और हिन्दी आलोचकों का यह अजीब द्विचित्तापन है कि हिन्दी में नाटकों के अभाव का रोना रोते हैं और जब नाटक लिखे जाते हैं तो उन्हें आलोच्य स्वीकृति और एकेडमिक्स में प्रवेश नहीं करने देते।

क्या पेरियार ललई सिंह के नाटकों को इसलिए अनदेखा कर दिया जाए कि वे एक बहुजन लेखक हैं? वे एक बौद्धिष्ट चेतना के लेखक हैं तथा उनका साहित्य बुद्ध, अम्बेडकर और पेरियार के विचारों से प्रभावित है? उसमें लोकधर्मी चेतना है।

सनद रहे—यदि दलित नायकों पर केन्द्रित उनके नाटक हिन्दी क्षेत्र में दलित-चेतना के विकास में महत्त्वपूर्ण भूमिका निभा रहे थे तो वहीं बहुजन नवजागरण के निर्माण का गम्भीर सकारात्मक प्रयास भी कर रहे थे।

हिन्दी नवजागरण के व्याख्याकार डॉ. रामविलास शर्मा की दिक्कत यह है कि वे हिन्दी नवजागरण के केन्द्र में 1857 का खूँटा गाड़कर बैठ गए हैं और यह मान बैठे हैं कि आधुनिक हिन्दी का पूरा साहित्य 1857 की साम्राज्यवादी विरोधी चेतना से प्रभावित है और यह भी कि हिन्दी क्षेत्र में दलित जागरण का कोई स्वर प्रस्फुटित नहीं हुआ।

इस जिद पर डॉ. शर्मा वैसे ही अड़े हुए हैं, जैसे हिन्दी साहित्य से सिद्धों-नाथों की बौद्ध परम्परा को खारिज करते हुए यह साबित करने पर अड़े रहते हैं कि हिन्दी साहित्य पर बौद्ध-चिन्तन का कोई प्रभाव नहीं पड़ा।

वास्तव में, वे वैदिक-पौराणिक परम्परा के वर्णवादी भाववादी वेदान्त दर्शन से प्रभावित ही नहीं हैं वरन् उसके सम्मोहन से भयाक्रान्त भी हैं जबकि बुद्ध से होते हुए कबीर तक के चिन्तन का स्पष्ट प्रभाव पेरियार ललई सिंह के साहित्य और चिन्तन में साफ-साफ दिखता है।

वह मार्क्सवाद, बहुजन समाज के किस काम का, जो हिन्दी नवजागरण में स्वामी अछूतानन्द, चन्द्रिका प्रसाद जिज्ञासु, पेरियार ललई सिंह, रामस्वरूप वर्मा, महाराज सिंह भारती, जगदेव प्रसाद जैसे लोकधर्मी बहुजन लेखकों से मुँह मोड़कर केवल शास्त्रधर्मी वर्णवादी परम्परा की ब्राह्मणवादी 'एकेडमी' के भीतर ही सारी प्रगतिशीलता की तलाश करता है। उसके बाहर विकसित हो रही सचमुच की परिवर्तनकामी प्रगतिशीलता को खारिज करता है।

इस प्रकार बुद्ध की सामाजिक क्रान्ति हो या फुले, अम्बेडकर, पेरियार की सामाजिक क्रान्ति हो, जिनकी विरासत को ये बहुजन लेखक हिन्दी क्षेत्र में विकसित कर रहे थे, उन सबकी सायास उपेक्षा की गई।

वैसे, यदि साम्राज्यवाद-विरोध ही 1857 के विद्रोह के केन्द्र में है तो उस समय के कलावादी-छायावादी या स्वयं हिन्दी नवजागरण के उन्नायक कहे जानेवाले भारतेन्दु के साहित्य में उसका स्पष्ट स्वर क्यों नहीं सुनाई पड़ता?

यदि कहीं सुनाई पड़ता है तो उस समय के लिखे गए लोकधर्मी रचनाकारों के लोकगीतों में, जिन्हें ब्रिटिश सरकार ने प्रतिबन्धित कर दिया था। ब्रिटिश सत्ता को खतरा कलावादी साहित्य से नहीं, लोकधर्मी राष्ट्रवादी लोकगीतों से ही क्यों महसूस हुआ?

दूसरी बात यह कि साम्राज्यवाद विरोध तो 1857 से लगभग सौ साल पहले ही सन् 1760 में आमने-सामने की लड़ाई के रूप में, तिलका माँझी के नेतृत्त्व में शुरू हो चुका था और लगभग सन् 1780 तक चला।

इसी दौरान तिलका माँझी को फाँसी पर लटका दिया गया था। इतनी दूर न भी जाएँ तो 1857 से ठीक दो साल पहले 1855 में घटित संथाल की उस ऐतिहासिक जन-क्रान्ति को कैसे भुलाया जा सकता है, जिसमें हजारों आदिवासी शहीद हो गए और गाँव के गाँव जला दिए गए?

चार सगे भाइयों—सिद्दू मुर्मू, कान्हू मुर्मू, चाँद मुर्मू और भैरव मुर्मू के नेतृत्त्व में लड़ी गई लड़ाई आदिवासी विद्रोह मात्र नहीं, एक महान जन-क्रान्ति थी, जिसमें आदिवासियों के साथ ही कुछ दलित, पिछड़े और अल्पसंख्यक भी शामिल थे।

उस जन-क्रान्ति को आज 'हूल दिवस' के रूप में याद किया जाता है। उन महान पुरखों के सम्मान में 'हूल जोहार' अभिवादन किया जाता है। संघर्ष का यह सिलसिला 50-55 साल बाद भी क्रान्तिकारी बिरसा मुंडा के नेतृत्त्व में चलता रहा।

इन क्रान्तिकारी बहुजन महानायकों—सिद्दू, कान्हू, चाँद, भैरव, तिलका माँझी और बिरसा मुंडा की जनक्रान्ति व विद्रोह को नजरन्दाज कर इतिहास लिखा गया। इसी कारण 1857 का इतिहास आधा-अधूरा और एकांगी है।

क्या आदिवासी और उनके क्रान्तिकारी नायक भारत के नागरिक नहीं थे? असल लड़ाई तो वही लड़ रहे थे। वे तब भी असल क्रान्ति कर रहे थे और आज भी। वे तब भी मारे जा रहे थे और आज भी। तब अंग्रेजों द्वारा और आज अपने ही लोगों द्वारा मारे जा रहे हैं।

भारत के स्वाधीनता आन्दोलन में पूरे देश की भागीदारी थी। उसमें अपना विशेषाधिकार गँवा बैठे राजे-रजवाड़े, देशी सामन्त, सुविधा भोगी अभिजन और बहुत बड़ी संख्या में बहुजन समाज के आदिवासी, पिछड़े, दलित, किसान-मजदूर, अल्पसंख्यक सभी शामिल थे और अपने बेहतर भविष्य के लिए आशान्वित भी थे, लेकिन इतिहास में मामूली से मामूली अभिजन नायकों की भूमिका को तो खूब 'हाईलाइट' किया गया जबकि बहुजन पृष्ठभूमि से आनेवाले नायकों की घोर उपेक्षा की गई।

सत्य तो यह है कि ऐतिहासिक स्वतंत्रता आन्दोलन के दौरान शहीद होनेवालों में सबसे बड़ी संख्या बहुजनों की थी। सामाजिक क्रान्ति की यह परम्परा बुद्ध, कबीर-रैदास, गुरु नानक, संत गाडगे जैसे संतों से लेकर तिलका माँझी, सिद्दू, कान्हू, चाँद, भैरव और बिरसा मुंडा से होती हुई फुले-अम्बेडकर, पेरियार, भगत सिंह और वीरांगना फूलन देवी तक फैली हुई है जो अपने-अपने समय की वर्चस्वशाली सत्ता-संस्कृतियों से टकराती रही है।

सच पूछा जाए तो बहुजन नायकों की परम्परा ही भारत की असल क्रान्तिकारी परम्परा है जो कथित मुख्यधारा के चिन्तकों द्वारा बराबर उपेक्षित होती रही। इस पृष्ठभूमि को समझे बिना हिन्दी नवजागरण की समझ आधी-अधूरी रह जाएगी।

अतः बहुजन लेखकों के नवजागरण के स्वर की उपेक्षा कर हिन्दी नवजागरण की चर्चा करना बेमानी है। इस पर विस्तृत चर्चा-परिचर्चा और लेखन होना चाहिए तब हिन्दी नवजागरण की अवधारणा पूर्ण होगी।

जय हो! जोहार हो!! लड़ाई आर-पार हो!!!

दिनांक—26 जनवरी, 2022 ई.

—चौथीराम यादव

भूमिका

जिस समाज का साहित्य नहीं होता है, वह गुलाम होता है। जिस व्यक्ति और समाज का साहित्य होता है, वह दुनिया पर राज करता है। यह साहित्य मनुष्यता का सृजन करता है। सचेत साहित्य मनुष्य, सभ्यता, संस्कृति का निर्माण करता है तो वहीं अचेत साहित्य मनुष्य को गुलाम बनाता है। वह मनुष्यत्व और प्रेम जैसे सर्वोच्च मानव मूल्यों का संहार करता है।

अत: इस आधुनिक लोकतांत्रिक समय में भी जिस समाज का साहित्य है, वह राज कर रहा है और जिस समाज का साहित्य नहीं है, वह गुलाम बना हुआ है। यह गुलामी अनेक स्वरूप में आती है और अनेक प्रकार से अपना वर्चस्व स्थापित करती है। इसका सबसे घातक स्वरूप 'मानसिक गुलामी' का होता है। ऐसी गुलामी व्यक्ति और समाज के लिए सबसे खतरनाक होती है। ऐसी गुलामी जब गहना बन जाती है, तब आनन्द देने लगती है। इससे मुक्ति की चाह मानवतावादी सोच—स्वतंत्रता, समानता और बन्धुता की अनुभूति का एहसास हो जाने में होती है।

जो व्यक्ति और समाज बौद्धिक रूप से निर्भर हो जाता है, वह सोचने-समझने लगता है। जो व्यक्ति और समाज सोचने-समझने लगता है, वह अपनी बुद्धि से आगे बढ़ने लगता है। इस बौद्धिक प्रगति की स्थिति में वह पोंगा-पंथी समाज को सुनना बन्द कर देता है। ऐसा समाज अपना सचेत साहित्य सृजन शुरू करता है। वह व्यक्ति और समाज दुनिया पर राज करने लगता है। वैसे, जिसकी बौद्धिक अभिव्यक्ति होती है, जिसका चिन्तन होता है, जिसका दर्शन होता है और यह चिन्तन जिस प्रकार का होता है, समाज निर्माण भी उसी प्रकार का होता है।

वह यदि प्रगतिशील होगा तो प्रगतिशील सोच का समाज निर्माण होगा। यदि प्रतिगामी होगा तो प्रतिगामी सोच का समाज का निर्माण होगा। इसी कारण जो व्यक्ति और समाज प्रगतिशील सोच का होता है, वह चेतना सम्पन्न व्यवहार करता है। वह गुलामी की सभी संहिताओं को खंडित करते चलता है। उससे मुक्त होते चलता है, किन्तु जो व्यक्ति और समाज प्रतिगामी सोच का होता है, वह परम्परागत, पुरातन, पोंगा-पंथी व्यवहार करता है। इसका सबसे सुन्दर उदाहरण इस देश के सनातनी मानसिकता रखनेवाले लोग हैं।

आधुनिक मनुष्य ने ईश्वर को अस्वीकार करते हुए उसे ध्वस्त करना शुरू किया। यूरोपीय नवजागरण इस भौतिक संसार में स्थित पॉप और पुरोहित को ज्ञान और तर्क से चुनौती देना शुरू किया। इस आधुनिक नवजाग्रत मानवीय चेतना ने अपने चिन्तन केन्द्र में ईश्वर की जगह मनुष्य को स्थापित किया। रूसो ने यह घोषणा की कि 'मनुष्य स्वतंत्रता जन्मता है, किन्तु वह सर्वत्र जंजीरों में बँधा होता है।' इस मानवतावादी सोच और दृष्टि से—समानता, स्वतंत्रता और बन्धुता जैसे सर्वोच्च मानव मूल्य निकले। इस मूल्यबोध से सम्पूर्ण विश्व में नवजागरण की चेतना निर्मित होनी शुरू हुई। इसके बाद ईश्वर की मृत्यु की घोषणा हुई। पॉप, पुरोहित, स्वर्ग-नर्क पूरी तरह सवालों के घेरे में आए। इसी समय कथित सम्प्रत्ययों से मुक्ति की चेतना निर्मित होनी शुरू हुई। इस पर विचार-विमर्श शुरू हुआ। आध्यात्मिक की जगह भौतिक संसार के सत्य का उद्घाटन होना शुरू हुआ।

इन मानव शोषण की प्रवृत्तियों को ख़त्म करने की कोशिश के बाद आधुनिकता का उदय होता है, जिसमें भौतिक जीवन, सामाजिक यथार्थ, ज्ञान-विज्ञान, नवजागरण, प्रबोधन, धर्मनिरपेक्षता आदि विशेषताएँ केन्द्रीय होती हैं। इससे निर्मित नई चेतना ने नवजागरण की सोच, सभ्यता, संस्कृति, इतिहास, दर्शन, भाषा, कला का नवनिर्माण किया, जिससे नवजागरण का बीज प्रस्फुटित हुआ। यूरोपीय नवजागरण की ये केन्द्रीय प्रवृत्तियाँ अखिल विश्व की अवधारणा के रूप में प्रस्तुत होती हैं।

हम आधुनिक समय में 'प्रबोधित मनुष्य' की प्राक्कल्पना को लेकर चलें। प्रबोधन अर्थात् एनलाइनमेंट। अब मनुष्य हर प्रकार की परनिर्भताओं से मुक्त होने की ओर प्रवृत्त होता है। यह नवजागरण की एक परिपक्व मनुष्य की सम्भावित सर्जना थी। कांट इसे सोचने, समझने, स्वयं के चिन्तन के प्रति जिम्मेदार होने के रूप में स्पष्ट करते हैं।

यूरोपीय नवजागरण की चेतना आधुनिक भारत में अंग्रेजी और अंग्रेजों के साथ आती है, जो इस देश की पाखंडी-अन्धविश्वास-कर्मकांडी मान्यताओं को प्रतिबन्धित करने की कोशिश करती है। कुछ में सफल होती है, कुछ में असफल; जैसे—सती-प्रथा आदि को प्रतिबन्धित करना अर्थात् इस स्त्री विरोधी कथित प्रथा को समाज से समाप्त करते हैं, अवैध घोषित करते हैं। सती प्रथा सवर्ण हिन्दुओं की स्त्री विरोधी सामाजिक रीति थी, जिसमें हिन्दू मान्यता के अनुसार, पति के मर जाने पर उसकी चिता में पत्नी को भी जल कर मरना पड़ता था, किन्तु यदि कोई स्त्री पति से पहले मर जाती थी तो पति को चिता में नहीं जलना होता था। पति दूसरा विवाह कर सकता था।

अंग्रेजों के साथ 'स्कूल' जैसी निर्पेक्ष अवधारणा भारत में आती है जो पूर्णत: धर्मनिरपेक्ष मन की होती है। अंग्रेज स्कूलों के माध्यम से ज्ञान का जनतंत्रीकरण करते हैं। इससे पहले 'गुरु' और 'गुरुकुल' ने ज्ञान का एकतंत्रीकरण कर रखा था। रेल,

औद्योगिकीकरण, होटल जैसी आधुनिक चीजें देश में अंग्रेजों के साथ ही एशिया में प्रवेश करती हैं, किन्तु नवजागरण की अवधारणा के भारतीय परिप्रेक्ष्य को देखा जाए तो इस देश में नवजागरण और प्रतिजागरण का द्वन्द्व दीर्घकाल से चला आ रहा है।

'लाइट ऑफ़ एशिया' अर्थात् 'एशिया का प्रकाश' कहे जानेवाले बुद्ध ने 'वर्ण-व्यवस्था', 'नस्लीय श्रेष्ठता' और 'गोत्र' पर सबसे पहले सवाल उठाया था। उसका प्रतिरोध किया था। उन्होंने वर्ण, वर्ण-संकर आदि कथित प्रश्न को तर्क, ज्ञान और बुद्धिवादी दृष्टिकोण से खंडित किया। मानव समानता के सर्वोच्च मूल्य को सार्वजनिक सत्य के रूप में उद्घाटित-प्रत्यस्थापित किया। यह मानवतावादी प्रतिरोधी परम्परा आधुनिक समय में ज्योतिबा फुले, बाबा साहब डॉ. अम्बेडकर और पेरियार ई.वी. रामास्वामी की विश्वदृष्टि से अखिल भारतीय फलक पर परिलक्षित होती है।

ज्योतिबा फुले ने हिन्दू मिथकों को डि-कोड किया। आर्य-आर्यन नस्ल पर चिन्तन किया। इस देश के मूल निवासियों की गुलामी के कारणों को उद्घाटित किया तो वहीं पेरियार ई.वी. रामास्वामी ने ईश्वर, वेद, वर्ण, पुरोहित, भाग्य, भगवान, स्वर्ग, नर्क, पुनर्जन्म, अन्धविश्वास, कर्मकांड की सार्वजनिक रूप से धज्जियाँ उड़ाईं। उसे ध्वस्त किया, जिससे दक्षिण भारतीय जनमानस से इन मूर्तियों और मिथकों का भय भंजित हुआ। साधारण मनुष्यों की मूर्तियों के प्रति आस्था खंडित हुई। यह चेतना उत्तर भारत में भी आती है, जिसे पेरियार ललई सिंह के साहित्य में देखा जा सकता है। इसी चेतना के कारण उन्हें 'उत्तर भारत का पेरियार' कहा जाता है।

आधुनिक स्वतंत्र उत्तर भारत में नवजागरण को जो मुख्य लोग उद्घाटित करते हैं, उनमें प्रमुख नाम हैं—स्वामी अछूतानन्द, चन्द्रिका प्रसाद जिज्ञासु, पेरियार ललई सिंह, महामना रामस्वरूप वर्मा और महाराज सिंह भारती, बाबू जगदेव प्रसाद आदि। पेरियार ललई सिंह ने उत्तर भारत में मिथक, धर्म, ईश्वर, स्वर्ग, नर्क, पाप, पुण्य, पवित्रता, नस्लीय श्रेष्ठता, वर्ण और जाति के विरुद्ध जो प्रतिरोध की मौलिक चेतना जगाई, उस कारण इन्हें 'उत्तर भारतीय नवजागरण का महानायक' कहा जा सकता है। मुख्यत: जो सामाजिक-सांस्कृतिक नवजागरण दक्षिण भारत में पेरियार कर रहे थे, वही नवजागरण उत्तर भारत में पेरियार ललई सिंह कर रहे थे।

जिसमें यूरोपीय नवजागरण की तरह 'ईश्वर' और 'पुरोहित' को ध्वस्त किया जा रहा था, दक्षिण भारत में पेरियार ने वही किया और साफ-साफ घोषणा की कि 'ईश्वर नहीं है! ईश्वर नहीं है!! ईश्वर नहीं है!!!' हिन्दू हृदय भूमि अर्थात् काउबेल्ट उत्तर भारत में पेरियार ललई सिंह ने नवजागरण की यही अलख जगाई—ईश्वर, भाग्य, भगवान, स्वर्ग, नर्क, पवित्रता, अपवित्रता, श्रेष्ठता, निकृष्टता, नस्लीय श्रेष्ठता, आर्य-अनार्य आदि मिथकीय चरित्रों की कथित संहिता को ध्वस्त किया।

इसी चेतना से अपने साहित्य में वर्ण-संहिता के प्रतिमानों को ध्वस्त करने की पुरजोर कोशिश करते हैं। हिन्दू संहिताओं की आप्तता पर सवाल उठाते हैं।

उन सभी आप्त और नैतिक मान्यताओं को निरुत्तर करने की कोशिश करते हैं जो वैदिक-पौराणिक संहिताओं से वैधता प्राप्त करते हुए नस्लीय और वर्णाश्रमी श्रेष्ठता को स्थापित करती हैं। अब वे सवालों के घेरे में होती हैं। इसका केन्द्रीय कारण बुद्ध, पेरियार और अम्बेडकर की वैचारिकी होती है। साथ ही, यूरोपीय नवजागरण की चेतना, आधुनिकता और लोकतंत्र जैसे मूल्य बोध भी।

नवजागरण की चेतना से वे 'पुरोहित' और 'पोप', दोनों की सत्ता संरचना को चुनौती देते हुए वर्ण और जाति के प्रश्न पर उन्मूलन की चेतना से साहित्य सृजन करते हैं। वे वर्ण, जाति और पूँजीवाद पर लिखते हैं कि 'वर्ण और जाति-व्यवस्था से कम खतरनाक नहीं है पूँजीवाद।' वे पुरोहितों द्वारा श्रम के विभाजन और उनके जातियों की उत्पत्ति पर गम्भीरता से विचार करते हैं कि श्रम के वर्णाश्रमी विभाजन के मुख्य आधार और उसमें भी श्रमिकों के श्रम दोहन करने के लिए श्रम के विभिन्न क्षेत्रों—दुग्ध उत्पादक, पशुपालन, सब्जी उत्पादन, चमड़े का उत्पादन, तेल का उत्पादन आदि के लिए श्रमशील मनुष्यों को लगाए जाने, उन मनुष्यों के निःशुल्क श्रम और उत्पादन करने, सभी श्रम कार्यों में लगे लोगों की श्रमानुसार ही जातियाँ तय कर देने और वर्णाश्रमी विधान बना देने कि जो जिस श्रम में लगाए गए हैं, उनकी आनेवाली पीढ़ियाँ भी उसी श्रम-कर्म को करेंगी।

इस तरह ये मनुष्य जन्मना इन कार्यों में लगे। यह क्रम कई पीढ़ियों तक चलता आ रहा। यहीं से जातियों का उद्‌भव और विकास हुआ। इसे पुरोहितों ने ईश्वरीय विधान कहा जबकि ऐसी सामाजिक संरचना की निर्मिति का मूल कारण उनकी मिथकीय सैद्धान्तिकी आर्थिक उत्पादन के अतिरिक्त लाभ की जगह पूरा लाभ कमाने के सिद्धान्त पर आधारित थी। इसी मानसिकता से वर्ण और जाति-व्यवस्था की सैद्धान्तिकी को निर्मित किया गया। आधुनिक समय में पूँजीवाद ने भारतीय श्रम विभाजन के इस जातीय चरित्र को अच्छे से समझा। इसी कारण वह श्रम दोहन-शोषण के मामले में भारत में ब्राह्मणवाद से गठजोड़ करती है। यह आज तक पूरा लाभ और अतिरिक्त लाभ के बीच चल रहा है। पुरोहित पूरे लाभ के सिद्धान्त पर चलता रहा और आज भी चल रहा है तो वहीं पूँजीपति अतिरिक्त लाभ की सैद्धान्तिकी पर चल रहा है। इस देश के आधुनिक समय में भी जाति के चलते रहने का यही क्रेक्स है।

नवजागरण की चेतना से ये ज्ञान की सत्ता संरचना पर विमर्श करते हैं जिसमें उनकी ज्ञान मीमांसा अभिव्यक्त होती है। ज्ञान की सत्ता संरचना पर किस प्रकार प्रतिगामी मनुष्यों का वर्चस्व है, वे किस प्रकार उसके यथास्थितिवादी स्वरूप को बनाए हुए हैं, इस 'डिस्कोर्स' में पेरियार ललई सिंह का साहित्य उतरता है। उसका 'विखंडन' करता है, उसका 'आधुनिक पाठ' प्रस्तुत करता है। उनका साहित्य गुरुकुल और गुरु अर्थात् आचार्य के छद्म चरित्र का उद्‌घाटन करता है। वर्चस्ववादी सत्ता

संरचना किस प्रकार 'ज्ञान के सार्वजनिक' हो जाने की विरोधी है, उनके साहित्य से उद्घाटित होता है।

ज्ञान, गुरु और गुरुकुल के छद्म चरित्र की पोल-खोल प्रक्रिया में उन्होंने 'एकलव्य' नाटक लिखा। इस नाटक का ज्ञान-विमर्श स्पष्ट करता है कि किस प्रकार इस देश के श्रवण समाज को ज्ञान से रोका जाता रहा है। आज भी चिन्तन, बुद्धि और ज्ञान के केन्द्र विश्वविद्यालयों में श्रमणों को प्रवेश लेने से क्यों और कैसे रोका जाता है, ये नाटक उनके इस ज्ञान मीमांसा का आधुनिक पाठ हैं। यदि कोई व्यक्ति अपने अनुभवजन्य ज्ञान से किसी वस्तु स्थिति के सत्य को प्राप्त कर लेता था और लेता है तो किस प्रकार उसके ज्ञान प्रविधि को समूल नष्ट कर दिया जाता है। उस समय अँगूठा काट लिया जाता था। आज संस्थानिक हत्या कर दी जा रही है। इस देश का सभ्य-असभ्य नागरिक समुदाय आज तक इतनी ही प्रगति कर पाया है।

यह सत्य तथ्य है कि ज्ञान और बौद्धिक मेधा का इस देश का श्रवण वर्ग ही उत्पादन करता रहा है। इसका मुख्य कारण है—श्रम और ज्ञान के बीच की आवाजाही। इसी कारण एकलव्य बीना गुरु के भी उस समय की महान विद्या के ज्ञाता हो गए थे जबकि अर्जुन कई वर्षों तक गुरुकुल में गुरु के सान्निध्य में अथक अभ्यास करने के बाद भी एकलव्य जैसे धनुर्धर नहीं बन सके। कारण कि अर्जुन रटन्त विद्या को प्राप्त कर रहे थे, जबकि एकलव्य नवविद्या की सर्जना कर रहे थे। अर्जुन को जो विद्या गुरु द्रोणाचार्य दे रहे थे, वह प्राचीन और आउट डेटेड थी जबकि एकलव्य ने जिस विद्या की सर्जना की, वह आधुनिक और अपडेट थी। गुरु द्रोणाचार्य द्वारा एकलव्य और अर्जुन के बीच धनुर्युद्ध करवाने पर अर्जुन एकलव्य के बाणों से धराशायी होकर क्षणभर में धरती पर गिर पड़ते हैं, जिसे देख हतप्रभ हो गए गुरु द्रोणाचार्य ने एकलव्य की मौलिक नवविद्या के संहार का चक्रव्यूह रचा।

एक ने ज्ञान की मौलिक परम्परा का सृजन-निर्वहन किया तो दूसरे ने अमौलिक प्रतिगामी ज्ञान परम्परा का निर्वहन किया। यह प्रतिगामी ज्ञान परम्परा इस देश की मौलिक अर्थात् एकलव्यवादी ज्ञान परम्परा को प्राचीन से आधुनिक समय तक लगातार विस्थापित और खंडित करती रही है। इसी कारण प्राचीन समय के गुरु, गुरुकुल और इस देश के वर्तमान समय के प्रतिगामी मन रखनेवाले ज्ञान के संस्थान पूरी दुनिया के सामने फिसड्डी सिद्ध हुए हैं।

इस सन्दर्भ और परिप्रेक्ष्य में आप इनके आधुनिक ज्ञान परम्परा में दुनिया के सामने असफलता के कारणों को देखिए तो सहज ही अन्दाजा लग जाएगा कि हम दुनिया को जीरो देकर आज तक जीरो क्यों हैं! हम इस दुनिया में ज्ञान के हीरो क्यों नहीं बन पा रहे हैं, आदि-आदि। ख़ैर, इसके बाद द्रोणाचार्य ने गुरुकुल के गुरुमंत्र 'छल-छद्म की बुद्धि' का परिचय दिया जो उन्हें गुरुकुलि वंशानुगत 'दीक्षा' में मिली थी। उन्होंने एकलव्य से उसका दाहिना अँगूठा गुरु दक्षिणा में माँग लिया।

भावुक आदिवासी पुत्र एकलव्य ने उन्हें अँगूठा काटकर दे दिया, किन्तु मुझे लगता है कि द्रोण ने अपने शिष्यों से कहकर, उन्हें ललकारकर, एकलव्य को धराशायी कर, जबरन अँगूठा कटवा लिया होगा।

इस तरह एकलव्य द्वारा ईजाद की गई नई धनुर्विद्या की कथित गुरु द्रोणाचार्य ने हत्या कर दी। वैसे, ज्ञान और विचार इतनी आसानी से मरता नहीं है। इस क्रूर ऐतिहासिक परिघटना के बाद एकलव्य ने तर्जनी और मध्यमा अँगुली से अभ्यास कर नव धनुर्विद्या का सृजन किया। एकलव्य ने जिस नव धनुर्विद्या की सर्जना की थी, वह आज दुनिया के सामने मॉडल बन गई है। वह 'आधुनिक ओलम्पिक' में अनुकरणीय है। ओलम्पिक में तीरन्दाजी की जिस महान प्रतियोगिता का विश्वस्तरीय आयोजन होता है, उसमें तीर को अँगूठे से न पकड़कर तर्जनी और मध्यमा से पकड़कर चलाया जाता है। यह दुनिया को एकलव्य की महान देन है। आज दुनिया अर्जुन और द्रोणाचार्य का नाम तक नहीं जानती है, लेकिन एकलव्य के इस नव धनुर्विद्या को संसार सँजोए हुए है। उसे मॉडल बनाकर आगे बढ़ा रही है।

इस आधुनिक चेतना से युक्त साहित्यकार के साहित्य में बुद्ध की मानसिक परिवर्तन की मनोवैज्ञानिक अवधारणा पर अगाध विश्वास दिखता है। उनके लिए धर्म का विकल्प जहाँ बुद्धिज्म है, वहीं इनके पास कथित पवित्रता-अपवित्रता के सवाल के उत्तर के लिए अम्बेडकर हैं और मिथक-धर्म-संस्कृति के लिए गुरु पेरियार ई.वी. रामास्वामी हैं। पेरियार ललई सिंह के पास यह ऐतिहासिक वैचारिक चेतना है। इसी वैचारिक चेतना से वे उत्तर भारत में नवजागरण करते हैं।

यहाँ पेरियार ललई सिंह ने पवित्रता और पानी के सवाल को प्रश्नांकित किया है। अपने साहित्य में शुचिता-पवित्रता को पेरियार ई.वी. रामास्वामी की वैचारिकी के साथ खंडित करते हैं तो वहीं पानी की पवित्रता के सवाल को डॉ. अम्बेडकर की वैचारिकी से साहित्य और समाज में आन्दोलन कर हल करते हैं, जिसे 'वीर सन्त माया बलिदान' नाटक में साफ देखा जा सकता है, जो पानी और पवित्रता के सवाल पर महाड़ सत्याग्रह की सहज ही याद दिलाता है।

पेरियार ललई सिंह का साहित्य और चिन्तन सर्वहारा के प्रति प्रतिबद्ध है। उनके साहित्य में बुर्जुआ-सामन्त-पुरोहित द्वारा मजदूर-किसान-दमित के शोषण से मुक्ति की चेतना है। मजदूरों के सवाल यहाँ ग्लोबल लहजे में प्रस्तुत होते हैं। भूख और अकाल पीड़ित जनता के लिए जब 'पाटण' में तालाब खोदवाया जाता है, उस समय सम्पूर्ण देश से मजदूर मँगाए जाते हैं। इन मजदूरों का सवाल एक-सा है। इनके श्रम का दोहन-शोषण किस प्रकार पुरोहित, सामन्त और राजा करते हैं, इनका यहाँ एक गम्भीर पाठ पेरियार ललई सिंह ने प्रस्तुत किया है। मजदूर-किसान के दुखों को उन्होंने दर्शाया है, जो आज के किसान सवालों के सन्दर्भ को देखते हुए पूर्णतः प्रासंगिक जान पड़ते हैं।

इनका साहित्य पूँजीवाद का घोर विरोध करता है। वे पुरोहितों और पूँजीपतियों का एक साथ प्रतिरोध करते हैं। ये मनुवाद और पूँजीवाद के गठजोड़ को चिन्हित करते हैं। उस पर चोट करते हैं। पुरोहित, वर्ण और जाति-व्यवस्था पर सवाल उठाते हैं, कारण कि यह श्रमशील जनता के शोषण के उत्स हैं।

भाषा की लोकधर्मिता, अखिलता और आंचलिकता को बनाए रखा गया है। लेखक ने अपने लेखन में 'आए' को 'आवे', 'जाए' को 'जावे', 'पाए' को 'पावे' आदि लिखा है। इसी तरह अन्य शब्द भी हैं, जिन्हें यथावत् रहने दिया गया है। ये अपने साहित्य में ग्लोबल भाषा का व्यवहार करते हैं। वास्तव में, पेरियार ललई सिंह के साहित्य की आलोचना के लिए नई आलोचना दृष्टि और नई इतिहास दृष्टि की आवश्यकता जान पड़ती है।

दिनांक—25 अगस्त, 2022 ई.
(वी.पी. मंडल साहब की जयन्ती पर)

—धर्मवीर यादव गगन

साहित्य-चिन्तन

खंड : क

कवि मन

शोषित-संघर्ष

लेखक
पेरियार ललई सिंह

कवि

पेरियार ललई सिंह

कविता-संग्रह

शोषित-संघर्ष

अशोक पुस्तकालय
झींझक, जिला—कानपुर,
उत्तर प्रदेश-भारत, 209 302

पहली बार मुद्रक
लक्ष्मी प्रेस, बीकानेर, (राजस्थान)
तीसरी बार से मुद्रक
सस्ता प्रेस
झींझक, जिला—कानपुर,
उत्तर प्रदेश, भारत-209 302
चौथी बार से मुद्रक
पेरियार प्रेस
झींझक, जिला—कानपुर,
उत्तर प्रदेश, भारत-209 302

पहला संस्करण 1 सितम्बर, 1972 ई.
पहली बार पाँच हजार प्रतियाँ प्रकाशित
पुनर्मुद्रण सन् 1975 ई.
दूसरी बार सन् 1980 ई.
तीसरी बार सन् 1982 ई.
चौथी बार सन् 1984 ई.
पाँचवीं बार सन् 1987 ई.
छठी बार सन् 1990 ई.

मूल्य : 0.50 पैसे

ऐ अछूतो!

ऐ अछूतो!
याद रखो,
जुल्म सहन
करनेवाला
जालिम से भी
खराब आदमी होता है!!
[सन् 1962 ई.]

मानववाद

मानववाद आएगा
मनुवाद जाएगा
समतावाद आएगा
वर्ण-जातिवाद जाएगा
संविधानवाद आया है
तो ब्राह्मणवाद जाएगा।
[सन् 1965 ई.]

नेता का पहाड़ा

नेता एकम नेता।
नेता दूनी भाषण।
नेता तिया अनशन।
नेता चौक प्रदर्शन।
नेता पंजे शराब शिकार।
नेता छक्के लगे दरबार।
नेता सत्ते माँगे वोट।
नेता अट्ठे काटें नोट।
नेता नौवे निपोरें खीस।
नेता दसावन चार सौ बीस।

[सन् 1968 ई.]

नेता चालीसा

[दोहा]

नेता कारण विनाश घर, करते बंटाढार।
वरणौं नेता सकल जस, निज गति मति अनुसार॥
सब सुखदायक जानि, सुमिरौं ब्लैक कुमार।
अब तो परमिट देहु मोहि, हरहु कलेश विकार॥

[सन् 1970 ई.]

अछूत!

हल को हकाय लेते
निदोंनी कराय लेते
लावनी कराय लेते
दँवरी चलवाय लेते
लूह में अन्न उड़वाय लेते
अन्न ढुलवाय घर में भरवाय लेते
डोली ढुलवाय लेते
डोली से दुल्हन उतरवाय लेते
पानी भरवाय लेते
आटा पिसवाय लेते
चौका-बरतन करवाय लेते
हम हैं इतने मजबूत!
अब हम नहीं हैं अछूत?
बताओ!
अन्न उठवाते
घर में रखवाते
आटा मड़वाते
चौका-बरतन करवाते
डोली ढुलवाते
दुल्हन उतरवाते
आधा दाल डलवाते
दाल में हल्दी डलवाते
बस!
एक चुटकी
नमक डालने में 'अछूत'!
वाह रे! वाह!!

बताओ!
तुम कैसे ब्राह्मण?
हम कैसे अछूत?
तुम कैसे राजपूत?
हम कैसे अछूत?
तुम कैसे सवर्ण?
हम कैसे अवर्ण?
तुम कैसे सछूत?
हम कैसे अछूत?

[सन् 1972 ई.]

नेता चालीसा

[चौपाई]

जय जय नेता सब गुण आगर, जय खादीश ढोंग के सागर।
महँगाई दूत, वीर बलधामा, पहने चूड़ीदार पजामा।
पीठ दिखावन, नर बहुरंगी, सुमति निवार कुमति के संगी।
खद्दर बसन, मुकद्दर धारी, भारत की घातक बीमारी।
हाथ बेग अरु बेंत बिराजे, तन पर नेहरू जाकिट साजे।
स्वारथ सुवन, सियारन जैसा, अड़ियल टट्टू, सड़ियल गैया।
विद्याहीन, किन्तु अति चातुर, खूब ब्लैक करिवे को आतुर।
कुटिल रूप धरि कर मुसकावा, विकट रूप धरि धौंस दिखावा।
हिटलर बनें, विरोधी मारे, भ्रष्टाचार बढ़ावन हारे।
जेल गए थे, बन मनमौजी, पर निकले बनकर नेता जी।
जो सनमुख आ गए सिपाही, टुपिया, धुतिया, माहिं छिपाई।
पर अब सब तुम्हरो यश गावें, कोतवाल हू हाथ मिलावें।
तुम उपकार कबहुं नहिं कीन्हां, कबहुं न काहू को सुख दीन्हां।
गिद्धों की सी दौड़ रही है, इस जमात का अर्थ यही है।
तुम्हरो पन्थ जगत् ने माना, परमिट मिले, सबन मनमाना।
दुर्गुण काज जगत् के जेते, सुगम अनुग्रह तुम्हरे तेते।
सज्जन लोग निकट नहिं आवें, जब नेता जी गाल बजावें।
सब दुख सहे तुम्हारी शरणा, तुम भक्षक जनता सुख हरना।
जब नेता अपने पर आवे, तब सबके मुँह बन्द करावे।
है युग में परताप तुम्हारा, सज्जन नर तुम से ही हारा।
गुंडा गण के तुम रखवारे, सज्जन वृन्द विनाशन हारे।
लाइसेन्स परमिट के दाता, अवसर दीन्हाँ तुम्हें विधाता।
ब्लैक रसायन तुम्हरे पासा, तुम्हरो मन सेठन को दासा।
तुम्हरौ अदा जगत् को खावै, तू मुफते में पान चबावै।
अन्त काल बुढ़ापा आई, नाती करै पिटाई-कुटाई।

ऊपर उजला भीतर काला, देखन में अति भोला भाला।
पल में उलटि वचन विष घोले, पल में पलट प्रेम सों बोले।
या को भेद नहीं कोई जाने, जो जस चाहे, सो तस माने।
जीवित बाप मुँड़ाए मूँछें, ऐसे नेता को सब ही पूछें।
बड़े भाग्य से पदवी पाई, चापलूस अखबार गवाई।
पूज्य पिताजी बेचें भाजी, पर बेटा अब हैं नेताजी।
जब नेता को मस्ती आवे, पागल कुत्ता सो गुर्रावे।
नेता मुख से सुन कटु बानी, मरे मोहल्ला वालों की नानी।
जो नेता की स्तुति करहीं, नोटन से निज जेबें भरहीं।
जनता के सुख सोखन हारे, हे नेता तुम से सब हारे।
संकट पड़े अड़े अति बीरा, ऐसे नेता हैं बलबीरा।
जो चाहें निज ब्लैक कमाई, नेताजी की करौ बड़ाई।
यह चालीसा जो नहिं गाते, सो नर घोर जेल में जाते।
जो न पढ़े नेता चालीसा, ताको मिले न रुपया पैसा।
'ललई' हैं, तब चेरा, जल्द उखाड़ो तम्बू-डेरा।

[सन्1972 ई.]

[दोहा]

स्वारथ मय संकट करण, मंगल नाश कुरूप।
लोभ, ढोंग, तिकड़म सहित, दुःख सहहु शठ रूप॥

[सन्1972 ई.]

स्पष्टीकरण-शब्द 'भ्रष्टाचार' में दलाली, सिफारिश, भाई-भतीजावाद व अन्याय अत्याचार को बढ़ावा देना आदि सभी दुर्गुण शामिल हैं।

विनम्र-निवेदन

लेखक व प्रकाशक की मंशा किसी देशभक्त नेता जी को बदनाम करना नहीं है। ऐसे नेता सदा वंदनीय रहे हैं, रहेंगे। परन्तु आज कल कुछ ऐसे नेता भी हैं जिनकी परिभाषा इस 'नेता चालीसा' व 'नेता का पहाड़ा' में की गई है। पाठकगण ऐसे स्वार्थी नेताओं से सदा सावधान रहें! बस, यही मंशा है!

धन्यवाद!

संशोधन कर्ता

पेरियार ललई सिंह

स्वतंत्रता संग्राम सेनानी,
हाई-कमांडर, ग्वालियर नेशनल आर्मी तथा
अध्यक्ष : नॉन गजेटेड मुलाजिमान पुलिस एंड आर्मी संघ
(भूतपूर्व-ग्वालियर, गवर्नमेंट)

आप सबका

दिनांक—1 सितम्बर, 1987 ई.

—पेरियार ललई सिंह

भीम अभिनन्दन

भीम अभिनन्दन
बोधिसत्व बाबा साहेब डाक्टर भीमराव रामजीराव अम्बेडकर
सम्पादक :– पेरियार ललईसिंह
प्रकाशक :– अशोक पुस्तकालय , २०९३०२ (कानपुर)
मूल्य —

जय भीम

जय भारत

जय शोषित

॥ नमो बुद्धाय ॥

भीम अभिनन्दन

बोधिसत्व बाबा साहेब डॉक्टर भीमराव रामजीराव अम्बेडकर

सम्पादक

पेरियार ललई सिंह

प्रकाशक

अशोक पुस्तकालय

झींझक, जिला—कानपुर,

उत्तर प्रदेश, भारत 209 302

पहली बार 14 अप्रैल, 1967 ई.

प्रथम बार 3,000 प्रतियाँ प्रकाशित

दूसरी बार सन् 1969 ई.

तीसरी बार सन् 1972 ई.

तीसरी बार 8000 प्रतियाँ प्रकाशित

चौथी बार सन् 1975 ई.

पाँचवीं बार सन् 1978 ई.

छठी बार सन् 1981 ई.

सातवीं बार सन् 1982 ई.

आठवीं बार सन् 1984 ई.

नौवीं बार सन् 1986 ई.

दसवीं बार सन् 1988 ई.

ग्यारहवीं बार सन् 1990 ई.

मुद्रक

पेरियार प्रेस

झींझक, जिला—कानपुर

उत्तर प्रदेश, भारत-209 302

मूल्य : 1.50 पैसा

भीम अभिनन्दन

अहो पुजारी मानवता के, भीमराव अभिनन्दन लो।
पुनः तथागत के परिचय में, जन-जन का अभिनन्दन लो॥ टेक॥

पुनः तथागत की वाणी दे, दिया हमें बिहंसाई।
पंडित के आखेट बने थे, उससे लिया बचाई॥
ऊँच-नीच का भेद मिटाकर, समता दी बिखराई।
दिए पालि जग फुलवारी के, मुरझे सुमन खिलाई॥
दे जगमग आलोक धरा के, हरा धरा के कृन्दन को॥ 1॥

दलित मनुज हो मगन कह रहे, तुमसे करुणाकारी।
बाबा साहब भीमराव ने, सुन ली टेक हमारी॥
हम सब थे मन ही दलित, हमा पर थी विपदा भारी।
गौतम की पावन वाणी दे, मिटा दी विपदा सारी॥
तोड़ गए हो भीमराव तुम, जाति-भेद के बन्धन को॥ 2॥

जिनने परहित वैभव छोड़ा, छोड़ा सब परिवार।
उनकी ही फिर पूजा करने, उमड़ पड़ा संसार॥
फिर गौतम के पंचशील की, चहुँ दिशि है गुंजार।
भीम उन्हीं के संग में तेरी, गूँजे जय-जयकार॥
समा गए हो हर घट-घट में, बोधि सत्व जग वन्दन को॥। टेक॥

—प्रेम राज बौद्ध
राहिन (इटावा)

भीम वन्दना

हे भीम! तुम्हें शत् शत् प्रणाम
हे भीम! तुम्हें शत् शत् प्रणाम॥ टेक॥
तुम शुभ प्रभामय ज्योति पुंज।
तुम भौतिक-लौकिक शक्ति पुंज॥
जोति पाणि के पुण्य धाम॥ 1॥
निश्चय में हिमगिरि से निश्चल।
कर्तव्य मार्ग में दृढ़ अविकल॥
सोचा न कभी तुमने विराम॥ 2॥
तुम तूफानों में झुके नहीं।
तुम चट्टानों से रुके नहीं॥
दो ज्ञान करें हम वही काम॥ 3॥
तुम अनुपम ज्ञान प्रभाकर थे।
तुम करुणा के पावन सागर थे॥
तुम से तुलना क्या करें तमाम॥ 4॥
जब घोर अँधेरा छाया था।
तब तुमने बिगुल बजाया था॥
जागे जनपद सब नगर ग्राम॥ 5॥
तुमने कष्टों को दूर किया।
तुमने दीनों को दूर किया॥
अब कौन रह सकेगा गुलाम॥ 6॥
तुमने जीवन बलिदान किया।
दलितों को जीवन दान दिया॥
होंगे कृतघ्न जो लें न नाम॥ 7॥

—निहाल सिंह केन

भीम चरित्र

जय जय श्री भीमराव, जय अम्बेडकर महान्।
भारत में प्रकट हुए, खूब बढ़ाई शान॥
बड़े प्रेम से मिलना सबसे दुनिया में इन्सान रे॥ तर्ज॥
हुए देश में प्रकट बढ़ाने, लाज हमारी शान की।
सुनो सुनाएँ तुम्हें कहानी अम्बेडकर महान की॥ टेक॥
दलितों के संकट हरने को, धर मनुज तन आए थे।
हुआ अँधेरा दूर सभी, जो गम के बादल छाए थे॥
पिता श्री रामजीराव ने, अति आनन्द मनाए थे।
छोटा-सा स्कूल पिता ने, पढ़ने को बैठाए थे॥
देख भीम को फट गई छाती, ढोंगी बेईमान की॥ 1॥
छुआछूत करते थे भारी, पहले ये सब अन्यायी।
अलग दिया बैठाय भीम को, दिल में नहीं दया आई॥
जैसे तैसे भीमराव ने, बी.ए. की शिक्षा पाई।
सन् उन्नीस सौ बारह में, अमरीका पहुँचे जाई॥
उल्टी-सीधी चाल भीम ने देखी हिन्दुस्तान की॥ 2॥
अमरीका में रहे खुशी से, कभी न दिल में डर आई।
पी-एच.डी. डिगरी पाकर, बाबा मन में हर्षाए॥
विद्या पढ़ने की कोशिश में, भीमराव लन्दन धाए।
कर पास बैरिस्टरी लौटे, औ भारत वापस आए॥
श्री महाराज बड़ौदा ने भी, कसर न राखी दान की॥ 3॥
स्टेट बड़ौदा में रहने की, जगह नहीं मिल पाई।
प्रोफेसर बाबा से भी लोगों ने, छुआछूत दिखलाई॥
बैरिस्टर बाबा को न्यायालय में सीट नहीं मिलने पाई।
ऐसे दुर्व्यवहारों से जब, बुद्धि उनकी चकराई॥
सेवा करूँ अछूतों की, दे बाजी अपनी जान की॥ 4॥

अमेरिका, इंग्लैंड, जर्मन, देश-विदेशों में डोले थे।
अन्धकार में पड़े हुए, बाबा ने दलित टटोले थे॥
सदियों से थे जो दबे हुए, भड़क उठे वे शोले थे।
अरे जालिमो, जुल्म न ढाओ, बाबा ऐसे बोले थे॥
जितनी करूँ प्रशंसा कम है, ऐसे वीर महान् की॥ 5॥

अति दुःख मन में मात, दुखी देखे बहुत नर-नारी।
दलित वर्ग की बागडोर, फिर अपने हाथ संभारी॥
जुल्म अछूतों पर ढावें, न माने अत्याचारी।
हँसि-हँसि जुल्म सहे हिन्दुओं के, हटे न कभी पिछारी॥
मानवता के आगे, फिर कुछ चली नहीं शैतान की॥ 6॥

अति निःशंक दलितों का नेता, फिर लन्दन को धाया था।
राउंडटेबिल कॉन्फ्रेन्स में, जाकर मानवता का वचन सुनाया था॥
हिस्सा अलग अछूतों का, बाबा लन्दन से लाया था।
हक अछूतों को भी मिल गया, गांधी ने सुन पाया था॥
हमें मिटाया गांधी ने, दे धमकी अपने प्राण की॥ 7॥

गांधी कहे मान जा बाबा, हुक्म बजाऊँगा।
हक्क अछूतों को मिलने से, पहले प्राण गवाऊँगा॥
करूँ भूख हड़ताल भूख से, तड़प-तड़प मर जाऊँगा।
जब तक दस्तखत नहीं करोगे, मैं खाना नहीं खाऊँगा॥
दुष्ट पिछाड़ी ऐसे पड़ गए, बाबा की मति हैरान की॥ 8॥

पूना पैक्ट पर दस्तखत कर, गांधी की जान बचाया।
कर बैरिस्ट्री नेताओं को काले पानी से छुड़वाया॥
अजब निराला भारत का, बाबा ने संविधान बनाया।
नारी और शूद्रों को, सारे अधिकार दिलाया॥
देशभक्त बाबा की जय हो, अद्वितीय विद्वान की॥ 9॥

सत्याग्रह करके 'महाड़' में सब को जल पिलवाया था।
अछूतों को पानी पीने का, कानूनी हक दिलवाया था॥
'कालाराम' में सबके संग, मन्दिर प्रवेश को धाया था।
राम के दर्शन के बदले में, लाठी-डंडा खाया था॥
हम सब हिन्दू नहीं जान लो, बाबा ने ऐलान की॥ 10॥

हिन्दू धर्म हमारा है नहीं, सभी नर-नारी जान लो।
इसी धर्म ने शूद्र वंश पर, भारी विपदा डारी॥
हिन्दू हो कर जनम ले लिया, इसमें नहीं बस मेरा।

हिन्दू रहकर नहीं मरूँगा, ऐसा प्रण है मेरा॥
भीम प्रतिज्ञा सुन कर, हिल गई धरती हिन्दुस्तान की॥ 11॥

बुद्ध शरण में जा बाबा ने, अपने प्रण को पूर्ण किया।
जातिवर्ण अभिमानी के, मद को चकनाचूर किया॥
युग-युग से थे जो दीन दलित, उनके दुःख को दूर किया।
रहे चैन से प्रदेश देश तक, ऐसा इन्हें संविधान दिया॥
नत मस्तक है तेरे सामने, जनता हिन्दुस्तान की॥ 12॥

नमो भीमाय

ध्रुव धर्म धुंधरं शील राशि शुभाननम्।
वयं वन्दा महे वन्धं भीमम्म्बेड नामकम्॥

अर्थ : जो ध्रुव (अटल) धर्म को धारण करनेवाले हैं, शुभ मुख वाले हैं, वंदना करने योग्य हैं, ऐसे बोधिसत्व स्वरूप अम्बेडकर को हम प्रणाम करते हैं।

भजन नं. 1

टेक—हे भीम ! करूँ तेरी वंदना डूबते से हमें उबारे।
नमो-नमो जय भीम हमारे, कोटि-कोटि दलितों के प्यारे॥
सदियों के दुःख तूने टारे, मिटा दिए भव बन्धना सब लग गए जाएँ किनारे॥ हे भीम...1॥
मानवता थी बड़ी दुखारी; त्राह-त्राह सब रहे पुकारी।
संघर्ष कीना है अतिभारी, हर लए सब दुख वेदना।
तेरा जग बोले जयकारे॥ हे भीम...2॥
भेद-भाव की मेंटी खाई, बुद्ध की शरण दिए पहुँचाई,
न्याय नीति की राह लखाई, भई अधर्म की खंडना।
हुए पोपों के मुख कारे॥ हे भीम...3॥
धर्म का चक्र चलाया तूने, पोपन सबक सिखाया तूने,
बौद्धभाष्य परखाया तूने, ज्ञानी शुभ गुण गंधना जासे मानव हुए सुखारे॥ हे भीम...4॥

भजन नं. 2

टेक—जागो हे मूल भारत के निवासी हो।
सोबत-सोबत तुम ऐसे सोय गए, अजहूँ छाई मन उदासी हो॥ मूल भारत...1॥
धन दौलत सब लूट लुटेरे, कीनी अति घटियाई हो॥ मूल भारत...2॥
आई आजादी तन होश ल्याओ, सब विधि भीम बनाई हो॥ मूल भारत...3॥
बौद्धभाष्य उठ सोचन लागे, तनक न आए रहाई हो॥ मूल भारत...4॥

भजन

[बाबा साहब का लन्दन तक संघर्ष]

टेक—गरीबी मेरी जान भीमराव लन्दन में जाके संघर्ष किया महान।
हिन्दू कुआँ छुअन न देवें घड़ा छुअत लें प्रान।
मुख से कहे कहो तुम हिन्दू कैसे लगे ठिकान॥ गरीबी मेरी...1॥
हवन यज्ञ तक पहुँच न पावें शोषित अधम बखान।
वेश्या के घर में घुस जावें होए न धर्म की हान॥ गरीबी मेरी...2॥
सेवा करे से शूद्र कहावें गुण-अवगुण नहिं जान।
धन-दौलत सब क्षीण हमारी आप बने धनवान॥ गरीबी मेरी...3॥
साँच-झूठ हो चलकर देखो भारत के दरम्यान।
कई प्रमाण भीम बतलाए, जाए परखो विद्वान॥ गरीबी मेरी...4॥
प्रथक निर्वाचन मिला भीम को, गांधी भए हैरान।
बौद्धभाष्य वापस हो बापू जी गए अनशन ठान॥ गरीबी मेरी...5॥

कवि बौद्ध भाष्य
—डॉ. अम्बेडकर
बुद्ध विहार ग्राम व पोस्ट—घिंलौर
जिला—जालौन, उत्तर प्रदेश, प्रथम सन् 1980 ई.

भीमाबाई के ललना

!! अइयो मेरी कुटिया में, भीमाबाई के ललना!!

भीमबाई के ललना, रमाबाई के सजना॥ अइयो...॥
भाँति-भाँति के भोजन बनाऊँ,
जेइयो मेरी कुटिया में, भीमाबाई के ललना॥ अइयो...॥
सोने के लोटन में जल भरि लाऊँ,
पिअऊ मेरी कुटिया में, भीमाबाई के ललना॥ अइयो... ॥
रंग-बिरंगे फूलों से कमरा सजाऊँ,
पावन करि जइयो कुटिया भीमाबाई के ललना॥ अइयो... ॥
सब सखियन को न्योति बुलाऊँ,
दर्शन दे जइयो मेरी कुटिया में, भीमा के ललना॥ अइयो... ॥
दीप जलाऊँ आरती उतारूँ,
सारे कष्ट मिटइयो भीमाबाई के ललना॥ अइयो... ॥

—आशा गौतम

बाबा के दर्शन करि आएँगे

चलो सखि बाबा के दर्शन करि आएँगे।
बाबा के देश में भिक्षु संघ है,
चला सखि भिक्षुओं को दान दे आएँगे।
बाबा के देश में दुखिया बहुत हैं,
चलो सखि दुखियों के दुख मिटाएँगे॥ चलो सखि...1॥
बाबा के देश में अज्ञानी बहुत हैं,
चलो सखि उनको ज्ञान दे आएँगे।
बाबा के देश में अनपढ़ बहुत हैं,
चलो सखि उन्हें शिक्षा दे आएँगे॥ चलो सखि...2॥
बाबा के देश में पाखंडी बहुत हैं,
चलो सखि ढोगों से मुक्ति दिला आएँगे।
बाबा हमारे महापुरुष हैं,
चलो सखि उन्हें माला पहना आएँगे॥ चलो सखि...3॥
बाबा हमारे धर्म के दाता,
चलो सखि बाबा से दीक्षा ले आएँगे।
बाबा हमारे दलित उद्धारक,
चलो सखि सबको समान करि आएँगे॥ चलो सखि...4॥

—आशा गौतम

मैं तो दर्शन करने जाऊँगी

मैं तो दर्शन करने जाऊँगी अपने भीम बाबा के।
भाँति-भाँति के भोजन बनाकर, थालों बीच सजाऊँगी।
मैं तो भोजन खिलाने जाऊँगी, अपने भीम बाबा को॥ मैं तो दर्शन करने...1
निर्मल जल भरिके मैं लाऊँ, लोटा बीच सजाऊँगी।
मैं तो नीर पिलाने जाऊँगी, अपने भीम बाबा को॥ मैं तो दर्शन करने...2
बेला चमेली के फूल ले जाऊँ, माला गूँथि बनाऊँगी।
मैं तो माला पहनाने जाऊँगी, अपने भीम बाबा को॥ मैं तो दर्शन करने...3
संग सहेली साथ में लेकर, सभास्थल पै जाऊँगी।
मैं तो भाषण सुनने जाउँगी, अपने भीम बाबा के॥ मैं तो दर्शन करने...4
धूप-बत्ती-दीप जला कर थाली बीच सजाऊँगी।
मैं तो पूजन करने जाऊँगी, अपने भीम बाबा के॥ मैं तो दर्शन करने...5॥

—आशा गौतम

कीर्तन

तर्ज—चोर समझी थी थानेदार निकला
टेक—भीम बाबा तू बड़ा विद्वान निकला,
दीन-दुखियों का तू भगवान निकला।
दुखियों के दुःख को मिटाया तूने,
भूलों को मारग बताया तूने।
शोषितों को आकर जगाया तूने,
मानव के भ्रम को भगाया तूने।
महिरबानों में बड़ा महिरबान निकला॥ भीम...1॥
सूखे चमन को खिलाया तूने,
उजड़े हुओं को बसाया तूने।
गिरते हुओं को उठाया तूने,
मुरदों को जिन्दा बनाया तूने।
दान दाता विधाता महान निकला॥ भीम...2॥
धर्म का दीप जलाया तूने,
अज्ञान का तिमिर नशाया तूने।
समता का पाठ पढ़ाया तूने।
सतानन्द सत्य लखाया तूने।
नए युग का नया विहान निकला॥ भीम...3॥
भीम बाबा तू बड़ा विद्वान निकला।
दीन-दुखियों का तू तो भगवान निकला॥ भीम...4॥

—आशा गौतम

फाग पड़ुआ की तर्ज

टेक—भीमा के लाल भये मानव हितकारी।

अ. 1—

एक बार भीमा सुत एक तरु तरें जाए,
राज बड़ौदा पथ में रहे नीर बहाए।
दुखी होते अति मन में कोई साथी नाय,
ना कोई धीर बधईया रहो जिया घबड़ाए।
करी प्रतिज्ञा भारी समता हित, आए,
मानव भरी विषमता हम देय मिटाय।
मूल निवासी तड़फत धोखे के जाल,
भये मानव हित कारी॥ भीमा के लाल...

अ. 2—

एक बार पढ़ने को अमरीका जाए,
कोलम्बिया में जाके, डिगरी कई पाए।
पढ़त 18 घंटे हिय में सुख पाए,
फिर गए लन्दन में जरमन में जाए,
उसमानिया में जाके शिक्षा लई पाए।
वार, एट लॉ कीनी बाबा ने जाए।
भए विद्या के वारिध रामजी के लाल,
भए मानव हितकारी॥ भीम के लाल...

अ. 3—

एक बार लन्दन में दई-पैज लगाए,
भरी सभा में कहदई शोषित हित जाए।
नेहरू-गांधी से नेता सब गए घबड़ाए,
आजादी नहि मिलि है फूटन में आए।
तब पूछी बाबा से देव भेद बताए,
कहो तुम्हें का चहिए सो देव तबाए।

पहले आजाद करै हैं भारत के लाल,
भए मानव हितकारी॥ भीम के लाल...

अ. 4—

जाए नागपुर बाबा, धम्म चक्र घुमाए,
पाँच लाख नर-नारी सद्धर्म अपनाए।
बुद्ध शरण में सु आके हिय में हर्षाय,
चन्द्रमणि महाथेरा दये शील सुनाय।
बौद्ध वृक्ष पर बाबा ने दयो नीर चढ़ाए।
वसुंधरा पर फिर से द्रुम गयो लहलाए।
सतानन्द समता युग अम्बर भयो लाल,
भए मानव हितकारी।
भीमा के लाल भए मानव हितकारी॥

—आशा गौतम

बुद्ध अम्बेडकर भजनावली
प्रकाशक—बौद्ध परिषद्, पिलग्राम, हरदोई, उ.प्र.
प्रथम संस्करण—14 अप्रैल, 1984 ई.
मूल्य—1.25 रुपये

भीम

हम नहीं हिन्दू-मुसलमां,
हम नहीं शेखो-बिरहमन
हम नहीं काजी-पुरोहित,
हम नहीं रामो-रहीमन
भेद से आगे खड़े हम,
फर्क से अनजान हैं हम,
'भीम' का मजहब यही है कि
फकत इनसान हैं हम।

—दुर्गाप्रसाद चीटहल
डॉ. अम्बेडकर साहित्य प्रचारक
जबलपुर (म.प्र.)1976

अमर कहानी

सुनो सुनाएँ दुनिया वालो बाबा की यह अमर कहानी।
इतनी उज्ज्वल इतनी निर्मल जितना नर्मदा जी का पानी॥ टेक॥
दलित जाति में जन्म लिया था पिता गरीब मिले थे।
तेरह बहन-भाइयों के बाद चौदहवें सुमन खिले थे।
शाश्वत् सात बन्धु-बान्धव में मिली कीर्ति मनमानी॥ 1॥
जब भीमा बाई की कोख चौदहवें लाल ने जन्म लिया।
पूज्य पितामह ने प्रसन्न हो भीमराव तब नाम लिया॥
बजी बधाई घर-घर में यह बात सभी ने जानी॥ 2॥
लाड़-प्यार भरपूर मिला सूरत मिली सलोनी।
विद्या पढ़न गए शाला तब हुई वहाँ अनहोनी॥
रहे व्यथित प्यास से, किसी ने दिया न थोड़ा पानी॥ 3॥
भीमराव ने लगन लगा कर विद्या अर्जित की थी।
हाई स्कूल परीक्षा में तब श्रेणी प्रथम मिली थी॥
दलित छात्र की श्रेणी से भी हुई बहुत हैरानी॥ 4॥
होनहार मेधावी छात्र के मन लगन लगी थी।
शिक्षा की चोटी पर पहुँचे मन लालसा जगी थी॥
अथक परिश्रम के बल पर वे बनें मर्म के ज्ञानी॥ 5॥
सूर्य भविष्य का चमका औ किलीस्कर जी को पाया।
महाराजा बड़ौदा से स्कॉलरशिप उन्हें दिलाया॥
दलित पुत्र सबके आगे बढ़ गया महा विज्ञानी॥ 6॥
राजनीति और अर्थशास्त्र में डी-लिट्, था जब पास किया।
कोलम्बिया विश्वविद्यालय ने उनको था सम्मान दिया॥
भारत में आदर्श छात्र की चर्चित हुई कहानी॥ 7॥
आजादी के लिए आपने क्रान्ति बिगुल बजाया।
शोषित-दमित अछूत वर्ग सब पीछे उनके आया॥
जय भारत, जय भीमराव की उठी गूँज तूफानी॥ 8॥

विप्र, वणिक ने मिलकर जब दलितों का हक ठुकराया।
विप्लव उठा देश में भारी, गोरों को समझाया॥
भीमराव का रौद्र रूप लखि झुके सभी अभिमानी॥ 9॥

दिन-रात मेहनत कर के जब नया संविधान बनाया।
भीमराव ने तीक्ष्ण बुद्धि का कौशल तब दिखलाया॥
दलितों को अधिकार सौंप कर काम किया इन्सानी॥ 10॥

लोकसभा में बाबा को विधि मंत्री प्रथम बनाया।
नारी को अधिकार और दलितों को मान दिलाया॥
जातिवाद के शैतान की वहाँ चली नहीं मनमानी॥ 11॥

हरन दलित संताप हित में बाबा भीम पधारे।
स्वयं अनेक कष्ट सहे निर्बल के बने सहारे।
जातिवाद के उन्मूलन की मन में दीक्षा ठानी॥ 12॥

हिन्दू के विश्वास और निष्ठा से जब मन ऊब गया।
ऊँच-नीच का भूत भीम के दिल-दिमाग को शूल गया॥
विश्व शान्ति के लिए मन से बन गए बौद्ध अनुयायी॥ 13॥

पाँच दिसम्बर उन्नीस सौ छप्पन रात घिरी अँधियारी।
लेखन कार्य समाप्त किया तो नींद लगी अति प्यारी॥
छः दिसम्बर को समाप्त हुई, भीमराव की अमृतबानी॥ 14॥

—रा.प्र. सचिदानन्द
295, सुरेश नगर, गांधी रोड
ग्वालियर, म.प्र.

अरमान था अम्बेडकर

माँ भारती की गोद का अरमान था अम्बेडकर।
नीतिवानों में कुशल श्रीमान था अम्बेडकर॥
हिन्दोस्तान की इक निराली शान था अम्बेडकर।
दलितों पीड़ितों की यारो जान था अम्बेडकर॥ 1॥

बोले मुसलमां यों कि मुसलमान था अम्बेडकर।
औ' ईसाई ने कहा क्रिस्तान था अम्बेडकर॥
दुनिया वालों के लिए विज्ञान था अम्बेडकर।
पर हिन्दुओं के देश में हिन्दू न था अम्बेडकर॥ 2॥

ज्ञानियों की खोज में ज्ञान था अम्बेडकर।
योगियों की दृष्टि में भी ध्यान था अम्बेडकर॥
दृढ़ प्रतिज्ञों की नजर में आन था अम्बेडकर।
यारो, देश का निराला इसांन था अम्बेडकर॥ 3॥

दुष्ट लोगों के लिए पाषाण था अम्बेडकर।
साधारण के लिए आसान था अम्बेडकर॥
दीन-दुखियों पर वो मेहरबान था अम्बेडकर।
नेक लोगों का कदरदान था अम्बेडकर॥ 4॥

पापियों की दृष्टि में अज्ञान था अम्बेडकर।
पक्षपाती के लिए अंजान था अम्बेडकर॥
बोला पुरोहित बड़ा शैतान था अम्बेडकर।
पाखंडी ढोंगी कहें हैवान था अम्बेडकर॥ 5॥
एक यों बोले बड़ा नादान था अम्बेडकर।
मैंने उनसे कह दिया इनसान था अम्बेडकर॥
बोला कबीर दूर से ईमान था अम्बेडकर
बोले जमी औ आसमां भगवान था अम्बेडकर॥ 6॥

मौलवी साहब ने कहा अरमान था अम्बेडकर।
एक साईं कह उठा रमजान था अम्बेडकर॥

बुद्ध की आवाज थी, निर्वाण था अम्बेडकर।
ऐसा निराला एक नव निर्माण था अम्बेडकर॥ 7॥

संविधान ने कहा विद्वान था अम्बेडकर।
देश में गणतंत्रता का ऐलान था अम्बेडकर॥
समता-स्वतंत्रता का फरमान था अम्बेडकर।
बे-ताज जो शासन करे, सुल्तान था अम्बेडकर॥ 8॥

भेद-भाव के लिए कृपाण था अम्बेडकर।
छूत-विषमता का कब्रिस्तान था अम्बेडकर॥
जाति वर्ग-वाद का अवसान था अम्बेडकर।
दुश्मनों की मौत का सामान था अम्बेडकर॥ 9॥

श्रुति धर्मियों की चाल में आता न था अम्बेडकर।
फूटी आँखों भी इन्हें भाता न था अम्बेडकर॥
मुँह सुहाने गीत भी गाता न था अम्बेडकर।
साथियों छल-छद्म का पुतला न था अम्बेडकर॥ 10॥

युग प्रवर्तक था कि अनुसन्धान था अम्बेडकर।
लहलहाता देश का उद्यान था अम्बेडकर॥
देश हित में कर गया विषपान था अम्बेडकर।
माँ भारती की गोद का अरमान था अम्बेडकर॥ 11॥

—छक्की लाल वर्मा
एम.काम., एल.एल.बी.; एडवोकेट
उरई, जालौन (उ.प्र.)

माँझी

बाबा साहेब के प्रति—

जिन्दगी के तूफां में कश्ती का माझी,
निकला जान को हथेली पर रख
आँधी थपेड़ों को जिन्दगी समझ,
लहरों के झोंकों से उलझा हुआ
हाथों में आजादी की उमंगे लिए,
मशालें लहू दिल में थामे हुए
सागर की गहराई में खोए हुए,
लहरों से कश्ती को बचाते।

अंधकार की ठोकरों से बचाते,
कश्ती को लाकर किनारे
जिन्दगी की उज्ज्वल कामना से,
खुशी की झील में खौफनाक लहर
कश्ती का माझी चमकता सितारा,
हमेशा के लिए अस्त हो गया।

—अरुण कुमार रामटेके

बुलन्द हौसला

सुनो साथियो, हमें बाबा साहेब की बात निभानी है,
अपने बोधिसत्व अम्बेडकर की हमें लाज बचानी है॥ टेक॥
जागो स्वार्थ की निद्रा से कर्तव्यशील बन जाओ,
कूट परस्ती को त्यागें, सब मिलकर एक हो जाओ;
पर एक सूत्र में बँध जाओ तो कोई न तुम्हें सताएगा
फिर कोई माई का लाल न अपना खून चूसने पाएगा
हो रही है अपने साथ जहाँ, हर तरह से बेईमानी है
अपने बोधिसत्व अम्बेडकर की... ॥ 1 ॥

सदियों से कुचले जाते हो, पर होश नहीं आया तुमको
अनेक बार अपमान हुआ, पर जोश नहीं आया तुमको
क्या लक्ष्य तुम्हारे जीवन का, उद्देश्य समझ नहीं आया
क्यों अपमानित जीते हो, सम्मान क्यों नहीं पाया
तुम्हें इज्जत पाने की खातिर करनी पड़े कुर्बानी है।
अपने बोधिसत्व अम्बेडकर की... ॥ 2 ॥

नहीं डरेंगे हम किसी से, तुम सब को बतला दो
सरकार को झुका दो, शोषक को तुम मिटा दो
माता-बहनो और पिताओ, आओ नव जवानो!
वक्त आ गया कुर्बानी का, आगे आओ दीवानो
शोषण करनेवालों की अब खतरे में जिन्दगानी है
अपने बोधिसत्व अम्बेडकर की... ॥ 3 ॥

अब नहीं सहेंगे जुल्म तुम्हारे, कह दो उन शैतानों से
अवसर हमारा आ गया है कह दो उन नादानों से
बुलन्द हौसला रहे साथियो, बात अम्बेडकर की रखना
गर माँ का दूध पिया है, तो पीछे कदम नहीं रखना
अब भी कुछ न कर सके, तो अपनी ये नादानी है,
अपने बोधिसत्व अम्बेडकर की हमें लाज बचानी है... ॥ 4 ॥

—ओम शंकर देवक

कदर न जानी

तर्ज—दिल अपना और प्रीति पराई, किसने है नीति बनाई।
अम्बेडकर की सुनो कहानी, इस दुनिया ने कदर न जानी।
स्कूलों में फर्श न दीन्हा और पीने दिया न पानी।। टेक॥
है जख्म ऐसा कि सहना है मुश्किल।
मगर दुनिया वालों से कहना भी है मुश्किल॥
था हमदर्द दुनिया का दुनिया न जानी॥
अम्बेडकर को पीने दिया न पानी॥ 1॥
सबके भले की सुनते थे बाबा।
सत्य-अहिंसा का भर कर के दावा॥
था सच्चा हितैषी और विद्या का ज्ञानी।
अम्बेडकर को पीने दिया न पानी॥ 2॥
भारत को आजाद कराया था उन्होंने।
विदेशियों को भय दिखाया था उन्होंने॥
दिया धोखा हमको गांधी ने ऐसा था अज्ञानी।
अम्बेडकर को पीने दिया न पानी॥ 3॥
विधान निर्पेक्ष भारत को बनाया।
'राही' ने गाकर सभी को सुनाया॥
उस वीर की धाक सब जग ने मानी॥
अम्बेडकर को पीने दिया न पानी॥ 4॥

—रघुवीर सिंह 'राही'
सराय लबरियान (अलीगढ़)

कैसे सफरी

भीम बाबा की खबरिया कैसे सफरी॥ टेक॥
जिस बाबा ने आकर जग में, किया देश उद्धार।
बन्धन काटे मुक्त किया है, किया ज्ञान संचार॥
हुई गई दलितों की कदरिया॥ 1॥
रचा विधान सकल जग जाने, कैसा किया कमाल।
दे कानून बना रखे हैं, काटि देत जंजाल॥
कटि गई विपदा की अबरिया॥ 2॥
पढ़ लिखकर बहु विद्वान हुए, करि दिखलाये काम।
डॉक्टर, कलेक्टर, मिनिस्टर, अफसर बने तमाम॥
फोड़ी पापों की गगरिया॥ 3॥
इतने पर भी जो जन बाबा का, करे नहीं गुणगान।
'बाबूलाल' नहीं नर मानव, निश्चय पशु समान॥
फूटी हिये की नजरिया॥ 4॥

—बाबूलाल
दखिनारा, मैनपुरी (उ.प्र.)

डॉ. अम्बेडकर जैसा

तर्ज—सनम तू बे-वफा के नाम से मशहूर
(चित्रपट/फिल्म—खिलौना)

देश और धर्म का इतना कोई भी मानी नहीं होगा।
डॉक्टर अम्बेडकर जैसा दुनिया में कोई भी ज्ञानी नहीं होगा॥ टेक॥

भीम की धर्म-दीक्षा का जहाँ में बोल बाला है।
उनकी ही बदौलत हमारे घर पर उजाला है॥
हमें तन-मन-धन देनेवाला कोई भी दानी नहीं होगा॥ 1॥

कुरआन, बाइबल, वेद उन्हें त्रिपिटक जुबानी था।
दूसरा बुद्ध ही जग में मानवता का गुमानी था॥
भीम के सम संविधान का कोई भी ज्ञानी नहीं होगा॥ 2॥

कृष्ण, राम, गांधी भी चातुर्वर्ण के बन्दे थे।
भारत के हिन्दू महाराजे आँखें होकर अन्धे थे॥
जंजीर भीम ने तोड़ी उन जैसा ज्ञानी नहीं होगा॥ 3॥

कहे 'सूर्य कान्त' भीम जी का हर काम जिन्दा है।
उनका काम जिन्दा है, उनका पैगाम जिन्दा है॥
इन्हें असत्य कहना जमाने में मानी नहीं होगा॥ 4॥

—आचार्य सूर्यकान्त,

बुद्ध वाणी प्रकाशक

अल्लीपुर, वर्धा (महाराष्ट्र)

गारी

तर्ज—छोड़ी-छोड़ी महाराजा सीता को अकेली कैसौ...
टेक—तोड़ी-तोड़ी महाराज, तोड़ी-तोड़ी महाराज
भीम ने दास्ता तोड़ी-तोड़ी महाराज।
लन्दन तक संघर्ष कियो है देख दलित कमजोरी
बाबा देख दलित कमजोरी।
जुल्मी जुल्म ढाए बहुतक अब न चल है बरजोरी।
बरजोरी महाराज बरजोरी महाराज। भीम...1
प्रथक निर्वाचन मिला दलितों को भीम महिर है तेरी,
बाबा भीम महिर है तेरी।
गांधीजी ने अनशन कर दियो अमृत में विष घोरी
घोरी-घोरी महाराज घोरी-घोरी महाराज। भीम...2
धर्म निर्पेक्ष संविधान बनाकर राष्ट्र की रक्षा हेरी, बाबा राष्ट्र की रक्षा हेरी।
बुद्ध की शरण जाए तूने दिया धर्म विधर्मी छोड़ी
छोड़ी-छोड़ी महाराज छोड़ी-छोड़ी महाराज। भीम...3
लोकतंत्र की रक्षा हित है भीम पार्टी तेरी, बाबा भीम पार्टी तेरी।
धर्म की सीख सिखा मानव, दिया विश्व से रिश्ता जोड़ी।
जोड़ी-जोड़ी महाराज जोड़ी-जोड़ी महाराज। भीम...4
शोषित पीड़ित बढ़ो अगाड़ी पूर्ण आस हो तेरी,
बाबा पूर्ण आस हो तेरी। बौद्धभाष्य सुख शान्ति पैहो कबहुँ न होवे खोरी,
खोरी-खोरी महाराज खोरी-खोरी महाराज। भीम...5

कवि बौद्ध भाष्य
—डॉ. अम्बेडकर
बुद्ध विहार, ग्राम व पोस्ट—घिंलौर,
जिला—जालौन, उत्तर प्रदेश, सन् 1980 ई.

!! पद !!

टेक—पुन-पुन नमन् करत हम ताको।
जिसने राज पाठ घर छोड़ा पिता-पुत्र बन ताको।
गया में ज्ञान अभाव भयो है बोधि वृक्ष तरे जाको॥
पुन-पुन नमन् करत हम ताको॥ 1॥
सम्यक् सरल सुबोध शशि ज्यों है प्रकाश प्रज्ञा को।
सो अरहत जो पीतराग हैं अष्टांगिक पथ जाको॥
पुन-पुन नमन् करत हम ताको॥ 2॥
चार आर्य सत्य कहे उसने तिमिर हरो बसुधा को।
सबहीं पारमिता पूरी की लेखा अट्ठथा को॥
पुन-पुन नमन् करत हम ताको॥ 3॥
कहे सम्बोध सात उसी ने दुःख दलन जनता को।
सतानन्द जी विश्व विदित है नाम बुद्ध है जाको॥
पुन-पुन नमन् करत हम ताको॥ 4॥

—भिक्षु सतानन्द (थेरा)
बुद्ध विहार आलमपुर, पोस्ट—हदरुख,
जिला—जालौन, उत्तर प्रदेश, 14 अप्रैल, 1984

श्रीयुत् बाबा साहब

भीमराव रामजी अम्बेडकर

श्री जिनकी छा गई जगत् में, भारत की वहु सूचि सम्मान।
युवकों का आदर्श सिंह वह, निर्बल का बलबीर महान्॥
तन-मन-धन जिसने अपना सब, दुखियों हित कर डाला त्याग।
बालक, वृद्ध, तरुण सबके हित, जिनके उर में था अनुराग॥ 1॥

वाणी जिसकी ओजपूर्ण थी, हृदय दुखी हित मृदुल उदार।
सादा जीवन उच्च भावना, था जिसके जीवन का सार॥
हमें क्रान्ति जो अनाचार के, अग्नि कुंडों में हुआ प्रतप्त।
बलि हो गया स्वदेश जाति पर, किया सुनो जो थे संतप्त॥ 2॥

भीम सदृश जो बली भीम था, दीन पीड़ितों का आधार।
मनुजों में समता प्रस्थापित, करने आया था अवतार॥
रात-दिवस विश्रान्ति हीन, रहता जिनमें अदम्य उत्साह।
वक्ता था जो उच्च कोटि का, जिसको जनता की थी चाह॥ 3॥

राग-द्वेष से हीन, ज्ञान मन्दिर, विद्या का वह भंडार।
मरे हुए जो उच्च भाव थे, उन्हें जगा कर किया प्रसार॥
जीवन जिसने अपना सारा, मानवता के हित दे डाला।
अन्त समय में संविधान ने, डाली थी यश की माला॥ 4॥

बेड़ा निर्बल दुखियों का था, उसके कर वह घोर प्रशान्त।
डरा न था किंचित किसी शक्ति से, जरा स्वप्न हित व विभ्रान्त।
कठिन काल में भारत में वह, जन उद्धार हित हेतु था आया।
रहे सदा ही भारत जन-मन, पर उनके ऋण की छाया॥ 5॥

—श्री कृष्ण शेंदरे
एडवोकेट

तूफानी दरिया

क्या रोकेगा हमें कोई हम है दरिया तूफानी।
बाबा की सन्तान चली हैं देने को कुर्बानी॥ टेक॥
चले आज हम खेल खेलने जलते हुए अंगारों से।
बदले सभी चुकाने हैं हमको जालिम हत्यारों से॥
कभी नहीं वंचित रह सकते हम अपने अधिकारों से।
काँप उठें आकाश-जमीं भी इंकलाब के नारों से॥
जुल्म रहें या हम ही रहेंगे बात हृदय में ठानी॥ 1॥
अब तो समता भारत में हमको लाना होगा।
जातीयता के पेड़ों को खड़े काट गिराना होगा॥
ऊँच-नीच और छुआछूत का भूत हमें भगाना होगा।
लेने को अधिकार हमें अब खून बहाना होगा॥
मर कर अमर रहें दुनिया में कायम करें निशानी॥ 2॥
हमें मिटाने की ये लुटेरे धाक जमाए बैठे हैं।
हाय हमारी गर्दन पर तलवार चलाए बैठे हैं॥
रक्तपात करके मस्तक पर तिलक लगाए बैठे हैं।
ये ही तो हैं जो दलित-पीड़ितों के हक्क दबाए बैठे हैं॥
चूसे खून हमारा हर दम करते हैं मनमानी॥ 3॥
लेकर के इनसान हाथ में समता की तीर-कमान खड़े हैं।
शीष हथेली पर रख कर बाबा के वीर जवान खड़े हैं॥
करने को घोर संघर्ष आज कस कमर इनसान खड़े हैं।
भीमराव के राही देने को जीवन का दान खड़े हैं॥
भारत के इतिहास में 'खन्ना' लिख दे अमर कहानी॥ 4॥

—भीम प्रकाश 'खन्ना'
सिकन्दराराऊ (अलीगढ़)

मैं क्या करूँ

आज सारी दुनिया बदलती चली जा रही,
तुम न करवट बदलते तो मैं क्या करूँ।
रास्ते तुमको कितने सुझाए गए,
तुम नहीं उन पर चलते तो मैं क्या करूँ॥ 1॥

कोई ऊँचा न नीचा है अब देश में,
कहता कानून अब हैं बराबर सभी।
बैठने को बगल में बड़ों के अभी,
तुम जो हिम्मत न करते तो मैं क्या करूँ॥ 2॥

पढ़ने-लिखने में कोई रुकावट नहीं,
और मिलती मदद भी है सरकार से।
बिन पढ़े होगी उन्नति तुम्हारी नहीं,
फिर भी न पढ़ते-लिखते तो मैं क्या करूँ॥ 3॥

कोई तुमको सताए गलत रूप से,
तो भी इनके लिए सख्त कानून हैं।
फिर भी जाते शरण में न कानून के,
जुल्म को सहते रहते तो मैं क्या करूँ॥ 4॥

धर्म के मामले में भी आजाद हो,
चाहे छोड़ो या पकड़ो किसी धर्म को।
फिर भी कीचड़ में हो तुम सड़ रहे,
धर्म को न बदलते तो मैं क्या करूँ॥ 5॥

संगठन में होती बड़ी शक्ति है।
संगठन के बिना कुछ भी होगा नहीं।
कहते 'त्रिशरण' जुटो अब तुम संघर्ष में,
पर तुम हिम्मत न करते तो मैं क्या करूँ॥ 6॥

—आर.बी. त्रिशरण

डॉ. अम्बेडकर सुधार समिति (रजि.)
हरैया, बस्ती, उ.प्र.

वीर महान की

उदय हुए ले ज्ञान पताका, जन-गण के कल्याण की।
आओ हम सब करें अर्चना, अम्बेडकर वीर महान् की॥ टेक॥
बना लक्ष्य जन हित का बाबा, धरा धाम पर आए।
बन संचालक बौद्ध धर्म के, कीर्ति विश्व में छाए॥
हुए अवतरित वसुन्धरा पर, आभा ले उत्थान की॥ 1॥
अटल पुजारी भारत माँ के, दीन हृदय के प्यारे।
देख दुर्दशा दलित वर्ग की, दिल में हुए दुखारे॥
कठिन प्रतिज्ञा लेकर आए थे, दलित-वर्ग कल्याण की॥ 2॥
बौद्ध धर्म के पद चिन्हों पर, चलकर अरे विरागी।
अखिल विश्व के दलित वर्ग में, नूतन ज्योति जगा दी॥
भव्य भावना ले कर आए थे, उर में राष्ट्र विधान की॥ 3॥
मानवता के अतुल हितैषी, दलित वर्ग के प्यारे।
बौद्ध धर्म का मार्ग दिखा कर, हो गए जग से प्यारे॥
अगणित जिह्वाओं से निकली, जय ध्वनि वीर महान की॥ 4॥

—आर.पी. 'हंस'

मुरदों को जिन्दा बना दिया

सोए हुए नर-सिंहों को तूने जगा दिया।
ऐ भीम! तूने मुरदों को जिन्दा बना दिया॥ टेक।
हिन्दू धरम ने जिनको था मिट्टी में मिलाया।
वंचित बना के हर तरह अस्पृश्य बना दिया।
मोहताज किया ऐसा, मुरदा-मांस खिला दिया।
तूने उठाके धर्म का अमृत पीला दिया।
ऐ भीम! तूने मुरदों को जिन्दा बना दिया॥ सोए...॥
सब जाग पड़े नींद से, आँखें जो खुल गईं।
अज्ञान की मलीनता सब दिल की धुल गई।
सब सूझ पड़ा ज्ञान की दृष्टि जो मिल गई।
जो थे निराश उनको प्रगति में लगा दिया।
ऐ भीम! तूने मुरदों को जिन्दा बना दिया॥ सोए...॥
जब चेतना हुई तो सभी उठ खड़े हुए।
अधिकार अपने लेने को सब हैं आड़े हुए।
हैं चेत रहे वे भी जो अब तक थे पड़े हुए।
अमृत पिला के कौम को तूने जगा दिया।
ऐ भीम! तूने मुरदों को जिन्दा बना दिया॥ सोए...॥
ऐ बाबा, किस तरह करें गुणगान तुम्हारा।
तू त्राता था, ऋषि-मुनि, भगवान हमारा।
तूने दिखा 'प्रकाश' सभी काम सँवारा।
संदेश अमर रहने का तूने सुना दिया।
ऐ भीम! तूने मुरदों को जिन्दा बना दिया॥ सोए...॥

—चन्द्रिका प्रसाद जिज्ञासु

संग्रह—जयमंगल अट्टगाथा
बहुजन कल्याण प्रकाश
360/193 मातादीन रोड
सआदतगंज, लखनऊ, सन् 1965

विश्व का प्रकाश

कौम ने पैगामे-गौतम की जरा परवाह न की।
कद्र पहचानी न अपने गौहरे यकदान की॥
आह! बदकिस्मत रहे आवाजे हक से बे-खबर।
गाफिल अपने फल की शीरनी से होता है शजर॥
आशकार उसने किया जो जिन्दगी का राज था।
हिन्द को लेकिन खयाली फल्सफे पर नाज था॥
शमा ए हक से जो मुनव्वर हो यहाँ वो महफिल न थी।
बारिशे रहमत हुई लेकिन जमीं काबिल न थी॥
आह! शूद्र के लिए हिन्दुस्तान गम खाना है।
दर्दे इनसानी से इस बस्ती का दिल बेगाना है॥
पिर-हमन सरशार हैं अब तक मय पिंदार में।
शमाएँ गौतम जल रही हैं महफिले अगयार में॥

—महाकवि सर डॉ. अल्लामा इकबाल

साभार 'भीम पत्रिका'
सम्पादक—एल.आर. बाली
नकोदर रोड, जालंधर—3, पंजाब
वार्षिक मूल्य—6 रुपये

देख लेना (गजल)

सुखन का हमारे असर देख लेना।
जो हैं जेर उनको जबर देख लेना॥ सु.॥
जिन्हें आप अब तक समझते थे गीदड़।
वही होंगे शेरे-बब्बर देख लेना॥ सु.॥
हैं पंचायती जातियाँ सब बिरादर।
इन्हें आप शीरो-शकर देख लेना॥ सु.॥
अजी रोटियाँ-बेटियाँ एक होंगी।
रहेगी न कुछ भी कसर देख लेना॥ सु.॥
यह ब्राह्मण, क्षत्रिय और वैश्य चलेगा न बिलकुल।
सबक फूट का बेअसर होगी देख लेना॥ सु.॥
न आएगा चमके में अब कोई शोषित।
फिरेंगे इधर सब बशर देख लेना॥ सु.॥
उड़ाए मजे हैं बहुत बनके लीडर।
अब इस धाँधली का हशर देख लेना॥ सु.
इधर हम हैं नब्बे, उधर दस हैं शोषक।
न फिर भी खबर हो, समर देख लेना॥ सु.॥
बनेगा सुदृढ़ संगठन अब 'बिहारी'।
जगे शोषितों का हुनर देख लेना॥ सु.॥

—श्री बिहारी लाल कलवार

शोषित वीरो

ब्रह्मणशाही राज मिटाना,
शोषित वीरो तुमको है।
वर्ण-जाति का राज मिटाना,
शोषित वीरो तुमको है।
शोषित-संघी राज बनाना,
शोषित वीरो तुमको है।
जाति-पाति-छुआछूत का भेद भगाना,
शोषित वीरो तुमको है।
एक राष्ट्र का विगुल बजाना,
शोषित वीरो तुमको है।
हर बंधक की कड़ियाँ तोड़ना,
शोषित वीरो तुमको है।
शोषित-दल को ही चमकाना,
शोषित वीरो तुमको है।
शोषक-शोषित को समझाना,
शोषित वीरो तुमको है।
शोषक वही चूसनेवाला,
शोषित जो चूसे जाते हैं।
शोषक का सब मन मिटाना,
शोषित वीरो तुमको है।
समतामूलक राष्ट्र बनाना,
शोषित वीरो तुमको है।
मूल धम्म का समाज बनाना,
शोषित वीरो तुमको है।

श्री रमेश चन्द्र मल्लाह
एटा, उत्तर प्रदेश

आवाज लगाता है कोई

सोनेवाले जाग उठो तुझे आवाज लगाता है कोई।
ओ काफ़िर तेरे दरवाजे पर अलख जगाता है कोई॥ टेक॥
जिसने निज खून-पसीने के गारे में ईंट लगाई है।
कोठी देकर तुझे, स्वयं झोंपड़ी अपनाई है॥
तू कोठी की कोठरियों में बैठा दुनिया को भूल गया।
धन की मस्ती में मतवाला होकर माया में भूल गया॥
वह पड़ा झोंपड़ी के अन्दर आवाज लगाता है कोई॥ 1॥

इन शाल, दुशाले, कम्बलों में शीत न तेरा जाता है।
मखमली लिहाफ ऊपर गद्दा नीचे बिछ जाता है॥
फिर गर्म रजाई अंगीठी हाथ सेंकने को बनाई जाती है।
इतने पर भी सन्तोष नहीं तो चाय बनाई जाती है॥
इधर राख के पास बैठ कर रातें बिताई जाती हैं॥ 2॥

जिसने तेरे सुख के खातिर गर्मी की कुछ परवाह न की।
जाड़े में भी रहा ठिठुरता कभी जरा-सी आह न की॥
निर्दयी पवन ने उड़ा दिया सब फूस झोंपड़ी से जिसका।
वर्षा में रहा भीगता भी लेकिन महलों की चाह न की॥
उस पीड़ित की दीन दशा पर कब दया दिखाता है कोई॥ 4॥

जो गेहूँ, चावल कमा-कमा कर तेरी कोठियाँ भरता है।
उसका कुटुम्ब तेरी आँखों के आगे भूखों मरता है॥
जो मुट्ठी भर अनाज के लिए अपना शीश पटकता है।
चुल्लू भर दाल के पानी के लिए बच्चा बीमार तड़पता है॥
तू देख बिना दवा मौत के मुँह में जाता है कोई॥ 5॥

रोटी-रोटी कहकर नन्हे बच्चे भूखे चिल्लाते हैं।
माँ-बाप आँख के तारे की दुर्दशा देख रह जाते हैं॥
यदि कभी दूध के लिए भूल कर बच्चे रुदन मचाते हैं।

माँ बाप कलेजे के टुकड़े को खूने-जिगर पिलाते हैं॥
अन्धो, आँखें खोलो, आवाज लगाता है कोई॥ 6॥

क्या तुम केवल इन्सान और ये बच्चे इनसान नहीं?
सरकार तुम्हारी है, क्या ये दीन-हीन इनसान नहीं?
अगन-गगन-जल-धरण-पवन पर क्या अधिकार समान नहीं॥
यदि इनका वितरग समान है, हम रह सकते असमान नहीं।
जगो, सम्हलो, महा-क्रान्ति हित आवाज लगाता है कोई॥ 7॥

—भिक्षु करुणाकर

हमारा साथी

साथ हमारे वह आवे जिसको किसी का न गम होवे।
नहीं खुशी हो मिलने की न खोने का मातम होवे॥ टेक॥
नहीं सवारी को घोड़ा और नहीं यार टम टम होवे।
अरे नोक पर काँटों की चलने का जिसमें दम होवे॥ 1॥
सूरज आग उगलता हो या सर्द भरी शबनम होवे।
धरे कदम मुस्तैदी से या पूरब या पश्चिम होवे॥ 2॥
नहीं खौफ सीने में हो न जोश में जिसके कम होवे।
बाँका, शेर बबर होवे और हिम्मत में आजम होवे॥ 3॥
लगा हो मखलूक जब ताने-बाने में तब तू जागत होवे।
नफ्स का पक्का दुश्मन हो और शोषित का खादिम होवे॥
करे प्रेम जो फाँसी से और मरने से उल्फत होवे।
मजलूम का सच्चा साथी हो व शोषित का हमदम होवे॥ 4॥
यह पुलिस, फौज, सरकार न तोपों की धमक होवे।
प्रेम का दरिया बहता हो औ' शान्तिपूर्ण आलम होवे॥ 5॥
यही तो मेरी दुनिया है जहाँ मानव मानव सम होवे।
नहीं किसी से बढ़कर हो और नहीं किसी से कम होवे॥ 6॥
मसावात का चश्मा हो सत न्याय का जामे-जम होवे।
समतावाद की जगे ज्योति फिर द्वेष लोभ न तम होवे॥ 7॥

—कृष्ण कुमार यादव

एम.ए. (अंग्रेजी), कठारा, रसूलाबाद (कानपुर)

आगे बढ़ो

सुनो शोषितो! गांधी के संग तुमने बिगुल बजाया था।
शोषण कर्ता अंग्रेजों को लन्दन खेद पठाया था॥
पर अब तो ब्राह्मण-ठाकुर-लाला ही शोषणकारी हैं,
जिनकी स्वार्थपूर्ण माया से शोषित सभी दुखारी है॥
मिले परस्पर ब्राह्मण-क्षत्री-लाला मौज उड़ाते हैं।
शोषित-दल की कठिन कमाई छीन-छीन कर खाते हैं।
ऊपर से नीचे तक इनका शासन में है जाल बिछा।
गांधी औ' खादी के परदे में है कैसा भ्रष्टाचार रचा॥
तुम्हें 'वर्ण-शंकर' शास्त्रों में लिखकर नीच बताया है।
शिल्प-कर्म, खेती औ' श्रम को शूद्र-कर्म ठहराया है।
अब खुल्लमखुल्ला कहते हैं 'हम सौ में दस उँचे हैं।
नब्बे प्रतिशत शूद्र सभी हैं जो सब हमसे नीचे हैं'।
हम शोषित सौ में नब्बे हैं फिर भी शर्म न खाते हैं।
शोषणकर्ता जब सौ में दस हम को धता बताते हैं॥
यह कैसा अंधेर जहाँ पर दस की तो सब चलती है।
पर नब्बे प्रतिशत बहुमत की दाल नहीं कुछ गलती है॥
तुम हो कमेरे सभी भाई वोट तुम्हारे हैं ज्यादा।
किस गफलत में तुमने सर पर भार लुटेरों का लादा॥
वोटों से बने राज्य बाबा ने मार्ग दिखायाा है।
आगे बढ़ो अब वोटों का सूर्य उदय हो आया है॥

—हीरा लाल सिसौदिया
578, नर्मदा भवन
अशोक नगर, उज्जैन (उत्तर प्रदेश)

शोषित बनाम शोषक

आज देश की जनता ने इन स्वर से यही पुकारा है—
'शोषक लोगो, गद्दी छोड़ो!' बस यही हमारा नारा है॥ टेक॥

लाखों मानव भूखे मरते, मरने पर कफन न मिलता है।
तुम देखो, आँखें बन्द किए, पत्थर-दिल कहीं पिघलता है।
दीनों की अस्मत लूट-लूट, शोषक का चेहरा खिलता है।
शासन दुःशासन बना हुआ, नहिं एक ईंच भी हिलता है।
बदतर से बदतर बना हुआ, बदतर व्यवहार तुम्हारा है॥ 1॥

देश-विदेशों में प्रचार है, भारत का निर्माण हो रहा।
पेपर में बेपर की छपती, क्यों प्रत्यक्ष से ज्ञान हो रहा।
गोली लाठीचार्ज गैस से, जनता पर अभियान हो रहा।
इस गण-तंत्र स्वतंत्र देश पर, ही तुमको अभिमान हो रहा।
अभिमान नष्ट होते आए, क्या तुमने कभी विचारा है॥ 2॥

अखबारी में रोज पुलिस के, छपते हैं किस्से लासानी।
भ्रष्ट आचरण हीन, निरंकुश, करती है अपनी मनमानी।
गोलीबाजी में करती है, यह डायर की मात कहानी।
क्षात्र, युवा, बूढ़े, बच्चे, माताओं की खुद सुनो जबानी।
रक्षा अरु विश्वास उठा, छाया आतंक करार है॥ 3॥

सह चुके बहुत, मिट चुके बहुत, अब उठे वीर दीवाने हैं।
इस भूखे भारत के प्राणी, सब अपना सीना ताने हैं।
यह ही प्रलयंकर शंकर हैं, यह जीना मरना जाने हैं।
यह आजादी की रक्षा पै, मिटनेवाले परवाने हैं।
अधिकार छीन लेंगे अपने, भुज-बल का इन्हें सहारा है॥ 4॥

संकलनकर्ता

—कुँअर रघुराज सिंह यादव

ग्राम—कठारा, पोस्ट—रसूलाबाद

जिला—कानपुर, उ.प्र.

अछूत

हल को हकाय लेते
निदोंनी कराय लेते
लावनी कराय लेते
दँवरी चलवाय लेते
लूह में अन्न उड़वाय लेते
अन्न ढुलवाय घर में भरवाय लेते
डोली ढुलवाय लेते
डोली से दुल्हन उतरवाय लेते
पानी भरवाय लेते
आटा पिसवाय लेते
चौका-बरतन करवाय लेते
हम हैं इतने मजबूत!
अब हम नहीं हैं अछूत?
बताओ!
अन्न उठवाते
घर में रखवाते
आटा मड़वाते
चौका-बरतन करवाते
डोली ढुलवाते
दुल्हन उतरवाते
आधा दाल डलवाते
दाल में हल्दी डलवाते
बस!
एक चुटकी
नमक डालने में 'अछूत'!
वाह रे! वाह!!

बताओ!
तुम कैसे ब्राह्मण?
हम कैसे अछूत?
तुम कैसे राजपूत?
हम कैसे अछूत?
तुम कैसे सवर्ण?
हम कैसे अवर्ण?
तुम कैसे सछूत?
हम कैसे अछूत?

—पेरियार ललई सिंह
ग्राम—कठारा, झींझक, जिला—कानपुर, उ.प्र.

विप्लव

विप्लव ही शोषित का सिम्बल॥ टेक॥
दो ही, वर्ग और दो राहें, देखो अपनी फेंक निगाहें।
साफ-साफ दिखलाई देते शोषक-शोषित दो ही दल॥
इन दो राहों का मिल जाना, कभी सत्य किस युग ने माना।
पर शोषक दल राग अलापे-वही शोषितों का है बस बल॥ 1॥
दो वर्गों में एक रहेगा, मानव शोषण नहीं सहेगा।
नहीं सहेगा, नहीं सहेगा—यही हमारा निश्चय निश्चल॥
हृदय लुटेरों का कब बदला, समझ गए हम सब यह घपला।
हम मेहनतकश लेने निकले, अपनी मेहनत का पूरा फल॥ 2॥
सत्य अहिंसा की यह दीक्षा, नहीं चाहिए हुई परीक्षा।
तुम शोषक हो हम शोषित हैं—फिर क्यों ढोंग और यह सब छल॥
आज किसान समझकर बोला, और नजर ने सीना खोला।
जेल, दमन और झूठे वादे—यही तुम्हारे हैं बस दो बल॥ 3॥
जनता पर तुम वार करो, गोली की बौछार करो।
और कहो हम सब हैं जनता, क्या हम में इतनी नहीं अक्ल।
फावड़े और हथोड़े लेकर खेत और मिल के फाटक पर।
अपनी मोर्चाबन्दी करके स्वयं ढूँढ़ने निकले हम हल॥ 4॥
अपने तुम आनन्द भवन में, मस्त रहो तुम लूट-दमन में।
किन्तु लूट जब तक जारी, तब तक शोषित को है कब कल॥
एक बार ही तो मरना है, रोज-रोज का क्या मरना है।
आज यही अपना निश्चय है क्रान्ति न जाने पावे निष्फल॥ 5॥

—दीप नारायण सिंह
एम.ए., एल.एल.बी., एडवोकेट एम.एल.ए.
प्रकाश विकास निवास, सादीपुर खुर्द
फतेहपुर (उ.प्र.), 14 नवम्बर, सन् 1963 ई.

मनु की बातें झूठी हैं

या तो दुनिया भर के मानव को समझो भाई,
या फिर ऊँच-नीच को लेकर इधर-उधर की बात करो।
प्रगति चक्र अब बढ़ के रहेगा
दलित वर्ग अब उठ के रहेगा
एक नया सूरज चमका है
घोर अँधेरा मिट के रहेगा।
या तो करो सुबह का स्वागत, मंगल थाल सजा कर
या फिर अपना द्वार बन्द कर आओ आँखें बन्द करो।
या तो दुनिया...
जाति और पाँति सब झूठी हैं
मनु की बातें झूठी हैं
ऊँच-नीच की गलत भावना
पौराणिक घातें झूठी हैं।
या तो स्वर्ग-नर्क की बातों का उपहास कीजिए
या जाकर गंगासागर में 'जय गंगे' कह डूब मरो।
या तो दुनिया...
पर इसमें क्या हो पाएगा?
प्रगति चक्र क्या रुक पाएगा?
हे कट्टर ढोंगी-पाखंडी
अब समाज नव बन जाएगा।
या समता बन्धुत्व भाव में सबको गले लगाओ
या पथरीली मरुस्थल में कष्ट उठाते फिरा करो।
या तो दुनिया भर...

—उदय प्रकाश सिंह
बबीना, झाँसी, उत्तर प्रदेश

भारत में डबल इंतजाम

भारत में कितना रहा डबल इंतजाम।
फिर भी आकर विदेशियों ने लीन्हा बना गुलाम॥ टेक॥
भारत में द्विजों के तप से बिना अग्नि जल जाता है।
शिव-त्रिशूल-यम-फाँस, इन्द्र के वज्र से जल जाता है॥
चक्र सुदर्शन विष्णु के और बिजली से नहिं मरता है।
ब्राह्मण से जो बैर करे सो सूख वृक्ष सम जाता है॥
अगर विप्र जो क्रोध करे तो कोयला सम जल जाता है।
मानस की हस्ती कितनी जब ईश्वर भी डर जाता है॥
हरि के लात हरि द्विज यह इतिहास बताता है।
पी सागर पेशाब करी तब से खारा बन जाता है॥
इतने जुल्म करे विप्रों ने तो भी पैलागन करवाता है।
मगर विदेशियों की विप्रों ने थामी न जरा लगाम॥ 1॥
क्षत्रिय के जब हाल सुनो देवताओं के पुत्र कहाते हैं।
कोई सूरज वंश कोई चन्द्र वंश निज-निज तहरीर बताते हैं॥
थे बड़े बाँकुरे वीर बहादुर कालहु से न डरते हैं।
दुश्मन की ललकार खेत में खून से प्यास बुझाते हैं॥
कट कर मुंड गिरे धरती पर हटना नहीं जानते हैं।
युद्ध, क्षेत्र में लड़े रुंड उठ-उठ तलवार चलाते हैं॥
इसी प्रकार से आज भी क्षत्रिय भारत में इज्जत पाते हैं।
सिंह बिना कोई नाम लेय तो नाहर सम गुर्राते हैं॥
भारतवासी दीनों को ये धमकी बड़ी दिखाते हैं।
इतने वीर बने रहे घुस आए चोर तमाम॥ 2॥
और सुनो भारत में डिवटी सुरों की कितनी रहती है।
तैंतीस करोड़ देवता हिन्दुओं की साठ करोड़ की बसती है॥
दशों-दिशाओं को घेरे रहे तो दुश्मन की क्या हस्ती है।
इंद्रादिक आकाश में डेरा डाले संकट हरती है॥

सूरज, चन्द्रमा, गणेश, गौरजा, हनुमान की मस्ती है।
हर जगह देवता वास करे न तिलभर खाली धरती है॥
बैर करे जो इनके भक्तों से तो काली फौरन दलती है।
पाताल तलातल में चौकी यक्षों की कितनी रहती है॥
तो भी देश गुलाम हो गया कैसा रहा इंतजाम॥ 3॥

और सुनो! भारत में कितने देवी-देवता रहते हैं।
ज्वाला, जखई, कालका, भौंरे घर-घर में ये पूजते हैं॥
इनकी पूजा सेवा का ये भार भारती सहते हैं।
जिनके न सन्तान होय मिनटों में उनके करते हैं॥

राम कृष्ण, शिव-ओम, शिवो-हम कहे पाप सब कटते हैं।
क्या ही सुन्दर नुस्खा देखो कई करोड़ अछूत बसते हैं॥
रामेश्वर दयाल निषाद की बदमाशी लख कर विदेशी हँसते हैं।
मदहोशी न उतरी बढ़ रही है अराजकता तमाम॥ 4॥

—रामेश्वर दयाल निषाद,
अनन्तराम की मड़ैया
दौलतपुर, औरैया, इटावा, उ.प्र.
संग्रह—दुखियों का आल्हा
संस्करण—1966, मूल्य—20 पैसे

क्या रखा

जिस कविता में सार नहीं है ऐसे कथन में क्या रक्खा॥ टेक॥
अधिकार मिले न सब को फिर जन-मन-गण में क्या रक्खा।
गरीब के हित की बात नहीं तो संसद भवन में क्या रक्खा॥
कोई सहूलियत मिले नहीं आन्दोलन में क्या रक्खा।
जनता का दुख दूर न हो तो शपथ ग्रहण में क्या रक्खा॥ 1॥

मंत्री वचन निभावे नहीं तो सत्य वचन में क्या रक्खा।
कहते कुछ और करते हैं कुछ ऐसे प्रण में क्या रक्खा॥
गरीब को कर्जा नहीं मिले तो, राष्ट्रीयकरण में क्या रक्खा।
न्याय नहीं मिलता तुझको तो कोर्ट सदन में क्या रक्खा॥ 2॥

अमल में कोई नहीं लाता उस कांस्टीट्यूशन में क्या रक्खा।
रहने का नहीं पास ठिकाना, ऐसे वतन में क्या रक्खा॥
ईश्वर तेरी नहीं सुनता तो भक्ति-भजन में क्या रक्खा।
मन की चाही नहीं होती तो यज्ञ-हवन में क्या रक्खा॥ 3॥

जिसका कोई उत्तर नहीं ऐसे प्रश्न में क्या रक्खा।
एक पिटे और दूसरा देखे, इस संगठन में क्या रक्खा॥
तन-मन तेरे मैल भरा है बुद्ध शरण में क्या रक्खा।
बुरा-भला जब नहीं दिखाते ऐसे धर्म में क्या रक्खा॥ 4॥

अपमान से तो मर जाना बेहतर उस जीवन में क्या रक्खा।
जिसमें ज्ञान की चर्चा नहीं हो उस कीर्तन में क्या रक्खा॥
फूल खिलते और खुशबू नहीं हो ऐसे चमन में क्या रक्खा।
जिस धर्म में तेरा मान नहीं है ऐसे धर्म में क्या रक्खा॥

भीम के मार्ग पर नहीं चलता पथ-दर्शन में क्या रक्खा।
पंचशील भी याद नहीं तो बुद्ध शरण में क्या रक्खा॥
संस्कार तेरे नहीं बदले धर्म शरण में क्या रक्खा।
आपस में नित करो लड़ाई संघ शरण में क्या रक्खा॥ 6॥

—बुद्ध संघ 'प्रेमी'

अभिषेक

शाखा में लटके शंबूक के
कटे हुए शीश ने
शब्दों से काला रक्त वमनकर
एकलव्य के
शराच्छिन्न गूँगे अँगूठे से कहा—
उठो मेरे माथे पर
अपने ताजे खून का तिलक करो
पैरों से कुचली हुई प्रतिष्ठा के
अभिषेक के लिए मुझे एक युग से
तुम्हारी प्रतीक्षा थी
जो मेरी नियति थी
तुम्हारी भी वही हुई
मैंने जब माँगा
जन्मसिद्ध अधिकार
शिखरों को छूने का,
स्वयं खड्ग पाणि ही
उतर आए हिंसा पर
मर्यादा पुरुषोत्तम
मेधा से मुझको पराजित नहीं कर पाए
केवल व्यवस्था के तर्क की
पैनायी धार से
काटकर मेरा स्वत्व वध की भाषा से
कर दिया मेरी शंकाओं का समाधान
लेकिन निरुत्तर मैं नहीं हुआ, वही हुए
सारी बाण विद्या पर
केवल दो वर्णों का आधिपत्य

तुमको जब असह्य हुआ,
भूल गए गुरुवर
तुम्हारी दिव्य निष्ठा को, पूजा को, भक्ति को
दक्षिणा में,
दक्षिण भुजा से तुम्हें माँग लिया
हिंसा का दोष भी अपने सिर नहीं लिया
ऐसी पराकाष्ठा पर पहुँचा हुआ
स्वार्थ कहीं देखा है?
सुना है, इससे भी बड़ा कही
शिष्यों से शिक्षक का पक्षपात
तुम भी हुए होते कहीं राजवंशी
क्षत्रिय बालक कुलीन
बदल गई होती गुरुवर्य की
दृष्टि ही तुम्हारे प्रति
सुनो,
तुम्हारे संतप्त मन में
आग है,
प्रतिक्षण धधकते अपमान की
इसीलिए चाहता हूँ
जलता हुआ संस्पर्श
सदियों से ठंडे माथे पर
शिव के तीसरे नेत्र की तरह
वह रक्त प्रज्वलित होते ही
कर देगा भस्मसात्
झूठे अहंकार की पूरी वासनादेह
उठो!
और उठकर मेरे रिक्त
भाल पर
इसी क्षण अपना
रक्त तिलक करो।

—जगदीश गुप्त
'धर्मयुग' से साभार

पंडितजी

मैं पंडितजी कहलाता हूँ।
मैं राजनीति का ज्ञाता हूँ।
मैं सब हथकंडे चलाता हूँ,
रण में न किसी से टकराता हूँ,
सबको काँटे-सा चुभता हूँ,
मैं सबको मूर्ख बताता हूँ।

मैं पंडितजी कहलाता हूँ।
निबलों से खूब अकड़ता हूँ,
सबलों के पैर पकड़ता हूँ,
दुनिया का धर्म जकड़ता हूँ,
फिर माल चकाचक खाता हूँ।

मैं पंडितजी कहलाता हूँ।
शोषण के दाँव बताता हूँ,
खुद मैं भिक्षुक बन जाता हूँ,
मैं भोग-विलास सिखाता हूँ,
अपना ऐश्वर्य बढ़ाता हूँ।

मैं पंडितजी कहलाता हूँ।
मैं राग-द्वेष फैलाता हूँ,
दो उल्लू खूब लड़ाता हूँ,
सबका मीठा बन जाता हूँ,
ऐसा कुछ जाल बिछाता हूँ।

मैं पंडितजी कहलाता हूँ।
मैं पूरा अवसरवादी हूँ,
और पुरोहितवादी हूँ,
अगुवा बनने का आदी हूँ,
हूँ धूर्त, पहनता खादी हूँ,
दुनिया को ठग कर खाता हूँ।

मैं पंडितजी कहलाता हूँ।

—श्री भीखाराम गड़रिया
भरसेन, औरैया, कानपुर, उ.प्र.

खंड : ख

नाटककार मन

सिपाही की तबाही

[अतिलघु क्रान्तिकारी एकांकी]

पेरियार ललई सिंह

पहली बार 1 दिसम्बर, सन् 1946 ई.

1 दिसम्बर, 1946 ई. में यह किताब 'सिपाही की तबाही' लिखी गई। छपी भी नहीं थी। नाम सुनकर ही महानिरीक्षक (इंस्पेक्टर जनरल) पुलिस श्री रेजीनॉल नार्मन मार्श स्मिथ (ग्वालियर राज्य) ने अपनी स्पेशल आज्ञा द्वारा जब्त कर लिया, मगर उसी समय स्वतंत्रता संग्राम सेनानी टाइपिस्टों ने गुप्त रूप से हजारों प्रतियाँ टाइप कर छाप डाला। रातोंरात चुपके-चुपके बाँट डाला।

सिपाही के परिवार का वार्तालाप

आज दस तारीख है।

स्त्री : *(पति से)* मैं बीच में उड़ी धोती पहने हूँ। दो पैबन्द भी लगे हैं। शर्म के कारण पड़ोसी सेठानी जी के बच्चे की सालगिरह में नहीं गईं। वे नाराज हो गईं। नई धोती खरीद दीजिए।

सिपाही : पहली तारीख को खरीद देंगे।

स्त्री : अच्छा! *(कहकर चुप हो जाती है।)*

आज पन्द्रह तारीख है।

लड़की : *(18 साल की)* पिताजी मेरी सलवार व शमीज, दोनों फट गई हैं, दोनों में कई पैबन्द लगे हैं। साथी लड़कियाँ 'कंजरिया' आदि कहकर चिढ़ाती हैं। मुझे शर्म लगती है। शलवार व शमीज, दोनों बनवा दीजिए।

सिपाही : बेटी, हम दोनों कपड़े पहली तारीख को बनवा देंगे। दुखी मत हो। मन लगाकर पढ़ो। साथी लड़कियों को बकने दो।

लड़की : वे ऐसा क्यों बकती हैं?

सिपाही : यह तो पुरानी परम्परा है। जब सब लोग पढ़-लिख जावेंगे, तब इस तरह बदतमीजी की बातें आपस में नहीं करेंगी।

लड़की : पिताजी! अब यह गालियाँ मुझे सहन नहीं होतीं।

सिपाही : सहन करो, कुछ दिन और, बस।

लड़की : अच्छा *(कहकर चुप हो जाती है।)*

आज बीस तारीख है।

लड़का : *(15 साल का)* पिताजी! मेरे पास कवियों की जीवनी वाली किताब बहुत दिनों से नहीं है। मास्टर साहब ने

कहा है कि कल किताब खरीदकर जरूर लाना, नहीं तो बहुत पीटूँगा।

सिपाही : चलो! दुकान से इसी समय उधार खरीद देंगे।

[पिता-पुत्र दोनों चल देते हैं।]

आज सत्ताइस तारीख है।

स्त्री : *(पति से)* नमक खत्म हो गया है।

सिपाही : बिना नमक के दाल पकाओ।

स्त्री : *(क्रोधित होकर)* ठीक है। बच्चे बिना नमक की दाल कैसे खाएँगे?

सिपाही : जब हम लोग खाएँगे, तब बच्चे अवश्य खाएँगे।

स्त्री : अच्छा! *(कहकर चुप हो जाती है।)*

आज अट्ठाइस तारीख है।

स्त्री : *(पति से)* दाल नहीं। नमक नहीं।

सिपाही : आटा तो है।

स्त्री : थोड़ा-सा आजकल को ही है।

सिपाही : ठीक है। रोटी बना। सब लोग रूखी रोटी खाएँगे।

स्त्री : *(चुप रह जाती है।)*

आज तीस तारीख है।

स्त्री : *(पति से)* आटा बिलकुल नहीं है।

सिपाही : खोपड़ी मत चाट। तेरा तो रोज का धन्धा है। कभी यह नहीं, कभी वह नहीं। पड़ोसिन सेठानी जी के यहाँ से अपने व्यवहार में उधार ले आ। कह देना, कल पहली तारीख की शाम को दे देंगे।

स्त्री : *(चुप रह जाती है।)*

आज पहली तारीख है।

[घर का मालिक सिपाही आर्म्स रूम की रक्षा की ड्यूटी पर है। समय दिन के साढ़े नौ बजे हैं।]

लड़की : माताजी, आज पिताजी से मुझे सलवार शमीज, दोनों बनवा दीजिएगा।

माता : मेरे लिए भी धोती चाहिए।

लड़का : मम्मी! मेरी कमीज बिलकुल फट गई है। कमीज बनवा दीजिए।

माता : सब बन जाएगी। दस बजनेवाले हैं। पढ़ने की तैयारी करो।

[दोनों एक साथ 'अच्छा' कहकर स्कूल जाने की तैयारी करने लगते हैं।]

पहली तारीख की शाम है।

[सिविल पुलिस के सिपाही को बारह रुपये, सशस्त्र पुलिस के सिपाही को चौदह रुपये और आर्मी के सिपाही को अठारह रुपये एक माह की तनख्वाह मिली है। सब-के-सब सीधे उधारी वाले सेठों के पास जाते हैं। पुराना हिसाब चुकता करने के लिए अभी सात रुपये और चाहिए—सेठ जी ने कहा। सिपाही बोला—अगले महीनों में एक-एक रुपया करके ले लेना। सेठ जी ने 'ठीक है' कहकर हमेशा की तरह सिपाही को फिर उधार आटा, दाल, मसाला, नमक व लकड़ी दे दी। सिपाही सब सामान सिर पर लादे, कुछ दोनों कन्धों में लटकाए दिन भर का भूखा-प्यासा, ड्यूटी का थका-माँदा हाँफता हुआ पहुँचता है। स्वयं सामान उतार कर पसीना सुखाने के लिए टूटा पंखा हाथ में थाम खम्बा के सहारे बैठ कर (पंखा) डुलाने लगता है।]

लड़की : सलवार व शमीज के लिए कपड़ा ले आए, पिताजी?

सिपाही : चुप! अभी पसीना सूखा नहीं। हाँफना भी बन्द नहीं हुआ।

लड़का : *(फटी कमीज दिखाते हुए)* पिताजी! मुझे भी कमीज बनवा दीजिए। आज पहली तारीख है। आज अगर कमीज नहीं बनी तो फिर एक माह तक क्या पहनेंगे?

सिपाही : सब लोग धीरज धरो। कपड़े बनते रहेंगे। सेठ जी ने तनख्वाह के सब रुपये उधारी खुराक के पिछले महीना वाले हिसाब में ही ले लिये। उन्हें सात रुपये अभी और देना है। यह आटा व दाल आदि सब

सामान लाया हूँ। भोजन बनाओ। सब लोग कल के अधपेट भूखे हैं। उधार व्यवहार में सबके कपड़े बनते रहेंगे।

लड़की : *(यकायक फूट-फूटकर रोने लगती है)* मैं कल पढ़ने नहीं जाऊँगी। कपड़े फटे होने के कारण साथ की गोरी लड़कियाँ दिन में दसियों मर्तबा कंजरिया, चमरिनिया, भरिनिया, अहीरिनिया व तेलिनिया, ठकुराईन की ये हालत आदि कहकर मेरी बेइज्जती करती हैं। चिढ़ाती हैं। मैं राजपूत की बेटी हूँ। मुझसे यह अपमान सहन नहीं होता।

सिपाही : तूने बड़ी मास्टरनी से शिकायत क्यों नहीं की?

लड़की : पिताजी! क्या बताऊँ अपनी बीती? कई बार शिकायत की। वे हँसकर टाल देती हैं। कहती हैं—ऐसी आपस की छोटी-छोटी बातों की शिकायत मुझसे मत किया करो।

सिपाही : बेटी! घबराओ मत! यह साल किसी तरह भुगतो। अगली साल किसी नई विचारधारा वाले कॉलेज में भर्ती करा देंगे, जहाँ जाति-पाँति वाली बातें कतई नहीं होंगी।

[सिपाही चुपचाप घर से बाहर जाकर दो घंटे बाद भोजन के समय जब घर में घुसता है, तब देखता है कि भोजन बना ही नहीं। लड़की व लड़का भूखे ही जमीन पर लेटे हैं। शायद अधिक रोने से थक कर सो गए हैं। स्त्री बैठी-बैठी धीरे-धीरे रो रही है।

बस, भूखे शेर सिपाही ने न आव देखा, न ताव, स्त्री के कमर पर कसकर एक लात जड़ दी और कहा—"कभी भोजन मत बनाना।" यह कहकर आँगन में रखी पानी की भरी बाल्टी मोरी में उड़ेल दी। पानी की भरी गागर बीच आँगन में पटक कर तोड़ डाली। चूल्हा में एक लात जमाई। वह भी फूट गया। फिर बेचारा भूखा-प्यासा आर्म्स रूम की रक्षा में ड्यूटी पर चला गया।]

आवाज : सिपाहियो! ध्यान से सुनो, मनन करो, विचारो, सही मालूम पड़े तब मानो वर्ना मत मानो, लेकिन सुनो! अब जनता का जनता पर शासन होगा।

वास्तव में पादरियों, मुल्ला-मौलवियों व पंडों-पुजारियों-पुरोहितों की अनदेखी कल्पना ईश्वर, स्वर्ग तथा नरक नाम की बात बिलकुल झूठ है। यह है आँखों देखी हुई, सब पर बीती हुई सच्ची नरक की व्यवस्था सिपाही के घर की। इस नरक की व्यवस्था का कारण है—सिन्धिया गवर्नमेंट की बदइन्तजामी और अंग्रेजी उपनिवेश।

इसलिए इसे प्रत्येक दशा में पलटना है। समाप्त करना है।

जब जनता पर जनता का शासन होगा, तब जनता की सब माँगें मंजूर होंगी।

वीर सन्त माया

बलिदान

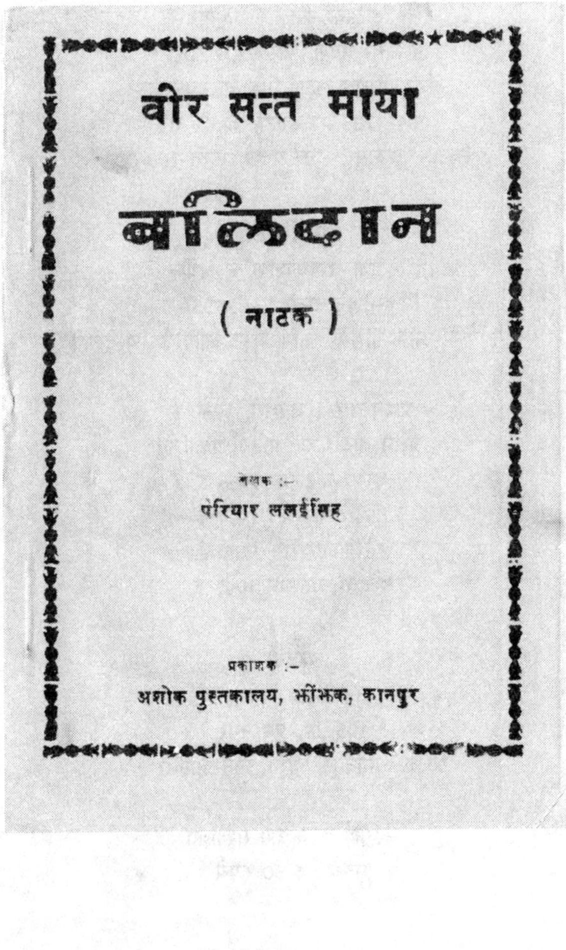
वीर सन्त माया

बलिदान

(नाटक)

लेखक :–

पेरियार ललईसिंह

प्रकाशक :–

अशोक पुस्तकालय, झींझक, कानपुर

!!नमो बुद्धाय!!

वीर सन्त माया

बलिदान

लेखक

पेरियार ललई सिंह

अशोक पुस्तकालय

झींझक, जिला—कानपुर

उत्तर प्रदेश, भारत-209 302

अंडर पेरियार ललई सिंह चेरिटेबुल ट्रस्ट

84/172, झकरकटी, जी.टी. रोड

जिला—कानपुर, उत्तर प्रदेश, भारत-208 003

प्रथम बार 1 जनवरी, 1960 ई.

प्रथम बार 1000 प्रतियाँ प्रकाशित

दूसरी बार सन् 1966 ई.

तीसरी बार सन् 1977 ई.

चौथी बार सन् 1990 ई.

पाँचवीं बार सन् 1992 ई.

मुद्रक

रानी प्रिंटिंग एजेन्सी,

105/28, प्रेम नगर,

जिला—कानपुर, भारत, पिन-208 012

महँगाई के कारण संशोधित

मूल्य : 5.50 रुपये

!!समर्पण!!

निर्वाण-प्राप्त
श्रद्धेय परम पूज्य प्रपितामह
श्री दीना सिंह यादव
निवासी ग्राम-कठारा, रेलवे स्टेशन झींझक, जिला—कानुपर
की
पुण्य स्मृति में!

दो शब्द

प्रस्तुत नाटक 'वीर सन्त माया बलिदान' भाटों द्वारा वर्णित एक सच्ची कहानी है, जो आज भी अपनी भग्नावशेष जीर्ण-शीर्ण दशा से स्वत: प्रमाणित है।

मुख्य विषय को यथाशक्ति शास्त्रीय व वैज्ञानिक ढंग से पाठकों के सामने रखने की चेष्टा की गई है। लेखक की मंशा किसी वर्ग विशेष को क्लेश पहुँचाने की नहीं है। हाँ! कटु सत्य अवश्य है।

इतिहास मत भूलिए—पेशवाओं की राजाज्ञा द्वारा अछूतों, महाशूद्रों को अपने पैरों के चिह्न मिटाने के लिए कमर में झाड़ू बाँधकर चिल्लाते हुए चलना पड़ता था। थूकने के लिए गले में हंडी लटकानी पड़ती थी।

अस्पृश्यता उन्मूलन समिति के अध्यक्ष संसद सदस्य श्री एल. इलैया पेरुमल ने संवाददाताओं को एक भेंट में बताया कि 'मैसूर नगर में इस तरह की एक सड़क है, जिस पर जूता पहन कर किसी हरिजन (अछूत महाशूद्र) को चलने की इजाजत नहीं है।'

(स्वतंत्र भारत, लखनऊ, दिनांक—13 फरवरी, 1966 ई., पृष्ठ 4, कालम 8)

कुछ भाटों का मत है कि 'वीर सन्त माया' का बलिदान नरमेध यज्ञ के ढंग पर हुआ, फलस्वरूप वरुणदेव ने नीचे से पाताल तोड़कर तालाब को पानी से लबालब भर दिया। यह मत अन्धविश्वास पर आधारित होने के कारण अमान्य है। दक्षिण भारत में उस समय ऐसी बलि प्रथा प्रचलित थी।

कृपया ध्यान से पढ़ें। सोचें। समझें। आप भी भावी क्रान्तिकारी मार्ग अपनावें। अभी हम सबको बहुत कुछ करना शेष है।

आप अपनी शंकाएँ, आपत्तियाँ, सुझाव भेजने की कृपा करें ताकि अगला अंक अधिकाधिक मन-मोहक निकल सके।

अन्त में, अपने गुणग्राही प्रिय प्रबुद्ध पाठकों को सादर सप्रेम सपरिवार अनन्त धन्यवाद!

आप सबका

—पेरियार ललई सिंह

दिनांक—23 अक्टूबर, 1966 ई.

सम्मति

श्री ललई सिंह कृत 'वीर सन्त माया बलिदान' नाटक हमने सुना। नाटक में हिन्दू धर्म की ऊँच-नीच, जन्म-जाति-मूलक, दर्जाबन्दी व वर्ण-व्यवस्था जो राष्ट्रीय एकता की महान शत्रु हैं, के साथ बौद्ध-धर्म की पवित्रता, समता, बन्धुता, स्वतंत्रता व न्याय के उत्तम आदर्श का तुलनात्मक विवेचन बहुत अच्छा लगा।

महान विद्वान 'माया' पहले हिन्दू धर्म के अनन्य-भक्त थे। किशोरावस्था में राम मन्दिर की आरती के समय जातीय अपमान से खिन्न होकर बौद्ध-धर्म के अनुयायी बनकर सफल प्रचारक भिक्षुवर बन गए।

यहाँ तक कि अन्त में दलितों, पिछड़ों, पीड़ितों को सामाजिक जन्मसिद्ध अधिकार दिलाने के लिए राजाज्ञानुसार ये 'पाटण' के जलरहित तालाब की पिटकुइया में बीचोबीच खूँटानुमा नोकदार लम्बे लट्‌ठ को ठोंकते हैं। यकायक पाताल से बड़े वेग से जलधारा प्रवाहित हो उठती है। परम परोपकारी भिक्षुवर 'वीर सन्त माया' उसी में डूब कर चार महाभूतों में विलीन होकर निर्वाण पद प्राप्त करते हैं। यह एक ऐसी रोमांचकारी घटना है, जिसका चित्त पर गहरा प्रभाव पड़ता है।

नाटक से सम्बन्धित द्वितीय प्रमुख पात्र महान सुन्दरी, गौरांग-युवती 'जसमा' है जो सहस्त्रों ग़रीब मजदूर परिवारों के पेट पालनार्थ सामन्तयुगीन भोग प्रवृत्तीय अग्नि ज्वाला की किंचितमात्र परवाह न करके अपने स्वाभिमान की रक्षा करती हुई परिवार पर जान न्योछावर कर देती है। सच्चरित्र सफल मजदूर नेता 'जसमा' की कार्य क्षमता आदर्शवादिता एवं वीरता वास्तव में अवर्णनीय है।

सफलता की शुभकामना सादर समर्पित।

भवदीय

दिनांक—1 अक्टूबर, 1966 ई.

—चन्द्रिका प्रसाद 'जिज्ञासु'

बहुजन कल्याण प्रकाशन
360/193, मातादीन रोड, सआदतगंज
लखनऊ-3 (उत्तर प्रदेश)

सम्मति

अलग-थलग छोटे-छोटे समूहों, जातियों एवं उप-जातियों में बँटे शोषित सर्वहारा समाज में तथाकथित शूद्रों की अहीर, गड़रिया, कुर्मी, कोइरी आदि सछूत तथा कोरी, चमार, पासी, धोबी, वाल्मीकि, भंगी, हेला आदि अछूत महाशूद्रों को एकता के सूत्र में पिरोने के अथक प्रयास करनेवाले पेरियार ललई सिंह द्वारा लिखित 'वीर सन्त माया बलिदान' को पढ़कर हार्दिक प्रसन्नता हुई। यह लघु नाटक समस्त शोषित समाज में एकता का संचार लाने में कितना समर्थवान है—यह तो नाटक के आद्योपान्त पठन से ही स्पष्ट होगा।

पेरियार ललई सिंह के इस क्रान्तिकारी नाटक में भाटों द्वारा परम्परा से लोकगाथाओं के माध्यम से सच्चाई को सँजोये रखने के प्रयास में एक सच्ची कहानी का चित्रण है। सामन्तशाही ब्राह्मणी व्यवस्था में अछूतों का हिन्दू मन्दिरों में प्रवेश सवर्ण हिन्दुओं के लिए कितना असह्य था, शोषित, शूद्रों का जीवन इनके लिए कितना अर्थहीन और शूद्रों की नारियों की इज्जत का कितना मूल्य था—इस नाटक में इस सत्य का हृदयगाही चित्रांकन है।

ब्राह्मणी व्यवस्था में व्याप्त असमानता, अपने ही भाई अहीर, गड़रिया, कोरी, जाटव, चमार, पासी, महाड़, माला, मादिगा आदि के मध्य कटुता पैदा कर एक दूसरे की जान लेने पर उतारू बनाए हुए हैं। इसमें बन्धुता और समानता मात्र धोखा है, जैसे बबूल के पेड़ में सदैव काँटे ही काँटे पैदा होते रहेंगे, वैसे हिन्दू व्यवस्था में ब्राह्मण, क्षत्रिय, वैश्य तथा शूद्र का वर्गीकरण परस्पर कटुता ही पैदा करता रहेगा। हिन्दू धर्म में समानता न कभी रही है और न ही रहेगी। यही तथ्य समझाना लेखक का सम्यक् उद्देश्य है। इस लघु पुस्तिका की लोकप्रियता का प्रबल प्रमाण इसके संस्करणों की अल्पकाल में ही समाप्ति तथा जोरदार माँग है।

ब्राह्मणी व्यवस्था में भारत के मूलनिवासी तथाकथित महाशूद्र उपेक्षित, प्रताड़ित, बहिष्कृत होने पर भी अपनी मातृभूमि तथा उस पर बसनेवाले सभी मनुष्यों—बहुजन हिताय—बहुजन सुखाय—के वृहत् हितों के लिए वीर सन्त माया की तरह सदैव हँसते-हँसते अपने अनमोल प्राणों की आहुति देने का नाटक में सफल चित्रण किया गया है।

भारत में अतीतकाल से ही समता, स्वतंत्रता, करुणा तथा मैत्री से ओत-प्रोत जीवन का सच्चा मार्ग बौद्ध-धर्म रहा है, जिसे योजनाबद्ध दीर्घकालीन षड्यंत्र कर सामान्य जनता से अलग रखने का पुरजोर प्रयास होता रहा है। आज के तथाकथित शूद्र ही नहीं, वरन् समस्त राष्ट्र को एकता के सूत्र में पिरोने का मार्ग केवल बौद्ध धर्म ही है; यही सत्य स्थापित करना लेखक का मात्र उद्देश्य है।

अन्त में, पेरियार ललई सिंह के राष्ट्रीय एकता की भावना जागृति के इस सराहनीय सुकृत्य को अनन्य प्रशंसाओं के साथ दीर्घजीवी होने की मंगल कामना करता हूँ।

भवतु शब्ब मंगलम्!

शुभेच्छु,

दिनांक—5 मई, 1990 ई.

—जे.एन. आदित्य

अध्यक्ष भारतीय बौद्ध महासभा (उ.प्र.)

पात्र-परिचय

पुरुष-पात्र

माया : (मायानन्द) महार, चमार, कोरी (कोली) जन्मजाति बौद्ध-भिक्षु या संत
सिद्धिराज : पाटण (गुजरात प्रदेश) का महाराजा
निधिराज : प्रधानमंत्री
मधुराज : प्रधान सेनापति
केशोमाधो : राजपुरोहित। निवास स्थान सिद्धपुर (गुजरात प्रदेश)
गिरधर : भाट एवं कविराज
जसमन्त : (रूड़ा) 'जसमा' ओड़न के पतिश्री
अन्य : द्वारपाल, चोबदार, दूत, गुप्तचर व मुखिया आदि

स्त्री-पात्र

जसमा : ओढ़, ओढ़ या वेलदार (मिट्टी खोदनेवाली) जाति : सफल मजदूर नेता व ठेकेदार
केशा देवी : राजपुरोहित केशोमाधे की युवा-पुत्री
राणक देवी : हड़मत कुम्हार (ग्राम मजेवड़ी) की पुत्री एवं जूनागढ़ के राजा रायखेंगार की रूपवती रानी
अन्य : सहेली आदि

नोट : रूपवती राणक देवी की प्राप्ति हेतु महाराजा सिद्धराज ने जूनागढ़ पर चढ़ाई करके राजा रायखेंगार व दो बच्चों को कत्ल कर दिया। बन्दी रानी राणक देवी सेना की दृष्टि से ओझल होकर पाटण से एक सौ मील (एक सौ साठ किलोमीटर) दक्षिण की ओर ग्राम बड़वासा (सुरेन्द्र नगर) में अपने शरीर में आग लगाकर भस्म हो गई।

दृश्य-1

स्थान : धौलका (वैराट नगर, गुजरात प्रदेश)
समय : संध्या वन्दन

[ग्राम के बाहर किन्तु समीप ही मन्दिर में राम की मूर्ति है। मन्दिर के सामने बाईं ओर गम्भीर छायादार पुराना पीपल का पेड़ है। मन्दिर का द्वार खुला हुआ है। कुछ साधु-संत तथा अधिकाधिक संख्या में ग्रामीण नर-नारी, बाल-वृद्ध उपस्थित हैं। श्री पुजारी जी के आने की प्रतीक्षा की जा रही है।]

ब्राह्मण युवक : *(माथे पर चन्दन लगाए हुए)* श्री पुजारी जी नहीं आए? आरती का समय हो चुका है।

क्षत्रिय युवक : श्री पुजारी के आने की प्रतीक्षा कुछ देर और करनी चाहिए।

शूद्र वृद्ध संत : माघ का महीना है। भीषण सर्दी, घनघोर वर्षा के साथ-साथ ठंडी हवा कलेजे को बीचोबीच से चीरे दे रही है। ऐसी विषम परिस्थिति में वयोवृद्ध पुजारी जी का अब और विशेष समय तक इन्तजार करना व्यर्थ है। उपस्थित समाज में 'माया' युवक सर्वश्रेष्ठ विद्वान है। अतः उसे ही आरती का भार सौंपा जाना उचित है।

ब्राह्मण युवक : ऐसा कदापि नहीं हो सकता। हिन्दू धर्मशास्त्रों के अनुसार, भगवान विष्णु के अवतारों का पुजारी केवल ब्राह्मण ही हो सकता है। इसके अतिरिक्त यह भी आदेश है कि मूर्ख ब्राह्मण हमेशा पूज्य होगा, विद्वान शूद्र या महाशूद्र सदा अपूज्य रहेगा।

शूद्र वृद्ध संत : प्राचीन काल में राजसत्ता से सहयोग लेकर कुछ स्वार्थियों द्वारा बहुजनों का शोषण करने के लिए लिखे हिन्दू धर्मशास्त्र व स्मृतियों को आजकल के बुद्धिवादी प्रकाशमय विज्ञान युग में बहुमत के सामने एक बार की

कौन चलावे, अपितु सहस्त्र बार झुकना पड़ेगा। आज सर्वश्रेष्ठ विद्वान माया युवक ही पुजारी का कार्य करेगा।

जनसमूह : *(एक साथ)* श्री संत जी का कथन बिलकुल ठीक है। आज माया युवक ही पुजारी का कार्य करेगा।

मुखिया : मैं कणावा (कुनबी, कुर्मी, पटैल) शूद्र वर्ण का अवश्य हूँ, परन्तु ग्राम के मुखिया (प्रधान) की हैसियत से ग्रामीण बहुमत के आधार पर घोषणा करता हूँ कि आज महाशूद्र माया युवक ही पुजारी का कार्य करेगा।

[सोलह वर्षीय चमचमाते चेहरेवाला महाशूद्र माया युवक घृत का दीपक जला कर राम मन्दिर के भीतर घुसकर आरती प्रारम्भ करता है।]

या

[आरती करता हुआ राम की स्तुति सम्बन्धी श्लोक की एक-एक लाइन साफ-साफ धीरे-धीरे ध्वनिपूर्वक गाता हुआ पढ़ता है।]

जनसमूह : *(दोनों हाथ जोड़े हुए माया द्वारा पढ़े हुए श्लोकों की एक-एक लाइन ध्वनिपूर्वक गाता हुआ दोहराता है।)*

ब्राह्मण युवक : *(ग्राम की ओर दौड़ता हुआ, जोर से)* ओ भैया, गाँव वारे दौड़ियो। ओ भैया, गाँव वारे दौड़ियो, दौड़ियो। महाशूद्र माया युवक ने राम-मन्दिर छूत कर दियो है।

[बात की बात सवर्णों-ब्राह्मणों, क्षत्रियों व वैश्यों तथा धर्म के ठेकेदारों, घर-घुसुआ गुलामों अर्थात् शूद्रों-अहीर, गड़रिया, काछी, कणवी आदि-आदि पिछड़ी जातियों के हथियारबन्द गोल ने बेचारे, गरीब, असहाय निहत्थे महाशूद्रों पर, जो हिन्दू धर्म के समर्थन में दोनों हाथ जोड़े हुए राम की आरती करने में ध्यान-मग्न खड़े थे, उन पर निर्दयतापूर्वक जालिमाना हमला बोल दिया। फलस्वरूप कुछ महाशूद्र मारे गए, कुछ सख्त घायल होकर धराशायी हुए, शेष करीब-करीब सभी कुछ-न-कुछ घायल दशा में लुढ़कते-पुढ़कते भाग कर अपने-अपने घरों में घुस गए। घायल माया युवक घर न जाकर पूर्व दिशा के समीपी जंगल की ओर चल दिया।]

[मुखिया के संकेत के अनुसार, चौकीदार का पुलिस को सूचित करने हेतु प्रस्थान।]

अहीर युवक : *(ग्वाल, गौली, यादव लाशों, घायलों एवं अपनी भुजदंडों की ओर प्रसन्नतापूर्वक देखता हुआ)* भाग गए—बेटा। सभी महाशूद्र। हाय, क्या करें? अगर ये कमबख्त बौद्ध-भिक्षु व हिन्दू संत समता, बन्धुता व स्वतंत्रता का प्रचार न करें, तो केवल मेरा ही अकेला गोल सभी महाशूद्रों का एक ही रात में सोते में सफाचट कर सकता है।

मुखिया : अबे चुप रह! यह ब्राह्मणी चातुर्वणी वर्ण-व्यवस्था हमारे और तुम्हारे जैसे मूर्खों की वजह से आज तक फल-फूल रही है।...और हाँ! ये बता तू, सब दुनिया को कत्ल करके क्या लेगा, कद्दू?

अहीर युवक : अजी! मैं लूँगा हिन्दू धर्म की आन-बान-शान।

मुखिया : आपस में असमानता का बीज बोकर समाज व देश में कलह फैलानेवाले हिन्दू धर्म की ऐसी निरर्थक आन-मान-शान को लेकर क्या करेगा? मन्दिर की खनाखन नकद बढ़ोतरी लेगा ब्राह्मण। दिल्ली का रत्नजटित सिंहासन लेगा क्षत्री। साहूकारी व कारखानों की असंख्य पूँजी लेगा वैश्य और तू शूद्र लेगा घर की बरबादी के अतिरिक्त फाँसी या आजीवन सख्त कैद की सजा। कभी सोचा बच्चू?

अहीर युवक : *(सोचता हुआ)* इस बात को इतनी गहराई से मैंने कभी नहीं सोचा।

मुखिया : *(प्रेम पूर्वक)* क्यों नहीं सोचा बेटा?

[मुखिया और अहीर युवक की बातों में उलझा देखकर चिल्लाकर झगड़ा करानेवाला ब्राह्मण युवक एवं अन्य बुद्धिजीवी झगड़ालू ब्राह्मणों, क्षत्रियों व वैश्यों का एक दूसरे को भागने का इशारा करते हुए धीरे-धीरे पीपल की आड़ में होकर प्रस्थान]

अहीर युवक : किसी ने इतने मार्मिक ढंग से पूर्णतया स्पष्ट बात समझाई नहीं।

मुखिया : *(क्रोधित होकर)* क्यों बे नालायक, इतना सफेद झूठ? मैंने तुझे कई बार समझाया। असमानता वाले धार्मिक तथा दीगर सभी झगड़ों से दूर कर अधिकार वंचित गरीबों, शूद्रों, महाशूद्रों तथा दूसरे अल्पसंख्यकों से मेल-मिलाप, खान-पान आदि सम्बन्ध स्थापित करके उनकी सहायता

से पहले राजसत्ता पर सबको समान अधिकार दिलाकर स्वयं ले दिल्ली का रत्न जटित सिंहासन, तत्पश्चात्...।

अहीर युवक : *(बीच में ही)* तत्पश्चात् क्या होगा?

मुखिया : तत्पश्चात् धार्मिक, सामाजिक, आर्थिक व राजनीतिक-- सभी झगड़े व बखेड़े समाप्त हो जावेंगे।

अहीर युवक : परम पूज्य मुखिया साहेब! आपकी पिछली समझाइश के पश्चात् पाठक, पंडा, पुजारी व केशोमाधो राजपुरोहित ने फिर वही पुरानी पटरी पढ़ा दी। राजनीति से सर्वोपरि धर्मनीति है।

मुखिया : *(क्रोधित होकर)* तेरे दिमाक में वही पुराना ब्राह्मणी चतुर्वर्णी असमानता वाला बिल्ली का गू भरा है, जो तू कल्पित बड़प्पन के कारण उन ब्राह्मणों की उचित-अनुचित प्रत्येक बात को बिना सोचे-समझे आँख बन्द करके मान लेता है। मैं दस कम सौ वर्ष का कणवी बुड्ढा शूद्र हूँ। मेरी बात को ठीक से सोचने तक की तुझमें अक्ल नहीं? इसी का परिणाम...।

अहीर युवक : *(बीच में ही)* इसी का परिणाम क्या है?

मुखिया : इसी का परिणाम है। पहला, धर्मनीति की बदौलत शूद्रों-महाशूद्रों का महानतम विकट हर प्रकार का शोषण। दूसरा, पुलिस आती होगी। इन लाशों के साथ-साथ तुम लठैता गिरोहबन्दों को भी गिरफ्तार कर लेगी। पंडा, पुजारी व पुरोहित तेरी सहायता कतई नहीं करेंगे, दूर से खड़े-खड़े तमाशा और देखेंगे।

अहीर युवक : *(वृद्ध कणवी मुखिया जी के दोनों पैरों पर अपने माथे को टेक कर दीनतापूर्वक)* परम पूज्य पितामह जी! क्षमा करें। मैं भविष्य में सभी मनुष्यों को समान समझूँगा और सभी अधिकार वंचित व्यक्तियों का संगठन करके उन्हें कुरीतियों एवं दुर्व्यसनों आदि के चक्कर से बचाता हुआ हर प्रकार के धार्मिक, सामाजिक, आर्थिक व राजनीतिक अधिकार दिलाने में साथियों सहित खून-पसीना एक कर दूँगा।

[कोतवाल साहब का सशस्त्र पुलिस सहित कुल भीड़ को दूर से ही चारों ओर से घेरते हुए, प्रवेश।]

कोतवाल : मुखिया साहेब! नमस्कार।

मुखिया : हाकिम साहेब! नमस्कार।

कोतवाल : मुखिया साहेब! *(अहीर युवक की ओर देखते हुए)* यह युवक कौन है?

मुखिया : हुजूर! इसी ने यह सब गजब ढाया है। यह है कुँवर अतरसिंह यादव।

कोतवाल : दरोगा जी! पहले इस रिंग लीडर कुँवर अतरसिंह यादव को गिरफ्तार करो। इसका यादवपन वहीं कोतवाली में निकालेंगे।

अहीर युवक : *(क्रोधित होकर)* कोतवाल साहेब! जरा जबान सँभालकर बोलना। मेरा यादवपन कोतवाली में क्या निकालेंगे? *(पहिने हुए अंगरखा की आस्तीन को उतारता हुआ।)* तुम्हारे इतने जवानों में है कोई पट्ठा। निकल आवे, मेरी उसकी रही।

दरोगा : बस! बस!! कुँअर साहब!!! अंगरखा पहन लीजिए। मैं आपके नाम से बहुत दिनों से परिचित था। मगर बड़ी इन्तजार के बाद आज दर्शन मिले हैं।

[कुँअर अतरसिंह यादव ने अंगरखा ज्यों-का-त्यों पहन लिया। दरोगा जी के इशारे पर तीन सिपाहियों ने कुँअर अतरसिंह यादव को तत्काल गिरफ्तार कर लिया।]

कोतवाल : मुखिया साहेब! इस झगड़े के मुख्य-मुख्य अभियुक्त यहाँ कौन-कौन उपस्थित हैं?

मुखिया : हुजूर यह हैं—*(हाथ के इशारे से)* गोकुल सिंह पाल (गड़रिया) कामता सिंह कुशवाहा (काछी), कुन्दन सिंह कणवी (कुर्मी), बलवीर प्रसाद बोझा (बढ़ई), लाखन लाल शर्मा (लुहार), नत्थालाल शर्मा (नाई), तेजसिंह राठौर (तेली), कल्यान सिंह कश्यप (कहार) महीपत सिंह निषाद (मल्लाह), गुलजार सिंह गुजेर (गूजर) व जगवीर सिंह (जाट)।

कोतवाल : दरोगा जी! इन सब मुल्जिमों को गिरफ्तार करो, तीनों लाशों व दसों घायलों को बैलगाड़ियों में लदवा कर सीधे कोतवाली पहुँचो। कुँअर अतरसिंह यादव के आतंक की वजह से इस गाँव में गवाह मिलना बहुत कठिन है। इसलिए बाकी फरार मुल्जिमों का नाम अभियुक्तों के

बजाय गवाहान की लिस्ट में लिख लेना। मैं एक हेड कांस्टेबिल व दस कांस्टेबिल सहित आवश्यकीय कार्य से अज्ञात स्थान की ओर जा रहा हूँ।

[कोतवाल साहब का एक हेड कांस्टेबिल व दस कांस्टेबिलों सहित मुखिया साहब को नमस्कार करते हुए प्रस्थान।

[दरोगा जी का चार हेड कांस्टेबिलों व शेष कांस्टेबिलों की मदद से सभी उपरोक्त अभियुक्तों को गिरफ्तार कर लाशों व घायलों को बैलगाड़ियों में लदवा कर पुलिस कोतवाली की ओर मुखिया साहब को नमस्कार करते हुए प्रस्थान]

[पट परिवर्तन]

दृश्य-2

स्थान : पाटण में राज्यसभा

समय : मध्याह्न

[महाराज सिद्धराज रत्न जटित सिंहासन पर विराजमान हैं। बाईं ओर निधिराज प्रधानमंत्री, दाईं ओर मधुराज प्रधान सेनापति बैठे हैं। अन्य मंत्रिगण, सभासद, सम्मानित भद्र पुरुष, ग्रामीण व दर्शक अपनी-अपनी जगह पर विराजमान हैं।]

[चोबदार का प्रवेश]

चोबदार : *(बगल में चाँदी से छपी हुई छड़ी दबाये हुए, दोनों हाथ जोड़कर)* राजन प्रणाम! महाराज की जय हो!

सिद्धराज : मंगल हो! कहो कुशल-समाचार?

चोबदार : राजन्! आपके प्रताप से सम्पूर्ण ब्राह्मणी चातुर्वणी वर्ण-व्यवस्था का पालन ठीक ढंग से हो रहा है। पिछले साल धौलका में महाशूद्र माया द्वारा राम मन्दिर की आरती करते समय जो झगड़ा हो गया था, उस प्रकरण में योग्य न्यायाधीश ने सम्पूर्ण अभियुक्तों को बीस-बीस वर्ष का

कठोर कारावास का दंड दिया, जिससे धार्मिक धाक और भी कई गुनी बढ़ गई है मगर...*(कहकर चुप हो जाता है।)*

सिद्धराज : चुप क्यों हो गया? अरे जो कुछ मन में आया, लेत-पलेत कह बगल करो। अगला काम देखा जाए।

चोबदार : मगर उस सर्वश्रेष्ठ विद्वान महाशूद्र माया युवक ने किसी बौद्ध महा-स्थविर से पिछली बुद्ध-पूर्णिमा (वैशाख पूर्णिमा) के अवसर पर विधिवत् बौद्ध-धर्म की दीक्षा लेकर विशेष अध्ययन प्रारम्भ कर दिया है।

सिद्धराज : महाशूद्र माया के बौद्ध-धर्म की दीक्षा ले लेने से हिन्दू धर्म को कोई हानि नहीं, क्योंकि अब तो हम अवसरवादी हिन्दुओं ने भी गौतम बुद्ध को भगवान विष्णु का चौदहवाँ अवतार इसीलिए मान लिया है, जिससे बौद्ध-धर्म हिन्दू वाइज्ड होकर हिन्दू धर्म का अंग बन जाए और अपना निजी अस्तित्व सदा-सदा के लिए खो बैठे।

चोबदार : बौद्ध-धर्म, वैज्ञानिक धर्म होने से उसकी नींव अनीश्वरवाद व अनात्मवाद पर आधारित है। जो ब्राह्मणी चातुर्वणी वर्ण-व्यवस्था को न मान कर समता-बन्धुता-स्वतंत्रता के सिद्धान्त को मानता है। ऐसी दशा में बौद्ध-धर्म, हिन्दू धर्म का अंग कदापि नहीं बन सकता।

सिद्धराज : अच्छा! मैं अब समझा तुम्हारी बात, चोबदार। यह तो बहुत ही बुरा हुआ। वास्तव में बौद्ध-धर्म, हिन्दू धर्म से बिलकुल भिन्न धर्म है।

ब्राह्मण सभासद : राजन्! कोई चिन्ता की बात नहीं। हिन्दू धर्म से भिन्न जैसे ईसाई धर्म, इस्लाम धर्म आदि हैं, वैसे एक और अधिक सही।

चोबदार : मालूम होता है, सभासद जी जागृति में स्वप्न देख रहे हैं या किसी लम्बे नशे में चकनाचूर हैं। इसाई धर्म, इस्लाम धर्म व संसार के अन्य सभी प्रमुख धर्म ईश्वरवाद व आत्मवाद पर आधारित होने से हिन्दू धर्म से भिन्न नहीं बल्कि मित्र धर्म हैं, केवल शब्दों का हेर-फेर है। ईश्वर या गॉड या खुदा और आत्मा या स्प्रिट या रूह एक ही चीज है।

सिद्धराज : *(प्रधानमंत्री से)* हिन्दू धर्म के अपमान की चोट खाया हुआ, महाशूद्र माया युवक, चोट खाये हुए साँप की भाँति हिन्दू धर्म पर सीधा या तिरछा हर प्रकार का प्रहार करेगा। चाहे उसे इस काम के लिए कोई भी भेस बनाना पड़े, बनाएगा। बौद्ध भिक्षु या हिन्दू संत।

ब्राह्मण सभासद : छोड़िए इस समय धार्मिक पचड़े को। हम लोग तो बुद्धिजीवी हैं। हमेशा से मौज की छानते रहे हैं। आगे भी साम-दाम-दंड-भेद जैसे बनेगा तैसे मौज की छानेंगे। अगर हमारी मौज की छानने में कोई बाधा पड़ती जान पड़ेगी तो हम लोग भी बौद्ध-धर्म स्वीकार कर लेंगे। तत्पश्चात् बौद्ध-धर्म में भी असमानता का बीज बोकर अर्थात् उसमें भी ऊँच-नीच जातियाँ धीरे-धीरे बनाकर फिर स्वयं कुछ सर्वोपरि जातियाँ स्थापित करके इसी तरह मौज की छानेंगे।

चोबदार : *(कुछ अकड़ते हुए)* भूल जाइए पुरानी बातें। माननीय सभासद जी! हिन्दू—धर्म ऊँच-नीच भावनावाला पुराना पैंतरा अब विज्ञानयुगीन बौद्ध-धर्मावलम्बियों के सामने बालू की भाँति सिद्ध होगा।

सिद्धराज : *(चोबदार से)* स्थान ग्रहण करो।

[चोबदार दोनों हाथ जोड़कर प्रणाम करता हुआ कुछ दूर पीछे हट कर खड़ा हो जाता है।]

[द्वारपाल का प्रवेश]

द्वारपाल : *(दोनों हाथ जोड़कर)* राजन्! प्रणाम!

सिद्धराज : मंगल हो। कहो कुशल समाचार?

द्वारपाल : स्वर्ग प्रदेश (कश्मीर राज्य) से आधा दर्जन गौरांग गायत्रियाँ एवं नर्तकियाँ मुख्य द्वार पर पधारी हैं। राज्यसभा को अपनी कला से मुग्ध करना चाहती हैं।

सिद्धराज : जाओ। उन्हें शीघ्र भेजो।

[द्वारपाल का दोनों हाथ जोड़कर प्रणाम करते हुए प्रस्थान]

सिद्धराज : *(प्रधानमंत्री से)* कहो! राज्य का नया समाचार?

निधिराज : राजन्! इस समय एक ही ऐसा अशान्त समाचार है, जिसने सम्पूर्ण राज्य में हाहाकार मचा दिया है, वह है कई वर्षों से पानी न बरसने के कारण पैदा हुई अकाल की भीषण परिस्थिति।

सिद्धराज : योग्य मंत्रिवर! घबड़ाने की जरूरत नहीं। राज पुरोहित केशोमाधो तथा कविराज गिरधर भाट को जनता के हृदय की बात जानने हेतु एक महीना हुए भेजा गया था। आज दोपहर के बाद वापसी का वायदा है। आते ही होंगे। फिर आज केवल इसी विषय को राज्यसभा में रख कर कोई निश्चित हल ढूँढ़ निकाला जाए।

निधिराज : आपका यह विचार अति सराहनीय है।

[छः गौरांग गायत्रियों व नर्तकियों का बाजे वालों सहित प्रवेश। गायिकाएँ व नर्तकियाँ मय बजंत्री, दोनों हाथ जोड़कर एक साथ राजन को प्रणाम करती हैं।]

सिद्धराज : मंगल हो! समय कम है। सब मिलकर केवल एक नर्तन गायन सहित दिखाओ।

[सभी से मिलकर महाराज सिद्धराज की चढ़ती जवानी की प्रशंसा करते हुए गायन सहित नर्तन दिखाया।]

सिद्धराज : *(प्रसन्नतापूर्वक हँसते हुए, प्रधानामात्य से)* इन्हें उचित स्थान दो। अन्त में फिर एक सुरीली मनमोहन तान होगी।

[प्रधानमंत्री के हाथ के इशारे के अनुसार, सभी ने यथा उचित स्थान ग्रहण किया।

[राज पुरोहित केशोमाधो का प्रवेश]

सिद्धराज : *(दोनों हाथ जोड़कर)* राज पुरोहित! प्रणाम!

केशोमाधो : राजन्! मंगल हो।

सिद्धराज : कहो! अकाल पीड़ित प्रजा क्या चाहती है?

केशोमाधो : मालवा प्रदेश के व्यापारियों ने भारी संख्या में ज्वार भेजी है। जो बाजारों में पिली पड़ी हैं। अकाल पीड़ित निठल्ली प्रजा चाहती है, कर्ज स्वरूप तकावी के बजाय कुछ काम करके मजदूरी द्वारा पेट पालना।

[कविराज गिरधर भाट का प्रवेश]

गिरधर : *(दोनों हाथ जोड़कर)* राजन्! प्रणाम!

सिद्धराज : मंगल हो। कहो! अकालग्रसित प्रजा क्या चाहती है?

गिरधर : पशुधन के लिए पानी की कोई ठीक व्यवस्था न होने से बिना पानी तड़प-तड़पकर सहस्त्रों की संख्या में

पशु मर रहे हैं। पचास रुपये की बैल जोड़ी पाँच-पाँच रुपये में भी कोई नहीं खरीदता। अकाल पीड़ित प्रजा चाहती है राज्य सरकार पाटण में एक बहुत बड़ा तालाब खुदवाए।

[तीन ग्रामीण प्रतिनिधियों का प्रवेश]

तीनों प्रतिनिधि : *(दोनों हाथ जोड़कर एक साथ)* राजन्! प्रणाम!

सिद्धराज : सबका मंगल हो। कहो, क्या चाहते हो?

प्रथम प्रतिनिधि-महाराष्ट्र प्रदेश से सूखी घास काफी आ रही है। राज्य सरकार तकाबी भी दे रही है। हम लोग चाहते हैं कि राज्य सरकार पाटण में एक बहुत बड़ा तालाब खुदवाए, जिसमें अकाल पीड़ित प्रजा तकाबी के बजाय मजदूरी द्वारा अपना स्वाधीन जीवन बिता सके।

सिद्धराज : तालाब खुदवाने में कई वर्ष लगेंगे।

दूसरा प्रतिनिधि : राजन्! जल्दी न सही। ठहर कर ही सही, हम लोग तो आशावादी हैं।

तीसरा प्रतिनिधि : राजन्! स्वीकृति प्रदान करें पाटण में तालाब खुदवाने की।

राज्यसभा : *(एक साथ)* राजन्! स्वीकृति प्रदान करें पाटण में तालाब खुदवाने की।

सिद्धराज : *(प्रधानमंत्री से)* कहो! राज्य-कोष की दशा।

निधिराज : राज्य-कोष में काफी रुपया है। अच्छा है। एक ऐतिहासिक तालाब खुदेगा।

सिद्धराज : *(प्रसन्नतापूर्वक)* आज भाद्र (भादों) मास की कृष्णाष्टमी सम्वत् 1202 विक्रमी में गुजरात प्रदेश की अकाल पीड़ित जनता व पशुधन की रक्षा हेतु राज्य-सरकार पाटण में एक बहुत बड़ा तालाब खोदवाने की घोषणा करती है। *(राजपुरोहित से)* आप महाराष्ट्र प्रदेश से, *(गिरधर कविराज से)* आप मालवा प्रदेश एवं राजस्थान प्रदेश से, *(प्रधानमंत्री से)* आप गुजरात प्रदेश से मजदूरों का संगठन करके इस काम में पूरा-पूरा सहयोग देंगे। *(प्रधान सेनापति से)* आपकी जिम्मेदारी होगी सम्पूर्ण राज्य में शान्ति-व्यवस्था बनाए रखने की। *(नर्तकियों से)* अब तुम लोग अपनी

नर्तन तथा गायन कला से अकाल पीड़ित राज्यसभा को मंत्रमुग्ध करो।

[सम्पूर्ण नर्तकियों ने बड़े ही हाव-भाव-चाव से अति मार्मिक आशावादी गायन सहित नर्तन, तालाब खुदने तथा उसमें पानी निकलने तक का दिखलाया।]

सिद्धराज : *(मुस्कराते हुए)* धन्य हैं! तुम लोग वास्तव में अपनी कला में सिद्धहस्त हो।

एक नवयौवना नर्तकी : *(मन्द-मन्द हँसी हँसती हुई जरा-सी भौं तथा सम्पूर्ण अंग-प्रत्यंग को मटकाती हुई)* क्षमा करें राजन्! आप हैं महाराज सिद्धराज और हम लोग भी हैं अपनी कला में सिद्धहस्त। *(सम्पूर्ण राज्यसभा एकदम हँस पड़ी)*

सिद्धराज : *(पूर्ववत् मुस्कराते हुए)* प्रधानामात्य! इन नर्तकियों को निज की कला के अतिरिक्त विदूषक की कला का भी मिलाकर दुहरा पुरुस्कार दो।

[निधिराज से दुहरा पुरुस्कार प्राप्त करके सम्पूर्ण नर्तकियों का बाजे वालों सहित दोनों हाथ जोड़कर प्रणाम कहते हुए प्रस्थान]

निधिराज : राज्यसभा समाप्त की जाती है।

[पटाक्षेप]

दृश्य-3

स्थान : अज्ञात जिला खानदेश (मालवा प्रदेश) में जसमा ओड़न के मकान के दरवाजे का सहन।

समय : दिन का पहर

[आज (आश्विन) कुवार मास की विजयादशमी का त्योहार है। बोधि-वृक्ष (पीपल के पेड़) के नीचे सामने एक बहुत बड़े लम्बे-चबूतरे पर सफेद चादर (बिछौना) बिछा हुआ है। चबूतरे के ऊपर बोधि-वृक्ष के समीप काषाय वस्त्र से आच्छादित तख़्त पड़ा हुआ है। उसके ऊपर बोधि-वृक्ष के सहारे महात्मा गौतम बुद्ध का चित्र दाएँ हाथ की कुहनी से निचले हिस्से को कुहनी के ऊपर उठाकर खड़ी हथेली द्वारा

'मंगल हो' आशीर्वाद देता हुआ, खड़ी दशा में कुछ तिरछा बड़े तकिया (मोढ़) के सहारे शोभायमान है। चबूतरे के सामने अगणित नर-नारी, बाल-वृद्ध विराजमान हैं।

'जसमा' अपनी दसों सहेलियों सहित भगवान गौतम बुद्ध के चित्र के बाईं ओर चबूतरे के ऊपर हाथों में फूलों की माला लिये किसी के शुभ-आगमन के इन्तजार में खड़ी है। शेष चबूतरा खाली पड़ा हुआ है।]

[काषाय वस्त्रधारी भिक्षु, वर (संत) माया का प्रवेश]

जनसमूह : *(एक साथ)* परम पूज्य भन्ते जी! सादर वन्दामि!

माया : *(आशीर्वादी ढंग पर हाथ उठाते हुए)* सबका मंगल हो!

[जसमा ने अपने हाथों से श्री भिक्षु वर 'माया' के दोनों हाथों में माला दी, जिसे उन्होंने महात्मा गौतम बुद्ध के चित्र को पहिना दी। इसी समय में जसमा की सहेलियों ने अनेक मोमबत्तियाँ व धूपबत्तियाँ जलाकर यथोचित स्थानों पर रख दीं। तत्पश्चात् जसमा व उसकी दसों सहेलियों ने परम पूज्य भन्ते माया का फूलमालाओं से स्वागत करके उचित स्थान ग्रहण किया।]

माया : *(गौतम बुद्ध के चित्र के दाईं ओर खड़ा होकर)* सज्जनो! कलिंग (उड़ीसा) विजय की भीषण मार-काट से सम्राट अशोक के हृदय पर गहरी चोट पहुँची। आज के दिन उसने संसार के शान्ति-प्रिय बौद्ध-धर्म को स्वीकार किया। उसी बौद्ध-धर्म, बुद्ध नमस्कार, त्रिशरण तथा पंचशील को मैं कहूँगा। आप लोग दुहराएँगे।

[बुद्ध-नमस्कार]

नमो तस्स भगवतो अरहतो सम्मासम्बुद्धस्य।
नमो तस्स भगवतो अरहतो सम्मासम्बुद्धस्य।
नमो तस्स भगवतो अरहतो सम्मासम्बुद्धस्य।

[त्रि-शरण-ग्रहण]

बुद्धं शरणं गच्छामि।
धम्मं शरणं गच्छामि।
संघं शरणं गच्छामि॥
दुतियम्पि बुद्धं शरणं गच्छामि।
दुतियम्पि धम्मं शरणं गच्छामि।
दुतियम्पि संघं शरणं गच्छामि॥
ततियम्पि बुद्धं शरणं गच्छामि।

ततियम्पि धम्मं शरणं गच्छामि।
ततियम्पि संघं शरणं गच्छामि॥

[पंचशील-ग्रहण]

1. पाणातिपाता वेरमणि सिक्खापदं समादियामि।
2. अदिन्नादाना वेरमणि सिक्खापदं समादियामि।
3. कामेसु मिच्छाचारा वेरमणि सिक्खापदं समादियामि।
4. मूसावादा वेरमणि सिक्खापदं समादियामि।
5. सुरामेरय मज्ज पमादट्ठाना वेरमणि सिक्खापदं समादियामि।

जनसमूह : *(जनसमूह एक साथ उपरोक्त बुद्ध नमस्कार, त्रि-शरण एवं पंच-शील दुहराना प्रारम्भ करता है।)*

[बुद्ध, नमस्कार]

: उन भगवान तथागत को जो जीवन-मुक्त या अर्हत, सम्पूर्ण और जाग्रत है, उन्हें नमस्कार है।

: उन भगवान तथागत को जो जीवन-मुक्त या अर्हत, सम्पूर्ण और जाग्रत है, उन्हें नमस्कार है।

: उन भगवान तथागत को जो जीवन-मुक्त या अर्हत, सम्पूर्ण और जाग्रत है, उन्हें नमस्कार है।

[त्रि-शरण-ग्रहण]

: मैं बुद्ध की शरण में जाता हूँ। मैं धर्म की शरण में जाता हूँ। मैं संघ की शरण में जाता हूँ।

: *(दूसरी बार)* मैं बुद्ध की शरण में जाता हूँ। *(दूसरी बार)* मैं धर्म की शरण में जाता हूँ। दूसरी बार मैं संघ की शरण में जाता हूँ।

: *(तीसरी बार)* मैं बुद्ध की शरण में जाता हूँ। *(तीसरी बार)* मैं धर्म की शरण में जाता हूँ। *(तीसरी बार)* मैं संघ की शरण में जाता हूँ।

[पंचशील-ग्रहण]

1. मैं प्राणी-हत्या न करने की शिक्षा ग्रहण करता हूँ।
2. मैं चोरी न करने की शिक्षा ग्रहण करता हूँ।
3. मैं व्यभिचार न करने की शिक्षा ग्रहण करता हूँ।
4. मैं झूठ न बोलने की शिक्षा ग्रहण करता हूँ।
5. मैं शराब आदि नशा न करने की शिक्षा ग्रहण करता हूँ।

[एक साथ उपरोक्त बुद्ध-नमस्कार, त्रि-शरण एवं पंच-शील क्रमवार दुहराना समाप्त करता है।]

जसमा : परम पूज्य भन्ते जी! मुझे एक शंका है।

माया : जो शंका हो, व्यक्त करो।

जसमा : आप बौद्ध-भिक्षु हैं, परन्तु आपके पास भिक्षा-पात्र नहीं है।

माया : इसमें शंका की कोई बात नहीं। मैं भिक्षु संघ के सभी नियमों का पूरी शक्ति से पालन करता हूँ। भ्रमण करने में भोजन से भी अधिक आवश्यकीय वस्तु है जल। अतः मैंने भिक्षु संघ से भिक्षा-पात्र के बजाय जल-पात्र *(नारियल का कमंडल या तोम्बा)* रखने की स्वीकृति ले ली है।

जसमा : फिर आप भिक्षा-वृत्ति कैसे करते हैं?

माया : श्रद्धालु बौद्ध-उपासकगण मुझे भिक्षा-पात्र रहित देखकर समुचित भिक्षा का तत्काल प्रबन्ध कर देते हैं। यों तो समय पड़ने पर मैं कई दिनों तक अन्न नहीं खाता। कन्द-मूल, फल-फूल, घास-पत्ती, पेड़ों की छाल आदि खाकर बसर कर लेता हूँ।

जसमा : हिन्दू धर्मानुयायी कमंडल के कारण आपको बौद्ध भिक्षु न समझकर हिन्दू संत समझते हैं।

माया : मेरा प्रत्येक कार्य 'बहुजन हिताय—बहुजन सुखाय' के लिए होता है। मेरा विश्वास है संसार में कोई ऊँच नहीं, कोई नीच नहीं। सभी मनुष्य समान हैं। मुझे कोई बौद्ध-भिक्षु कहे या हिन्दू संत कहे, मेरी कोई हानि नहीं। उसका मन चाहे सो कहे।

जसमा : आप धन्य हैं।

एक सहेली : परम पूज्य भन्ते जी! सम्राट् अशोक ने बौद्ध-धर्म की तरक्की के लिए क्या-क्या कार्य किए?

माया :
1. बौद्ध-धर्म के अहिंसा नियम पालन करने के लिए उसने अपने राज्य में पशुओं का बलिदान तथा संहार बन्द करा दिया और स्वयं मांस खाना, शिकार करना तथा युद्ध करना बन्द कर दिया।
2. बौद्ध-धर्म को राज्य-धर्म घोषित किया और ऐसे अधिकारी नियुक्त किए जो देश में दौरा करके प्रजा को बौद्ध-धर्म की शिक्षा देते थे। ये अधिकारी महामंत्र कहलाते थे।

3. समस्त राज्य में स्थान-स्थान पर पत्थर की शिलाओं तथा पत्थर की लाटों पर बौद्ध-धर्म के नियम अंकित करवाए।
4. अशोक ने स्वयं भिक्षु बनकर बौद्ध-धर्म का प्रचार किया तथा अपने पुत्र महेन्द्र तथा पुत्री संघमित्रा को प्रचार के लिए लंका भेजा।
5. पाटलिपुत्र (पटना) में बौद्ध-धर्म के विद्वानों की एक संगति की, जिसमें बौद्ध-धर्म के नियमों का निर्णय लिया गया।
6. 7. ...।

[कविराज गिरधर भाट का प्रवेश]

गिरधर : *(दोनों हाथ जोड़कर)* महामान्यवर संत जी! प्रणाम!

माया : मंगल हो! कविराज! आज अशोक विजया दशमी त्योहार के दिन अचानक आपका आगमन यहाँ किस हेतु हुआ है?

गिरधर : आप विचारक तथा प्रचारक संत हैं। मेरे अचानक आगमन का कारण आपसे छिपा नहीं है।

जसमा : सविनय माया से उपस्थित जनसमूह आपके श्रीमुख से कविराज के अचानक आगमन का कारण जानना चाहता है।

माया : अगर ऐसी ही बात है तो सुनो! गुजरात प्रदेश की अकाल पीड़ित जनता के कष्ट निवारणार्थ पाटण में एक बहुत बड़ा तालाब खोदने-खुदवाने के लिए तुमको निमंत्रण देने हेतु।

गिरधर : *(उपस्थित जनसमूह को प्रफुल्लित करने के लिए, जोर से)* "घट-घट व्यापी परम पूज्य संत माया की।"

जनसमूह : *(एक साथ)* "जय!"

जसमा : *(गिरधर से)* गुजरात-महाराजा सिद्धराज का यह सार्वजनिक कार्य अति सराहनीय है।

माया : महाराजा सिद्धराज का यह सार्वजनिक कार्य वास्तव में अति ही सराहनीय है, परन्तु...*(कहकर चुप रह जाते हैं।)*

जसमा : *(सविनय)* परम पूज्य भन्ते जी! आपका 'परन्तु' कहकर चुप रह जाना हम सबके लिए चिन्ता का विषय बन गया है। इसे स्पष्ट करने की अनुकम्पा करें।

माया : *(चुपचाप)*

गिरधर : *(सविनय माया से)* परम पूज्य भन्ते जी! वास्तविकता छिपाई नहीं जा सकती। मैं मानता हूँ कि महाराजा सिद्धराज कुछ विलासी अवश्य हैं, परन्तु प्रथम तो जसमा के साथ हजारों मजदूरों का गोल रहेगा। द्वितीय बात सबसे बढ़कर यह है कि सदाचारिणी 'जसमा' परिश्रमी होने के कारण अति बलशाली है। 'निजबल' का विश्वास बना है, जिसके मन में उसे सिद्धि सर्वत्र मिलेगी, रण में, वन में।

जसमा : *(माया से सविनय)* भिक्षु-वर! अगर इतनी बात आपके चुप रह जाने का कारण है, तो आप विशेष चिन्ता न करें क्योंकि यह कुटेव तो सामन्तवाद की देन है जो कुछ-न-कुछ करीब-करीब सभी सामन्तों में किसी-न-किसी रूप में हुआ ही करती है। फिर...*(कहकर चुप रह जाती है।)*

एक सहेली : अरे जसमा! चुप क्यों हो गई? फिर वाली बात भी बता।

जसमा : क्या कहें? फिर मेरा तो जातीय पेशा है मजदूरी करना, मिट्टी खोदना। वर्षा ऋतु समाप्त हो गई है। मैं सहस्त्रों गरीब मजदूर परिवारों के पेट पालनार्थ अपने को जलती आग की भट्ठी में झोंक कर भी गोल सहित कविराज का निमंत्रण सहर्ष स्वीकार करती हूँ।

गिरधर : *(जसमा से)* तुम धन्य हो।

माया : तुम वास्तव में धन्य हो जसमा, जो हजारों गरीब मजबूर परिवार के पेट-पालने के लिए अपने को जलती आग की भट्ठी में झोंकने के लिए तैयार हो परन्तु...*(कहकर चुप रह जाते हैं।)*

एक सहेली : परम पूज्य भन्ते जी! अगली बात स्पष्ट करने की कृपा करें।

माया : अगली बात यह है कि जसमा के जीवन की यह अन्तिम विजयादशमी है। आप लोग जसमा से और आपस में भी भली भाँति सदा-सदा के लिए मिलजुल लें।

कविराज : *(माया से)* ऐसा कुसमय असम्भव है।

जसमा : *(माया से)* परम पूज्य भन्ते जी! मेरे जीवन की यह अन्तिम विजयादशमी है। इस बात की आप किंचित मात्र परवाह न करें, परन्तु अपने अन्तिम शुभ सदुपदेश से मुझे अवश्य कृतार्थ करें।

माया : जसमा, सहस्त्रों मजदूर परिवारों के पेट-पालनार्थ सम्पूर्ण गोल सहित हँसी-खुशी से पाटण के तालाब को खोदने व खुदवाने में अपने खून का पसीना बनाकर शरीर के बाहर निकाल दो। यदि समय माँग करे, तो अपने स्वाभिमान की रक्षा हेतु प्राणों को भी न्योछावर कर दो।

गिरधर : *(प्रफुल्लित होकर जोर से)* 'परम पूज्य संत माया की!'

जनसमूह : *(एक साथ)* 'जय!'।

[जसमा अपनी दसों सहेलियों सहित अपने स्थान पर खड़ी होकर एक वियोगी गान गाती हैं।

[जसमा तथा उपस्थित जनसमूह भिक्षुवर माया की भविष्यवाणी को सत्य मान कर पेट की खातिर रोता-बिलखता हुआ आपस में मिलजुल रहा है।]

[पटाक्षेप]

दृश्य-4

स्थान : पाटण में खुदता हुआ तालाब

समय : दिन का प्रथम पहर

[तालाब खुदने का आज अन्तिम दिन है। युवा जसमा बड़ी सज-धज के साथ मालवी वेश-भूषा में खड़ी है। गैती, कुदाल, फावड़ा व टोकरी आदि लिए हुए स्त्री-पुरुष, मजदूरों के गोल (झुंड), प्रान्तीय वर्गीकरण के अनुसार, अगले काम की आज्ञा प्राप्त करने के इन्तजार में जसमा के सामने कुछ दूर पर खड़े हैं।]

जसमा : सहेली!

सहेली : *(दोनों हाथ जोड़कर)* श्रीमती जी प्रणाम! कहिए, आज्ञा?

जसमा : मंगल हो। काम की बाँट होनी है।

सहेली : *(जोर से)* सभी मेट उपस्थित हों!

[प्रान्तीय वर्गीकरण के अनुसार, चारों मेट अपनी-अपनी जगह से दौड़ते हुए जसमा के सामने एक लाइन में खड़े हो जाते हैं।]

चारों मेट : *(दोनों हाथ जोड़ते हुए एक साथ)* श्रीमती जी, प्रणाम!

जसमा : सबका मंगल हो!

(महाराष्ट्रीयन स्त्री मेट से) आपका गोल पूर्व दिशा में काम करेगा।

(गुजराती पुरुष मेट से) आपका गोल दक्षिण दिशा में काम करेगा।

(राजस्थानी पुरुष मेट से) आपका गोल पश्चिम दिशा में काम करेगा।

(मालवी स्त्री मेट से) आपका गोल उत्तर दिश में काम करेगा।

सहेली : *(जसमा से)* अन्य आज्ञा श्रीमती जी?

जसमा : सभी भाई-बहन ध्यान से सुनें। आज तालाब खुद कर तैयार हो जाएगा। रात्रि में प्रीति-भोज व अन्तिम मिलन होगा। कल प्रातः काल मेरे पति महोदय (श्रीमन्त जसमन्तजी) तालाब के बीच की पिटकुइयाँ (छोटा कुआँ) में बड़ी मोटी मेख अर्थात् बड़ा-सा खूँटा ठोंक कर कुछ ही समय में तालाब को पानी से लबालब भर कर बाहर निकल आवेंगे। तत्पश्चात्... *(कहकर चुप हो जाती है।)*

सहेली : श्रीमती बहन जी! तत्पश्चात् के कार्यक्रम को भी बताने की कृपा करें।

जसमा : तत्पश्चात् आप लोग महाराज सिद्धराज से शेष मजदूरी के अतिरिक्त उचित पारितोषिक प्राप्त करके अपने-अपने निवास स्थानों को चले जाइए। *(चिन्तित मुद्रा में, धीमे स्वर में, बड़े ही मार्मिक ढंग से)* फिर कभी नदी-नाव संयोग होगा, मिलेंगी।

गुजराती पुरुष मेट : एक शंका है, श्रीमती बहन जी।

जसमा : सहर्ष व्यक्त करो।

गुजराती पुरुष मेट : आपके पतिश्री तालाब के बीच की पिटकुइयाँ में मेख ठोंक कर कुछ ही समय में तालाब को पानी से लबालब भर कर बाहर जीवित कैसे निकल आवेंगे?

जसमा : मेरे पति श्री बचपन से प्राणायाम् के बड़े ही अभ्यासी हैं। इस कारण वे घंटों पानी में डुबकी लगाकर मृतक की भाँति पड़े रहते हैं। जब कुछ घंटों में तालाब में

ऊपर की ओर उछलते हुए पानी का ऊपरी वेग कम हो जाता है, तब वे डुबकी समाप्त करके ऊपर जीवित ही निकल आते हैं।

महाराष्ट्रीय स्त्री मेट : *(गुजराती पुरुष मेट से)* भाई श्री! अभी हाल ही में ठेकेदारिन श्री (जसमाश्री) के पति महोदय ने महाराष्ट्र प्रदेश के दो तालाबों से पानी मेरे सामने निकाला है। कल प्रातः जब आप लोग यह अनुपम रहस्यमय-दृश्य अपनी आँखों से देखेंगे तब सम्पूर्ण भ्रम दूर हो जावेगा।

राजस्थानी पुरुष मेट : *(जसमा से)* बहनश्री! आपने अभी चिन्तित मुद्रा में बड़े ही मार्मिक ढंग से धीमे स्वर में कहा है—"फिर कभी नदी-नाव संयोग होगा, मिलेंगी।" क्रिया को देखकर हम सब सशंकित हो गए हैं। बताने की कृपा करें।

जसमा : बात तो कुछ ऐसी ही है मेट महोदया, जिसमें प्रत्येक आदमी का सशंकित होना स्वाभाविक है, परन्तु यह समय काम करने का है, बात करने का नहीं।

महाराष्ट्रीय पुरुष मेट : आज काम-काज क्या श्रीमती जी! दो-तीन बार पसीना निकला। सूखा। समाप्त। मगर आपकी अन्तिम चिन्तित मुद्रा हम सबको सदा घर-बाहर काँटे की तरहकरकेगी।

जसमा : मेरी चिन्ता की मैं स्वयं औषधि हूँ, बहन जी।

मालवी स्त्री मेट : आपकी आदत अच्छी नहीं है, श्रीमती जी, जो हम सबको हताश कर रही है।

जसमा : हम लोगों ने अशोक विजयादशमी के बाहर त्योहार यहाँ इन टूटी-फूटी झोंपड़ियों में प्रेमपूर्वक मनाए। अगली अशोक विजयादशमी के केवल कुछ दिन ही शेष हैं। यहाँ से घर (जिला खानदेश) में पहुँचने में डेढ़ सप्ताह लग जावेगा। परन्तु...*(कहकर पुनः चिन्तित मुद्रा प्रकट करती हुई चुप रह जाती हैं।)*

सहेली : श्रीमती जी! 'परन्तु' के आगे की बात का भी स्पष्ट वर्णन करें।

जसमा : *(चिन्तित मुद्रा में)* परन्तु परम पूज्य भिक्षु-वर माया की भविष्यवाणी के अनुसार, इतने कम दिनों में ऐसी

कौन-सी अचानक अघटित घटना घटेगी जो मैं अगली अशोक विजया-दशमी का त्योहार परिवार के साथ निवास-स्थान पर सकुशल मनाने के पहले अपनी जीवन नौका समाप्त कर दूँगी।

सहेली : बस! इतनी सी बात है श्रीमती जी या कि और कुछ?

जसमा : *(पूर्ववत्)* जी हाँ। बस केवल इतनी-सी बात है जो एकदम गम्भीर चिन्ता का विषय बन गई हैं। परम पूज्य भिक्षुवर माया की भविष्यवाणी असत्य हो। यह बिलकुल असम्भव है।

सहेली : परम पूज्य भिक्षुवर माया की पहेली हल करने में सहेली का स्पष्ट मत है : 'सुखों का उपयोग अलगाव की दृष्टि से सदा किया करें, ताकि वास्तविक अलगाव होने पर दुःख का अनुभव न हो।'

जसमा : *(प्रसन्नतापूर्वक)* तुम हकीकत में ज्ञान की भंडार हो प्रिय सहेली। बस, अब मुझे कोई किसी प्रकार का किंचितमात्र दुःख नहीं। आप लोग बड़े हर्ष व उत्साह के साथ बताया हुआ काम प्रारम्भ करें। सबका मंगल हो!

[चारों मेट दोनों हाथ जोड़कर, प्रसन्नतापूर्वक प्रणाम करते हुए बताए गए काम में अपने-अपने गोल सहित जुट जाते हैं।]

जसमा : *(पूर्व सज-धज के साथ टहलती हुई, प्रत्येक मेट के काम का निरीक्षण करती हुई, महाराष्ट्रीयन स्त्री मेट से)* मेट महोदया! तालाब के ऊपर चारों ओर घूमनेवाले बैलगाड़ी मार्ग से तालाब के भीतर व बाहरी किनारे कुछ थोड़े से ढालू रहने से वर्षा-ऋतु में भी इस मार्ग पर जूती पहनकर टहल सकती हो।

महाराष्ट्रीयन स्त्री मेट : जी हाँ, श्रीमती जी! जहाँ कहीं थोड़ी-सी कमी रह गई है, उसे भी तुरन्त ठीक करती हूँ।

जसमा : *(पूर्ववत् टहलती हुई गुजराती पुरुष मेट से)* मेट महोदय! किनारों की ताजी मिट्टी पर इस समय की बढ़िया ठुकाई प्रथम वर्षा ऋतु में मिट्टी को बहने से रोकती है। तत्पश्चात् स्वतः घास उग कर सदा के लिए दोनों किनारों को मजबूत कर देगी।

गुजराती पुरुष मेट : जी हाँ श्रीमती जी! शीघ्र आज्ञा पालन करता हूँ।

जसमा : *(पूर्ववत् टहलती हुई राजस्थानी पुरुष मेट से)* मेट महोदय! मैं अनुभव करती हूँ आपकी मलिन-मुखाकृति!

राजस्थानी पुरुष मेट : जी हाँ, श्रीमती जी! मेरे मस्तिष्क में अचानक बड़े जोर का दर्द होने लगा है।

जसमा : *(प्रेमपूर्वक)* भाई श्री! मैं आपके काम की देखभाल करती हूँ। जाओ *(हाथ के संकेत से)* उस सामनेवाली झोंपड़ी में ऐनक लगाए एक बुढ़िया बैठी है। उससे कपूर-पिपरमेंट व गाय का मक्खन तीनों वस्तुएँ मिली हुई लेकर माथे में धीरे-धीरे मलते हुए, शीघ्र वापस आओ।

[राजस्थानी पुरुष मेट का औषधि लेने हेतु प्रस्थान]

[महाराज सिद्धराज का निधिराज प्रधानमंत्री एवं मधुराज प्रधान सेनापति सहित तालाब निरीक्षण हेतु टहलते हुए प्रवेश।]

सिद्धराज : *(टहलते हुए)* प्रधानामात्य! तालाब के चारों ओर की सीढ़ियों के सफल कटाव-बनाव की शोभा अति ही चित्ताकर्षक है।

निधिराज : *(टहलते हुए)* राजन्! ठेकेदारिन जसमा ओड़न तालाब की कला में अति चतुर है। पाटण के इस विशाल ऐतिहासिक तालाब के खोदने तथा खोदवाने का सम्पूर्ण श्रेय *(हाथ के इशारे से)* इन्हीं जसमा महोदया के महानतम, अथक-परिश्रम एवं विशाल-बुद्धि को है।

जसमा : *(पूर्ववत् राजस्थानी पुरुष मेट के रिक्त स्थान पर राजस्थानी मजदूरों के काम का निरीक्षण करती हुई, खड़ी दशा में दोनों हाथ जोड़कर)* नमस्कार महाराज!

सिद्धराज : *(खड़े होकर)* मंगल हो जसमा! बताओ मानचित्र के अनुसार, तालाब तैयार होने में अब किस चीज की कमी है?

जसमा : राजन्! मानचित्र के मुताबित तालाब खुदकर तैयार हो चुका है।

सिद्धराज : *(गौरांग जसमा ओड़न के रूप-रंग की अद्‌भुत-लावण्यता एवं सजावट पर मुग्ध होकर, मुस्कराते हुए)* तालाब खुद कर तैयार हो चुका है। तुम भी तो तैयार-सी ही खड़ी हो, जसमा।

जसमा : *(छल-छिद्ररहित, भोली-भाली, सीधी-सादी, ग्रामीण मजदूरिन)* इसमें कोई दो राए नहीं राजन्! मैं भी आपका नमक पानी खा-पी कर तैयार ही खड़ी हूँ।

सिद्धराज : *(पूर्ववत् मुस्कराते हुए)* जसमा, न जाने क्या बात है, मैं आपसे कुछ दिनों से विशेष प्रेम क्यों करने लगा हूँ।

जसमा : *(पूर्ववत् साधारणतया)* यह आपके हृदय की विशालता है राजन्।

सिद्धराज : *(पूर्ववत्)* प्राण प्रिय, जसमा। मैं तुमसे एकान्त में मिलना चाहता हूँ, है कोई समय?

जसमा : *(पूर्ववत्)* जी हाँ, कल प्रात:काल। सूर्योदय के पश्चात्।

सिद्धराज : *(पूर्ववत्)* और आज मध्य-रात्रि में।

जसमा : *(पूर्ववत्)* आज सम्पूर्ण रात्रि में कोई समय नहीं है।

निधिराज : *(कुछ क्रोध प्रदर्शित करते हुए)* इतनी बड़ी रात्रि है, क्या करोगी जसमा?

जसमा : *(पूर्ववत्)* आज हम लोगों के अन्तिम मिलन व प्रीति-भोज का कार्यक्रम चलेगा, मध्यरात्रि तक। तत्पश्चात् शयन-कक्ष।

सिद्धराज : *(अनमने मन से)* अच्छा! काम की देखभाल करो।

[कहकर महाराज सिद्धराज मंत्रियों सहित टहलते आगे की ओर चल देते हैं।]

जसमा : *(दोनों हाथ जोड़कर)* राजन्, नमस्कार।

सिद्धराज : *(टहलते हुए, अनमने से)* मंगल हो।

निधिराज : *(टहलते हुए, महाराज सिद्धराज से)* राजन्! ठेकेदारिन बड़ी मगरूर है।

मधुराज : *(टहलते हुए, प्रधानमंत्री से)* मंत्रिवर! चिन्ता न करें। दिन है जसमा का, रात्रि है मेरी।

सिद्धराज : *(टहलते हुए, प्रसन्नतापूर्वक)* शाबाश प्रधान सेनापति! आपसे यही आशा है।

[पटाक्षेप]

दृश्य-5

स्थान : पाटण के तालाब के चारों ओर कुछ दूर मिट्टी खोदनेवाले मजदूरों की प्रान्तीय वर्गीकरण के मुताबिक टूटी-फूटी, जीर्ण-शीर्ण झोंपड़ियाँ

समय : रात्रि का अन्तिम पहर

[सभी स्त्री-पुरुष मजदूर गण अपनी-अपनी झोंपड़ियों में मन्द-मन्द शीतल समीर के वशीभूत होकर निद्रा-विभोर मृतक समान अचेत पड़े सो रहे हैं।

महाराज सिद्धराज का प्रधान सेनापति मधुराज, गुप्तचर व कुछ सैनिकों सहित, चोरों की भाँति चुपके-चुपके पंजों के बल धीरे-धीरे सशस्त्र प्रवेश।]

सिद्धराज : *(धीमे स्वर में, गुप्तचर से)* जसमा की झोंपड़ी कौन-सी है?

गुप्तचर : *(धीमे स्वर में, हाथ के इशारे से)* यह है टिमटिमाते चिराग वाली झोंपड़ी जसमा की।

सिद्धराज : *(पूर्ववत्)* झोंपड़ी के दरवाजे पर कौन सो रहा है?

गुप्तचर : *(पूर्ववत्)* वह है, अति-बलशाली एवं महान-पराक्रमी जसमा के पतिश्री जसमन्त।

सिद्धराज : *(पूर्ववत्, उतावले होकर)* जसमा कहाँ है?

गुप्तचर : *(पूर्ववत्)* झोंपड़ी के भीतर झुककर बाएँ कोने की ओर देखिए *(हाथ के इशारे से)* चूल्हे के पास अपने दुधमुँहे बच्चे (जसमन्ता) को बगल में लिटाए मुँह खोल के इसी ओर करवट किए अचेत पड़ी सो रही है, जसमा।

सिद्धराज : *(गौरांग गोल चेहरे पर लगी हुई चमकदार टिकुलियों वाली जसमा को देखकर शीघ्रतापूर्वक किन्तु धीमे-स्वर में, प्रधान सेनापति से)* मैं दरवाजे के कंटक जसमन्ता को साफ करता हूँ। आप लपक कर पहले टिमटिमाते चिराग को बुझा दें। तत्पश्चात् जसमन्त को कत्ल करके जसमा को शक्तिपूर्वक घोड़े पर रखकर भगा ले चलें।

[महाराज सिद्धराज ने जसमन्त को व प्रधान सेनापति

मधुराज ने दीपक बुझाने के बाद जसमन्त को अपनी-अपनी तलवारों की तीक्ष्ण-धारों से पलक झपकते-झपकते मौत के घाट उतार दिया। तत्पश्चात् प्रधान सेनापति ने सोती हुई 'जसमा की बाईं' कलाई शक्तिपूर्वक मरोड़ते हुए फिर पकड़कर झोंपड़ी के बाहर खींचा। जसमा यह रक्त-रंजित बीभत्स दृश्य देखकर]

जसमा : *(जोर से चिल्लाती है)* दौड़ो! दौड़ो! बचाओ!

[जसमा के 'दौड़ो! दौड़ो!' कहने के तुरन्त बाद ही]

सिद्धराज : *(साधारण स्वर से)* इसे भी साफ करो। *(जोर से)* भागो!

[महाराज सिद्धराज के मुख से शब्द 'साफ करो' तथा जसमा के मुख से 'बचाओ' के एक साथ निकलते ही प्रधान सेनापति मधुराज ने बलपूर्वक जसमा की गर्दन पर खूनी तलवार का वार किया, जो घबराहट के कारण गर्दन पर तिरछा लगा। जसमा तत्क्षण सख्त घायल होकर अचेत अवस्था में मृतप्राय-सी भूमि पर गिर पड़ी। महाराज सिद्धराज व प्रधान सेनापति साथियों सहित सभी खड़े हुए अपने-अपने घोड़ों पर सवार होकर नौ-दो ग्यारह हो गए।

[जसमा के 'दौड़ो! बचाओ!' चिल्लाने के तत्पश्चात् महाराज सिद्धराज द्वारा जोर से "भागो" कहने के बाद शीघ्र ही भागते घोड़ों की टापों के शब्द को सुनकर समीपी झोंपड़ियों के सहस्त्रों स्त्री-पुरुष मजदूर तथा चारों मेट घायल जसमा के पास दौड़कर इकट्ठे हो जाते हैं।

[एक सहेली सिसकती घायल जसमा का सिर अपनी गोदी में रखकर बैठ जाती है। राजस्थानी पुरुष मेट मुँह में थोड़ा-थोड़ा पानी डालता है। महाराष्ट्रीयन स्त्री मेट पंखा से हवा कर रही है। शेष मेट व नौ सहेलियाँ शान्ति व्यवस्था बनाए रखने में तल्लीन हैं। सबको पूर्ण विश्वास है कि मरणासन्न जसमा अब कुछ क्षण की ही मेहमान फिर भी बहते हुए खून को रोकने के तात्कालिक उपचार... उपाय हो रहे हैं।]

जसमा : *(कुछ होश में आने पर एकदम सीधी गर्दन करके सहेली के सहारे बैठकर शक्तिपूर्वक)* ऐ कामी हत्यारे 'सिद्धराज'! तूने 'राणक देवी', 'केशा देवी' व मेरा सतीत्व नष्ट करने का असफल प्रयास जिस सामन्ती मद-मस्ती के कारण किया है, मैं श्राप देती हूँ कि दुनिया के किसान-मजदूर-दल एक होकर भविष्य में सामन्ती युग समाप्त करने में अवश्य सफल होंगे! समता का समाज और राष्ट्र होगा। दुनिया की आधी आबादी स्त्रियों के साथ पूर्ण न्याय होगा।

मेरी शक्ति क्षीण हो चुकी है। अब मैं भी पति श्री व प्रिय पुत्र के साथ चार महाभूतों में विलीन होती हूँ। *(लड़खड़ाती आवाज से)* सबका मंगल हो! *(कहकर एक ओर को लुढ़कती हुई प्राण विसर्जन कर देती है।)*

[सम्पूर्ण जनसमूह का भारी विलाप]

[पटाक्षेप]

नोट : *केशोमाधो राजपुरोहित की अति सुन्दर पुत्री केशा देवी को प्राप्त करने के लिए महाराज सिद्धराज ने ज्यों ही बल का प्रयोग करना चाहा, त्यों ही केशा देवी ने अपनी कटार अपने हाथों से अपने पेट में घुसेड़कर अपनी जीवन नौका समाप्त कर ली।*

दृश्य-6

स्थान : पाटण में अचानक राज्यसभा

समय : प्रात:काल

[महाराज सिद्धराज रत्नजटित सिंहासन को शोभायमान कर रहे हैं। बाईं ओर निधिराज प्रधानमंत्री, दाईं ओर मधुराज प्रधान सेनापति विराजमान हैं। पास ही केशोमाधो राजपुरोहित, अन्य मंत्रिगण सभासद सम्मानित भद्र-पुरुष, ग्रामीण व दर्शक (नर-नारी) अपनी-अपनी जगह पर बैठे हुए हैं।]

[चोबदार का प्रवेश]

चोबदार : *(बगल में चाँदी से जड़ी हुई छड़ी दबाये हुए, दोनों हाथ जोड़कर)* राजन्! प्रणाम! महाराज की जय हो!

सिद्धराज : मंगल हो! कहो कुशल समाचार?

चोबदार : महाराज! राज्य की जनता स्त्री-पुरुष सपरिवार बैल बनकर कमा रही है, फिर भी पेट नहीं भरता।

सिद्धराज : *(चौक कर शीघ्रतापूर्वक)* ऐसा क्यों?

चोबदार : एक बैलगाड़ी लादने, एक स्थान से दूसरे स्थान तक सुरक्षा के साथ पहुँचाने तथा उतारने में जो मजदूरी मिलती है, उससे दो बैलों की कीमत का ब्याज एवं परिवार की रोटी, कपड़ा, मकान की समस्या की पूर्ति होना ही असम्भव है। बच्चों की शिक्षा-दीक्षा-विवाह, दवा, दारू, तीज-त्योहार आदि विशेष आवश्यकताएँ गईं चूल्हे भाड़ में।

सिद्धराज : फिर मजदूर के परिवार का गुजर-बसर कैसे होता है?

चोबदार : राजन्! वही बैल बनकर।

सिद्धराज : कैसे बैल बनकर?

चोबदार : बैलगाड़ी के जुए में दो बैलों के बजाय एक ओर पुरुष व दूसरी ओर उसकी स्त्री जुट जाती है। बहन, माता, पिता या अन्य कोई परिवार व्यक्ति पीछे से माल की रखवाली रखता तथा चढ़ाव में गाड़ी को ऊपर ढकेलने का काम (बैलों की तीसरी शक्ति बनकर) करता है। सभी मिलकर स्वतः माल लादते, उतारते हैं। रास्ते में माल की चोरी, शक्तिमय चोरों आदि की जिम्मेदारी भी उसी मजदूर परिवार की होती है। इस प्रकार बमुश्किल तमाम उसके परिवार की गुजर-बसर बैल बनकर होती है।

सिद्धराज : मजदूर लोग ज्यादा मजदूरी की माँग मेटों, साहूकारों से क्यों नहीं करते, ताकि बैल रख सकें व सभी पारिवारिक खर्चे पूरे कर सकें।

चोबदार : देश में सामन्ती शासन से भी बढ़ कर सेठों, साहूकारों का पूँजीवादी शासन है। कुछ समझदार मजदूर अगर मजदूरी बढ़ाने की माँग करते हैं तो उनमें से कुछ प्रमुख मजदूरों को साहूकार राजसत्ता के सहयोग से जेल में बन्द करा देते हैं। कुछ को नौकरी से हटा देते हैं, जिसमें वे उल्टे पुराने साथी मजदूरों का गला घोंटने पर उतारू हो जाते हैं। फिर इस बढ़ती आबादी में से सहस्त्रों निठल्ले भर

भूखे मजदूर स्त्री-पुरुष कम से कम मजदूरी में महँगाई के कारण नए भर्ती कर लिए जाते हैं। आखिर मरता, क्या न करता?

सिद्धराज : *(सभासद)* सोमनाथ! क्या पश्चिमी प्रदेश में भी यही दशा है?

सभासद : जी हाँ, राजन्!

सिद्धराज : *(प्रधानामात्य से)* इसका है कोई उपाय?

निधिराज : राजन्! मेरी दृष्टि में इसका उपाय नहीं।

चोबदार : *(अतिशीघ्र)* महाराज! है इसका उपाय। प्रधानामात्य आप बरगला रहे हैं।

सिद्धराज : अच्छा, तुम्हीं बताओ, क्या है?

चोबदार : इसका सबसे अच्छा सरल उपाय है। देश की पूँजी का राष्ट्रीयकरण।

सिद्धराज : *(प्रधानामात्य से)* पूँजी का राष्ट्रीयकरण हो जाने से मजदूरों का शोषण बन्द हो जाएगा। इसमें राज्य सरकार को क्या परेशानी है?

निधिराज : बड़े-बड़े कारखानों को सुचारु रूप से चलाने के लिए राज्य सरकार के पास सुयोग्य व्यवस्थापक (मैनेजर) न होने से भारी हानि होने का भय है।

चोबदार : ये प्रधानमंत्री आपको लम्बा चकमा दे रहे हैं, राजन्!

सिद्धराज : *(मुस्कराते हुए)* अच्छा! तुम खुद बताओ बिना चकमा वाली बात किए।

चोबदार : पूँजी का राष्ट्रीयकरण हो जाने के बाद सेठों, साहूकारों वाले पुराने व्यवस्थापक ही बनाए जाएँ, राज्य सरकार के अस्थायी व्यवस्थापक। तीन वर्ष बाद जो अच्छा काम करे, उसे किया जाए स्थायी व्यवस्थापक। खराब काम करने या मक्कारी देनेवालों की फिल और आनन-फानन पतंग काट दी जाए। उसकी जगह किसी सुयोग्य उप-व्यवस्थापक को बनाया जाए तरक्की देकर अस्थायी व्यवस्थापक और...।

सिद्धराज : *(बीच में ही)* और क्या कहना चाहता है?

चोबदार : और राज्य सरकार के स्थायी निरीक्षक इन नए कारखानों के भी निरीक्षक रहें।

सभासद : राजन्! यही व्यवस्था सबसे उत्तम है।

राज्यसभा : *(एक साथ)* राजन्! बिलकुल ठीक। यही व्यवस्था सबसे उत्तम है।

[राज्यसभा ने तालियाँ बजाकर हर्ष प्रकट किया।]

सिद्धराज : *(प्रधानामात्य से)* इस प्रकार के सुप्रबन्ध से राज्य सरकार को पूँजी का राष्ट्रीयकरण कर देने से, कभी भी हानि होने का भय नहीं हो सकता।

निधिराज : कहने और करने में बड़ा अन्तर है, राजन्!

चोबदार : राजन्! कोई भी व्यक्ति तजुर्बा अपनी माँ के पेट से सीख कर नहीं आता। आवश्यकता आविष्कार की जननी है। *(कहकर दोनों हाथ जोड़कर चुप हो जाता है।)*

सिद्धराज : कहो! कहो! आगे की बात! जो तुम्हारे मन में है। निःसंकोच राज्यसभा के सामने व्यक्त करो। तुम्हारे द्वारा अचानक प्रस्तुत किया गया पूँजी के राष्ट्रीयकरण का विषय, अब राज्य सरकार का प्रमुख विषय बन चुका है। इससे मजदूर व सरकार, दोनों को लाभ है।

चोबदार : *(दोनों हाथ जोड़कर)* महाराज! लघु सेवक की धृष्टता को क्षमा करें। इन प्रधानामात्य का पूँजी का राष्ट्रीयकरण न होने देने के बदले में सेठों, साहूकारों की ओर से मासिक बँधा हुआ है।

सिद्धराज : *(चौक कर)* कैसा मासिक बँधा हुआ है?

चोबदार : *(पूर्ववत्)* मासिक घूस। ये प्रधानामात्य पहले लघु पाठशाला में सहायक अध्यापक थे। घर से पाँच कोस (आठ किलोमीटर) नंगे पैर, जाड़े-गर्मी में पढ़ाने जाते थे। बरसती, गरजती घनघोर अँधियारी रातों में पानी से टपकती मजदूर चाल की खपरैली वाली छोटी-सी खोली के भीतर स्वयं बुड्ढ़ा-बुढ़िया, विधवा बुआ, स्त्री व चार बच्चों सहित नीचे ऊपर धरे रहा करते थे, परन्तु अब...?

सिद्धराज : *(पूर्ववत् बीच में)* परन्तु अब क्या दशा है?

चोबदार : *(पूर्ववत्)* परन्तु अब मासिक घूस के कारण इन्हीं प्रधानामात्य के अनेक नगरों में आलीशान महल, बाग-बगीचे, अनेक कारखाने स्वयं व रिश्तेदारों के नाम खुले हुए हैं।

सिद्धराज : *(पूर्ववत् प्रधानमंत्री से)* क्या यह बात सत्य है?

निधिराज : बिलकुल असत्य!

चोबदार : *(पूर्ववत्)* राजन्! बिलकुल सत्य! निष्पक्ष जाँच कमीशन नियुक्त किया जाए।

सभासद : *(पूर्ववत्)* राजन्! इनके कारोबार में यकायक तरक्की कैसे हुई, इसके लिए निष्पक्ष जाँच कमीशन नियुक्त किया जाए।

राज्यसभा : *(एक साथ)* राजन्! निष्पक्ष जाँच कमीशन नियुक्त हो।

सिद्धराज : पूँजी के राष्ट्रीयकरण का मामला राज्यसभा की अगली बैठक में पुनः रखा जाए। प्रधानामात्य के कारोबार में यकायक तरक्की कैसे हुई? इसके लिए जाँच कमीशन चोबदार, भोलानाथ, शंकरनाथ भाट की अध्यक्षता में कणराव रामराव कणवी सभासद व ज्योति स्वरूप शिव स्वरूप जोशी सभासद सहित नियुक्त किया जाता है। इस जाँच कमीशन को प्रथम श्रेणी के न्यायालय के समान माल, दीवानी तथा फौजदारी—तीनों अधिकार प्रदान किए जाते हैं। जाँच कमीशन अपनी अन्तिम रिपोर्ट एक माह के अन्दर राज्यसभा में प्रस्तुत करे। *(चोबदार से)* स्थान ग्रहण करो। *(कुछ दूर पीछे हट कर चोबदार खड़ा हो जाता है।)*

[द्वारपाल का प्रवेश]

द्वारपाल : *(दोनों हाथ जोड़कर)* राजन्! प्रणाम!

सिद्धराज : मंगल हो! कहो कुशल समाचार।

द्वारपाल : राजन्! उत्तर भारत की 'काशी' नगरी से दो प्रमुख गायिकाएँ पधारी हैं। अपनी गायन कला से राज्यसभा को प्रसन्न करना चाहती हैं।

सिद्धराज : जाओ! उन्हें शीघ्र भेजो!

[द्वारपाल का दोनों हाथ जोड़कर प्रणाम करते हुए प्रस्थान।]

सिद्धराज : *(प्रधानामात्य से)* कहो, कोई अन्य आवश्यकीय कार्य?

निधिराज : आज वही एक सबसे बड़ा कार्य होना है, जिसके लिए गिरधर भाट के आगमन की प्रतीक्षा है।

निधिराज : ठीक है। अवकाश के बाद तक आ ही जावेंगे।

[दोनों गायिकाओं का बाजे वालों सहित प्रवेश]

दोनों गायिकाएँ : *(हाथ जोड़कर)* राजन! प्रणाम!

बजंत्रियों सहित

सिद्धराज : मंगल हो! तुम लोग काशी नगरी के गंगा घाट वाले अन्धे लंगड़े, अपाहिज भिखमंगों की करुणा कहानी व दान-दाताओं सेठों-साहूकारों के धन की पंडों द्वारा स्वर्ग-नर्क के नाम पर लूट-खसोट वाला गाना सुनाओ।

[दोनों गायिकाओं ने बड़े मार्मिक ढंग से उपरोक्त विषय पर गाना सुनाया। सुनकर राज्यसभा दंग रह गई।]

चोबदार : देखा आपने! मजदूरों का पेट काट-काट कर ये सेठ-साहूकार धर्म के नाम पर अकारण कितनी बड़ी धनराशि व्यय करते हैं...।

सिद्धराज : अगली राज्यसभा में पूँजी के राष्ट्रीयकरण के समय इन सब बातों पर भी विचार किया जाएगा। *(प्रधानामात्य से)* इन गायिकाओं को समुचित पुरुस्कार देकर जाने दो।

[दोनों गायिकाओं का प्रधानमंत्री से उचित पुरुस्कार लेकर बजंत्रियों सहित दोनों हाथ जोड़कर कर प्रस्थान।]

[कविराज गिरधर भाट का काषाय वस्त्रधारी संत माया सहित प्रवेश]

गिरधर : *(दोनों हाथ जोड़कर)* राजन्! प्रणाम!

सिद्धराज : मंगल हो! ये कौन से परोपकरी संत जी हैं, जो पाटण के सूखे तालाब को जल से परिपूरित करने में अपनी बलि देने के लिए सहर्ष तैयार हैं?

गिरधर : ये हैं सर्वश्रेष्ठ विद्वान एवं परम परोपकारी महाशूद्र संत माया।

सिद्धराज : *(दोनों हाथ जोड़कर)* माननीय संत जी प्रणाम!

माया : राजन्! प्रजा सहित मंगल हो!

सिद्धराज : आप अकाल पीड़ित जनता के कष्ट निवारणार्थ पाटण के सूखे तालाब को जल से परिपूरित करने में अपनी बलि देने के लिए सहर्ष तैयार हैं।

माया : अवश्यमेव! मैं इस सार्वजनिक काम में अपनी बलि देने के लिए सहर्ष तैयार हूँ। परन्तु *(कहकर चुप हो जाते हैं।)*

सिद्धराज : *(सविनय)* श्रीयुत महामान्यवर संत जी! परन्तु के आगे की बात भी स्पष्ट करने की अनुकम्पा करें।

माया : आपके पूर्वजों ने केवल शूद्र-महाशूद्रों के नाम जो तीन आज्ञाएँ प्रसारित की थीं, आप उन्हें 'बहुजन हिताय—बहुजन सुखाय' के विचार को ध्यान रखते हुए वापस ले लें, ताकि शूद्र-महाशूद्र भी समता-बन्धुता-स्वतंत्रता का लाभ उठाकर राष्ट्र को सबल बनाने में हर प्रकार का सहयोग देकर अपनी सही भूमि अदा कर सकें।

सिद्धिराज : *(चौंककर राजपुरोहित से)* कहो! तुम्हारी क्या सम्मति है?

केशोमाधो : मेरी स्पष्ट सम्मति है, हिन्दू धर्मशास्त्रों द्वारा रचित ब्राह्मणी वर्ण-व्यवस्था के अनुसार—शूद्र-महाशूद्र को ऐसी स्वतंत्रता कदापि नहीं देनी चाहिए। हिन्दू धर्म की परिभाषा ही है असमानता अर्थात् ब्राह्मण, क्षत्रिय, वैश्य व शूद्र-महाशूद्र।

सिद्धराज : *(सभासद से)* कहो, तुम्हारी क्या सम्मति है?

ब्राह्मण सभासद : राजन्! जो पुरोहित जी की सम्मति है, वही मेरी भी है। ऐसा करने से हिन्दू धर्म संसार से मिट जाएगा।

कुछ ब्राह्मण : *(बीच-बीच से खड़े होकर)* राजन्! शूद्र-महाशूद्रों को ऐसी स्वतंत्रता दे देने से आपका व हम लोगों का सम्पूर्ण अस्तित्व समाप्त हो जाएगा।

सिद्धराज : *(एकदम अधिकाधिक क्रोधित होकर)* अरे! मानवता के शत्रु ब्राह्मणो! जलती आग की भट्ठी में झोंक दो उन स्वार्थी हिन्दू धर्मशास्त्रों को, जो कोटि-कोटि मानवों को इतनी भी स्वतंत्रता नहीं देना चाहते, ये पोंगा-पंथी हिन्दू धर्मशास्त्र राष्ट्र की सच्ची एकता के महान शत्रु हैं। तुम लोगों को दिन-रात धर्म ही धर्म सूझ रहा है। परन्तु राज्य की अकाल पीड़ित जनता चाहती है पानी, न कि धर्म। *(गिरधर से)* कहो! तुम्हारी क्या सम्मति है?

गिरधर : गुजरात, महाराष्ट्र व मालवा तीनों प्रदेश पैदल, कभी सटही घुड़िया (छोटी घोड़ी) द्वारा तीन माह भूखा प्यासा दिन-रात भीषण सर्दी में चकरी की तरह घूम कर रह गया। तब कहीं बड़ी कठिनाई से मालवा और राजस्थान की सीमा पर पैदल विचरते हुए, इस काम के लिए उपरोक्त शर्त पर ढूँढ़े मिले हैं। ये बत्तीस गुण

लक्षण युक्त संत प्रवर माया हैं। मेरी तो स्पष्ट सम्मति है, जैसे बने तैसे निकले, तालाब में पानी।

सिद्धराज : *(प्रधानामात्य से)* कहो! तुम्हारी क्या सम्मति है?

निधिराज : जैसे बने तैसे निकले, तालाब में पानी।

सिद्धराज : *(राज्यसभा से)* कहो! तुम लोगों की क्या सम्मति है?

राज्यसभा : *(एक साथ)* राजन्! जैसे बने-तैसे निकले—तालाब में पानी।

सिद्धराज : *(जनमत अपने अनुकूल देखकर, प्रसन्नतापूर्वक)* मैं महाराज सिद्धराज माघ मास की सप्तमी शुक्ल पक्ष सम्वत् 1214 विक्रमी राजाज्ञा प्रसारित करता हूँ कि भविष्य में शूद्र-महाशूद्र जन—

1. पीठ के पीछे तीसरी बाँह (आस्तीन) अंगरखा, सलूका व फतोही आदि में नहीं सिलवावेंगे।
2. मार्ग में चलते समय थूकने के लिए मिट्टी की हंडी (बरतन) गले में नहीं लटकाएँगे।
3. मार्ग में चलते समय पैरों के निशान मिटाने के लिए कमर में झाड़ू या झंखाड़ नहीं बाँधेंगे।

[ब्राह्मणों द्वारा नेपथ्य से, 'यह राजाज्ञा हम लोग कार्य रूप में कदापि परिणित नहीं होने देंगे।']

सिद्धराज : *(क्रोधित होकर प्रधानामात्य से)* उपरोक्त राजाज्ञा का कड़ाई से पालन किया जाए। उल्लंघन करनेवाले को उचित और कठोर कारावास का दंड दिया जाए। यह राजाज्ञा पुलिस के हस्तक्षेप योग्य नाकाबिल राजीनामा एवं काबिल जमानत घोषित की जाती है।

प्रधानामात्य : बेफिक्र रहें! राजाज्ञा का पालन अक्षरशः होगा।

[पुनः ब्राह्मणों द्वारा नेपथ्य से, 'हम लोगों के रहते पालन होना नामुमकिन है।']

सिद्धराज : *(पूर्ववत् क्रोधित दशा में प्रधानामात्य से)* पता लगाकर ऐसे व्यक्तियों का नाम राष्ट्र की एकता भंग करनेवालों की सूची में लिखकर इनकी विशेष निगरानी रखी जाए।

[पुनः ब्राह्मणों द्वारा नेपथ्य से, 'सूची बनानेवाले, निगरानी करनेवाले, दंड देनेवाले, न्याय करनेवाले हमी लोग हैं। पालन होना बिलकुल नामुमकिन है।']

निधिराज : राजन्! चिन्ता न करें! बहुमत शासन के साथ है।

माया : *(प्रसन्नतापूर्वक जोर से)* "महाराज सिद्धराज की।"

राज्यसभा : *(एक साथ)* "जय!"

माया : राजन्! शुभ कार्यों में मुहूर्त सदा आगे चलता है। आप सब लोग मेरे पीछे-पीछे चलें। देखें, मैं निकालता हूँ शीघ्र तालाब में पानी।

[कहकर आगे-आगे संत माया, पीछे-पीछे क्रमशः महाराज सिद्धराज, निधिराज प्रधानमंत्री, मधुराज प्रधान सेनापति एवं सम्पूर्ण राज्यसभा का पाटण के सूखे तालाब की ओर प्रस्थान।]

[पटाक्षेप]

दृश्य-7

स्थान : पाटण का तालाब
समय : मध्याह्न से पूर्व

[तालाब के चारों ओर अनेक बैलगाड़ियाँ, चलने योग्य पचास हाथ चौड़े मार्ग हैं। इसके एक किनारे पर महाराज सिद्धराज, निधिराज प्रधानमंत्री, मधुराज प्रधान सेनापति, विभागीय मंत्री, सभासद सम्मानित भद्र-पुरुष खड़े हैं। शेष तीनों किनारों पर सहस्त्रों नर-नारी, बाल-वृद्ध दर्शकों की अपार भीड़ है।

संत माया गम्भीरता पूर्वक तालाब में सीढ़ी दर सीढ़ी नीचे उतरते जा रहे हैं। सबसे निचले भाग में तालाब के बीचो-बीच बनी 'पिटकुइयाँ' के ऊपरी किनारे पर जल भरा हुआ कमंडल रखकर भीतर प्रवेश करते हैं।]

माया : *(बौद्ध-भिक्षुओं की भाँति दाहिने हाथ की कुहनी के निचले हिस्से को कुहनी के ऊपर उठाकर हथेली खड़ी करके आशीर्वाद देते हैं।)* 'सबका मंगल हो!'

[कहकर संत माया ने 'पिटकुइयाँ' के भीतर बीचोबीच खूँटानुमा नोकदार रखे लम्बे लट्ठे को बाएँ हाथ से सीधा करके, दाएँ हाथ से मोगरा द्वारा ठोंकना प्रारम्भ किया।]

[ठोंकते-ठोंकते यकायक पाताल से पानी बड़े वेग से ऊपर को उछल पड़ा। संत 'माया' नीचे से ऊपर को तीव्र गति से उछलनेवाले भँवरदार पानी के चक्कर में पड़ कर उसी 'पिटकुइयाँ' के भीतर बलिदान हुए। कुछ ही घंटों में अधिकाधिक पानी भर गया। उपस्थित जनसमूह के हर्ष व उल्लास का कोई ठिकाना नहीं रहा। महाराज सिद्धराज स्वयं खुशी के मारे फुले नहीं समाते हैं।]

सिद्धराज : *(उपस्थित जनसमूह को सर्वाधिक प्रसन्न करने हेतु, प्रसन्नतापूर्वक जोर से)* 'वीर सन्त माया की!'

जनसमूह : *(एक साथ जोर से)* 'जय!'

[पटाक्षेप]

दृश्य-8

स्थान : पाटण का जलरहित तालाब

समय : प्रातः काल से आधी रात तक

[आज आठ सौ साल से अधिक समय बीत चुका है। स्वाभिमानी जसमा ओड़न का श्राप विश्व के वीर किसान-मजदूर समुदाय ने पूरा कर दिखाया है, अर्थात् सामन्तशाही युग समाप्त हो चुका है।

वीरसंत 'माया' के बलिदान का स्वादिष्ट फल शूद्र-महाशूद्र समुदाय सराह-सराह कर खाना चाहता है। परन्तु ब्राह्मणी वर्ण-व्यवस्था की फौलादी-हथकड़ियों में शोषित, दलित, पिछड़ी, पीड़ित व अधिकार-वंचित जनता की ऊपर की साँस ऊपर की ओर, भीतर की साँस भीतर अब भी ज्यों की त्यों रुकी है। न जाने कब इस जन-समाज का उद्धार होगा। किन्तु... भविष्य उज्ज्वल है।

यों तो संसार में बड़ी-बड़ी विभूति पैदा हुईं। चार महाभूतों में विलीन हुईं। उसी प्रकार आज न 'जसमा' ओड़न है और न वीर संत 'माया'। लेकिन पाटण के जलरहित सरोवर के पूर्वी किनारे पर पक्का देवालय (मन्दिर) प्रातः स्मरणीय मजदूर नेता स्वाभिमानी जसमा ओड़न की ओर सरोवर के बीचोबीच 'पिटकुइयाँ' का खँडहर टीला परम परोपकारी वीर संत 'माया' की समाधियाँ चिल्ला-चिल्लाकर शिक्षा दे रही

हैं—नेताओ! गरीबों का ठीक-ठीक नेतृत्व करो। वीर संतो! बहुजन हिताय—बहुजन सुखाय हेतु प्रसन्नतापूर्वक प्राण-न्योछावर कर दो।

इन समाधियों पर प्रतिवर्ष माघ शुक्ल पक्ष सप्तमी को बड़ा भारी मेला लगता है, जिसमें अगणित नर-नारी, बाल-वृद्ध, रोते-बिलखते उनके जीवन की घटना सम्बन्धी याद में झुंड-के-झुंड मरसिया गाते हुए समाधियों पर फूल चढ़ाकर श्रद्धांजलि अर्पित करते हुए, आगे बढ़ते चले जा रहे हैं। बीच-बीच में ध्वनि होती है।]

एक ग्रामीण : *(जोर से)* 'स्वाभिमानी जसमा ओड़न की।'

एक झुंड : *(जोर से)* 'जय!'

दूसरा ग्रामीण : *(जोर से)* 'परम परोपकार वीर संत 'माया' की।'

दूसरा झुंड : *(जोर से)* 'जय!'

[यवनिका पतन]

अंगुलिमाल

अंगुलिमाल

लेखक
पेरियार ललई सिंह

अशोक पुस्तकालय (रजि.)
झींझक, जिला—कानपुर,
उत्तर प्रदेश, भारत-209 302

प्रथम बार
बुद्ध पूर्णिमा (वैसाख) 26 मई, सन् 1964 ई.
प्रथम बार 1000 प्रतियाँ प्रकाशित
दूसरी बार सन् 1971 ई.
तीसरी बार सन् 1975 ई.
चौथी बार सन् 1981 ई.
पाँचवीं बार सन् 1984 ई.
छठवीं बार सन् 1988 ई.
सातवीं बार सन् 1992 ई.

पुस्तक मिलने का पता
अशोक पुस्तकालय
अंडर पेरियार ललई सिंह चेरिटेबल ट्रस्ट
84/172, झकरकटी, जी.टी. रोड,
जिला—कानपुर, उत्तर प्रदेश, भारत-208 003

मुद्रक
सस्ता प्रेस
झींझक, जिला—कानपुर,
उत्तर प्रदेश, भारत-209 302

मूल्य : 3.50 रुपये

!!समर्पण!!

निर्वाण प्राप्त
श्रद्धेय परम पूज्य पितामह
श्री मुल्लासिंह यादव
निवासी ग्राम—कठारा, रेलवे स्टेशन झींझक,
जिला—कानपुर
की पुण्य स्मृति में!

—पेरियार ललई सिंह

निवेदन

प्रस्तुत 'अंगुलिमाल' नाटक लिखने में 'अंगुलिमालीय महायान सूत्रम्' (लेखक—रिंग चिन लुन डुब लामा) एवं 'भगवान बुद्ध और उनका धर्म' (लेखक—बोधिसत्व बाबा साहब डॉ. बी.आर. अम्बेडकर) ग्रंथों से सहारा लिया गया है।

एकांकी होने के कारण केवल मूलभूत तथ्यों पर सूक्ष्म प्रकाश डाला गया है।

विस्तृत रूप से रंग मंच पर खेलने के लिए आवश्यक विदूषक आदि रख सकते हैं।

नाटक पढ़कर यदि आपकी बुद्धि ने तनिक भी बौद्धिक उन्नति की, तो लेखक अपने परिश्रम को सफल समझेगा।

त्रुटियों को क्षमा करें।

आप सबके सुझाव के लिए धन्यवाद!

(बुद्ध-पूर्णिमा)
दिनांक—26 मई, 1964 ई.

आप सबका
—पेरियार ललई सिंह

दो शब्द

जहाँ एक ओर तथागत संस्कृति विश्व का दर्पण कर रही है, वहाँ दूसरी ओर क्रूर बर्बर आर्य सभ्यता ने केवल झूठे धर्म की दुहाई द्वारा एक आदर्श भविष्य को नष्ट करने के लिए चरित्रहीनता का प्रमाण-पत्र दे, निर्दोषी माणवक को सहस्त्रों निर्मम हत्याएँ करने के लिए बाध्य किया।

इस लघु-पुस्तिका 'अंगुलिमाल' एकांकी के लेखक समाजवेत्ता, बुद्धिवादी, भौतिकवादी विचारक आदरणीय पेरियार ललई सिंह, जिनके जीवन का सिद्धान्त 'बहुजन हिताय—बहुजन सुखाय' रहा है, ने प्रस्तुत एकांकी में अवगत कराया है कि महान विद्वान आचार्य मणिभद्र ने वृद्धावस्था में विवाह किया, फलस्वरूप युवा धर्मपत्नी शैलेन्द्री को पति से छिपकर प्राचीन हिन्दू संस्कृति के अनुसार, 'नियोग' द्वारा पुत्र-प्राप्ति की भिक्षा शिष्य माणवक से माँगनी पड़ी।

सच्चरित्र एवं साहसी वीर माणवक ने ऐसी चरित्रहीन मनोकामना को ठुकरा दिया। नर-हत्यारा डाकू अंगुलिमाल बनना सहर्ष-स्वीकार किया।

जहाँ हिन्दू ब्राह्मणों ने धर्मानुसार अवतार कहे जानेवाले राम को रावण का, कृष्ण को कंस का वध करने के लिए विवश होना पड़ा, वहाँ तथागत गौतम बुद्ध ने केवल 'भिक्षु-आ' एक ही शब्द कहकर दुर्दान्त डाकू 'अंगुलिमाल' को क्षण मात्र में वश में कर लिया। निर्वाण पद प्रदान किया।

वास्तव में, यह है अद्‌भुत शान्ति दीक्षा! यह है अद्‌भुत बुद्ध-वचन का चित्ताकर्षक!! अद्‌भुत है बौद्ध-धर्म!!!

दिनांक—30 जून, 1964 ई.

—अमर सिंह मौरेश

पात्र-परिचय

पुरुष-पात्र

1.	**आचार्य मणिभद्र**	: माणवक के गुरुजी
2.	**माणवक**	: दूसरा नाम अंगुलिमाल
3.	**प्रसेनजित**	: कौशल प्रदेश के महाराजा
4.	**आनन्द**	: बौद्ध भिक्षु
5.	**सुनीत**	: बौद्ध भिक्षु
6.	**उपाली**	: बौद्ध भिक्षु
7.	**अन्य आवश्यक पात्र**	: विद्यार्थी, प्रधानामात्य, सेनापति, ग्रामीण प्रतिनिधि व भिक्षुगण आदि

स्त्री-पात्र

1.	**शैलेन्द्री**	: आचार्य मणिभद्र की पत्नी
2.	**माणवक भद्री**	: अंगुलिमाल की माताश्री

दृश्य-1

स्थान : उत्तर प्रदेश के जिला गोंडा में श्रावस्ती वर्तमान में महेड़-सहेड़ के समीप ग्राम हलहसे में आचार्य मणिभद्र की कुटी

समय : प्रातः 9 बजे

[वेद पारंगत आचार्य मणिभद्र अपने आसन पर आसीन हैं। सामने माणवक तथा अन्य शिष्य उपस्थित हैं।]

माणवक : *(हाथ जोड़कर सविनय प्रणाम करते हुए)* आचार्य जी! कितने दिनों तक हमारी शिक्षा और चलेगी?

मणिभद्र : वत्स! तेरी शिक्षा लगभग पूरी हो चुकी है। व्याकरण के कुछ सूत्र बताना शेष है। उन्हें जानते ही तू अपने विषय का प्रकांड विद्वान हो जाएगा। देश-प्रदेश में सम्मान प्राप्त करने का अधिकार होगा। बड़े-बड़े राज दरबारों में तेरी कीर्ति फैलेगी व तुझे बड़ी-बड़ी भेटें देकर बुलाया जाया करेगा।

माणवक : महाराज! यह आपकी कृपा का परिणाम होगा, किन्तु मुझे इस ऐश्वर्य में इतना आनन्द नहीं प्राप्त हो सकेगा, जितना आपके चरणों की सेवा में। इसलिए मैं चाहता हूँ कि शिक्षा समाप्त होने के पश्चात् मैं भी आपकी चरण-रज को नित्य प्रति अपने मस्तक पर चढ़ाता रहूँ।

मणिभद्र : यद्यपि तेरी विचारधारा उत्तम है माणवक! किन्तु, अब तू पूर्ण युवक हो रहा है। तेरे घर में वृद्धा माता है। उसकी बुढ़ापे की देखभाल का भार तेरे ऊपर है। इसलिए तुझे अब मेरी सेवा करने के बजाय अपनी बूढ़ी माता की ही सेवा करनी चाहिए।

माणवक : आचार्य जी! आपका उपदेश उचित है, किन्तु आपके इन पावन चरणों में मेरी इतनी अधिक अनुरक्ति हो गई है कि उन्हें छोड़कर जाने की इच्छा ही नहीं होती।

मणिभद्र : श्रद्धा और कर्तव्य दो भिन्न-भिन्न बातें हैं वत्स! दोनों ही श्रेष्ठ हैं। किन्तु अपने-अपने स्थान पर दोनों न्यून और महान महत्त्व रखती हैं। इसलिए...।

माणवक : श्रीमान जी? मैं 'इसलिए' का मतलब नहीं समझा।

मणिभद्र : 'इसलिए' उसी के अनुसार आचरण करना चाहिए।

माणवक : गुरुजी! मैं इस अवसर पर श्रद्धा को ही श्रेष्ठ समझता हूँ।

मणिभद्र : नहीं! तुम्हारा यह समझना ठीक नहीं है।

माणवक : क्यों गुरुजी?

मणिभद्र : क्योंकि अब और ज्यादा समय तक मेरी सेवा करने के कारण तुम्हारी माता को कष्ट भोगना पड़ेगा, जो अच्छा नहीं। शिक्षा पूर्ण हो चुकी है। तुम सुयोग्य बन चुके हो। बहुत समय आश्रम में रहकर काफी गुरु सेवा भी की, अब माता जी की सेवा करो। विवाह कर गृहस्थी चलाओ। परिवार को फलता-फूलता देखकर वृद्धा माता को सन्तोष होगा। मरने के उपरान्त हिन्दू धर्मशास्त्रों के अनुसार उनकी आत्मा को शान्ति मिलेगी।

माणवक : आचार्य प्रवर! आपकी और गुरु-पत्नी जी की सेवा कौन करेगा?

मणिभद्र : मेरी चिन्ता न करो, माणवक! मेरी सेवा करने के लिए आश्रम पर कोई-न-कोई सेवक शिष्य बना ही रहेगा। इसलिए मेरा आदेश है कि शेष शिक्षा के बाद घर जाकर गृहस्थी के नियमों का पालन करो।

माणवक : आपकी आज्ञा शिरोधार्य है गुरुजी! किन्तु...।

मणिभद्र : किन्तु-परन्तु की आवश्यकता नहीं।

माणवक : *(हाथ जोड़कर प्रणाम करते हुए)* महाराज! आज्ञा दीजिए, जिससे मैं मध्याह्नकालीन कार्य पूरा कर सकूँ।

मणिभद्र : तुम जा सकते हो वत्स! परन्तु इसके पूर्व एक बात और है। उसे सुन लो।

माणवक : जो आज्ञा गुरुदेव!

मणिभद्र : माणवक! मैं कल प्रातः एक आवश्यक कार्य से श्रावस्ती नरेश के दरबार में जाऊँगा। अतः तुम्हारे ऊपर सम्पूर्ण आश्रम का भार रहेगा। शाम तक अवश्य ही वापस लौट आऊँगा। ध्यान रहे कि आश्रमवासी अथवा अतिथियों को कोई कष्ट न होने पाए और प्रबन्ध में किसी भी प्रकार की कमी न होने पाए।

माणवक : *(सविनय)* गुरुदेव! आपकी आज्ञा का अक्षरशः पालन किया जाएगा।

[दोनों हाथ जोड़कर प्रणाम करते हुए माणवक का प्रस्थान]

[पटाक्षेप]

दृश्य-2

स्थान : आचार्य मणिभद्र का अन्तःपुर
समय : दोपहर

[आचार्य-पत्नी शैलेन्द्री वस्त्राभूषणों से अपने शरीर को सजाए खड़ी है। किसी के आगमन की प्रतीक्षा कर रही है।]

[उसी समय माणवक का प्रवेश]

माणवक : *(दोनों हाथ जोड़कर प्रणाम करते हुए)* माता जी! कौन-सी ऐसी आवश्यकता आन पड़ गई, जो मुझे बुला लिया?

[शैलन्द्री जोर की अंगड़ाई लेती है, जोर से आगे बढ़कर माणवक के दोनों कन्धों पर अपने दोनों हाथ रख देती है। माणवक चौंककर पीछे हट जाता है।]

माणवक : माता जी! यह क्या?

शैलेन्द्री : *(लालच एवं मदभरी आँखों से देखकर)* इतने भोले न बनो माणवक! तुम्हें नहीं मालूम, मैं तुम्हें कितना चाहती हूँ?

माणवक : *(हाथ जोड़कर सविनय)* यह भी कोई जाननेवाली बात है? आप मेरे गुरुजी की धर्मपत्नी हैं। मेरी माताश्री के समान हैं। मैं आपका चरण-सेवक। प्रत्येक माता अपने पुत्र को जितना चाहती है, उतना ही आप मुझे चाहती हैं।

शैलेन्द्री : नहीं! मैं उससे अधिक तुम्हें चाहती हूँ।

माणवक : *(नम्रतापूर्वक)* यह आपके उदार हृदय की विशेषता है माताश्री।

शैलेन्द्री : इसलिए मैं तुमसे निवेदन करती हूँ कि मुझे माताश्री सम्बोधन से सम्बोधित न करो, मेरे आराध्य।

माणवक : *(चौंककर)* यह क्या कहती हो, मातेश्वरी? आज इस तुच्छ सेवक से 'निवेदन' शब्द क्यों प्रयोग कर रही हो? *(हाथ जोड़कर)* माँ मुझे क्षमा करो!

शैलेन्द्री : *(माणवक के गले में दोनों बाँहें डालकर)* इस प्रकार भयभीत न हो मेरे सुहृदवर! *(पुनः ठुड्डी में एक हाथ लगाकर झुके हुए मुँह को ऊपर उठाकर होंठों से होंठों और आँखों से आँखें मिलाने का असफल प्रयास करती है।)* बहुत दिनों की हृदय की इस प्यास को आज तृप्त होने दो, माणवक।

माणवक : *(अपने को बलपूर्वक छुड़ाकर एक ओर हटाते हुए नम्रतापूर्वक)* माँ, मैं तुम्हारी इन पहेलियों को समझने में असमर्थ हूँ। कृपा कर स्पष्ट बताइए।

शैलेन्द्री : यह अस्पष्ट नहीं, स्पष्ट है मेरे मनहर! ये पहेलियाँ नहीं, सत्य है। तुम जानते हो। इस संसार में पेड़-पेड़ों से, लता वृक्षों से, कीड़े-कीड़ों से, एक पुष्प का पराग दूसरे पुष्प के रज...।

माणवक : और अधिक उलझन में मत डालो, मातेश्वरी। मैं...।

शैलेन्द्री : *(एक पैर कुछ आगे थोड़ा-सा तिरछा बढ़ाकर माणवक के गले में दूसरी बार अपने दोनों हाथ डालकर)* प्राणप्रिय! तुम्हारे गुरुजी की आयु ढल रही है। मैं पुत्रहीन तथा कामान्ध युवती हूँ। हम आर्यों में इस तरह नियोग द्वारा सन्तान उत्पन्न करना धर्मानुसार मान्य है। अतः तुमसे अपने हृदय की प्यास बुझाना चाहती हूँ। मेरे साथ रमण करो...।

माणवक : *(चौंककर, उछलकर एक ओर हट जाता है)* माँ, आप यह क्या कह रही हैं? आप मेरी धर्म की माताश्री हैं। क्षमा करो!

शैलेन्द्री : नहीं! नहीं!! माणवक!!! बहुत समय से मेरे मन में पुत्र-प्राप्ति की लालसा थी, किन्तु उपयुक्त समय न मिल सका। आचार्य जी की अनुस्थिति में आज यह सुअवसर प्राप्त हो सका है। इसलिए इसे हाथ से न जाने दीजिए।

माणवक : असम्भव है! माँ, असम्भव हैं! मैं इसे अधर्म समझता हूँ और गुरु-पत्नी के साथ ऐसा घृणित कुकर्म कभी नहीं कर सकता।

[माणवक भागने के लिए उद्यत होता है, परन्तु शैलेन्द्री बीच में ही रोक लेती है।]

शैलेन्द्री : मेरे अनुरोध को ठुकराओ नहीं, प्रियतम!

माणवक : असम्भव! बिलकुल असम्भव! माँ, हमारे और आपके सम्बन्ध के बीच में खाई नहीं खुद सकती, मेरे सुदृढ़ विचारों में परिवर्तन नहीं हो सकता। आज आपको हो क्या गया है? इसके पहले मैंने कभी अपने को इस प्रकार के खतरे में फँसने का स्वप्न भी नहीं देखा था। माँ, क्षमा करो! मुझे जाने दीजिए!

[माणवक आँख बचाकर तेजी से एक ओर को भाग जाता है।]

शैलेन्द्री : *(चोट खाई हुई नागिन की भाँति फुफकारती हुई स्वत:)* किन्तु तुम इस प्रकार बचकर नहीं जा सकते हो, माणवक! अपने जीवन में आज तक मैंने कभी हार नहीं खाई है। किन्तु आज...परन्तु अब सफल हो सकना असम्भव होगा। आचार्य जी को भी मेरी यह कहानी मालूम हो जाएगी। गुरुभक्त युवक उनसे अवश्य कहेगा। उस समय कहा नहीं जा सकता कि उनके हृदय पर कितनी गहरी चोट पहुँचेगी? उनके क्रोध की सीमा न रहेगी। न जाने मुझे कौन-सा दंड देने के लिए उतारू हो जाएँ। वे प्राचीन नियोग प्रथा को अब आधुनिक समय में व्यभिचार बताते हैं। *(कुछ क्षण सोचकर)* मुझे इसके बचाव का उपाय सोच लेना

जरूरी है। *(सोचकर)* अब उलटी गंगा बहाने से ही काम चलेगा।

[शैलेन्द्री अपने ही हाथ से अपने कपड़े फाड़ डालती है। कई स्थानों पर शरीर को नाखूनों से खरोंच लेती है, जहाँ से खून निकल आता है, तत्पश्चात अपने को एक रस्सी से खम्भे में बाँध लेती है। रोती सूरत बना लेती है।

[पाँच घंटे बाद सूर्यास्त के समय आचार्य मणिभद्र का प्रवेश।]

[ज्यों ही आचार्य ने अपनी धर्मपत्नी को रस्सी से खम्भे में बँधा देखा, आश्चर्यचकित होकर शैलेन्द्री से पूछने लगते हैं :]

मणिभद्र : प्रिय! मैं यह क्या स्वप्न देख रहा हूँ?

शैलेन्द्री : जो सत्य है, देव! जाग्रत अवस्था में स्वप्न नहीं दिखाई देता है। नाथ! आप उस सत्य को देख रहे हैं, जिसे कभी सोचा भी नहीं होगा। *(आँखों से आँसू बहाती हुई)* महाराज! आपके जीते जी आपके उस दम्भी शिष्य माणवक ने मेरी यह दुर्दशा की है।

मणिभद्र : उसने ऐसा क्यों किया?

शैलेन्द्री : महाराज! बताने में लज्जा का अनुभव करती हूँ।

मणिभद्र : तुम साफ-साफ कहो। वास्तविकता क्या है? ठीक-ठीक बात मालूम होने पर ही सही-सही फैसला दिया जा सकता है।

शैलेन्द्री : महाराज! दुष्ट माणवक आपकी गैरहाजिरी का लाभ उठाकर तथा समय अपने अनुकूल देखकर दोपहर को जब मैं अपने शयनागार में आराम कर रही थी, अचानक ही अन्दर घुस पलंग पर चढ़ गया और बलपूर्वक सम्भोग करना चाहा। मैंने जैसे बना, तैसे अपने सतीत्व की रक्षा की। आपसे शिकायत करने की धमकी देने पर उस पापी ने मुझे खम्भे से बाँध दिया। उसी निर्लज्ज के साथ खींचा-तानी में मेरे शरीर की यह दुर्दशा हुई।

मणिभद्र : शरीर क्रोधानल में जल रहा है। क्या करूँ? दुष्ट को मार सकना मानवमात्र के लिए बहुत ही कठिन

है। उसके जन्म के समय अनेक अपशकुन हुए थे, परन्तु मैं ऐसे नीच को जीवित नहीं रहने दूँगा। *(अन्त:पुर से ही बड़े जोर से पुकारते हैं। माणवक! माणवक!!)*

[माणवक का सवेग प्रवेश]

माणवक : *(दोनों हाथ जोड़कर प्रणाम करते हुए)* आज्ञा गुरुदेव!

मणिभद्र : *(क्रोधित होकर)* तूने मेरी अनुपस्थिति में गुरु-पत्नी के साथ जान-बूझकर निन्दनीय अपराध किया है, जो क्षमा नहीं किया जा सकता। अस्तु! तू इस पाप से मुक्त होने के लिए एक हजार व्यक्तियों की हत्या कर मेरे समक्ष आ।

माणवक : गुरु-देव! मैं निर्दोष हूँ!

मणिभद्र : मैं कुछ नहीं सुनना चाहता।

माणवक : महाराज! आपकी आज्ञा स्वीकार है।

[माणवक का दोनों हाथ जोड़कर प्रणाम करते हुए प्रस्थान]

मणिभद्र : तुम्हारे हत्यारेपन की घोषणा ही तुम्हारी सामाजिक मृत्यु है।

[पटाक्षेप]

दृश्य-3

स्थान : आचार्य मणिभद्र की कुटी के प्रांगण वाली बगीची

समय : सायंकाल

[खुले आसमान के नीचे हरी-हरी घास के ऊपर आचार्य मणिभद्र शिष्यों को धार्मिक उपदेश दे रहे हैं।]

मणिभद्र : शिष्यो! संसार के सभी श्रापों में गुरु का श्राप बहुत कठिन होता है। सभी श्रापों से मुक्ति पाने का कोई-न-कोई उपाय है, किन्तु गुरु-श्राप से बचने का उपाय नहीं है।

एक शिष्य : गुरुजी! प्रत्येक अपराध से बचने का एक उपाय 'क्षमा' तो हो ही सकता है।

मणिभद्र : क्षमा हो सकता, परन्तु कुछ अपराधों में क्षमा वर्जित है। अगर उनमें भी क्षमा किया जाने लगेगा, तो लोग निरंकुश हो जाएँगे, मनमाने काम करने लगेंगे और हिन्दू वर्ण-व्यवस्था का सर्वनाश हो जाएगा।

दूसरा शिष्य : मन अपने बस की चीज है। उसे मनुष्य जैसा चाहे मोड़ सकता है। तब मनमाने काम का प्रश्न ही नहीं उठता।

मणिभद्र : मन पर अधिकार करना बहुत ही कठिन है। क्षण भर में यहाँ और क्षण भर में वहाँ।

तीसरा शिष्य : *(गुरुवर के चालू उपदेश का बीच में ही हस्तक्षेप करते हुए)* महाराज, वह देखो! सामने बन्धु माणवक आ रहा है, ओ हो आश्चर्य, महान आश्चर्य! उसकी यह क्या दशा? साक्षात दुर्दान्त डाकू प्रतीत होता है!

[माणवक का प्रवेश। दाएँ हाथ में खून से भरा हुआ खड्ग। बायाँ हाथ खाली। भयानक चेहरा। बड़े-बड़े बाल। बढ़े हुए नाखून। शरीर एवं चेहरे पर सूखे हुए खून के काले धब्बे तथा लहू के अनेक लाल-लाल छीटें पड़े हुए हैं। वह पुराने मैले-कुचैले रुधिर से सने हुए वस्त्र पहने हुए है।]

माणवक : *(दोनों हाथ जोड़ते हुए)* गुरुजी, प्रणाम! मैं आपकी आज्ञा के अनुसार, एक हजार व्यक्तियों का वध कर चुका हूँ। अब मुझे श्राप से मुक्त कीजिए।

मणिभद्र : माणवक! तुझे कोई मार ही न सका। मुझे इस बात का कतई विश्वास नहीं है कि तूने वास्तव में एक हजार मनुष्यों का वध किया है अथवा नहीं। अस्तु जा एक हजार मनुष्यों का वध और कर तथा उन मारे हुए मनुष्यों की एक-एक अंगुलि काट कर। उनकी माला बनाकर। अपने गले में पहनकर आ। तेरा नाम बदलकर 'अंगुलिमाल' हो जाएगा। तब तू पाप से पूर्ण मुक्ति पा सकेगा।

माणवक : *(हाथ जोड़कर प्रणाम करते हुए)* जो आज्ञा गुरुदेव।

[माणवक का एक ओर को प्रस्थान]

मणिभद्र : चलो यहाँ से। अन्यथा दुष्ट कहीं लौट पड़ा, तो हम सब लोगों का भी सफाया कर देगा।

[सभी का सशंकितावस्था में प्रस्थान]

[पटाक्षेप]

दृश्य-4

स्थान : कौशल राज्य में महाराज प्रसेनजित की राज्यसभा
समय : 12 बजे दोपहर

[महाराज प्रसेनजित सिंहासनारूढ़ हैं। उनके एक ओर प्रधानामात्य तथा दूसरी ओर उप-प्रधानामात्य एवं अन्य विराजमान हैं। दुर्दान्त डाकू अंगुलिमाल के आतंक के सम्बन्ध में वार्ता हो रही है।]

प्रधानामात्य : अन्नदाता! अपराध क्षमा कीजिए। सम्पूर्ण राज्य में हाहाकार मचा है। उस दुर्दान्त डाकू अंगुलिमाल ने कुछ कम दो हजार मनुष्यों के प्राण ले लिए हैं। लोगों का घर से बाहर जाना बन्द है, जिस मार्ग में वह रहता है, वह बन्दप्राय: है। कोई भी जानकार उधर से नहीं जाता। यदि कभी कोई अनजान भटककर उधर से चला गया, तो उसको प्राणों से हाथ धोना पड़ता है।

प्रसेनजित : *(चिन्तित मुद्रा में)* प्रधानामात्य! मैं भी इसी चिन्ता में रात-दिन घुट-घुटकर अपने स्वास्थ्य को नष्ट किया करता हूँ, किन्तु कोई उपाय समझ में नहीं आता। किस प्रकार से प्रजा की रक्षा कर शान्ति स्थापित की जाए?

प्रधानामात्य : राजन्! वह हत्यारा केवल मनुष्यों की हत्या करता है। उसे किसी प्रकार के धन की लालसा नहीं। ऐसा हत्यारा आज तक न सुना ही गया है और न देखा ही गया है।

उप-प्रधानामात्य : महाराज! पहले वह केवल मनुष्यों की हत्या कर लाश को वहीं छोड़ देता था, किन्तु अब उसने एक नया हास्यास्पद कार्य करना और प्रारम्भ कर दिया है। वह जिसे मारता है, उसके हाथ की एक अंगुलि काट कर अपनी माला में पिरो लेता है। जिसे गले में पहने रहता है। इसी कारण से लोगों ने उसका नाम अंगुलिमाल रखा है। उसकी यह क्रिया बताती है कि वह हत्याओं की गणना करना चाहता है।

प्रसेनजित : बात तो कुछ ऐसी ही है उप-प्रधानामात्य! वह डाकू बचपन से डाकू नहीं है। मुझे मालूम हुआ है कि वह माणवक-भद्री विधवा ब्राह्मणी का इकलौता पुत्र है। उसने

वेद पारंगत आचार्य मणिभद्र के यहाँ स्नातकोत्तर शिक्षा पाई है।

उप-प्रधानामात्य : ऐसा विद्वान भी हत्यारा बन सकता है? कठिन है, अन्नदाता! यह सूचना भ्रमात्मक हो सकती है।

सेनापति : ऐसे हत्यारे को प्राण-दंड ही मिलना चाहिए।

प्रसेनजित : *(मुस्कराकर)* प्राण-दंड तो मिलना चाहिए, किन्तु जब कोई उसे पकड़कर राज दरबार में उपस्थित कर सके। एक आदमी को पकड़ने के लिए सेना भेजना सम्मान के विरुद्ध है, किन्तु दो-चार सैनिक उसे पकड़ने का साहस नहीं कर सकते। लोगों के कथनानुसार वह निर्भीक डाकू एक स्थान पर बैठा रास्तागारों की बाट देखा करता है और मनुष्य को देखते ही कत्ल करने के वास्ते दौड़ पड़ता है।

सेनापति : अन्नदाता! जनपद की यह दुर्दशा! रोजाना हत्याओं का ताता! प्रजा में भारी आंसन्तोष, चारों ओर हाहाकार मचा हुआ है। बेचारे किसान खेतों पर जाने से डरते हैं। व्यापार ठप्प है। बाजारें बन्द पड़ी हैं। राष्ट्र का आयात-निर्यात भी बन्द है। अस्तु ऐसी दशा में मानवीय हत्याओं के साथ-साथ राष्ट्र की आर्थिक दशा की भी हत्या हो रही है।

प्रसेनजित : बात तो ठीक है, परन्तु इसका उपाय क्या हो सकता है?

सेनापति : उपाय! उपाय केवल वध। येन-केन-प्रकारेण उसका वध होना जरूरी है। बस! न रहेगा बाँस, न बजेगी बाँसुरी।

प्रसेनजित : वध का ही तो सरल उपाय निकालना आवश्यक है।

सेनापति : यह कौन-सा कठिन कार्य है, देव? कुछ सशस्त्र सेना भेज कर उसका वध करवा डाला जाएगा।

प्रसेनजित : *(मुस्कराकर)* तुम नहीं जानते सेनापति। तुम्हें याद होगा, एक बार मेरे हाथ से कृपाण छूट कर पृथ्वी पर गिर पड़ी थी, मुकुट छूट पड़ा था और सिंहासन डगमगा गया था, तब मैंने यह कहकर कि 'मुझे झपक लग गई थी', टाल दिया था।

प्रधानामात्य : क्षमा करें देव! उस घटना से इसका क्या सम्बन्ध?

प्रसेनजित : इस घटना का उससे बहुत बड़ा सम्बन्ध है, उसी समय महारानी के ललाट से बेंदी छूटकर गिर गई

थी। मेरे और महारानी के एक साथ हुए अपशकुन ने मुझे इस विषय पर सोचने के लिए मजबूर कर दिया। मैं चुपके-चुपके इसका पता लगाता रहा, तब कर्तव्य परायण गुप्तचर विभाग ने यही सूचना दी थी कि उसी माणवक-भद्री विधवा ब्राह्मणी के प्रथम एवं अन्तिम पुत्र पैदा हुआ है, जो आज नर-हत्यारा बन गया है। अतः दो-चार सैनिक उसका कुछ बिगाड़ लेंगे, मुझे विश्वास नहीं।

प्रधानामात्य : यह अपशकुन या शकुन अन्धविश्वास फैलाते हैं, ये मूर्खों के लिए हैं। विद्वानों को इन पर विश्वास नहीं करना चाहिए।

[सहसा द्वारपाल का प्रवेश]

द्वारपाल : *(नम्रतापूर्वक हाथ जोड़कर प्रणाम करते हुए)* अन्नदाता की जय हो! ग्रामीण प्रतिनिधि मंडल आपकी सेवा में उपस्थित होना चाहता है।

प्रसेनजित : अच्छा, उसे राज्यसभा में भेज दो।

द्वारपाल : जो आज्ञा महाराज!

[प्रणाम करते हुए प्रस्थान]

[तीनों ग्रामीण प्रतिनिधियों का प्रवेश]

तीनों प्रतिनिधि : राजराजेश्वर की जय!

प्रसेनजित : प्रतिनिधियो! कहो-कहो-कहो, क्या बात है?

पहला प्रतिनिधि : राज-राजेन्द्र! हत्यारे अंगुलिमाल से प्रजा की रक्षा कीजिए।

दूसरा प्रतिनिधि : अन्नदाता! उसके द्वारा की गई हत्याओं से अनेक माताओं की गोदें खाली हो गई हैं; तमाम बहनें बन्धुहीन हो गई हैं और बहुतेरों को सुहाग से हाथ धोना पड़ा है। अबलाओं के इस करुण क्रन्दन ने हम लोगों को आपके पास रक्षा के लिए भेजा है।

प्रसेनजित : प्रतिनिधि मंडल! जाओ, उसका शीघ्र वध किया जाएगा।

[तीनों प्रतिनिधियों का प्रणाम करते हुए प्रस्थान]

प्रसेनजित : प्रधानामात्य! अंगुलिमाल का शीघ्र वध किया जाए।

प्रधानामात्य : श्रीमन की आज्ञा का तत्क्षण पालन किया जाएगा।

[राज्यसभा समाप्त की जाती है।]

[पटाक्षेप]

दृश्य-5

स्थान : जेतवन का संघाराम

समय : प्रातः 9 बजे

[मुख्य आसन पर परम पूज्य भन्ते आनन्द जी आसनासीन हैं। कुछ भिक्षुगण समीप बैठे हैं। धर्म चर्चा चल रही है।]

पहला भिक्षु : बौद्ध जीवन मार्ग क्या है?

आनन्द :
1. शुभ कर्म करो, अशुभ कर्म न करो, पाप कर्म न करो।
2. लोभ और तृष्णा के वशीभूत न हो।
3. दूसरों को क्लेश मत दो, दूसरों से द्वेष मत रखो।
4. क्रोध मत करो, शत्रुता को भूल जाओ, शत्रुओं को मैत्री से जीतो।
5. सन्मार्ग पर चलने के लिए मन की साधना जरूरी है।
6. मन पर पूर्ण विजय प्राप्त करो।
7. बुद्धिमान बनो! न्यायशील रहो!! अच्छी संगत रखो!!!
8. प्रत्येक काम सोच-विचार कर करो।
9. काम-भोगों में मत फँसो।
10. गरीबी से दुख पैदा होता है, शुभ आचरण सुख देता है, धर्म दान सबसे बड़ा दान है।
11. झूठ मत बोलो, झूठ का समर्थन मत करो।
12. सन्मार्ग पर चलो।
13. सद्धर्म के साथ मिथ्या धर्म को मत मिलाओ।

[अचानक नेपथ्य से 'भगवन, रक्षा करो' की आवाज सुनाई पड़ती है। सभी उसी ओर देखने लगते हैं। यह आवाज दूर से क्रमशः समीप आ चुकी है। कुछ देर बाद कुछ ग्रामीणों का प्रवेश।]

तीनों ग्रामीण : *(एक साथ)* बन्दामि भन्ते!

आनन्द : सद्‌बुद्धि प्राप्त हो! विराजमान हो!

पहला ग्रामीण : पूज्य भन्ते जी! हम लोग नर-संहारक अंगुलिमाल द्वारा सताए हुए आपकी शरण में आए हैं। आप लोग हम सब की रक्षा करें।

दूसरा ग्रामीण : देव! हम सब ने सम्राट् प्रसेनजित से भी रक्षा की प्रार्थना की थी, मगर सेना की टुकड़ी अभी तक सुरक्षा का कोई प्रबन्ध नहीं कर पाई है।

तीसरा ग्रामीण : भगवन! जब हम सब लोगों ने अपनी सुरक्षा का कोई ठीक-ठीक सहारा नहीं पाया, तब आपकी शरण में आए हैं।

तीनों ग्रामीण : महाराज! हम सबकी रक्षा कीजिए।

आनन्द : दुखी न हो तात्! तुम सबके कष्टों को दूर करने के वास्ते भगवान तथागत शीघ्र ही अंगुलिमाल को धर्म-दीक्षा देनेवाले हैं। कल महाराज प्रसेनजित खुद ही यहाँ संध्या समय पधारे थे। उन्होंने अंगुलिमाल द्वारा की गई हजारों दर्दभरी हत्याओं का समाचार सुनाया था। यह भी सूचना दी थी कि हमारी सेना की टुकड़ी उसका वध करने में असफल रही है।

पहला ग्रामीण : पूज्य भन्ते जी! अंगुलिमाल को धर्मदीक्षा देने के लिए तथागत गौतम बुद्ध का अकेले जाना बड़ा खतरनाक है।

आनन्द : तथागत सामर्थ्यवान हैं। तुम लोग चिन्ता मत करो।

[अभिवादन करते हुए तीनों ग्रामीण का प्रसन्नतापूर्वक प्रस्थान]

[पटाक्षेप]

दृश्य-6

स्थान : श्रावस्ती के समीप वन खंड में झाड़ीदार सघन-मार्ग
समय : दोपहर के दो बजे दिन

[अंगुलिमाल एक पेड़ की छाया में पागल-सा बैठा है। उसके शरीर पर लहूलुहान, गन्दे तथा मैले-कुचैले कपड़े हैं।]

अंगुलिमाल : *(एकांकी अपने गले की अंगुलियों की माला की ओर देखते हुए)* अब तक कुल नौ सौ निन्यानवे अंगुलियों को माला में पिरो चुका हूँ। केवल एक शेष है। सोचता है—यदि वह भी पूरी हो जाए, तो मैं गुरुजी के श्राप से

मुक्त हो सकता हूँ, किन्तु कहा नहीं जा सकता। पहली बार भी तो एक हजार हत्याओं के बाद मुक्त होने की बात थी, मगर गुरुजी ने मेरी एक हजार हत्याओं पर विश्वास नहीं किया। इसलिए उन्होंने पुनः एक हजार हत्याओं का आदेश दे दिया और उन हत्याओं के विश्वास में प्रत्येक मरे हुए व्यक्ति की अंगुलि काटकर माला में पिरो कर पहनने का आदेश किया।

अबकी बार तो वे अवश्य ही विश्वास कर इस निर्दोषी को मुक्त कर देंगे, किन्तु यदि तू निर्दोष ही होता, तो तुझे यह दुष्कर्म क्यों करना पड़ता? अपने को निर्दोष ठहराने के लिए दो हजार निर्दोष मनुष्यों की हत्या का बीड़ा क्यों उठाना पड़ता...। ख़ैर, जो हुआ सो हुआ, परन्तु अब जल्दी ही एक अंगुलि और माला में पिरो कर गुरुजी की सेवा में उपस्थित होना है। लेकिन अंगुलि किसकी काटी जाए? कई दिनों से कोई इधर से आता भी तो नहीं है। सभी मेरे नाम से थर्राते हैं। हर स्थान पर मेरे ही नाम की चर्चा करना लोगों की वार्तालाप का प्रमुख विषय बन चुका है। *(अपने को धिक्कारता हुआ)* बैठ! अधम बैठ! एक पाप न किया, तो क्या हुआ? अब अपने को निर्दोष ठहराने के लिए दो हजार मनुष्यों की हत्या के पापों को सर पर लाद! कोई-न-कोई आ ही जाएगा।

[उसी समय उसकी माता श्री 'माणवक-भद्री' थाल में भोजन लिए आती दिखाई पड़ती है। अंगुलिमाल प्रसन्न होकर उसे ही मारने के लिए दौड़ पड़ता है।]

अंगुलिमाल : *(जोर से हँसता हुआ)* आह हा हा! कोई वृद्धा इसी मार्ग से आ टपकी। बस, अब काम बन जाएगा। इसी वृद्धा की हत्या के बाद मुक्ति मिल जाएगी।

[वृद्धा समीप आती जा रही है। स्पष्ट दिखाई पड़ने लगती है।]

: अरे! यह तो परम पूजनीय माता श्री हैं, तो क्या हुआ? जब कोई नहीं है, तो माताश्री ही सही। किसी प्रकार इस संकट से तो पार होना ही है।

[वह माता श्री की ओर खूनी तलवार लेकर दौड़ना चाहता है, तब तक अचानक कुछ दूर पर किसी मनुष्य

के पाली भाषा के मंत्रोच्चारण की ध्वनि साफ-साफ सुनाई पड़ने लगती है। अंगुलिमाल उसी ओर खूनी तलवार लिए दौड़ पड़ता है।]

अंगुलिमाल : *(अपने आप)* हो न हो, यही 'श्रमण गौतम' है। इसने तो ईश्वर को भी ठुकरा दिया है। अत: माता श्री के बजाय इसी को मारना ठीक है। *(भागते-भागते थक कर तथागत गौतम बुद्ध को पहचान कर खड़ा हो जाता है। स्पष्ट होकर)* तथागत! मैं भागते-भागते थक गया हूँ, आप रुक जाइए। रुक जाइए।

[नेपथ्य से तथागत गौतम बुद्ध के बोलने की ध्वनि आती है :

'तात अंगुलिमाल! मैं तो रुक गया हूँ। तुम भी हत्या करने से रुक जाओ। सच्चे धर्म के अनुयायी बनो। तुम्हारे मन में शुभ कर्मों का खजाना भरा है। मन को थोड़ा-सा सोचने का अवसर दो, विचारक मन तुम्हारी काया पलट देगा। तुम्हें अपार शान्ति मिलगी।'

ऐसे हृदय-भेदी मार्मिक विद्वत्तापूर्ण शब्द सुनते ही विद्वान अंगुलिमाल ने तत्काल खूनी तलवार और कटी अंगुलियों की माला गले से उतारकर फेंक दी।]

अंगुलिमाल : भगवन तथागत! मैंने खूनी तलवार और कटी अंगुलियों वाली माला फेंक दी है। मैं आपकी शरण में हूँ। मैं आपकी शरण में हूँ। मैं आपकी शरण में हूँ।

[नेपथ्य से भगवान तथागत आशीर्वाद देते हैं— 'भिक्षु-आ' इस एक शब्द ने अंगुलिमाल को नया जीवन दिया। अंगुलिमाल और तथागत गौतम बुद्ध *का एक ओर को प्रस्थान।]*

[नोट : *तथागत गौतम बुद्ध को लेखक स्टेज पर नहीं लाना चाहता है। अत: पर्दे पर तथागत की शरण में अंगुलिमाल को दिखाइए।*

इसी समय अंगुलिमाल और सहमति ब्रह्म आदि में जो विद्वत्तापूर्ण बातचीत हुई, उसके लिए 'अंगुलिमाल-सूत्र' नामक पुस्तक पढ़िए।]

[पटाक्षेप]

दृश्य-7

स्थान : श्रावस्ती में जेतवन का संघाराम
समय : सायंकाल

[मुख्य आसन पर परम पूज्य भन्ते सुनीत जी विराजमान हैं। अंगुलिमाल तथा कुछ अन्य भिक्षु-गण समीप बैठे हैं, धार्मिक चर्चा चल रही है।]

अंगुलिमाल : *(अभिवादन करते हुए)* वन्दामि भन्ते! परम पूज्य भन्ते जी! सच्चा धर्म क्या है, कृपया स्पष्ट समझाइए।

सुनीत :
1. मनुष्य—मन, वचन और कर्म से पवित्र रहे। दूसरों को भी पवित्र समझे।
2. पवित्र मार्ग—जीव हिंसा, चोरी, व्यभिचार, झूठ, नशीली चीजें सेवन न करे।
3. मध्यम मार्ग—सम्यक् दृष्टि, सम्यक् संकल्प, सम्यक् वाणी, सम्यक् कर्मान्त, सम्यक् आजीविका, सम्यक् व्यायाम, सम्यक् स्मृति तथा सम्यक् समाधि।
4. शीलमार्ग—शील, नैष्कर्म्य, सत्य, दान, शान्ति, वीर्य, अधिष्ठान, करुणा, मैत्री तथा उपेक्षा को बढ़ावा दे।
5. तृष्णा को त्याग दे।
6. सभी संस्कारों का अनित्य समझे। महाभूतों से बना हुआ मानव परिवर्तनशील व संवर्धनशील है। सम्बन्धी और धन दौलत में चिपका न रहे।
7. कर्म ही मानव जीवन के नैतिक संस्थान की जड़ है। भले कर्मों का फल सुख और बुरे कर्मों का फल दुःख स्वयं को या दूसरों को इसी जन्म में भुगतना पड़ता है। कर्म का सम्बन्ध केवल संसार के रोज-रोज के नैतिक क्रम को बनाए रखने में है। उसे दूसरे धर्मों-हिन्दू धर्म आदि की झूठी कल्पनाओं स्वर्ग-नर्क, ऊँच-नीच, धनी-निर्धन, भाग्यवान-अभाग्यवान होने से कुछ लेना-देना नहीं है। कर्म 'बहुजन हिताय—बहुजन सुखाय' का ध्यान रखकर करे। ऐसे सीधे-साधे धर्म पर चलने से सभी व्यसनी प्रवृत्तियाँ बुझ जाती हैं। जीवन निर्दोष बन जाता है। इस निर्दोष जीवन का दूसरा नाम निर्वाण है।

अंगुलिमाल : श्रीमान जी! अगर एक मनुष्य दूसरे मनुष्य पर और एक राष्ट्र दूसरे राष्ट्र पर आक्रमण करे। तब ऐसी दशा में शान्त पक्ष जीव-हिंसा न करने के वचन को किस प्रकार पालन करे?

सुनीत : धर्म की रचना मानव जीवन सुखमय बिताने के लिए की गई है। इस बात को ध्यान में रखकर शान्त पक्ष को धर्म की ओर से अपनी रक्षा के लिए आक्रमणकारियों को मार भगाने की पूर्ण आज्ञा है। ऐसी हिंसा, हिंसा नहीं है।

अंगुलिमाल : श्रीमान जी! मध्यम मार्ग पर कुछ प्रकाश और डालने की कृपा करें।

सुनीत : सम्यक् दृष्टि—संसार अन्धकारमय कारागार है। मनुष्य कैदी उसमें रहते-रहते अन्धा हो गया है। उसे इतना भी ज्ञान नहीं कि संसार में उजेला नाम की वस्तु हो सकती है। वास्तव में मनुष्य की हालत ऐसी निराशाजनक नहीं है, जैसी वह समझता है। मनुष्य मन की मदद से उजेला की प्राप्ति कर सकता है। मन के द्वारा संकल्प या इच्छा शक्ति जाग्रत करके, क्रियाशील बनकर, सच्चे धर्म पर चलकर मनुष्य बन्धन मुक्त हो सकता है। अविद्या का अर्थ है दुःख को न जानना तथा उस दुःख को दूर करने के उपाय को न जानना। अविद्या का विनाश। मिथ्या विश्वास का निरोध। मन स्वतंत्र। विचार स्वतंत्र। इसे ही सम्यक् सम्पर्क कहते हैं।

सम्यक् संकल्प : मनुष्य की आशाएँ, आकाक्षाएँ और महत्त्वाकांक्षाएँ उच्च स्तर की होनी चाहिए :

सम्यक् वाणी, हमेशा सच ही बोले। झूठ कभी न बोले। बुराई न करे, मूर्खतापूर्ण बात न करे। बुद्धिसंगत बोले।

सम्यक् कर्म : प्रत्येक कर्म करते समय दूसरे की भावनाओं और अधिकारों का ध्यान रखे।

सम्यक् आजीविका : अच्छे ढंग से बिना किसी को हानि पहुँचाए तथा बिना किसी के प्रति अन्याय बरते कमाई जाए।

सम्यक् व्यायाम : अष्टांगिक मार्ग विरोधी प्रवृत्तियों की उत्पत्ति को रोके। अष्टांगिक मार्ग की आवश्यकताओं की पूर्ति में सहायक शुभ चित्त प्रवृत्तियों को पैदा करे और विकास के लिए विशेष शुभ चित्त प्रवृत्तियों को अधिक बढ़ाए।

अविद्या के कारण को खोजकर उसे नष्ट कर दे और प्रकाशमय संसार में निर्भयपूर्वक विचारे।

सम्यक् स्मृति : मन अच्छे सितारों की चौकीदारी करे।

सम्यक् समाधि : लोभ, द्वेष, आलस्य, चिकित्सा तथा अनिश्चय के बन्धनों को तोड़कर सदा भलाई में लगे रहने की आदत डाले।

अंगुलिमाल : श्रीमान जी! शील-मार्ग की व्याख्या करने की कृपा करें।

सुनीत : शील-नैतिकता अच्छे काम करने और बुरे काम न करने तथा बुरे काम करने में जो लज्जा या भय मालूम होता है, उस लज्जा या भय के कारण पाप से बचे रहने का प्रयास करे।

नैष्कर्म्य : संसार के काम भोगों को त्याग दे।

सत्य : सदा सच बोले। झूठ कभी भी न बोले।

दान : दूसरों की भलाई के लिए निःस्वार्थ धन, रक्त व प्राण दान।

शान्ति : क्षमा। घृणा के उत्तर में भी क्षमा।

वीर्य : काम करने के इरादे वाले काम को जरूर पूरा करे।

अधिष्ठान : अपने इरादे तक पहुँचने की दृढ़ प्रतिज्ञा।

करुणा : सभी के साथ प्रेम भरी दया।

मैत्री : मित्र, शत्रु तथा सभी प्राणियों के प्रति मैत्री भावना।

उपेक्षा : यह शान्त सीढ़ी है। निरन्तर साधना में लगे रहे।

अंगुलिमाल : श्रीमान जी! कृपया तृष्णा का मतलब समझाइएगा।

सुनीत : गरीबी बहुत बुरी बला है। गरीबी की हालत को शीघ्र ही बदलें। संग्रह तथा लोभ वगैरह में बुरी तरह चिपके रहनेवाली तृष्णा के वशीभूत न रहें। ऐसी तृष्णा को वश में रखें। बढ़ावा न दें।

अंगुलिमाल : परम पूज्य भन्ते जी! परा-प्राकृतिक में विश्वास क्या अधर्म है, समझाने की कृपा करें।

सुनीत : हाँ! परा-प्राकृतिक में विश्वास अधर्म है। हर एक घटना का कारण मनुष्य या प्राकृतिक है।

मनुष्य काल (समय) प्रकृति, अकस्मात्-पन, ईश्वर, भाग्य आवश्यकता (?) की कठपुतली नहीं है।

मनुष्य बुद्धिवादी बने, स्वतंत्रतापूर्वक सत्य की खोज करे और मिथ्या विश्वास की जड़ काट दे, क्योंकि इसी के कारण खोज करने की शक्ति की हत्या होती है।

अंगुलिमाल : परम पूज्य भन्ते जी! ईश्वर में विश्वास क्या अधर्म है?

सुनीत : हाँ! ईश्वर में विश्वास अधर्म है।

हिन्दू ब्राह्मणवाद के अनुसार, सृष्टि के रचयिता का नाम है—ईश्वर, प्रजापति, ब्रह्म, ब्रह्मा, महाब्रह्मा या निराकार जो सर्वशक्तिमान, नित्य, शिव (भला) सर्वज्ञ, न्यायी, दयालु और निर्विकारी है।

तथागत ने ईश्वर, प्रजापति, ब्रह्म या महाब्रह्म को नहीं माना। संसार का निर्माण नहीं, विकास हुआ है।

हिन्दू धर्म गुरुओं और तीन वेदों के रचयिताओं ने ईश्वर को कभी भी नहीं देखा। अतः ईश्वराश्रित-धर्म कल्पनाश्रित है, जो मिथ्या विश्वास उत्पन्न करता है।

ईश्वर सर्वशक्तिमान है, तो मनुष्य के मन में संकल्प-विकल्प नहीं पैदा होना चाहिए तथा बुरे कर्म नहीं करना चाहिए।

ईश्वर नित्य है, तो संसार अनित्य नहीं होना चाहिए।

ईश्वर शिव (भला) और कल्याण स्वरूप है, तो मनुष्य को हत्यारे, चोर, व्यभिचारी, झूठे, चुगलखोर, बकवादी, लोभी, द्वेषी और कुकर्मी नहीं होना चाहिए।

ईश्वर सर्वज्ञ न्यायी और दयालु है, तो संसार में अन्याय दुःख, ठगी, झूठ और अज्ञान नहीं होना चाहिए। सत्य के सामने झूठ की जीत नहीं होनी चाहिए।

ईश्वर निराकार है, तो संसार साकार नहीं बनाना चाहिए।

ईश्वर निर्विकार है, तो उसे विकास वाले जीव शेर, बाघ और साँप आदि नहीं बनाना चाहिए।

ईश्वर को अपनी ऐसी गड़बड़ रचना सुधारना चाहिए।

मनुष्य को ऐसे ईश्वर की ऐसी चर्चा से कोई सरोकार नहीं।

सबके सुख के लिए मनुष्य का मनुष्य के साथ जो सम्बन्ध है, उसके अनुसार, मनुष्य अच्छा व्यवहार करे।

पुरोहितों के शरारती दिमाग ने ईश्वर में मिथ्या विश्वास पैदा करके सम्यक् दृष्टि *(जो अष्टांगिक मार्ग निर्माण-मार्ग का महत्त्वपूर्ण पक्ष है)* में बाधा डाली है।

पुरोहित ने ईश्वर की रचना इसलिए की है, जिससे मनुष्य जीवन भर पुरोहितों का दास बना रहे।

बुद्ध धर्म अनीश्वरवाद है।

अंगुलिमाल : श्रीमान् परम पूज्य भन्ते जी! ब्रह्म-सा पूज्य पर आधारित धर्म क्या अधर्म है?

सुनीत : हाँ! ब्रह्म-सा पूज्य पर आधारित धर्म अधर्म है। इस मत को वेदान्त कहते हैं। वेदान्त मत के अनुसार, आत्मा और ब्रह्म एक ही है। ज्ञान प्राप्त होने से दोनों की एकता स्थापित होती है। एकता का बोध होने के वास्ते संसार का त्याग जरूरी है। जीवात्मा और ब्रह्मात्मा की एकता स्थापित होना ही मोक्ष है।

तथागत ने ब्रह्म को नहीं माना। इसके बारे में उनका वही मत है, जो ईश्वर को न मानने के बारे में है।

अंगुलिमाल : श्रीमान् परम पूज्य भन्ते जी! आत्मा में विश्वास क्या अधर्म है?

सुनीत : हाँ! आत्मा में विश्वास अधर्म है। तथागत ने आत्मा को नहीं माना। इस बारे में उनकी वही दलील है, जो ईश्वर के न मानने के बारे में है।

मरने के बाद दूसरा नया जन्म लेने तक आत्मा कहाँ रहती है, इस प्रश्न का जवाब संसार में आज तक कोई भी ज्ञानी ठीक-ठीक नहीं दे सका है कारण कि मरने के बाद आत्मा को फुर्र-से उड़ते किसी ने नहीं देखा।

आत्मा केवल कल्पनाश्रित है, जो मिथ्या विश्वास पैदा करता है। वास्तव में मनुष्य की सम्पूर्ण क्रियाएँ विज्ञान (चित्त या चेतन या चेतनता) के परिणाम स्वरूप पैदा होती हैं। विज्ञान की प्रकृति है—1. ज्ञान-मूलक, 2. भावना-मूलक और क्रियाशील।

ज्ञान-मूलक—जानकारी (रुचिकर या अरुचिकर) देता है।

भावना-मूलक—वेदना या अनुभूति (अनुकूल या प्रतिकूल) की उत्पत्ति का कारण बनती है।

क्रियाशील—इरादा (भला या बुरा) पैदा करता है। जो कार्य आत्मा के बताए गए हैं, वे कार्य तो सब विज्ञान द्वारा पूरे होते हैं। बिना कार्य वाली आत्मा एक गम्भीर मूर्खता है।

बुद्ध धर्म अनात्मवाद है।

[कौशल-नरेश प्रसेनजित का प्रधानामात्य सहित प्रवेश]

प्रसेनजित तथा
प्रधानामात्य : वन्दामि भन्ते! *(कहकर एक-एक आशन पर बैठ जाते हैं।)*

सुनीत : साधु! साधु! राजन्? असमय में पधारने का कष्ट व्यक्त करें।

प्रसेनजित : परम पूज्य भन्ते जी! तथागत और भिक्षु संघ के धर्मोपदेश का अमृतपान करके सम्पूर्ण प्रजा सुखमय जीवन बिता रही थी, परन्तु नर-संहारक अंगुलिमाल के आतंक से कुछ समय से राज्य में हाहाकार मचा हुआ है। उसकी रोक करने में मेरे सभी प्रयत्न बेकार साबित हुए। चार दिन हुए मैंने, भगवान तथागत से भी इस विषय में कोई उपाय खोजने की बात कही थी।

सुनीत : राजन्! कल ही भगवान तथागत ने अंगुलिमाल को धर्म-दीक्षा दी है। यह हैं परम श्रेष्ठ भिक्षु अंगुलिमाल।

प्रसेनजित : *(श्री अंगुलिमाल की ओर देखते हुए प्रसन्नतापूर्वक)* वन्दामि भन्ते! मैं राज्यकोष से आपकी भोजन समस्या हल करना चाहता हूँ। कृपया स्वीकृति प्रदान करें।

अंगुलिमाल : मैं भिक्षा को ही अच्छा समझता हूँ।

प्रसेनजित : धन्य हैं! धन्य हैं!! अंगुलिमाल, आप से यही आशा थी।

[प्रसेनजित और प्रधानामात्य का भिक्षु संघ को अभिवादन करते हुए प्रस्थान]

अंगुलिमाल : श्रीमान् परम पूज्य भन्ते जी! यज्ञों में पशु-बलि क्या अधर्म है?

सुनीत : हाँ! यज्ञों में पशुओं की बलि अधर्म है।

ब्राह्मणी यज्ञों में पशुओं की बलि के साथ-साथ सुरापान, वेश्यागमन आदि हर प्रकार के आमोद-प्रमोद शामिल रहते हैं।

इस समय के विरोधी धर्म वाले कहते हैं, अगर यज्ञ में पशुओं के वध से पुरोहित, यजमान और पशु को स्वर्ग मिलता है, तो पुरोहित और यजमान को अपने-अपने माता-पिता का वध कर उन्हें यज्ञ में जल्दी से जल्दी डालकर स्वर्ग में पहुँचा देना चाहिए, मगर वे ऐसा नहीं करते। भगवान तथागत इस विरोधी मत से सहमत थे।

वास्तव में ईश्वर, स्वर्ग व नर्क की कल्पना झूठी है

भगवान तथागत ने यज्ञों में खाद्य सामग्री हवन करने और पशुओं की बलि, दोनों की घोर निन्दा की है।

पवित्रता, अष्टांगिक-मार्ग (सम्यक् मार्ग) और शील मार्ग के अनुसार, चलना ही सर्वश्रेष्ठ मार्ग है।

अंगुलिमाल : श्रीमान् परम पूज्य भन्ते जी! वेदों को स्वतः प्रमाण मानना क्या अधर्म है?

सुनीत : हाँ! वेदों को स्वतः प्रमाण मानना अधर्म है।

ब्राह्मणों का कहना है कि वेद पवित्र हैं। स्वतः प्रमाण हैं। गलती की सम्भावना के परे हैं।

भगवान तथागत ने इन तीनों मान्यताओं को नहीं माना।

अगर वेद ईश्वरीय हैं, तो आर्यों और अनार्यों, दस्युओं के युद्धों का वर्णन नहीं होना चाहिए।

वेदों में कल्पित ईश्वर और कल्पित देवताओं से आर्यों के कल्याण तथा अनार्यों (दस्युओं) के विनाश की प्रार्थनाएँ की गई हैं। ऐसी अन्धविश्वासी प्रार्थनाएँ मनुष्य को हर प्रकार से पंगु और गुलाम बनाने के अतिरिक्त और कोई दूसरा मतलब नहीं रखतीं।

वेद और वैदिक ऋषि सत्य को अँधेरे में ढूँढ़ते रहे, मिला नहीं। वैदिक सिद्धान्त केवल मानसिक उड़ानें हैं। तर्क और यथार्थ से उनका कोई सम्बन्ध नहीं है।

वेद दर्शन के क्षेत्र में किसी नए सामाजिक चिन्तन की देन नहीं।

विचारों की स्वतंत्रता सत्य को प्राप्त करने का साधन है।

वेदों को स्वतः प्रमाण और गलती की सम्भावना के परे मान लेने का मतलब है, विचार स्वतंत्रता को सर्वदा अस्वीकार कर देना। वेदों से मनुष्य की बौद्धिक तथा नैतिक प्यास नहीं बुझ सकती। वेद बालू की भीत हैं। वेद जलविहीन तालाब हैं। वेद पथविहीन जंगल हैं। वास्तव में वे विनाश पथ हैं।

हर चीज का परीक्षण व पुनर्परीक्षण होना जरूरी है।

किसी बात को तब मानो, जब तुम्हारी बुद्धि कहे कि यह सही है। जब वह तुम्हारी अनुभव बुद्धि से, तर्क से किसी को भी दुख पहुँचानेवाली न हों।

[पटाक्षेप]

दृश्य-8

स्थान : श्रावस्ती में जेतवन का संघाराम
समय : सायंकाल

[मुख्य आसन पर परम पूज्य भन्ते उपालीजी विराजमान हैं। अंगुलिमाल तथा कुछ अन्य भिक्षुगण समीप बैठे हैं। धार्मिक चर्चा चल रही है।]

अंगुलिमाल : *(अभिवादन करते हुए)* वन्दामि भन्ते! परम पूज्य भन्ते जी! ब्राह्मणी चातुर्वर्णी समाज रचना क्या अधर्म है?

उपाली : हाँ! ब्राह्मणी चातुर्वर्णी समाज रचना अधर्म है।

ब्राह्मणी धार्मिक ग्रंथों से जुड़ा हुआ, यह चातुर्वर्णी समाज ब्राह्मण, क्षत्रिय, वैश्य और शूद्र चार भागों में बँटा हुआ है।

यह चारों वर्ण सामाजिक असमानता में बँधे हैं। अतः यह वर्ण-व्यवस्था अधर्म है।

ब्राह्मण सबसे ऊपर, ब्राह्मण से नीचे क्षत्रिय, मगर वैश्य और शूद्र से ऊपर। क्षत्रि के नीचे वैश्य, मगर शूद्र से ऊपर और सबसे नीचे शूद्र।

चारों वर्णों के अधिकार व सुविधाएँ भी क्रमवार असमानता के कानून के अनुसार ही हैं।

शूद्र को कोई अधिकार व सुविधा नहीं है। उसका केवल एक यही कर्तव्य है कि तीनों वर्णों की सेवा करता हुआ उन्हें बिना रुष्ट किए किसी-न-किसी प्रकार जिन्दा रहते हुए भी मुर्दा बनकर जिन्दा रहे। चारों वर्णों के पेशे भी क्रमवार असमान हैं। शूद्र का पेशा तीनों वर्णों की सेवा करना है।

इस वर्ण-व्यवस्था में शूद्र और स्त्री पढ़-लिख नहीं सकते हैं।

ब्रह्मचर्य, गृहस्थचर्य, वानप्रस्थ और संन्यास—चार आश्रम हैं। शूद्र और स्त्री के वास्ते ब्रह्मचर्य व संयास आश्रम मना है।

पिछले जन्म के भले-बुरे कर्मों के अनुसार मनुष्य ब्राह्मण, क्षत्रिय, वैश्य और शूद्र के घरों में अगला जन्म लेता है।

भगवान तथागत ने ऊपरी ब्राह्मणी समाज रचना का घोर विरोध किया। उन्होंने बताया—

जिस प्रकार सिन्धु व गंगा वगैरह सभी नदियाँ समुद्र में मिल जाने पर अपने-अपने नाम के अलग-अलग अस्तित्व को खो कर केवल समुद्र जल ही कहलाती हैं। ठीक उसी प्रकार कोई भी मनुष्य किसी भी धर्म, वर्ण या जाति से आकर जब बौद्ध धर्म ग्रहण करता है, तब उसका पुराना धर्म, उसकी पुरानी जाति और उसका पुराना वर्ण (ब्राह्मण, क्षत्रिय, वैश्य व शूद्र) खत्म होकर केवल मनुष्य नाम ही शेष रह जाता है, जो मनुष्यत्व की सबसे बड़ी सीढ़ी है।

ब्राह्मणी समाज ने जिन लोगों को ऊपर लिखे जन्मसिद्ध अधिकारों से वंचित कर रखा है, बौद्ध धर्म में वे सभी अधिकार पूर्णतया सुरक्षित हैं।

ब्राह्मणी समाज केवल असमानता के कारण ही जीवित है।

असमानता वाला ब्राह्मणी समाज समता, बन्धुता, स्वतंत्रता, संगठन, सामर्थ्य-सम्पादन, स्वाभिमान और राष्ट्रीय एकता का सबसे बड़ा शत्रु है।

ब्राह्मणी समाज में न गुण की पूजा है। न ही विकास की।

ब्राह्मण बुरे से भी बुरा कर्म करे, तो भी समाज में उसका दर्जा नहीं घटता और शूद्र अच्छे से भी अच्छा कर्म करे, तो भी वह समाज में बड़ाई नहीं पा सकता। शूद्र अपमानित शूद्र ही रहेगा।

ब्राह्मणी समाज के पेशे जाति से हैं, हुनर से नहीं, जो विकास का बड़े से बड़ा दुश्मन है।

ब्राह्मणी समाज में मनुष्य भला या बुरा कैसा ही हो, वहाँ तो केवल क्रमवार उच्च वर्ण और उच्च जाति की पूजा होती है।

ब्राह्मणी समाज में बड़े और छोटे वर्णों के बीच क्रमवार बड़ाई-छुटाई की भावना पैदा होकर रोज-रोज की स्थायी लड़ाई-झगड़ा वगैरह भारी से भारी संघर्ष बना रहकर राष्ट्र की रीढ़ कमजोर करता है।

ब्राह्मणी समाज में कुछ लोगों की स्वार्थपूर्ति होती है, शेष बहु-संख्यक (शूद्र) समाज का दोहन, शोषण, उत्पीड़न प्रतिदिन होता है।

ब्राह्मणी समाज का मुख्य मतलब है, शूद्रों व शोषितों को दबाना। उन्हें सदा गुलाम तथा दास बनाए रखना।

ब्राह्मणी समाज में एक ऐसा उप-समाज शूद्र समाज है, जो सभी मानवीय जन्मसिद्ध अधिकारों व सुविधाओं से वंचित है।

जिस समाज में स्त्री-शूद्र की मनुष्यता सम्बन्धी कोई कीमत नहीं, केवल शूद्र के छूने मात्र से वह समाज बिगड़ जाता है, पवित्र हो जाता है वह समाज नहीं, पागलपन है।

जिस समाज में शूद्र विद्या न पढ़े, शस्त्र धारण न करे व धन इकट्ठा न करे, वह समाज नहीं, मनुष्य जीवन की विडम्बना है।

जिस समाज में स्त्री और शूद्र अशिक्षित बने रहें व गरीब, गरीब ही बने रहें—वह समाज नहीं, दंड है।

जिस समाज में सब भूतों में ईश्वर मौजूद है, ऐसा बनावटी नारा लगाया जाता है, मगर शूद्र के साथ रोजाना जानवर से भी ज्यादा खराब व्यवहार किया जाता है। वह समाज नहीं, मूर्खताओं का संचयन है।

जिस समाज में चींटियों को शक्कर खिलाई जाती है, मगर शूद्र को पीने के लिए पानी न देकर प्यासा ही तड़प-तड़प कर मरने के लिए मजबूर किया जाता है, वह समाज नहीं, मूर्खताओं का संचयन है।

अंगुलिमाल : श्रीमान् परम पूज्य भन्ते जी! शूद्र और स्त्री को ज्ञान प्राप्त न करने देना क्या अधर्म है?

उपाली : हाँ! स्त्री और शूद्र को ज्ञान प्राप्त न करने देना अधर्म है। ब्राह्मणी समाज में केवल ब्राह्मण, क्षत्रिय और वैश्य तीन वर्ण ही ज्ञान प्राप्त कर सकते हैं, चौथा वर्ण शूद्र तथा सम्पूर्ण वर्णों की स्त्रियाँ ज्ञान उपार्जन नहीं कर सकतीं।

तथागत् ने इस ब्राह्मणी मत का भी घोर विरोध किया। उन्होंने बताया—यह ब्राह्मणी मत बड़ा ही निर्दयतापूर्ण है।

ब्राह्मणी समाज ने ज्ञान का द्वार जिन बहुसंख्यक लोगों के लिए नहीं खोला है, वे बहुसंख्यक लोग इस ब्राह्मणी समाज के शत्रु हो जाएँगे। जो मत बहुसंख्यक लोगों को अपने ही समाज का शत्रु बनाए, वह मत गलत है।

सामाजिक संगठन के बिना समाज की तरक्की नहीं हो सकती।

ज्ञान के बिना समाज की तरक्की नहीं हो सकती।

जिस समाज के बहुसंख्यक शत्रु हों, जिस समाज में बहुसंख्यक अज्ञानी हों तथा जो समाज पूरे का पूरा असंगठित हो, उस समाज का कभी कल्याण नहीं हो सकता।

प्रत्येक समाज की प्रगति के लिए जरूरी है, उस समाज के प्रत्येक स्त्री तथा पुरुष को ज्ञान प्राप्त करने का पूर्ण अधिकार का होना।

अंगुलिमाल : श्रीमान् परम पूज्य भन्ते जी! ब्राह्मणी कर्मवाद के मत को मानना अधर्म है।

उपाली : हाँ! ब्राह्मणी कर्मवाद के मत को मानना अधर्म है। इस कर्मवाद का मत है—श्रेष्ठता और नीचता अर्थात् शूद्रता में विश्वास करना मतलब कि ब्राह्मण की श्रेष्ठता को मानना। वर्ण-व्यवस्था को मानना। इस बात का पालन करना कि बहुत ही अच्छे कर्मों से स्वर्ग, बहुत अच्छे कर्मों से पृथ्वी पर सभी सुख तथा अगले जन्म में उच्च वर्ण में जन्म होता है। बहुत बुरे कर्मों से नर्क तथा हर प्रकार का दुःख, गरीबी व शूद्र वर्ण में अगले जन्म में जन्म लेना पड़ता है। यह दुःख, गरीबी व शूद्र की नीचता वाली बेइज्जती भारी से भारी प्रयत्न करने पर भी कम नहीं हो सकती।

भगवान तथागत ने इस ब्राह्मणी वर्णवाद, कर्मवाद के मत को नहीं माना। उन्होंने बताया—आर्य श्रेष्ठता, वर्ण-व्यवस्था, स्वर्ग-नर्क और शूद्रपन की नीचता वाली कल्पना झूठी है।

एक मनुष्य दूसरे मनुष्य के साथ जो बुरा व्यवहार करता है, उसी से दुःख पैदा होता है, जो पवित्र मार्ग अष्टांगिक मार्ग, शील मार्ग और पारमिता मार्ग के अनुसार, आचरण करने से दूर हो सकेगा।

मनुष्य गरीब घर में भले ही पैदा हुआ हो, कोई हानि नहीं, लेकिन अगर मालदार लोग गरीबों का शोषण बन्द कर दें, तो गरीब अपनी शारीरिक और मानसिक ताकत द्वारा थोड़े ही समय में रोटी, कपड़ा, मकान और अपने बच्चों की शिक्षा-दीक्षा वगैरह की सभी समस्याएँ हल कर लेगा, मालदार बन जाएगा।

इस ब्राह्मणी कर्मवाद ने शूद्रों के अपनत्व और उत्थान की भावनाओं को सोख लिया है। साथ ही साथ ज्ञान प्राप्ति का हक न होने के कारण स्त्री और शूद्र सोच न पाए कि हमें इस खराब दशा में पहुँचानेवाला 'जालिम ब्राह्मणवाद' ही है।

इसलिए वे शूद्र अपने जन्म-सिद्ध मानवीय अधिकारों को प्राप्त करने के वास्ते 'जालिम ब्राह्मणवाद' के खिलाफ विद्रोह करने के बजाय उलटे मानवता विरोधी 'जालिम ब्राह्मणवाद' के अनन्य भक्त बन गए।

स्वतंत्रता-प्राप्ति के वास्ते अन्तिम अधिकार है बौद्धिक क्रान्ति करना। शस्त्र उठाना। सो 'जालिम ब्राह्मणवाद' ने इन गरीब शूद्रों को बुद्धि और शस्त्र धारण करने का अधिकार पहले से ही छीन लिया है।

इस प्रकार दीन-हीन मनुष्य समुदाय स्वार्थी ब्राह्मणों, बलशाली क्षत्रियों और धनी वैश्यों के भयानक जाल के शिकार मात्र बनकर रह गए। वे केवल श्रम करते रहे। उनका शोषण होता रहा।

अंगुलिमाल : श्रीमान् परम पूज्य भन्ते जी! मानवीय जन्मसिद्ध अधिकारों पर कुठाराघात करनेवाली ब्राह्मणी समाज रचना में क्या कोई सुधार हो सकता है या नहीं?

उपाली : नहीं, ब्राह्मणी समाज रचना में सुधार कतई नहीं हो सकता। इसे केवल समाप्त ही किया जा सकता है। तभी समाज और राष्ट्र सुखमय जीवन बिता सकेगा। जिस प्रकार अच्छा साबुन लगाने पर भी गन्दे पानी में कपड़ा साफ नहीं होता है, उसी प्रकार संविधान द्वारा दिया गया समानता के अधिकार का सदुपयोग असमानता वाले ब्राह्मणी हिन्दू ग्रंथों के कारण नहीं किया जा सकता।

अंगुलिमाल : श्रीमान् परम पूज्य भन्ते जी! सद्धर्म क्या है?

उपाली : जो धर्म सबके वास्ते ज्ञान का द्वारा खोले।

— जो धर्म सब को प्रज्ञा, करुणा और मैत्री सिखावे।

— जो धर्म एक मनुष्य और दूसरे मनुष्य के बीच के भेदभाव की तमाम दीवारों को गिरा दे।

— जो धर्म यह शिक्षा दे कि मनुष्य का मूल्यांकन जन्म से नहीं बल्कि उसके कर्म से किया जाए।

— जो धर्म मनुष्य, मनुष्य के बीच बराबरी का दर्जा बढ़ावे।

अंगुलिमाल : श्रीमान् परम पूज्य भन्ते जी! बुरा मनुष्य किसे कहते हैं?

उपाली : जो अपनी बुराई छिपाता है और अपने गुणों की खुद ही प्रशंसा करता है।

अंगुलिमाल : श्रीमान् परम पूज्य भन्ते जी! मनुष्य का पतन कैसे होता है?

उपाली : पवित्र-मार्ग, अष्टांगिक मार्ग व शील-मार्ग पर न चलने से मनुष्य का पतन होता है।

अंगुलिमाल : श्रीमान् परम पूज्य भन्ते जी! श्रेष्ठ मनुष्य कौन है?

उपाली : जो मनुष्य अपनी और दूसरों की भलाई का काम करता है।

अंगुलिमाल : श्रीमान् परम पूज्य भन्ते जी! धर्म प्रचार में कोष की समस्या कैसे हल की जाए?

उपाली : चूँकि धर्म की जरूरत प्रत्येक मनुष्य को है, इसलिए हर मनुष्य को दूसरे घरेलू खर्चों की तरह अपनी आमदनी का पाँच रुपया प्रति सैकड़ा इस सद्धर्म प्रचार में खर्च करना चाहिए।

अंगुलिभाल : श्रीमान् परम पूज्य भन्ते जी! भगवान तथागत मार्गदाता हैं या मोक्षदाता?

उपाली : भगवान तथागत मोक्षदाता नहीं हैं। वे मार्गदाता हैं। उनके बताए मार्ग पर चलने से मनुष्य इसी जन्म में मोक्ष (निर्वाण) प्राप्त कर सकता है।

[परम पूज्य भिक्षुवर श्रीमान् आनन्द जी का प्रवेश]

उपाली सहित सभी : *(खड़े होकर, एक साथ)* वन्दामि भन्ते!

आनन्द : साधु! साधु! आप सब बैठ जाइए। *(कहकर स्वत: उचित आसन पर बैठ जाते हैं।)* कहिए! अंगुलिमाल, सद्धर्म के बारे में और कोई शंका है?

अंगुलिमाल : नहीं! सद्धर्म के बारे में अब कोई शंका नहीं है, परन्तु सन्मार्ग पर चलने के लिए क्या और साथियों का होना जरूरी है?

आनन्द : नहीं! साथी की कोई आवश्यकता नहीं, जैसे जंगल में बलशाली हाथी आगे-आगे चल देता है, फिर उसके पीछे झुंड के झुंड हाथी चल देते हैं। ठीक उसी तरह सन्मार्ग चलानेवाले को साथी का इन्तजार किए बिना अकेले ही सन्मार्ग पर चल देना चाहिए। बाद में करोड़ों की टोली पीछे-पीछे स्वतः ही चल देगी।

[आशीर्वाद देते हुए भगवन तथागत के चित्र का पर्दा खड़ी शक्ल में यकायक सामने आता है।

[आनन्द, उपाली और सभी भिक्षु-गण भगवान तथागत के समक्ष धर्म-वन्दना करते हैं। नेपथ्य से ध्वनि आती है—साधु! साधु!! साधु!!!]

[यवनिका पतन]

शम्बूक वध

शम्बूक वध

लेखक
पेरियार ललई सिंह
रामअवतार पाल

अशोक पुस्तकालय (रजि.)
झींझक, जिला—कानपुर,
उत्तर प्रदेश, भारत-209 302
अंडर पेरियार ललई सिंह चेरिटेबल ट्रस्ट
84/172, झकरकटी, जी.टी. रोड
जिला—कानपुर, उत्तर प्रदेश, भारत-208 003

प्रथम बार
बुद्ध पूर्णिमा (वैसाख) संवत् 2019 विक्रमी
दिनांक—19 मई, सन् 1962 ई.
प्रथम बार 1000 प्रतियाँ प्रकाशित
दूसरी बार सन् 1965 ई.
तीसरी बार सन् 1972 ई.
चौथी बार सन् 1975 ई.
पाँचवीं बार सन् 1980 ई.
छठी बार सन् 1985 ई.
सातवीं बार सन् 1990 ई.
आठवीं बार सन् 1993 ई.

मुद्रक
पेरियार प्रेस
84/172, झकरकटी, जी.टी. रोड,
जिला—कानपुर, उत्तर प्रदेश, भारत-208 003

महँगाई के कारण संशोधित
मूल्य : 5.00 रुपये

!!समर्पण!!

निर्वाणप्राप्त बोधिसत्व, परम्पूज्य,
बाबासाहेब डॉ. भीमराव रामजीराव अम्बेडकर
की पुण्य स्मृति में
जो आजीवन शूद्रों तथा महाशूद्रों को
धार्मिक, सामाजिक, आर्थिक और राजनीतिक समता
दिलाने हेतु विरोधियों से दिन-रात संघर्ष करते हुए,
दिनांक 6 दिसम्बर, 1956 ई. को
चार महाभूतों में विलीन हो गए।
सादर समर्पित।

—लेखकगण

दो शब्द

प्रस्तुत नाटक 'शम्बूक वध' में वाल्मीकि रामायण तथा विभिन्न रामायणों आदि के इतिहास व कुछ कल्पनाओं से भी सहारा लिया गया है, किन्तु विषय के बाहर जाने की चेष्टा नहीं की गई है।

नाटक में यह दिखाया गया है कि आदिकाल से ही समाज के कुछ चतुर, चालाक और धूर्त व्यक्ति राजसत्ता का सहयोग लेकर समाज का दोहन, शोषण और हनन करते चले आ रहे हैं। समाज-सुधारकों को मृत्यु-दंड मिलता रहा है। इसके लिए वे साम, दाम, दंड और भेद—सभी नीतियाँ अपनाते रहे हैं। अपना उल्लू सीधा करने के लिए ये लोग तथा पुरोहित, पंडे और पुजारी सीधे-सादे व्यक्तियों को स्वर्ग, नरक, भाग्य-भगवान, पुनर्जन्म, कथा, भागवत, कीर्तन, गंगा स्नान, पाप-पुण्य, धर्म-अधर्म, छुआछूत, ऊँच-नीच, मथुरा एवं गया आदि तीर्थों के काल्पनिक पाखंडों में फाँसते रहे हैं। एक ही पिता के कई पुत्रों को अनेक वर्णों और जातियों में विभक्त कर छोटे-बड़े के भेदभाव वाले झूठे जाल में फाँस कर चारों ओर धर्म व अधर्म का पुछल्ला लगा दिया है।

अस्तु! इस मिथ्या पाखंड के जाल से बाहर निकलने के उद्देश्य से ही यह नाटक लिखा गया है।

त्रुटियों के बाबत सुझाव भेजने की कृपा करें।

—रामअवतार पाल

दिनांक—19 मई, सन् 1962 ई.
बुद्ध पूर्णिमा सम्वत् 2019 विक्रमी

सम्मति

आज सभ्य मानव समाज अफ्रीकी मलानशाही रंगभेदी नीति की निन्दा किया करता है, किन्तु अतीत काल में आगंतुक आर्यों ने भारत के मूल निवासियों को किस प्रकार अधिकार वंचित करके उन्हें नीचे गिराया था और असमानतावादी आर्य संस्कृति रंगभेद-वर्णभेद के संसार में आर्य ब्राह्मणों व आर्य क्षत्रियों ने सत्ताधारी बनकर उन मूलनिवासियों के साथ जो अमानुषिक अन्याय व अत्याचार किए थे, वे आधुनिक मलानशाही को भी मात दे देते हैं। यह 'शम्बूक वध' नाटक उस प्राचीन रामलीला की याद ताजा कराता है, जो त्रेता युग के सूर्यवंशी राजा 'राम' के राज्य में हुई थी।

लेखक महोदयों ने उसके भीतरी व बाहरी सभी पहलुओं के दृश्य दिखाकर इस नाटक को तत्कालीन समाज-व्यवस्था का दर्पण बना दिया है। इससे आर्य ब्राह्मणी नीति का पर्दाफाश होता है।

दिनांक—14 अप्रैल, 1962 ई.

चन्द्रिका प्रसाद 'जिज्ञासु'
360/193, मातादीन रोड
सआदतगंज, लखनऊ-3

सम्मति

नाटक पढ़ते समय मेरे सामने वर्तमान भारत की राष्ट्रीय सामाजिक परिस्थितियाँ नाचती रहीं और मैं सामाजिक उत्पीड़ितों, शूद्रों के राजनीतिक, आर्थिक व सामाजिक क्षेत्रों में सत्तारूढ़ शोषकों (आर्यों) से चलनेवाले संघर्षों के उत्थान-पतन के घटना-चक्रों में उलझता गया।

सन् 1930 से सन् 1942 तक के समस्त भारतीय स्वतंत्रता संग्राम में किसान, मजदूर, पिछड़े वर्ग व अछूतों के बलिदान व त्यागपूर्ण कार्यों और स्वतंत्रता-प्राप्ति के बाद 15 अगस्त, 1947 से अब तक...? जनसंख्या वाली शोषक जातियों के असहनीय एकाधिकार वाले शासन के विरुद्ध भीतर-भीतर सुलगनेवाली जनक्रान्ति की अग्नि की लपटों की ओर मेरा ध्यान आकर्षित हुआ।

पंडित जवाहर लाल नेहरू उन्हीं 'राम' की भाँति अपनी जाति-वर्ग समाज के समर्थक जान पड़ रहे हैं—जिनको उनकी 'मंत्रणादात्री सभा' के ब्राह्मण देवताओं नारद व वसिष्ठ आदि के प्रभाव में आकर आदि निवासियों के उत्थान व जागरण के लिए घोर प्रयत्न करनेवाले तपस्वी शम्बूक का वध करना पड़ा और अल्पसंख्यक ब्राह्मणों के धर्म की सुरक्षा के लिए राष्ट्र धर्म का अनर्थ करना पड़ा...।

शम्बूक-शिष्य कुन्दन की 'समाजोद्धारक समिति' व शम्बूक के आदिनिवासी महाविद्यालय के कार्य शूद्रों की जन-जागृति शून्यता, आपसी द्वेष, फूट, अ-नायकता और बहु-नायकता के कारण ब्राह्मण की साजिश के आगे निष्प्रभ हो गए।

ब्राह्मण देवता शिवकंठ की धर्म पत्नी 'जलेश्वरी' व तपस्वी शम्बूक की धर्मपत्नी 'तुंगभद्रा' द्वारा वर्तमान भारत की आर्य नारी नेताओं तथा अनार्य नारी नेताओं की भूमिका की ओर इशारा है...।

आचार्य शम्बूक की हत्या, डॉ. भीमराव रामजीराव अम्बेडकर की राजनीतिक हत्या का चित्र खींचती है और राम की करतूत हमारे प्रधानमंत्री पंडित जवाहर लाल नेहरू की कार्यवाहियों का चित्र प्रस्तुत करती है।

सेतू के शब्दों में कह सकते हैं—'गुरुजी! सब (आर्यों) ने भारत को अपनी निजी सम्पत्ति मान रखा है, जैसे यह उन्हें उनके पूर्वजों से उत्तराधिकार में प्राप्त हुई हो! हमारी माँग तो उन्हें काँटे की भाँति करकती है।'

काश! भारत की एकता के लिए वर्ण-व्यवस्था व जातिवाद का समूल शीघ्रमेव नाश हो जाए और पाखंड, ढोंग व शोषण की जगह योग्यता, न्याय व परिश्रम जैसे सद्गुणों को पुरस्कृत किया जाए। भारत राष्ट्र किसी जाति-वर्ग विशेष का धरोहर न रहे वरन हम सबके लिए समान सत्तादायक व्यवस्था के अन्तर्गत समानोन्नति के अवसर मिले, तो वह दिन दूर नहीं, जब 'शम्बूक वध' अपना जन-विद्रोह सफल करेंगे और पाखंडी वर्ण-व्यवस्थामूलक धर्म का नाश हो जाएगा।

आशा है कि 'शम्बूक वध' नाटक शोषित जनता के उत्थान के लिए अति उत्तम सिद्ध होगा।

दिनांक—14 नवम्बर, 1963

—दीप नारायण सिंह

एम.ए., एल.एल.बी., एम.एल.ए., एडवोकेट,
प्रकाश विकाश निवास, सादीपुर, खुर्द, फतेहपुर (उ.प्र.)

इस आवृत्ति पर दो शब्द

हकीम 'लुकमान' ने कहा कि 'जब मरीज, मरीज होते हुए, यह समझ बैठे कि मुझे कोई मर्ज नहीं है तो मर्ज का कोई इलाज नहीं होता है।'

हमारे आदिनिवासी (पिछड़े, अनुसूचित, आदिम जाति, अल्पसंख्यक व स्त्रियाँ आदि) भाइयों और बहनों का जो आर्य (सवर्ण) लोग धार्मिक, सामाजिक, आर्थिक, राजनैतिक व दैहिक दोहन-शोषण प्रतिदिन करते हैं, आदिनिवासियों को इस बात का एहसास नहीं होने देते हैं कि तुम्हारा भी कोई मानवीय अधिकार है। इसी मर्ज का प्रस्तुत 'शम्बूक वध' नाटक में इलाज दिया जा रहा है अर्थात् गुलाम को गुलामी का एहसास करा देने, उसमें स्वचेतना पैदा कर देना ही यहाँ मेरा उद्धेश्य है।

चतुर आर्य भगवान के अवतार की फर्जी कहानी गढ़ कर कहते हैं कि अवतारी 'राम' ने वानरों व रीछों को गले लगाया। जिस तरह अंग्रेज भारतीयों को मंकी (बन्दर) व डॉग (कुत्ता) कहकर गालियाँ दते थे, उसी तरह आर्य भी आदिनिवासियों को बन्दर, रीछ, दास व अन्त्यज आदि कहकर अपमानित करते थे। वही बेइज्जती आज भी हनुमान की झूठी पूँछ बनाकर व महाराजाधिराज 'रावण' के सर पर झूठा गधे का सिर लगाकर हर साल 'राम लीला' के बहाने उनके पुतले आग में जला कर हम आदिनिवासियों के जले दिल पर नमक छिड़कते हैं।

प्राचीन समय में तपस्वी शम्बूक जिन अधिकारों को प्राप्त करने में बलिदान हुए, उन्हीं अधिकारों के लिए लड़नेवालों को आर्य (सवर्ण) अपनी पूजा करने, जमीन पर बैठने, कुआँ या नल पर पानी भरने, हलवाई व हलदारीगीरी आदि करने के लिए आज भी शूद्रों व महाशूद्रों को बाध्य करते हैं। ऐसा नहीं करने पर सवर्ण हिन्दू उनका कत्ल कर देते हैं। मेरे पास ऐसे बलिदानियों की कई कहानियाँ मौजूद हैं।

नाटक के छापे जाने की पहली मंशा है—अधिकार वंचित शूद्र व महाशूद्र अपने अधिकार समझें। माँगें! छीनें—इसी स्थिति के कारण मैं बार-बार कहता हूँ कि 'अधिकार माँगे नहीं! छीने जाते हैं!!' और 'सामाजिक अपमान गरीबी से

अधिक खटकता है।' दूसरी मंशा, इस देश के सवर्ण हिन्दू शूद्रों व महाशूद्रों को उनका मानवीय अधिकार सौंप दें। तीसरी मंशा, सरकार के लिए कड़ी चेतावनी है कि उसने यदि उन्हें प्रत्येक प्रकार के मानवीय अधिकार न दिलाए तो इस देश में गृहयुद्ध का संकट सदैव बना रहेगा।

यह संस्करण सफलता का प्रमाण है! और हाँ! लेखक—लेखन, भ्रमण और भाषण के कारण प्रूफ की गलतियाँ नहीं देख पाता है।

अत: पाठकगण अशुद्धियों को भाषा अनुसार पढ़ें। इन अशुद्धियों को क्षमा करें। आपके सुझाव सादर आमंत्रित हैं।

धन्यवाद!

आप सबका

दिनांक—6 जून, 1985 ई. **—पेरियार ललई सिंह**

पाठकों के कर्तव्य

1. मेरे पास अनेक लड़कों की प्रार्थनाएँ आई हैं तथा आपके पास भी आती रहती होंगी कि उन्हें विद्यालय व महाविद्यालय में साइलेंटली या मसलहतन या ऐलानिया तौर पर जाति-पाँति, ऊँच-नीच व छुआछूत आदि कारणों से भर्ती नहीं किया जाता। यदि किसी दबाव या कारणवश भर्ती किया भी जाता है, तो उसके साथ छुआछूत का बहाना या अन्य बहाना बनाकर खराब बर्ताव किया जाता है।

आचार्य शम्बूक की भाँति महाराष्ट्र प्रान्त ने अपने विद्यालय व महाविद्यालय अलग खोले हैं, उन्हें धन्यवाद! आप भी अपने अलग विद्यालय व महाविद्यालय खोलें। करोड़ों की जनसंख्या एक-एक पैसा प्रतिदिन बचाकर करोड़ों रुपया इकट्ठा कर सकती हैं—'हाय मरे! हाय मरे!!' कहना तुरन्त बन्द करें।

2. मैं व आप अखबारों में प्रतिदिन पढ़ते हैं कि महाशूद्रों व बौद्ध आदि अल्पसंख्यकों पर अन्याय, अत्याचार, बलात्कार, मार-काट व लूटपाट की घटनाओं के साथ-साथ नगर, गाँव व मुहल्ला रिज़र्वेशन (आरक्षण) या सरकारी रेट वाली मजदूरी माँगने या परम्पूज्य बाबा साहेब डॉ. भीमराव अम्बेडकर द्वारा स्थापित 'मिलिंद महाविद्यालय, औरंगाबाद, (महाराष्ट्र) का नाम बदलकर 'डॉ. अम्बेडकर विश्वविद्यालय' रखे जाने के विरोध में या किसी न किसी अन्य बहाने जलाए जा रहे हैं।

हाई-कमांडरों ने 'सेतु' की भाँति महाराष्ट्र में अपनी जान व माल की रक्षा के लिए सक्रिय 'समता सैनिक दल' की स्थापना करके उसकी शाखाएँ गाँवों, मुहल्लों, नगरों व महानगरों में खोली हैं। मैंने स्वयं उनका सराहनीय कार्य देखा है।

अपनी रक्षा के लिए उन्होंने विरोधियों को, चाहे महाराष्ट्र हो या गुजरात या अन्य स्थानों पर अच्छी मात दी, तभी तो विरोधियों को गैरकानूनी, मानवता विरोधी, जबरई, धींगामस्ती वाले मनमाने आन्दोलन मजबूरन वापस लेने पड़े। हालाँकि इन झगड़ों में सबसे ज्यादा जान-माल की हानि दलित, पीड़ित व बौद्धों की हुई है। हजारों वर्षों से सताए जानेवाले लोगों में स्वाभिमान जागा। अतः उन्हें धन्यवाद।

आप जहाँ हैं, अपनी रक्षा के लिए शीघ्र सक्रिय 'समता सैनिक दल' शाखाएँ खोलें। उनकी धन-जन में सहायता करें।

आप यदि गुलाम, नीच या मुर्दा बनकर जीवित रहना चाहते हैं, तो ऐसे जीवित रहने से मर जाना अच्छा है। जियो शेर बनकर, बकरी बनकर मत जियो। शेर की बलि किसी देवी-देवता के नाम पर कभी भी नहीं दी जाती है, जबकि बकरी की बलि कोई कहीं भी दे देता है।

जियो, स्वस्थ आदमी बनकर जियो, कोढ़ी बनकर मत जियो। यों तो ऊँच-नीच, छुआछूत व जाति-पाँति की संकीर्ण, कोढ़ वाली बीमारी की आपसी फूट ने भारत को हजारों साल गुलाम बनाकर रखा है। आजादी जिसे मिली, उसे मिली।

हम अब भी सवर्ण हिन्दुओं (ब्राह्मण, क्षत्रिय व वैश्यों) के धार्मिक, सामाजिक, आर्थिक व राजनीतिक रूप से गुलाम हैं। हमें अपनी आजादी स्वतः प्राप्त करना है, स्वतः रक्षा करना है। अन्य के भरोसे नहीं रहना है।

3. आप यह भी अखबारों में प्रतिदिन पढ़ते हैं कि पुत्र-प्राप्ति या अन्य मनोकामना की प्राप्ति के लिए बच्चों या मनुष्यों की बलि किसी देवी-देवता के नाम पर दी जा रही है। ये तथा ऐसे ही अन्य कार्य सब अन्धविश्वास हैं। ऐसा करने से पुत्र की प्राप्ति या मनोकामना की पूर्ति कभी भी नहीं हो सकती। पुत्र की प्राप्ति के लिए डॉक्टर की सलाह से पुरुष के वीर्य, स्त्री के रज, बच्चादानी व मासिक धर्म (हैज) आदि की खराबी की जाँच कराएँ, तब बच्चा पैदा होगा अन्यथा नहीं।

इसी प्रकार मनोकामना पूरी तब होगी, जब उसे प्राप्त करने के लिए वैसे ही अनुकूल प्रयत्न किए जाएँ अन्यथा नहीं।

पिछड़े समाज को ऐसे ही अनेक अन्धविश्वासी भाग्य, भगवान, कथा, भागवत, स्वर्ग, नरक, पुनर्जन्म, पाप, पुण्य, गंगा-स्नान, दर्शन, तेरही, बरसी, मथुरा, गया, चारों धाम, भोज, भंडारा, पुरोहित, पंडा व पुजारी आदि के ठगाई वाले जाल से बचाने के लिए जल्द से जल्द महानतम क्रान्तिकारी समाज-सुधारक नेता 'कुन्दन' की भाँति 'समाजोद्धारक समिति' बनाएँ।

महाराष्ट्र आदि कुछ प्रान्तों में 'भारतीय बौद्ध महासभा' ने अपनी कई शाखाएँ खोली हैं। हालाँकि विशेष सक्रिय नहीं हैं। आप भी शाखाएँ खोलें। सक्रिय रूप दें। भविष्य उज्ज्वल है। शायर कहता है कि—

न पढ़ने से बेहतर है, पढ़ना जनाब।
कि हो जाओगे, एक दिन कामयाब॥

4. 'शम्बूक वध' नाटक या अन्य पुस्तक केवल पढ़ने मात्र से कोई लाभ नहीं, लाभ तब होगा, जब उसके सुझाव के अनुसार काम किया जावे। जीवन जिया जावे।

धन्यवाद!

आप सबका

दिनांक—15 अगस्त, 1985 ई. **—पेरियार ललई सिंह**

सम्मति

भारत में सदैव ब्राह्मण एवं श्रमण संस्कृति का भारी विरोध रहा है। ब्राह्मणों ने भारतीय समाज पर अपना वर्चस्व बनाए रखने के लिए समय-समय पर अनेक प्रकार के षड्यंत्र रचे हैं। प्रस्तुत 'शम्बूक वध' नाटक ब्राह्मणों के ऐसे ही एक घृणित षड्यंत्र एवं जघन्य अपराध का पर्दाफाश है।

भारत के पढ़े-लिखे, शोषित-पीड़ित समाज के नवयुवकों का परम दायित्व है कि वे 'शम्बूक वध' में निहित ब्राह्मणी षड्यंत्र की सत्यता से शोषित सर्वहारा समाज को अधिकाधिक ज्ञान कराकर उनका उचित मार्गदर्शन करें।

विडंबना है कि आज का समाज उसी राम का, जो उनके लोकप्रिय पूर्वज का विरोधी है, बड़ी श्रद्धा के साथ गुणगान कर रहा है, जबकि ऐसे विरोधी का नाम तक नहीं लेना चाहिए।

शम्बूक महान की हत्या का सही प्रतिशोध परम पूज्य बोधिसत्व बाबा साहब डॉ. भीमराव अम्बेडकर द्वारा निर्देशित बौद्ध धम्म में दीक्षा लेकर किया जा सकता है। तभी नाटक के लेखक आजीवन संघर्षरत पेरियार ललई सिंह के 'शम्बूक वध' लिखने का श्रम सार्थक सिद्ध हो सकता है।

सफलता की कामना।

धन्यवाद!

दिनांक—15 अगस्त, 1985 ई.

—जगन्नाथ आदित्य
अध्यक्ष, भारतीय बौद्ध महासभा
84/172, झकरकटी, जी.टी. रोड
कानपुर-3, (उत्तर प्रदेश)
पिन-208 003

पात्र-परिचय

पुरुष-पात्र

1.	**शम्बूक**	:	एक शूद्र तपस्वी एवं नेता
2.	**रामचन्द्र**	:	अयोध्या का राजा
3.	**ऋषिगण**	:	मार्कंडेय, मोदगल्य, वामदेव, कश्यप, कात्यायन, जाबालि एवं नारद
4.	**शिवकंठ**	:	वाराणसी का एक लालची ब्राह्मण
5.	**शैलेन्द्र**	:	शिवकंठ का पुत्र
6.	**कुन्दन**	:	शैलेन्द्र का मित्र (शम्बूक का प्रमुख कार्यकता)
7.	**मुन्दर, ज्ञानू और सेतू**	:	शम्बूक के शिष्य
8.	**भरत**	:	रामचन्द्र के छोटे भाई
9.	**लक्ष्मण**	:	
10.	**शत्रुघ्न**	:	
11.	**वसिष्ठ**	:	रामचन्द्र के गुरुजी
12.	**दो मंत्री**		
13.	**दो सभासद**		
14.	**प्रतिहारी आदि**		

स्त्री-पात्र

1.	**तुंगभद्रा**	:	शम्बूक की पत्नी
2.	**जलेश्वरी**	:	शिवकंठ की पत्नी

प्रथम अंक

दृश्य-1

स्थान : शम्बूक मुनि का महाविद्यालय
समय : प्रात: 7:30 बजे

[प्रार्थना के पश्चात् विद्यार्थीगण अध्ययन के लिए बैठे हैं। सामने शिक्षक के आसन पर अध्यापक शम्बूक विराजमान हैं।]

मुन्दर : मुनिवर! मैं आपकी आज्ञानुसार विद्या अध्ययन के लिए आ तो गया, किन्तु...।

शम्बूक : किन्तु क्या वत्स! क्या कोई कष्ट है तुझे?

मुन्दर : मुझे यहाँ तो कोई कष्ट नहीं गुरुवर, किन्तु ये आर्य लोग मेरे वृद्ध माता-पिता को असहनीय कष्ट पहुँचा रहे हैं।

ज्ञानू : तात! उनका कहना है कि उस शम्बूक का मस्तिष्क तो फिरा हुआ है ही और तेरा लड़का भी उसके बरगलाए में आ गया है। यदि समय रहते न सुधरा, तो तुम्हें बुरी तरह से परेशान किया जाएगा।

सेतू : तुम लोग परेशान ही हो। हमारे ऊपर जो अत्याचार किए जा रहे हैं, उनका वर्णन कर सकना असम्भव है। लेकिन हमने भी प्रण कर लिया है कि हम भी अपने कर्तव्य से च्युत न होंगे।

शम्बूक : बलिहार है पुत्रो! तुम लोगों को इसी प्रकार दृढ़प्रतिज्ञ होना चाहिए। तुम्हें अपने समाज तथा देश के लिए सर्वनाश के बाद भी साहस नहीं तोड़ना चाहिए।

ज्ञानू : अब तो हम लोगों का कदम उठ गया है, उसे आँधी और तूफान भी नहीं रोक सकते, किन्तु हम चन्द व्यक्ति कर ही क्या सकते हैं?

शम्बूक : तुम्हारी भूल है ज्ञानू! तुम चन्द हो? सारे देश में तो तुम लोग ही रहते हो। चन्द ये आर्य हैं, जो मुट्ठी भर होते हुए भी अपनी राजनीतिक चतुरता से तुम्हारे शासक बने हुए हैं।

मुन्दर : हमारे ऊपर उनको शासन करने में सर्वाधिक सहयोगी उनके द्वारा बनाई गई वर्ण-व्यवस्था रही है। इस वर्ण-व्यवस्था द्वारा वो हमको संगठित नहीं रहने देते हैं।

सेतू : गुरुजी! यदि हम लोग संगठित न रह पाएँ, तो युगों तक इनके इस कुचक्र में फँसकर हमें पछताना पड़ेगा।

शम्बूक : इसलिए तो हम समस्त आदिवासियों को पुनः एक सूत्र में बँध जाने का उपदेश देते हैं। यदि हम लोग समय रहते सचेत न हो पाए और इनके इस झूठ तथा पाखंडी जाल में फँसने से न बच पाए, तो युगों तक पछताना पड़ेगा। साथ ही, हम लोग दिमागी गुलाम हो जाएँगे, जिससे छुटकारा पाना असम्भव हो जाएगा। फिर हमारी सन्तानें इनके घोर आतंक से आतंकित होकर हमें कोसेंगी, भला-बुरा कहेंगी और सदा इनकी दासता को ही अपना धर्म समझेंगी।

ज्ञानू : महाराज, हमें अतिशीघ्र समाज को सचेत कर देना चाहिए।

शम्बूक : हाँ, वत्स! मेरा विचार तो यह है कि शीघ्र ही मुन्दर की देख-रेख में एक 'समाजोद्धारक समिति' का निर्माण हो और वह समिति घूम-घूम कर अपने लोगों को इस बनावटी वर्ण-व्यवस्था के पाखंडी चक्र में फँसने से रोके।

सेतू : किन्तु गुरुजी, राजसत्ता तो उन आर्यों के हाथ में है।

शम्बूक : राजसत्ता से क्या? अधिक से अधिक उनके पास सैनिक शक्ति है, जिनके द्वारा वे हमें दमन करने की चेष्टा करेंगे। किन्तु हमने भी निश्चय किया है कि शीघ्र

ही एक सैनिक संगठन ज्ञानू की और मेरी देख-रेख में खड़ा किया जाए तथा उसके द्वारा इनके सैनिक प्रकोप से बचने के साथ ही साथ इनसे सैन्य सामना भी किया जाए।

सेतू : धन्य हो गुरुजी! यदि आपकी कृपा से हम लोगों की ये सभी योजनाएँ सफल हुईं तो अवश्य ही हम लोग इन सभी विदेशी लुटेरे आर्यों को देश से बाहर निकाल सकने में सफल हो सकेंगे।

शम्बूक : लक्ष्य हमारा यही है तात! किन्तु यह नहीं कहा जा सकता है कि कितने दिन पश्चात् हमें सफलता प्राप्त हो सकेगी।

सेतू : महाराज! ये आर्य अभी देश में हैं ही कितने? सम्पूर्ण देश में अधिक से अधिक इनकी जनसंख्या पाँच प्रतिशत ही होगी। हम लोग तो पंचानवे प्रतिशत हैं। क्या हम लोग इतने कायर हैं, जो इन पाँच प्रतिशत का आधिपत्य स्वीकार कर लेंगे? आपका आशीर्वाद चाहिए, गुरुजी। शीघ्र ही हम लोग एक सूत्र में बँध जाएँगे और इनके इस बनावटी जाति-पाँति के पाखंडी कुचक्र में न फँसकर अपने कर्तव्य का पालन करेंगे।

शम्बूक : धन्य हो वत्स! तुम लोगों को जीवन में सफलता मिले, यह आशीर्वाद है। तुम अपनी पूर्ण योजना के अनुसार अपने कार्यों में जुट जाओ और मैं समय-समय पर सचेत करता रहूँगा।

ज्ञानू : *(प्रणाम करके)* जो आज्ञा गुरुजी! हम लोग अपने कर्तव्य का पालन करेंगे, अपने कार्य में रंच मात्र भी ढिलाई न करेंगे।

शम्बूक : और ध्यान रहे! जब तक तुम्हारी शक्ति पूर्ण सुदृढ़ न हो जाए, तब तक किसी प्रकार का खतरा मोल न लेना। वरना...।

तीनों : *(हाथ जोड़कर)* ऐसा ही होगा, गुरुजी! *(एक साथ)* प्रणाम!

[एक ओर शम्बूक व दूसरी ओर तीनों शिष्यों का प्रस्थान]

[पटाक्षेप]

दृश्य-2

स्थान : वाराणसी
समय : सायंकाल 4 बजे

[शैलेन्द्र अपनी जीर्ण-शीर्ण कुटिया के पीछे चिन्तित एवं चंचल मुद्रा में बैठा है, मानो वह शीघ्र ही एक ओर को चल देना चाहता है!]

शैलेन्द्र : *(स्वगत)* अद्भुत स्थिति है। पिताजी के कहने-सुनने पर गुरुजी के आश्रम तक गया, परन्तु पढ़ने में जी न लगा। हमें तो उस अनार्य के लड़के कुन्दन को ही देखने की लालसा बनी रहती है...। यही कारण है कि मैं वहाँ से चुपके-से चला आया और घर में छुट्टी मिल जाने का बहाना कर दिया। यहाँ आए चार दिन हो गए, किन्तु कुन्दन दिखाई नहीं पड़ा। पता नहीं कहाँ चला गया? एक दिन उसके घर तक गया भी, लेकिन वहाँ पर किसी के उपस्थित न होने के कारण उसका पता न चल सका।

[सहसा कुन्दन का प्रवेश। विचित्र मुद्रा बनाए हुए है।]

कुन्दन : क्या शैलेन्द्र भैया हैं? ये तो पढ़ने गए थे, यहाँ कैसे? *(शैलेन्द्र की ओर देखते हुए)* शैलेन्द्र! क्या कुछ खो गया है और किसका पता नहीं चल रहा है?

शैलेन्द्र : *(प्रसन्नता से उछलकर)* तू ही तो खो गया था कुन्दन! तेरा पता नहीं चल रहा था।

कुन्दन : मैं कहीं खो गया था, मैं तो घर पर ही रहा। खोने के भय के कारण तो मैं पढ़ने नहीं गया।

शैलेन्द्र : *(विस्मय के साथ)* पढ़ने नहीं गया? तू भी पढ़ने जाता है?

कुन्दन : और क्या तुम्हीं अकेले पढ़ने जानते हो?

शैलेन्द्र : कुन्दन! तू तो अनार्य है। शूद्र है। तुझे कौन पढ़ाएगा?

कुन्दन : जब मैं पढूँगा, तो कोई भी पढ़ाएगा कि बिना पढ़े ही कोई पढ़ाएगा?

शैलेन्द्र : *(चिढ़कर)* तो फिर क्यों नहीं पढ़ लेता है? पढ़ ले, भला शूद्रों को कोई क्यों पढ़ाएगा? हर एक शैलेन्द्र कुछ थोड़े ही है? फिर शूद्रों पर सरस्वती जी भी क्यों कृपा करेंगी?

कुन्दन : *(चिढ़कर)* क्या आर्यों के सुरखाब के पर लगे हैं, जो वही पढ़ सकते हैं, उन्हीं को पढ़ानेवाले हैं? दक्षिण भारत में अब भी मुझ जैसों के लिए विद्वान गुरुजी की कमी नहीं है जो बिन सरस्वती जी वाली तिजोरी खोले हुए भरपूर विद्या दान कर रहे हैं।

शैलेन्द्र : *(गुस्सा होकर)* और क्या? पाठशाला में मैंने देखा कि वहाँ केवल आर्य विद्यार्थी ही थे। कोई अनार्य विद्यार्थी नहीं था, फिर तुझे कौन पढ़ाएगा?

कुन्दन : शैलेन्द्र भैया! तभी तो तुम वहाँ से भगा दिए गए, क्योंकि तुम अनार्य कुन्दन के अभिन्न मित्र थे और...।

शैलेन्द्र : चुप रह मूर्ख! मैं तेरे कारण नहीं भगाया गया। मेरा तो मन नहीं लगा। गुरुजी से अवकाश लेकर चला आया।

कुन्दन : तुम्हारा मन नहीं लगा? कितनी असत्य बात है! जैसे...।

शैलेन्द्र : *(बीच में ही बात काटकर)* जैसे क्या?

कुन्दन : समझ नहीं पाए? जैसे गधे के सिर पर सींग।

शैलेन्द्र : *(गुस्सा होकर)* धृष्ट वाचाल! तू मेरा अपमान करता है? शूद्र होकर, मेरे सर पर चढ़ता चला आता है। अभी श्राप दे दूँगा, तो भस्म हो जाएगा।

कुन्दन : शान्त हो शैलेन्द्र भैया, शान्त हो। गुस्सा ही विनाश का कारण बन जाता है। मैं जिस पाठशाला में पढ़ने जा रहा था, वहाँ एक आचार्य शम्बूक जी ही हैं जो अनार्य हैं। वहाँ पर आपकी प्रातः वन्दनीया माननीया श्री सरस्वती जी महारानी अपनी कृपा द्वारा विद्या दान करती हैं।

शैलेन्द्र : अच्छा! कोई अनार्य भी आचार्य हो गए हैं? मैं भी देखूँगा।

कुन्दन : मैं तो वहाँ गया नहीं, एक बार भी नहीं गया हूँ जो तुम्हें चलकर दिखा लाऊँ। पूज्य पिताजी का कहना है कि आचार्य प्रकांड विद्वान, तेजस्वी एवं तपस्वी हैं।

शैलेन्द्र : अपने गुरु की तरह तू भी तो प्रकांड विद्वान एवं तेजस्वी है। तुझे भी तो 'मूर्खाणाम शिरोमणि' की उपाधि मिलनी चाहिए। अगर शूद्र को भी तपस्या का अधिकार प्राप्त होने लगेगा, तो आर्यों...।

कुन्दन : *(बीच में ही बात काटकर)* आर्यों को धक्के खाने पड़ेंगे।

शैलेन्द्र : मूर्ख! यदि अबकी बार वाचालता की कोशिश की, तो...।

कुन्दन : और तूने यदि अब अपशब्द प्रयोग किया, तो...।

[दोनों हाथापाई पर तैयार हैं। सहसा 'आचार्य शम्बूक मुनि' का प्रवेश।]

शम्बूक : *(बीच-बचाव करते हुए)* हे अज्ञानी बालको, मत लड़ो।

शैलेन्द्र : *(हाथ जोड़कर)* महाराज! इस धृष्ट शूद्र का कहना है कि अनार्यों का एक महाविद्यालय चल रहा है, जिसमें एक दुष्ट शूद्र ऋषि शम्बूक आचार्य है। वहाँ शूद्रों को विज्ञान सहित सभी विद्याओं का अध्ययन कराया जाता है।

कुन्दन : और ये धृष्ट उन आचार्य के लिए अपशब्द प्रयोग करता है।

शम्बूक : देखो बालको! तुम लोग इस प्रकार मत लड़ो। अवश्य ही एक तपस्वी शम्बूक का दंडकारण्य में 'आदिवासी महाविद्यालय' चल रहा है। तुम भी तो किसी विद्यालय के विद्यार्थी होगे। *(कुन्दन की ओर मुड़कर)* बालक, तू पढ़ने जाता है?

कुन्दन : *(हाथ जोड़कर)* नहीं महाराज! मैं पढ़ने नहीं जाता।

शम्बूक : *(स्वगत)* यही तो इस देश के पतन का कारण है, जहाँ ऐसे होनहार बालक तक नहीं पढ़ाए जाते हैं। इनके माता-पिता को कुन्दन के लिए उच्चतर शिक्षा का प्रबन्ध करना चाहिए। इधर आर्यों के प्रत्येक बालक तथा बालिकाओं का प्रथम अनिवार्य कार्य शिक्षा ग्रहण करना है। *(कुन्दन से)* बालक, तू पढ़ने जाया कर। तुझे भी आर्यों के समान विद्वान बनने का जन्मसिद्ध अधिकार है।

कुन्दन : जो आज्ञा महाराज! अब मैं अवश्य पढ़ने जाऊँगा।

शम्बूक : तुझे यही करना चाहिए। *(शैलेन्द्र की ओर देख करके)* बालक! तुम आपस में लड़ा मत करो। लड़ना अच्छा नहीं होता है।

[कहकर आचार्य शम्बूक का एक ओर को प्रस्थान। शैलेन्द्र व कुन्दन का दूसरी ओर को अलग-अलग प्रस्थान।]

[पटाक्षेप]

दृश्य-3

स्थान : दंडकारण्य में शम्बूक की कुटी
समय : प्रातः सूर्योदय

[शम्बूक आसन पर बैठे हैं। पास ही उनकी धर्मपत्नी तुंगभद्रा चिन्तित मुद्रा में बैठी हैं।]

शम्बूक : तुंगभद्रा! तुम्हारे मुखारविन्द पर सदैव चिन्ता की रेखाएँ क्यों विद्यमान रहती हैं? मैं लम्बे समय से यही दशा देख रहा हूँ। कुछ कारण समझ में नहीं आ रहा है।

तुंगभद्रा : हे आदिपुत्र! मैं क्या कारण बताऊँ?

शम्बूक : क्यों न बताओ प्रिये? तुम्हें अपनी मानसिक व्यथा को मेरे समक्ष स्पष्ट करने में संकोच क्यों?

तुंगभद्रा : इसलिए नाथ कि आपके सन्तोष में ही मुझे सन्तोष है।

शम्बूक : *(चकित होकर)* ऐं! क्या मेरा सन्तोष ही तेरे इस दुख का कारण है?

[तुंगभद्रा गम्भीर एवं शान्त रहती हैं।]

शम्बूक : स्पष्ट करो, प्रियतमे! तुम्हें आर्यों की गृहणियों की भाँति प्रत्येक कष्ट को चुप रहकर ही सहन नहीं कर लेना चाहिए। हम सब आदिनिवासी हैं। आदिवासी स्त्री को अर्द्धांगिनी होने के नाते अपने हृदय की प्रत्येक बात को कहने का पूर्ण अधिकार होता है।

तुंगभद्रा : आप जिस महान क्रान्ति का संचालन कर रहे हैं, वह हम लोगों के लिए अत्यधिक कष्टदायक सिद्ध होगी।

शम्बूक : *(हँसकर)* तो उस कष्ट के भय से हमें चुप होकर बैठ जाना चाहिए?

तुंगभद्रा : महाराज! ये आदिवासी इस क्रान्ति में आपका बिलकुल ही सहयोग न देंगे, क्योंकि इन्हें आर्यों के षड्यंत्र में फँसने में ही अपनी कर्तव्य-परायणता जान पड़ती है। दूसरे इनमें फूट का बीज अंकुरित हो चुका है। इधर मुट्ठीभर आर्य अटूट संगठन शक्ति के कारण अपने हर षड्यंत्र में सफल होते जा रहे हैं।

शम्बूक : *(मुस्कराकर)* हमें अपने इन भ्रमित एवं छिन्न-भिन्न आदिवासियों को एक सूत्र में ही तो पिरोना है। इनकी पारस्परिक फूट का कारण भी तो हम जानते हैं।

तुंगभद्रा : इनकी आपसी फूट के क्या कारण हैं?

शम्बूक : इनकी फूट के अनेक कारण हैं, तुंगभद्रे!

तुंगभद्रा : महाराज! उन्हें स्पष्ट कीजिए।

शम्बूक : सर्वप्रथम कारण जो सर्वाधिक अनिष्टकारक है, वह है आर्यों द्वारा बनाई गई बनावटी वर्ण-व्यवस्था, जो मानव-मानव व भाई-भाई में पाताल और आकाश का अन्तर डाल रही है; जो एक को अति नीच और दूसरे को महान ऊँच बनाकर उनके मध्य एक लम्बी-चौड़ी एवं गहरी खाई खोद रखी है। हमें उसी खाई को पाटना है। दूसरे, इन आदिवासियों की आँखों पर लोभ का चश्मा चढ़ा दिया गया है। हमें उसे भी उतारना है और यह सिद्ध करना है कि इनके ये प्रलोभन धोखा हैं। मृगतृष्णा हैं।

तुंगभद्रा : कैसी मृगतृष्णा?

शम्बूक : यह भी नहीं जानती हो तुम! ये आर्य लोग भिन्न-भिन्न प्रकार के लालच देकर इन्हें, इनके भाइयों से फोड़कर उल्लू सीधा कर रहे हैं। ये लालच केवल लालच मात्र हैं। इनमें आदिवासियों को सामूहिक रूप से कोई लाभ नहीं।

[सहसा सेतू और ज्ञानू शिष्यों का प्रवेश]

दोनों : गुरुजी प्रणाम!

शम्बूक : चिरंजीव भवः! ऐश्वर्यवान भवः वत्स। आज तुम दोनों चिन्तित क्यों जान पड़ते हो?

सेतू : गुरुजी! आर्य लोग हमारी योजना का पता अपने गुप्तचर विभाग द्वारा लगा चुके हैं। यह सूचना हमारे एक विश्वासी गुप्तचर द्वारा दी जा रही थी। उसी समय अनेक आर्य सैनिकों ने 'आदिवासी महाविद्यालय दंडकारण्य' पर हमला कर दिया और 'समाजोद्धारक समिति' का कार्यालय लूट कर नष्ट कर दिया।

शम्बूक : *(अतिशीघ्र)* क्या कहा? कार्यालय लुटकर नष्ट हो गया?

सेतू : हाँ, महाराज!

ज्ञानू : और इसी उपद्रव में हमारे महान क्रान्तिकारी साथी एवं समिति के अध्यक्ष मुन्दर बलिदान हुए।

शम्बूक : *(एक लम्बी साँस लेते हुए)* क्या कहा? मुन्दर की हत्या कर दी गई?

सेतू : हाँ, महाराज!

शम्बूक : और तुम्हारी लड़ाकू सेना क्या करती रही?

सेतू : महाराज! तत्काल हमारी सेना सावधान हो गई और उसने डटकर आक्रमणकारियों का सामना किया। उससे पहले ही आर्यों ने उनकी हत्या कर दी।

ज्ञानू : वैसे, विजयश्री हमारे पक्ष में ही रही!

शम्बूक : महान शोक है ज्ञानू कि हमारे एक महान साहसी एवं कर्तव्यपरायण कार्यकर्ता की निर्मम हत्या हो गई, किन्तु अब हमें अधिक सावधानी से कार्य संचालन करना है। हमें अपनी उस 'समाजोद्धारक समिति', जो सन्तोषजनक काम कर रही थी, का पुनः संगठन कर सुचारु रूप से कार्य प्रारम्भ कर देना है।

दोनों : *(एक साथ)* जो आज्ञा महाराज!

शम्बूक : तुंगभद्रा! तुम भी इस कुटिया पर सावधानी से रहना। अब हम लोगों का दिन-रात जुटकर स्वदेश एवं आदिनिवासियों के हित के लिए कार्य करना है।

[शम्बूक और दोनों शिष्यों का एक ही ओर से प्रस्थान]

[पटाक्षेप]

दृश्य-4

स्थान : दंडकारण्य में आचार्य शम्बूक का तपश्चर्या स्थल

समय : सायंकाल सूर्य अवसान से पूर्व

[आचार्य शम्बूक तपस्या में निमग्न हैं। आर्य ऋषियों का नारद सहित प्रवेश।]

सभी आर्य ऋषिगण : *(एक स्वर में)* महर्षि शम्बूक की जय! हम लोग आपके दर्शनार्थ आए हैं।

शम्बूक : *(आँख खोलकर और पहचानकर)* कहिए देवर्षि नारद, आज कैसे इन देवर्षियों के साथ यहाँ तक आने का कष्ट किया?

नारद : महर्षि, इन ऋषियों ने कहीं से आपकी प्रशंसा सुनी थी। अतः आज सभी ने मिलकर आपके सम्बन्ध में अनेक प्रश्न मुझसे किए। अस्तु, उन प्रश्नों के उत्तर में मैंने सभी ऋषियों को आपके पास तक ले आना ही अधिक उपयोगी समझा।

शम्बूक : इन ऋषियों का परिचय क्या है नारद?

नारद : मुनि जी! क्रमशः आप लोग मार्कंडेय, मौद्गल्य, वामदेव, कश्यप, कात्यायन, जाबालि तथा गौतम हैं।

शम्बूक : धन्य है आपको नारद जो आप आर्यों के इन महर्षियों को यहाँ तक लाए। कहिए, ऋषिबन्धु आप लोगों की क्या आज्ञा है?

मार्कंडेय : मुनिवर शम्बूक! हम आपसे कुछ संशय के निराकरणार्थ यहाँ तक पधारे हैं। आशा है कि आप प्रश्नों के उत्तर से हम लोगों के सन्देहों को समाप्त कर सकेंगे।

शम्बूक : आपके प्रश्नों का उत्तर अवश्य दिया जाएगा, मार्कंडेय!

मार्कंडेय : आपको वेद पढ़ने और वेद पढ़ाने, यज्ञ करने और यज्ञ कराने तथा इतनी घोर तपश्चर्या करने का अधिकार किस शास्त्र के मतानुसार प्राप्त है?

शम्बूक : आप भूल रहे हैं, मार्कंडेय! वेद-शास्त्र की आज्ञा कोई ईश्वर कृत आज्ञा नहीं है। यह मनुष्य कृत है। वेद, पुराण, स्मृति आदि शास्त्र तो आपके पूर्वजों के हाथ के लिखे हुए हैं। उन्होंने सम्पूर्ण लेखन अपने स्वार्थ पूर्ति के लिए किया है। आर्यों के आक्रमण से पहले हमारे यहाँ का हर आदिवासी चिन्तन, संध्योपासन, तपश्चर्या एवं योग आदि करता था।

गौतम : किन्तु आपका वह साहित्य प्राप्त नहीं, जिसमें अनार्यों को आर्यों के समान ही पठन-पाठन व तप का अधिकार प्राप्त है, कहीं लिखा हो तो बताएँ?

शम्बूक : आपके आर्य पूर्वजों ने हमारे साहित्य और चिन्तन को खोज-खोज कर नष्ट किया। इसी कारण आप यह व्यर्थ की बात कर रहे हैं, गौतम यदि आज हमारा साहित्य पूर्णतया फल-फूल रहा होता, तो ये उँगलियों पर गिने जानेवाले आर्य भला क्यों हम पर शासन कर हमारा मानसिक, धार्मिक, सामाजिक, आर्थिक एवं राजनीतिक

दोहन-शोषण कर रहे होते, बल्कि आप समस्त आर्य शासक के रूप में न होकर इस आदिभूमि पर शरणार्थी के रूप में याचना कर रहे होते।

नारद : *(व्यंग्यात्मक ढंग में)* आप ठीक कह रहे हैं, महात्मन्!

गौतम : फिर क्यों नहीं अपना साहित्य फलाया-फुलाया? क्यों नहीं तुम्हारे पूर्वजों ने लिखकर पूर्णतया सुरक्षित रखा?

शम्बूक : गौतम! आप भूल रहे हैं कि जितना साहित्य आर्यों के आने से पूर्व हमारे पास था, उतने की कभी आपने कल्पना भी न की होगी। आपका सारा साहित्य हमारे साहित्य की चोरी से बना है। केवल इसमें स्वार्थी बनावटी वर्ण-व्यवस्था और जाति-पाँति का जाल बढ़ा दिया गया है। आपके उन दूरदर्शी आर्य नेताओं ने सर्वप्रथम तो हमारे साहित्य को ही जला कर खाक कर दिया।

नारद : *(हँसकर)* मिथ्या! सफेद झूठ! भला साहित्य को जलवाने से किसी को क्या लाभ?

शम्बूक : नारद! यदि किसी को किसी पर शासन करना है, किसी से अपनी बात मनवानी है, किसी से अपनी दासता करवानी है या उसकी मानसिक शक्ति दुर्बल करनी है तो सर्वप्रथम उसका साहित्य नष्ट किया जाता है। साहित्यविहीन समाज की वही स्थिति होती है, जो दिन में चमगादड़ की अथवा घनघोर अँधेरे में आँखों वाले मनुष्य की। उसे अपने पैर के नीचे भी नहीं दिखाई पड़ता। ऐसी ही दशा आज हमारे समाज की हो गई है। उनके पास आँखें हैं, किन्तु प्रकाश नहीं। मस्तिष्क है, परन्तु उपयोगी मार्गदर्शन नहीं। परिणामतः ये दिमागी गुलामी के शिकार होकर नाना प्रकार के पाखंडों में फँसकर सम्मानविहीन होकर, आप लोगों की सही व गलत प्रत्येक बात को मानने के लिए विवश हो गए हैं।

मार्कंडेय : तो तुमने इसके लिए कौन-कौन उपाय सोचे हैं?

शम्बूक : मैंने अपने समाज को वर्ण-व्यवस्था, दिमागी गुलामी, पुरोहितवाद, कर्मकांड, अन्धविश्वास, कूपमंडूकता तथा मूर्खता आदि के उन्मूलन का बहुमुखी बीड़ा उठाया है। अब मुझे पुनः समता का समाज बनाना है जो वर्ण और जाति-व्यवस्था मुक्त समाज होगा।

नारद : बहुत अच्छा! जय-जय नारायण! जय-जय नारायण!
[कहकर नारद का प्रस्थान। उन्हीं के पीछे-पीछे अन्य आर्य ऋषिगण भी चल देते हैं।]
[आचार्य शम्बूक अभिवादन के साथ उन्हें विदा करते हैं।]

[पटाक्षेप]

दृश्य-5

स्थान : जंगली मार्ग एक वृक्ष के नीचे
समय : रात्रि, प्रथम पहर

[वृक्ष के नीचे बैठे मार्कंडेय, मौद्गल्य, वामदेव, कश्यप, कात्यायन, जाबालि, गौतम एवं नारद परस्पर विचार-विनिमय तथा भावी योजना तैयार कर रहे हैं।]

नारद : ऋषिगण! वह शूद्र तपस्वी तो बड़ा ही अक्खड़ जान पड़ता है।

मौद्गल्य : यही नहीं, नारद जी, उसकी योजनाएँ तो और भी व्यापक एवं ठोस हैं। यदि उसकी योजनाएँ सफल हो गईं तो वह दिन दूर नहीं, जब आदिवासियों का इस देश में स्वतंत्रता-दिवस पर देशव्यापी महोत्सव मनाया जाएगा और आर्यों को अपना बोरी-बिस्तर गोल करके अपने मूल देश जाकर ठिकाना ढूँढ़ना पड़ेगा।

मार्कंडेय : उसकी समस्त योजनाएँ एक महानतम कुशल राजनीतिज्ञ की भाँति हैं। हमें उसके विनष्ट करने का उपाय अति शीघ्र ही खोज निकालना चाहिए, अन्यथा पछताना पड़ेगा।

गौतम : किन्तु उपाय क्या हो सकता है?

जाबालि : यदि हम लोग मिलकर उस पर आक्रमण कर दें।

कश्यप : तुम्हारा यह सोचना गलत है जाबालि! शम्बूक किसी खेत की गाजर-मूली नहीं है, जो उसे उखाड़ फेंका जाए।

कात्यायन : उसके पास ऐसी कौन-सी शक्ति है, जो वह अकेला हम आठ का सामना कर लेगा?

वामदेव : यह केवल हम लोगों की कायरता है। उसकी क्या हिम्मत? सहस्त्रों शूद्र भी मिलकर हम लोगों का सामना नहीं कर सकते।

नारद : हम लोग भूल रहे हैं ऋषिगण! शम्बूक का सामना करना कोई हँसी-ठट्ठा नहीं। जितना बड़ा तपोबल उस शूद्र में है, उतना हम सब लोगों का मिलकर भी नहीं। हम लोग तो राजकीय सहायता एवं इन मूर्ख अनार्यों की कमाई पर छक्के-पंजे उड़ाया करते हैं, किन्तु उस शूद्र तपस्वी ने लगन के साथ तपस्या कर अजेय शक्ति का संचय किया है।

मौद्गल्य : उसके पास ठोस जन-शक्ति की भी कमी नहीं है। जितने विद्यार्थी हमारे समस्त पाठशालाओं में हैं, उतने केवल शम्बूक द्वारा संचालित 'आदिवासी महाविद्यालय, दंडकारण्य' में हैं। इस महाविद्यालय का सम्बन्ध अनेक महाविद्यालयों से जंजीर की कड़ी की भाँति जुड़ा है।

जाबालि : किन्तु यदि उसकी समस्त योजनाओं को समूल नष्ट न किया गया तो...।

वामदेव : हमें उसकी योजनाओं को नष्ट करने के लिए बड़े से बड़ा बलिदान करने में भी पीछे न हटना चाहिए। यदि प्राण न्योछावर भी करने पड़ें तो भी हमें अपनी आर्य जाति की रक्षा के लिए हँसते-हँसते प्राण अर्पण कर देना चाहिए।

मार्कंडेय : यह बात तो ठीक है वामदेव, परन्तु नमक नमक के साथ नहीं खाया जा सकता है। हमेशा शारीरिक शक्ति से मानसिक शक्ति श्रेष्ठ मानी गई है। अस्तु, हमें मस्तिष्क से किसी योजना को सोच-समझकर ही कार्यान्वित करना चाहिए, जिससे हम सफल हो सकें।

कात्यायन : मेरी समझ के अनुसार, तो हमें कार्य में राजकीय सहायता से काम करना चाहिए।

कश्यप : किन्तु राजकीय सहायता का भरोसा ही क्या? महाराज दशरथ की ढुलमुल नीति का ही यह परिणाम है, जो आज शूद्र सर पर चढ़ रहे हैं। उनका पुत्र राम तो ठीक है, परन्तु वह उतना ही काम करता है, जितना करने की कुलगुरु वसिष्ठ आज्ञा देते हैं।

मौद्गल्य : बिना राजकीय सहायता के विजय पा सकना असम्भव है, क्योंकि विश्वस्त सूत्रों से पता चला है कि उसका ये विद्यार्थी-मंडल केवल विद्यार्थी-मंडल ही नहीं, अपितु ठोस सैन्य शक्ति भी है।

सभी : *(आर्य ऋषिगण नारद सहित आश्चर्य से)* ठोस सैन्य शक्ति भी है?

मौद्गल्य : हाँ, ठोस सैन्य शक्ति है। वह हर प्रकार से हम लोगों को समूल उखाड़ फेंकना चाहती है।

कात्यायन : तो राजकीय सहायता प्राप्त करने का ढंग ही क्या है?

नारद : ढंग सहज है। वह कार्य आप यदि मेरे ऊपर छोड़ दें, तो इसे मैं अकेला ही पूरा कर सकता हूँ।

ऋषिगण : नारद! यह काम तुम्हारे ऊपर छोड़ा जा रहा है।

नारद : किन्तु! मेरी योजनानुसार तुम्हें मेरी सहायता करनी पड़ेगी।

मौद्गल्य : इसके लिए हम लोग प्राणार्पण को तैयार हैं।

नारद : वर्तमान शासक राम को पुनः उसी प्रकार ठगना चाहिए, जैसे उसे धोखे से जाल में फँसाकर उसके हाथों ताड़का नामक स्त्री का वध कराया गया। परशुराम से भिड़ने की सरस योजना बनाई गई और वनवास करा कर राजा बाली व महाराजाधिराज रावण का विनाश कराने में सफलता प्राप्त की गई।

वामदेव : उन योजनाओं में तो सफलता मिल गई, परन्तु इस बार कौन-सी योजना का सूत्रपात किया जाए, जिससे सफलता मिले?

नारद : उस ब्राह्मण को अपनी योजना में सम्मिलित किया जाए, जिसका लड़का इकलौता हो।

मौद्गल्य : इससे क्या लाभ?

नारद : उसके लड़के को बेहोशी की दवा खिलाकर घोषणा कर दी जाए कि उसकी मृत्यु का सारा उत्तरदायित्व राम के ऊपर है।

वामदेव : भला इसका उत्तरदायित्व राम के ऊपर कैसे हो सकता है?

नारद : यह कहा जाए कि राम के राज्य में एक शूद्र तपस्या कर रहा है, इस कारण राज्य में पाप छा गया है और यह अकाल मृत्यु हुई अर्थात् बूढ़े बाप के जीवित रहते उस

ब्राह्मण देवता का इकलौता पुत्र मर गया। अतः जिस आर्य राजा के राज्य में इस प्रकार का अत्याचार हो, उस राजा का राज्य अवश्य ही नष्ट हो जाएगा।

मौद्गल्य : ऐसा ब्राह्मण अपने एकमात्र पुत्र को योजना में सम्मिलित करने के लिए तैयार हो जाए, यह भी तो असम्भव है।

नारद : इस असम्भव को सम्भव करना सहज है। कोई निर्धन या कोई लालची ब्राह्मण उपयोगी सिद्ध हो सकता है। *(कुछ रुककर)* इसके लिए हमें राजा बाणासुर की बसाई नगरी वाराणसी चलना पड़ेगा। वहाँ एक ब्राह्मण है। वह बहुत लालची है, जो समझाने-बुझाने पर अवश्य ही तैयार हो जाएगा।

मार्कंडेय : अच्छा, तो अब सभा विसर्जित की जाए और चलकर उस ब्राह्मण को तैयार किया जाए।

मौद्गल्य : ऐसा ही किया जाए।

[सबका प्रस्थान]

[पटाक्षेप]

[यवनिका पतन]

द्वितीय अंक

दृश्य-1

स्थान : चौगान क्रीड़ा-स्थल

समय : सायंकाल 4 बजे

[शैलेन्द्र और कुन्दन आमने-सामने से आकर एक ही साथ प्रवेश करते हैं। शैलेन्द्र की प्रतिभा से कुन्दन की प्रतिभा विशेष चमकती हुई है। कुन्दन देखने से ही एक सुशिक्षित एवं कर्मठ नवयुवक दिखाई पड़ता है। अभी तक और खिलाड़ी नहीं आए हैं।]

शैलेन्द्र : भैया कुन्दन! तुम तो यहाँ से चले गए, परन्तु तुम्हारी अनुपस्थिति में मुझे अच्छा नहीं लगा।

कुन्दन : *(उसी चंचलतापूर्ण भाव में)* भैया शैलेन्द्र! हमें भी तुम्हारी अनुपस्थिति उसी प्रकार अखरती रही, जिस प्रकार मछली को पानी की कमी।

शैलेन्द्र : भला तुम्हें वहाँ कभी मेरी याद आई होगी?

कुन्दन : मैं तो तुम्हें नित्य प्रति याद किया करता था। मैं अपने सहपाठियों से कहा करता था कि यदि मेरा मूर्ख मित्र मुझसे न लड़ा होता, तो मेरे उस (शैलेन्द्र) के सिवाय सहस्त्रों साथी न बन पाते। मैं पढ़-लिखकर इतना बड़ा विद्वान न हो पाता और 'समाजोद्धारक समिति' का अध्यक्ष न बन पाता।

शैलेन्द्र : तो, क्या तुम विद्वान हो गए और किसी समिति के अध्यक्ष भी हो गए अर्थात् अब तुम पूरे नेता बन गए हो?

कुन्दन : और क्या! तुम्हारा पिछलगुआ गुलाम बना रहूँगा?

शैलेन्द्र : तो क्या नेतृत्व करने की बुद्धि अनार्यों में भी आ चुकी है?

कुन्दन : और क्या! आर्यों के नाम नेतृत्व का पट्टा कर दिया गया है? जितना सुन्दर काम हमारी यह समिति कर... उतना...।

शैलेन्द्र : कुछ भी हो, आर्यों के समतुल्य अनार्यों की सैकड़ों समितियाँ मिलकर भी मुकाबला नहीं कर सकती हैं।

कुन्दन : सैकड़ों कहाँ! अभी तो इस समिति की कुछ ही शाखाएँ हैं, जो उनको नाकों चने चबवाए हुए हैं। जब सैकड़ों हो जाएँगी, तब तो आक्रामक आर्यों को इस देश में रहना मुश्किल हो जाएगा।

शैलेन्द्र : तुम्हारे नेतृत्व में चलनेवाली समितियों द्वारा अगर इतना बड़ा परिवर्तन होने लगे, तो हमारे वीर लड़ाकू सैनिकों और विद्या वारिध कहे जानेवाले आर्यों को कोई क्यों पूछेगा?

कुन्दन : भैया शैलेन्द्र! तो तुमने मुझे क्या समझ रखा है? क्या इतने दिन घोर अध्ययन और कठिन परिश्रम के बाद भी मैं वही मूर्ख कुन्दन बना हूँ? शैलेन्द्र, तुम्हें ज्ञात होना चाहिए कि जब मेरे परम पूजनीय गुरुजी श्रीश्रीश्री आचार्य शम्बूक ने यह घोषित कर दिया कि वर्तमान समय में कुन्दन 'आदिवासी महाविद्यालय दंडकारण्य' का सर्वश्रेष्ठ विद्वान है, तभी मुझे 'समजोद्धारक समिति' ने एकमत होकर अध्यक्ष चुना है।

शैलेन्द्र : इसका अर्थ यह है कि 'आदिवासी महाविद्यालय दंडकारण्य' में तुम जैसे महामूर्ख को ही सर्वश्रेष्ठ विद्वान का प्रमाण-पत्र मिलता है, बस, बस, मैं समझ गया कि तू जिस महाविद्यालय और उसके स्नातकों पर इतना घमंड करता है, उसकी क्या स्थिति है? भला शम्बूक जैसे मूर्ख और शूद्र आचार्य के महाविद्यालय से और क्या आशा की जा सकती है?

कुन्दन : मूर्ख शैलेन्द्र! क्या तेरी बुद्धि पर तुषारापात हो गया है, जो तू उन प्रातः वन्दनीय आचार्य और उनके महाविद्यालय के समस्त स्नातकों को इस प्रकार के अपमानजनक शब्द का प्रयोग कर रहा है?

शैलेन्द्र : कुन्दन! इतना बौखलाओ मत। जो जैसा होता है, उसे वैसी ही उपाधि दी जाती है और उसके साथ वैसे ही विशेषणों और सम्बोधनों का प्रयोग किया जाता है।

कुन्दन : दुष्ट सावधान! अब अपने मुँह पर ताला डाल अन्यथा इसका कु-परिणाम भुगतना पड़ेगा।

शैलेन्द्र : *(हँसकर)* कुन्दन! तुम क्यों इतने व्यथित होते हो? बस, अब मैं जान गया कि अनार्य, आर्यों का कुछ भी नहीं बिगाड़ सकते हैं।

कुन्दन : आर्यों में दम ही कितना है, शैलेन्द्र! तू अपने जिस आर्य विद्वान पर घमंड करता है, उसे मेरे समक्ष उपस्थित कर। वह मुझसे ज्ञान गोष्ठी करे। जहाँ तक बिगाड़ सकने का प्रश्न है, वह दिन दूर नहीं, जब आर्य यहाँ से भागते दृष्टिगोचर होंगे अथवा आदिवासियों के दास...।

शैलेन्द्र : कुन्दन! यदि तूने अब आगे एक भी अपमानजनक शब्द का प्रयोग किया, तो...।

कुन्दन : तो तू और तेरे मददगार मेरा क्या बिगाड़ लेंगे? मेरे ही घर में रहकर मुझे ही डाँट रहा है? तेरी ही जड़ खोदने के लिए हमारी यह 'समाजोद्धारक समिति' रात-दिन कठिन परिश्रम में एड़ी-चोटी का पसीना एक किए हुए है। जिस दिन ही उसने पिछड़े हुए समाज को भूले हुए स्वरूप से परिचित करा पाई, आलस्य से छुटकारा दिला पाई, उसी दिन से ही ये सोते एवं भूखे सिंह की भाँति दहाड़ कर उठ खड़े होंगे और देश का कायाकल्प हो जाएगा।

शैलेन्द्र : और हम लोग पत्थर की मूर्तियों की भाँति, ज्यों के त्यों खड़े-खड़े क्या तमाशा देखते रहेंगे? जो तुम्हारी ये समस्त मनोकामनाएँ पूरी हो जाएँगी?

कुन्दन : यदि वे हिंसक पशुओं की भाँति बौखलाएँगे, तो सिवाय इसके कि वे अपना सर्वनाश करवा डालें और हो ही क्या सकता है? आज ही उन्हें हमारा देश छोड़ने के लिए बाध्य होना पड़ जाए, यदि हमारे ही कुछ भाई स्वार्थी, अवसरवादी, देशद्रोही और गद्दार बनकर आर्यों में मिलकर, आदिवासी समाज के पैरों में कुल्हाड़ी न मारें।

शैलेन्द्र : तो क्यों नहीं समझा लेते हो उन्हें?

[सहसा शिवकंठ का प्रवेश]

शिवकंठ : क्यों लड़ रहे हो तुम दोनों? *(शैलेन्द्र की ओर रुख करके)* तू दिन भर यों ही फिरा करता और झगड़ा किया करता है। इसलिए पाठशाला से चला आया? चल घर। मुझे तेरे आवारापन का रवैया पसन्द नहीं *(घसीटकर एक ओर ले जाता है।)*

कुन्दन : *(स्वगत)* ओह, इन आर्यों के बच्चे-बच्चे में इतना स्वाभिमान और आदिवासी इतने मुर्दा! जैसे इनकी नसों का सम्पूर्ण रुधिर शीतल हो गया हो, परवशता को स्वीकार कर लिए हों और उनके इशारों पर चलने के लिए बाध्य हो रहे हों। तभी तो ये मुट्ठी भर विदेशी छलिया, छल-छद्मवादी आर्य इस असंगठित आदिवासी वीर दल पर शासन कर रहे हैं। अब भी समय है। यदि समय होते न सोचा गया, तो सदा के लिए आर्यों की दासता स्वीकार करनी पड़ेगी।

[कुन्दन का एक ओर प्रस्थान]

[पटाक्षेप]

दृश्य-2

स्थान : शिवकंठ की कुटिया का बाहरी भाग

समय : प्रातः 8 बजे

[शिवकंठ अपनी कुटिया के द्वार पर एक वृक्ष के नीचे आसन पर बैठा है। पूजन पाठ से निवृत्त होकर शैलेन्द्र व कुन्दन के आपसी वाद-विवाद से तथा कुन्दन की विद्वत्ता से क्षुब्ध होकर कुछ कह रहा है।]

शिवकंठ : *(स्वगत)* मेरा तो मस्तिष्क चकरा रहा है। कल वह शूद्र का लड़का कुन्दन शैलेन्द्र से अकड़ गया और शास्त्रार्थ के लिए किसी भी आर्य को फटकारने लगा। वह इतना बड़ा विद्वान हो गया है? उसने कहाँ शिक्षा पाई, भला किस महाविद्यालय में शूद्र को प्रवेश पाने दिया गया जो पढ़-लिखकर इतना बड़ा विद्वान बना और हम लोगों से शास्त्रार्थ कर परास्त करने लगा है?

शैलेन्द्र तो मूर्ख ही है। तभी वह उससे भिड़ गया। जाति से नीच है, तो क्या हुआ? भला विद्वान अपने को तुच्छ क्यों समझेगा? न जाने किस प्रकार और कितनी कठिनाइयों के पश्चात् आर्यों ने इन अनार्यों को अपने

पाखंड जाल में फाँसकर इस स्थिति में पहुँचा पाया है, किन्तु अब वे पुनः सचेत होकर उठ खड़े होने को तत्पर हो रहे हैं। अगर समय रहते उन पर ध्यान न दिया गया, तो वह दिन दूर नहीं, जब हम लोगों को शासक के स्थान पर शोषित बनकर जीवन बिताना पड़ेगा। इन अनार्यों की प्रगति रोकने के लिए हम सबको तन-मन-धन सभी समर्पित कर देना चाहिए।

[आर्य ऋषियों का नारद सहित प्रवेश]

(शिवकंठ उठकर सभी को प्रणाम करता है)—हे महर्षियो! आज क्यों इस दीन ब्राह्मण की कुटिया तक आने का कष्ट किया!

सभी ऋषिगण : आयुष्मान भवः! चिरंजीव भव वत्स!!

नारद : हे ब्राह्मण! आज तुम्हारे यहाँ तक आने का हम लोगों का कुछ जरूरी उद्देश्य है।

शिवकंठ : कहिए नारद! ऐसा कौन-सा काम आन पड़ा, जिसमें मुझ जैसे दरिद्र ब्राह्मण की आवश्यकता आ पड़ी?

नारद : हाँ-हाँ, ब्राह्मण! आज ऐसा काम आ पड़ा है, जिसमें तुम्हारा सहयोग परम आवश्यक है।

शिवकंठ : हम किस योग्य हैं, नारद?

नारद : विप्रवर तुम्हीं क्या, प्रत्येक आर्य को आज इस महान कार्य में सहयोग देने की आवश्यकता है, क्योंकि जो व्यक्ति वर्ण, जाति और समाज के लिए अपना सब कुछ न्योछावर नहीं कर सकता, उसका जीवन निरर्थक है!

शिवकंठ : कहिए, कहिए नारद! ऐसा कौन-सा कार्य अटक गया है, जो मुझ जैसे साधारण व्यक्ति से हो सकता है? वर्ण, जाति और पुरोहितवाद के लिए मैं सब कुछ करने को तैयार हूँ।

नारद : शिवकंठ! तुम्हें ज्ञात होगा कि दंडकारण्य में एक शूद्र, जिसका नाम शम्बूक है, तपस्या कर रहा है? वह शूद्र भारतवर्ष से आर्यों को खदेड़ कर बाहर निकाल देने का प्रण कर चुका है। इसलिए उसने 'दंडकारण्य' में एक 'आदिवासी महाविद्यालय' खोल कर समस्त अनार्यों को सुशिक्षित एवं योग्य बनाना प्रारम्भ कर दिया है। उन्हीं सुशिक्षितों के द्वारा अपने प्रण को पूरा करने के लिए उसने

दो समितियों क्रमशः 'सैनिक समिति' तथा 'समाजोद्धारक समिति' का निर्माण किया है, जो महान योग्य कर्मठ एवं स्वस्थ नेताओं के नेतृत्व में सफलतापूर्वक कार्य कर रही हैं। 'सैनिक समिति' तथा 'समाजोद्धारक' के नेता 'सेतू' व 'ज्ञानू' हैं एवं 'समाजोद्धारक समिति' के नेता 'कुन्दन' हैं।

शिवकंठ : *(चौंककर)* कुन्दन की भी योग्य विद्वानों में गणना है। क्या वह भी किसी समिति का अध्यक्ष है?

नारद : चौंकते क्यों हो, शिवकंठ? शम्बूक से अधिक भयानक तो वह कुन्दन ही है, जो 'समाजोद्धारक समिति' का अध्यक्ष है और जिसकी विद्वत्ता की चर्चा आज सर्वत्र हो रही है। वह तो एक ऐसा विद्वान है, जिसकी समता शायद ही कोई आर्य विद्वान कर सके।

शिवकंठ : तब तो कुछ अनहोनी के लक्षण प्रतीत हो रहे हैं, क्योंकि मेरी यह वाराणसी नगरी विद्या का केन्द्र रही है। यहाँ से अनेक शिक्षित व्यक्ति प्रकांड विद्वान होकर निकलते रहे हैं। इसी नगर का निवासी वह शूद्र बालक 'कुन्दन' है। यदि वह इतना बड़ा विद्वान हो गया है, तो भगवान चतुर्भुज कुछ रुष्ट से जान पड़ते हैं।

नारद : भगवान रुष्ट नहीं हैं, प्रियवर! अब हम सबको गिरती गरिमा की रक्षा के लिए संगठित होकर काम करना चाहिए और तुम्हें भी इसमें अवश्य सहयोग देना चाहिए।

शिवकंठ : नारद! हम तुम्हारी आज्ञा का पालन करने के लिए तैयार हैं। कहिए, कौन-सा कार्य मेरे ऊपर छोड़ा जा रहा है?

नारद : श्रेष्ठ ब्राह्मण! तुम्हारा एक पुत्र है। उसे माध्यम बनाकर हम लोग कार्य की सिद्धि करना चाहते हैं।

शिवकंठ : *(घबराकर)* नारद! मेरा इकलौता पुत्र मेरी आँखों की ज्योति है। बुढ़ापे की लकुठिया है। दम्पती जीवन का एकमात्र आधार है। मैं उसे इस कार्य को पूर्ण करने के लिए माध्यम बना सकने में असमर्थ हूँ। मुझे क्षमा कीजिए, ऋषिगण!

नारद : घबराओ मत, शिवकंठ! तुम्हारे उस इकलौते पुत्र की बलि नहीं दी जाएगी।

शिवकंठ : नहीं-नहीं, नारद! मैं उसे मृत्यु के गाल में नहीं भेज सकता, क्योंकि यदि मेरा इकलौता पुत्र मारा गया, तो मेरा दीपक बुझ जाएगा!

नारद : दीपक नहीं बुझ पाएगा, ब्राह्मणवर! इसके लिए आपको बहुत बड़ी धनराशि पुरस्कार स्वरूप दी जाएगी और एक विशेष योजना द्वारा इस महान कार्य की सिद्धि की जाएगी।

शिवकंठ : *(लालचभरी दृष्टि से धीरे से)* कौन-सी विशेष योजना द्वारा कार्य की सिद्धि की जाएगी नारद, स्पष्ट कीजिए?

नारद : तुम्हारे इकलौते पुत्र को बेहोशी की दवा पिलाई जाएगी और उसे सुरक्षित दशा में राम के दरबार में ले जाकर यह घोषणा की जाएगी कि तुम्हारे राज्य में एक शूद्र महर्षि शम्बूक तपस्या कर रहा है, जिस कारण संसार में पाप छा गया है। उसी के फलस्वरूप यह अनर्थ हुआ अर्थात् ब्राह्मण के जीवित रहते हुए उससे पहले उसके बेटे का देहान्त हो गया। तब राम 'मंत्रणादात्री सभा' को बुलाकर इसका कारण और निदान पूछेंगे। उस समय हम लोग कहेंगे कि यदि उस शूद्र तपस्वी महर्षि शम्बूक को मार दिया जाए, तो सारा पाप नष्ट हो जाएगा। जिस समय राम उस शूद्र तपस्वी शम्बूक को मार देंगे, उसी समय तुम्हारे बालक को होश की दवा सुँघा दी जाएगी, जिससे वह पुनः चेतनावस्था में आ जाएगा। फिर हम इस घटना को देखेंगे, जिसके फलस्वरूप आर्यों में एक प्रकार की क्रान्ति की लहर दौड़ जाएगी। तत्पश्चात् हम लोग अनेक छोटी-छोटी टुकड़ियाँ बनाकर उन सुशिक्षित शूद्रों की बलात् हत्या कर देंगे। इस प्रकार आर्यों के लिए बन रहा कंटक-संकट सदा के लिए दूर हो जाएगा।

शिवकंठ : महाराज! यदि मेरा बालक पुनः होश में न आ सका अथवा राम ने योजनानुसार काम न किया तो...?

नारद : ऐसा नहीं हो सकता। यदि राम ऐसा करने से मुख मोड़ेंगे, तो हम लोग उन्हें श्राप दे देंगे और तुम्हारा बालक बचा लेंगे।

शिवकंठ : *(हाथ जोड़कर)* हम तैयार हैं, नारद! मेरे पास बेहोशी की दवा भेज दी जाए। हम अपने बालक को दवा पिलाकर

उसकी लाश को सुरक्षित दशा में लेकर राम दरबार में ही आप लोगों के दर्शन करेंगे।

नारद : बहुत अच्छा। जय, जय नारायण!

शिवकंठ : *(हाथ जोड़कर)* सबको प्रणाम।

सभी : आयुष्मान भवः। चिरंजीव भव वत्स!

[सभी का प्रस्थान]

[पटाक्षेप]

दृश्य-3

स्थान : आदिवासी महाविद्यालय का प्रांगण

समय : दोपहर

[सेतू, ज्ञानू और कुन्दन घास के मैदान में प्रमुदित अवस्था में बैठे हैं और अपनी योजनाओं की सफलता पर बातचीत कर रहे हैं।]

सेतू : कहिए भाई कुन्दन! आजकल आपकी समिति के कार्य की प्रगति कैसी चल रही है?

कुन्दन : आशातीत सफलता हमें अपने कार्य में मिल रही है। समिति का प्रत्येक सदस्य, चाहे वह साधारण हो अथवा सक्रिय, लगन के साथ कार्य कर रहा है।

सेतू : कितने प्रतिशत आदिवासी चैतन्य हो चुके हैं?

कुन्दन : हमारा तो अनुमान है कि हम बीस प्रतिशत आदिवासियों को सचेत कर चुके हैं।

सेतू : शेष लोगों के कितने दिनों में सुधर जाने की आशा है?

कुन्दन : कह नहीं सकता, किन्तु फिर भी हमें पूर्ण आशा है कि हम शीघ्र ही शेष आदिवासियों को सचेत कर एक सूत्र में बाँध देंगे।

ज्ञानू : तब तो आपका कार्य अति सराहनीय है। हम लोग भी सेना की सुदृढ़ता के लिए कटिबद्ध हैं, परन्तु मेरी सफलता आपकी सफलता पर आधारित है।

कुन्दन : क्यों भाई! क्यों उपहास करते हो?

सेतू : ऐसा न कहो बन्धु! मेरे शब्द निर्विरोध सत्य हैं। मैं आप जैसे लगनशील, कर्मठ एवं प्रकांड विद्वान का उपहास नहीं कर सकता। देश का ऐसा कौन-सा व्यक्ति है, जो आपकी विद्वत्ता एवं कार्य-कुशलता का लोहा न मानता हो?

कुन्दन : मैं कैसे कह सकता हूँ, किन्तु...।

ज्ञानू : कटु सत्य के लिए किन्तु-परन्तु की गुंजाइश नहीं भैया कुन्दन! जितने शीघ्र आप अपने कार्य में सफल होंगे, उतने ही शीघ्र हमें साहसी, पराक्रमी तथा सच्चे राष्ट्रभक्त नवयुवक सेना के लिए मिल सकेंगे।

सेतू : अवश्य भैया! हम लोग आठों याम आपकी और आपकी समिति की पूर्ण सफलता की कामना किया करते हैं, क्योंकि जितनी जल्दी आप सबको सचेत कर देंगे, उतनी जल्दी हम लोग गुरुजी की आशा को पूरा कर गुरु-ऋण से उऋण हो सकेंगे।

कुन्दन : यह बात तो ठीक है मेरे बन्धु! किन्तु आपको यह न भूल जाना चाहिए कि हमारी समस्त योजनाओं की जानकारी आर्यों को पहले से ही हो चुकी है। उनका गुप्तचर विभाग भी बड़ी सावधानी से कार्य कर रहा है। अस्तु, हमें भी अपने समस्त कार्यों को बड़ी ही सतर्कता से करना चाहिए।

सेतू : अवश्य भैया! यदि हम लोगों ने असावधानी से कार्य किया, तो हमारी समस्त योजनाओं के क्षण भर में ही नष्ट होने का भय है।

ज्ञानू : अब आप अपनी समिति को आदेश दें कि वह समाज को इस बात से भी सचेत करे कि आर्यों का दुमुँहा उपदेश होता है। समाज इससे सचेत रहे।

कुन्दन : कैसा दुमुँहा उपदेश?

ज्ञानू : उनके दुमुँहे उपदेश से आप परिचित नहीं? वे आर्यों से कहते हैं—

पुरोहित नाम लड्डू, दक्षिणा नाम खीर।
शासन नाम मिश्री, घोर-घोर पी॥

कुन्दन : *(हँसकर)* और वे आदिवासियों को क्या उपदेश देते हैं?

ज्ञानू : *(हँसकर)* आदिवासियों से कहते हैं—

भगवान नाम लड्डू, बैकुंठ नाम खीर।
सेवा नाम मिश्री, घोर-घोर पी॥

[तीनों बड़ी जोर से हँस पड़ते हैं]

कुन्दन : सुन्दर, बहुत सुन्दर! आपने बहुत सुन्दर बात बताई बन्धु! अवश्य ही आज दुमुँहा मंत्र हमारे देश में फूँका जा रहा है, जो आर्यों को आकाश और आदिवासियों को पाताल में पहुँचा रहा है। समाज को इस दुमुँहे मंत्र से सचेत कर देना आवश्यक है अन्यथा जिस समय इसका व्यापक प्रभाव देश पर पड़ेगा, तो फिर उसे सँभाल सकना अति ही कठिन हो जाएगा।

ज्ञानू : इसीलिए हम लोग आपसे कह रहे हैं कि आप अपनी समिति के प्रत्येक कार्यकर्ता को सचेत कर दें कि वे आर्यों के इस दुमुँहे मंत्र से अतिशीघ्र समाज को सचेत करें।

कुन्दन : मैं आपकी आज्ञानुसार पूर्ण सावधान रहूँगा, किन्तु आप लोगों से मेरा यह नम्र निवेदन है कि अपनी सैनिक शक्ति में उत्तरोत्तर बढ़ोतरी करते रहें, क्योंकि हमारी क्रान्ति से बढ़कर आर्य लोग अपनी चतुर्मुखी नीति को बरतने में हिचकिचाएँगे नहीं। कहा नहीं जा सकता कि पहले की भाँति वे किस समय हमारे ऊपर आक्रमण कर दें। यह भी सम्भव है कि आर्यों के इस आक्रमण में राजकीय शक्ति भी उनको पूर्ण सहयोग दे।

सेतू : अवश्य ही! खिसियाने आर्य बे-मौसम गो-गान, दिवाली मनाने पर भी तैयार हो सकते हैं, किन्तु उन्हें भूलकर भी चना के धोखे में मिर्च नहीं खानी चाहिए। अब हमारी शक्ति इतनी कमजोर नहीं रही कि अचानक हमारे ऊपर आक्रमण करने का साहस वे लोग कर सकें।

कुन्दन : बहुत अच्छा कहा मेरे साथी! अवश्य ही हमारे पास जनता और सेना, दोनों प्रकार की सुदृढ़ शक्ति होनी चाहिए तभी हम उन पर विजय पा सकते हैं। आइए बन्धु, हम लोग मिलकर एक गाना गाएँ। फिर आज ही गुरुजी के पास चलकर भावी कार्यक्रम पर मंत्रणा की जाए।

[तीनों युवक संगठन की एक कविता गाते हैं :]

एकता के सूत्र में बँधकर। तुम दलबन्दी को दहला दो।
समाज की सेवा में रत हो। माता के सपूत कहला दो॥
इस पिछड़े समाज का भार, तुम्हारे ही ऊपर है युवको।
इसके उत्थान के लिए अर्पण, कर दो तन, श्रम निज मन को॥
विद्या का प्रकाश फैला घर-घर में, अविद्या का अन्धकार हरो।
कु-प्रथाओं को गाड़ भूमि में, समाज का असली भार हरो॥
भाव सत्यं शिवं सुन्दरम् भरो, जन-जन के मन में अनुराग भरो।
हो जाएँ सजग सभी आर्यों से, मन के द्वेष भाव का त्याग करो॥
[गाते-गाते सबका एक ओर को प्रस्थान]

[पटाक्षेप]

दृश्य-4

स्थान : शिवकंठ का निवास स्थान
समय : प्रात: काल 8 बजे

[शिवकंठ के अन्त:पुर में शिवकंठ, उसकी पत्नी जलेश्वरी तथा उसका पुत्र शैलेन्द्र उपस्थित हैं।]

शिवकंठ : पुत्र! तुम्हारा और कुन्दन का साथ अच्छा नहीं है। तुमने एक शूद्र लड़के का साथ क्यों किया?

शैलेन्द्र : पिताजी! शूद्र है तो क्या हुआ? यह तो मन मिले का सौदा है, किन्तु मैं उस दुष्ट का साथ छोड़ दूँगा।

जलेश्वरी : बेटा! पहले तुमने साथ किया और फिर अब छोड़ने के लिए क्यों तैयार हो रहे हो?

शैलेन्द्र : माताजी! शैलेन्द्र किसी भी घमंडी का साथ नहीं करना चाहता। कुन्दन अभी से इतना मगरूर हो गया है, जबकि कुछ भी नहीं है। उसने एक शूद्र महर्षि शम्बूक के यहाँ थोड़ा-सा पढ़ लिया है, फलस्वरूप सभी आर्यों को शास्त्रार्थ करने के लिए ललकारने लगा है।

शिवकंठ : वह तो ललकारेगा ही। उसे थोड़ा-सा शास्त्रों का ज्ञान जो हो गया है। 'ओछा घड़ा छलके घना' इसलिए उसको

अपने बराबर कोई विद्वान समझ में नहीं आता है। मुझे उस दिन के उसके शब्द पसन्द नहीं आए।

जलेश्वरी : मैंने तुझसे कितनी बार कहा कि तू भी किसी आश्रम में जाकर पढ़ आ, किन्तु तेरे तो कान पर जूँ तक नहीं रेंगती। तुझे तो रात-दिन खेल सूझता है। तभी तो वह शूद्र तुझसे इस प्रकार भिड़ा। नहीं...तो उसे तुझसे बोलने तक का साहस न होता।

शैलेन्द्र : माताजी! मुझे क्षमा कीजिए! मैं अब अवश्य ही अध्ययन करने किसी न किसी आश्रम में जाऊँगा, क्योंकि कुन्दन के अपमानजनक शब्द मेरे हृदय में बाण की भाँति चुभ गए हैं। अस्तु, जब तक प्रतिशोध न चुका लूँगा, तब तक मैं कदापि शान्त न बैठूँगा।

शिवकंठ : तुझसे ऐसी ही आशा की जाती है, तात! तू आर्य पुत्र है। तुझे सदा मान-अपमान का ध्यान रखना चाहिए।

शैलेन्द्र : मैं तो चाहता हूँ कि आचार्य शम्बूक और उसके समस्त शिष्यों को सोते समय रात में कत्ल कर दिया जाए। फिर न रहे बाँस, न बजे बाँसुरी।

जलेश्वरी : आचार्य शम्बूक का वध साधारण नहीं है, बेटा! उसने अपने कार्य को पूरा करने के लिए बहुमुखी जाल फैला रखा है तथा मैंने भी सुना है कि उसने और उसके शिष्यों ने जो एक प्रकार से उसके दाहिने हाथ हैं, यह प्रण किया है कि जिस दिन वे आर्यों पर आक्रमण करेंगे, उस दिन से एक सप्ताह के अन्दर ही उन्हें देश से बाहर उनके मूल देश तक खदेड़ देंगे।

शैलेन्द्र : *(हाथ जोड़कर)* क्षमा कीजिए मातेश्वरी! आप ही इन बातों पर विश्वास कर सकती हैं। मुझे तो रंचमात्र भी विश्वास नहीं है। मेरी समझ के अनुसार, उस दुष्ट आचार्य शम्बूक का मस्तिष्क फिरा हुआ है। वह पूर्णतया पागल हो गया है।

जलेश्वरी : तूने कैसे समझा बेटा कि उसका मस्तिष्क फिरा हुआ है?

शैलेन्द्र : उसके पास न तो कोई सैन्य-शक्ति है और न कोई जनशक्ति। कुन्दन के समान मूर्ख, उसके सहायक और कार्य संचालक हैं। भला इसी शक्ति पर वह आर्यों को देश के बाहर खदेड़ देने का दावा करता है!

शिवकंठ : यह बात तो ठीक है वत्स, किन्तु तुम्हें शम्बूक को इतना निर्बल नहीं समझना चाहिए। यदि वह इतना निर्बल होता, तो आज आर्यों के बच्चे-बच्चे के पैर में जारी के काँटे की तरह न करकता। आर्य ऋषिगण उसके योग बल को देखकर घबरा न उठते। स्वयं नारद उसकी चिन्ता से सूख कर काँटा न बन जाते।

जलेश्वरी : हे आर्यपुत्र! इतनी बड़ी-बड़ी शक्तियाँ जब उसके भय से घबरा उठी हैं, तब तो उसकी बढ़ती शक्ति को रोक सकना कठिन है।

शिवकंठ : प्रियतमे! तुम चिन्ता न करो। आर्य जैसी कपटी, पाखंडी, दुमुँहा तथा दुभाषिया अर्थात् संस्कृत भाषा द्वारा शासन-सत्ता पर अधिकार बनाए रखने के लिए कुछ भी कर डालना कठिन नहीं है। सब कुछ मिटा कर भी अपने स्वार्थ को पूरा करना ही जिस जाति का अमुख गुण है, समयानुसार अपने को ढाल लेना ही जिसने सीखा है, उसे भी यदि कोई धोखा दे जाए, तब तो सर्वनाश के लक्षण समझना चाहिए।

जलेश्वरी : तो इस रोग के लिए किस औषधि का अन्वेषण किया गया है, जीवनाधार?

शिवकंठ : इसके लिए आर्यों के प्रमुख ऋषियों ने एक योजना सोची है, जिसमें हमें, तुम्हें और प्यारे पुत्र शैलेन्द्र को उस योजना के कार्यान्वित करने के लिए माध्यम बनना पड़ेगा।

जलेवश्री : क्या कहा प्राणेश्वर! क्या हम लोगों को माध्यम बनना पड़ेगा?

शिवकंठ : घबराओ मत प्राणेश्वरी! हमें अपनी व आर्यों की भलाई के लिए अपना सब कुछ बलिदान कर देना चाहिए। फिर हमें तो माध्यम मात्र बनना है। इसमें हमारा जाता ही क्या है, बल्कि बदले में बहुत बड़ी धनराशि पुरस्कार स्वरूप मिल जाएगी। जहाँ दोहरे लाभ हों, जाति की जाति सेवा, नस्ल की नस्ल सेवा और थोड़े काम के बदले इतना बड़ा अर्थ लाभ। भला कौन मूर्ख ऐसे सु-अवसर को हाथ से जाने देगा?

जलेश्वरी : तो हम लोग किस भाँति इस महान कार्य में सहयोग दे सकेंगे पतिदेव, स्पष्ट कीजिए?

शिवकंठ : शैलेन्द्र को बेहोशी की दवा पिलाई जाएगी। तदनन्तर हम और तुम उसे सुरक्षित दशा में राम के दरबार में ले जाकर

यह कहेंगे कि राम के पाप के कारण मुझ ब्राह्मण का इकलौता पुत्र मेरे रहते मर गया। मेरा पुत्र जिलाया जाए। नहीं तो बदले मे राम को पाप का भागी होना पड़ेगा।

जलेश्वरी : *(घबराकर)* ऐसा मत कहो, आर्यपुत्र! शैलेन्द्र मेरा इकलौता पुत्र है। मैं जान-बूझकर उसे किसी प्रकार के खतरे में नहीं पड़ने दूँगी! नहीं पड़ने दूँगी! इसके लिए ऋषिगण कोई अन्य उपाय ढूँढ़ें।

शिवकंठ : घबराओ नहीं जलेश्वरी! शैलेन्द्र मरेगा नहीं।

जलेश्वरी : नहीं-नहीं, पतिदेव! मुझे इस प्रकार लालच में पड़कर अपना सर्वनाश नहीं करवा लेना है।

शिवकंठ : तुम्हारा भ्रम है जलेश्वरी! इसमें शैलेन्द्र का कुछ भी नहीं बिगड़ेगा। जिस समय राम के हाथों आचार्य शम्बूक का वध किया जाएगा, उसी समय ही सुरक्षित शैलेन्द्र को होश की औषधि सुँघा दी जाएगी और वह उठकर खड़ा हो जाएगा।

शैलेन्द्र : पिता जी! आप मेरे प्राणों के साथ यह खेल क्यों खेल रहे हैं? मुझे मारकर आपको क्या लाभ होगा?

शिवकंठ : तेरी भूल है, बेटा! तुझे पहले बेहोशी की दवा पिलाई जाएगी तत्पश्चात् होश की दवा सुँघाने पर तू तुरन्त ठीक हो जाएगा।

जलेश्वरी : इस माता हृदय को धैर्य नहीं प्रियतम! आप मेरे इकलौते पुत्र को जोखिम में मत डालिए। मैं हाथ जोड़कर आपसे अपने पुत्र के प्राणों की भीख माँगती हूँ।

शिवकंठ : तुम घबराओ नहीं प्रिये! इसमें शैलेन्द्र का कुछ भी नहीं बिगड़ेगा। यह केवल नाटकमात्र है। राम के दरबार में पहुँचने का समय निकट आ गया है। अस्तु शीघ्रता करो, शीघ्रता करो।

[शैलेन्द्र को बेहोशी की दवा पिलाई जाती है। वह पूर्ण रूप से बेहोश हो जाता है।]

दोनों : *(शिवकंठ तथा जलेश्वरी)* हाय! मेरा पुत्र मर गया। बूढ़े बाप के जीवित रहते पुत्र मर गया। बड़ा अनर्थ हुआ, पीछे आया और पहले चला गया। दैव! यह तेरा कैसा विधान है?

[कहकर दोनों जोर-जोर से रोने लगते हैं।]

[सहसा नारद का आगमन]

नारद : *(दोनों को रोता देखकर जानते हुए भी अनजान की तरह)* नारायण! नारायण!! क्यों बिलख-बिलख कर रो रहे हो ब्राह्मण?

शिवकंठ : *(पहचान कर और प्रणाम कर)* नारद! अब दैव का विधान बदल गया। हम लोगों से पहले हमारा पुत्र मर गया। हाय कहाँ जाऊँ? क्या करूँ? बुढ़ापे का सहारा चला गया।

नारद : नारायण! नारायण!! चुप रहो। शान्त रहो। मैं तुम्हें सही-सही राय देता हूँ। तुम इस बालक की लाश को राम के दरबार में ले जाओ और इस अनर्थ का कारण पूछो।

दोनों : *(शिवकंठ और जलेश्वरी)* यही करूँगा मुनिवर, यही करूँगा!! हाय मेरे बुढ़ापे का सहारा उठा जा रहा है! मैं इसे लेकर इसी समय राम के पास जाता हूँ।

[नारद का प्रस्थान]

[दोनों बेहोश शैलेन्द्र को सुरक्षित दशा में राम के पास ले जाते हैं।]

[पटाक्षेप]

दृश्य-5

स्थान : दंडकारण्य

समय : प्रातःकाल लगभग 9 बजे

[आचार्य शम्बूक को आर्यों द्वारा रचे जानेवाले षड्यंत्र की सूचना अपने गुप्तचर द्वारा प्राप्त हो चुकी है। अस्तु, इस सूचना के सम्बन्ध में अपनी पत्नी और शिष्यों में वार्ता कर रहे हैं। आचार्य शम्बूक आसन पर विराजमान हैं। उनके बाईं ओर उनकी धर्मपत्नी तुंगभद्रा और सामने सेतू तथा कुन्दन बैठे हैं।]

कुन्दन : *(हाथ जोड़कर)* गुरुजी, अपराध के प्रति क्षमा कीजिए! आज आप कुछ उदास चित्त दृष्टिगोचर हो रहे हैं।

सेतू : *(हाथ जोड़कर)* मैं भी ऐसा ही आभास कर रहा हूँ गुरुवर! कल जब हम लोग आपके पास आए थे, तब

आपकी मुद्रा अच्छी थी। आपने हम लोगों को मुस्कराकर आशीर्वाद दिया था। मंत्रणा भी की थी तथा अपार ढाढ़स भी बँधाया था, परन्तु आज आपकी मुद्रा गम्भीर और चिन्तित दृष्टिगोचर हो रही है।

शम्बूक : तुम लोगों की धारणा उचित है वत्स! अवश्य ही आज मुझे चिन्ता ने आ घेरा है। न जाने क्यों मुझे कुछ अनहोनी का आभास हो रहा है। मुझे अपने आदिवासी गुप्तचर द्वारा सूचना मिली है कि आर्य ऋषिगण अब किसी नए षड्यंत्र को रचकर राम को मेरे विरोध में भड़काना चाहते हैं।

तुंगभद्रा : प्राणनाथ! आप यह क्या कह रहे हैं?

शम्बूक : *(मुस्कराकर)* मैं ठीक कह रहा हूँ तुंगभद्रे! क्योंकि क्रान्ति की प्राथमिक अवस्था में विपक्षियों को कोई चिन्ता न थी, परन्तु अब उन्हें दिन-रात शम्बूक खटक रहा है। आठों याम मुझसे और मेरी भावी योजनाओं से उन्हें अपार भय रहता है।

कुन्दन : गुरुजी! अवश्य ही उनको हमारी योजनाओं ने सशंकित कर दिया है। जिधर देखिए, आर्यों के दो-चार व्यक्ति इकट्ठे होकर यही चर्चा करते सुनाई देते हैं।

सेतू : गुरुजी! इन सबने भारत को अपनी सम्पत्ति मान रखा है जैसे यह उन्हें उनके पूर्वजों से उत्तराधिकार में प्राप्त हुई हो। हमारी माँग तो उन्हें काँटे की भाँति करकती है।

शम्बूक : पराई सम्पत्ति को लौटाने में सबकी यही दशा होती है वत्स! किन्तु तुम्हें उनकी इस प्रकार आपत्तियों की चिन्ता क्यों? मैंने तुम्हें आज्ञा दी है। तुम अपने कार्य को इतनी तीव्र गति से प्रारम्भ कर दो कि प्रचंड शक्ति भी तुम्हारी गतिविधि देखकर थर्रा जाए। मुझे अब अधिक विलम्ब नहीं करना है तथा न शेष अचेत समाज का ही रास्ता देखना है। कुछ समाज तो हर समय विशेष पिछड़ा रहा है और रहेगा। यदि हम उस विशेष पिछड़े समाज की प्रतीक्षा करते रहेंगे तो हमारा सारा समय प्रतीक्षा में ही निकल जाएगा।

सेतू : अवश्य गुरुजी! ऐसा ही करना चाहिए, क्योंकि उत्तम कार्य में विलम्ब करने से अनेक बाधाएँ पड़ सकती हैं।

शम्बूक : हाँ! इसीलिए मैं कह रहा हूँ कि तुम लोग भूखे सिंह की भाँति इन क्रूर विदेशी आर्यों पर टूट पड़ो। मेरी खिन्नता और प्रसन्नता में डूबे रहकर समय नष्ट करने से लाभ नहीं। मुझे क्या? मैं यहाँ दंडकारण्य में एकांकी रहता हूँ। किसी समय भी ये आर्य मेरे ऊपर आक्रमण कर अपनी पिपासा शान्त कर सकते हैं। मेरी विजय वाहिनी और अन्य सहयोगी यहाँ से दूर महाविद्यालय में रहते हैं। रहने दो। कोई चिन्ता नहीं, तुम लोग भी जाओ। विधिवत कार्य संचालन होता रहे। कुन्दन! आवश्यकता पड़ने पर हर प्रकार की नीति प्रयोग में लाई जा सकती है क्योंकि येन-केन-प्रकारेण योजना को सफल बनाना है। जाओ शुभम्, शीघ्रम्। अब विलम्ब केहि काज। प्रणाम!

कुन्दन और सेतू : *(दोनों हाथ जोड़कर)* जो आज्ञा गुरुजी! प्रणाम!

[दोनों प्रस्थान करने के लिए प्रस्तुत हैं]

शम्बूक : और ज्ञानू कहाँ है?

[सहसा ज्ञानू का प्रवेश]

ज्ञानू : *(हाथ जोड़कर)* गुरुजी प्रणाम! गुरुजी! महाविद्यालय से सूचना आई है कि आज रात अचानक कुछ सशस्त्र आर्य दस्युओं ने हमला कर दिया, जिसमें हुई मुठभेड़ में कुछ सैनिक मारे गए और कुछ घायल हुए।

शम्बूक : ओह! इतना अत्याचार!! इतनी आपत्तियाँ!!! कुन्दन, सेतू और ज्ञानू—तुम तीनों इसी क्षण महाविद्यालय जाओ। भविष्य में यहाँ मत आना। जिस समय मुझसे मिलने की आवश्यकता हो, तो सूचना भेज देना। मैं स्वयं वहीं आकर उपस्थित होऊँगा।

तीनों : *(हाथ जोड़कर)* जो आज्ञा गुरुजी महाराज! प्रणाम!

शम्बूक : जाओ, तुम्हें सफलता मिले।

शम्बूक : *(अपने आप)* अब समय आ गया है। इनके ये छुटपुट आक्रमण भी परम उपयोगी हैं। इससे हमारी सेना और हमारे सचेत कार्यकर्ता, दोनों में क्रोध की भावना पैदा होने से संगठन शक्ति को विशेष बल मिलेगा।

तुंगभद्रा : किन्तु करुणागार! आपके चेहरे की उदासी देखकर मेरे हृदय को भय लग रहा है। आप भी महाविद्यालय

में चलकर रहें। नहीं तो किसी भी समय हम लोगों को प्राणों से हाथ धोना पड़ सकता है।

शम्बूक : तुम व्यर्थ की चिन्ता न करो तुंगभद्रे! मैं अभी महाविद्यालय में नहीं रह सकता, क्योंकि अभी मुझे शेष चिन्तन तपस्या एकान्त में पूरी करनी है। चलकर पूजन का सामान ठीक करो। तपस्या (साधना) पूरी हो जाने के पश्चात् मैं महाविद्यालय में ही रहूँगा और सम्पूर्ण कार्यों का संचालन स्वत: करूँगा।

[तीनों का प्रस्थान]

[पटाक्षेप]

तीसरा अंक

दृश्य-1

स्थान : अयोध्या में राजा रामचन्द्र के राजप्रासाद का मुख्य द्वार
समय : सायंकाल 4 बजे

[शिवकंठ और उसकी पत्नी जलेश्वरी अपने अचेत पुत्र शैलेन्द्र को लेकर आते हैं तथा विलाप करते हैं।]

शिवकंठ : हाय! हाय!! अनर्थ हो गया। अनर्थ हो गया। हाय राम! तेरे राज्य में यह अधर्म!

[सहसा राम का प्रवेश]

राम : हे ब्राह्मण देवता! यह इक्ष्वाकु कुलभूषण राम आपको प्रणाम करता है। क्यों दुखित हो रहे हो भूदेव?

शिवकंठ : *(सामने देखकर)* राम, तू ही है राम! राम, तेरे राज्य में घोर पाप छा गया है।

राम : महाराज?...

जलेश्वरी : कुछ नहीं राम। महात्मा इक्ष्वाकु का वंश अब अनाथ हो गया है। हरिश्चन्द्र वाली सत्यता अब नहीं रही। तेरे राज्य में धर्म के स्थान पर अधर्म का राज्य हो रहा है।

राम : देवी! कुछ कहो तो! इस सेवक से क्या भूल हुई है?

शिवकंठ : जैसा अधर्म तेरे राज्य में छाया हुआ है राम! ऐसा न कभी सुना गया है और न हुआ। तू श्राप का भागी है राम।

राम : *(हाथ जोड़कर सहमते हुए)* हे ब्राह्मण देवता, मुझे क्षमा कीजिए! मेरी भूल को बताने की कृपा कीजिए!

शिवकंठ : तू महापापी है राम! तेरा राज्य वर्ण-धर्मी राज्य नहीं, बल्कि पापी व अधर्मी राज्य है, क्योंकि तेरे राज्य में ब्राह्मण माता-पिता से पूर्व लड़कों की अकाल मृत्यु होने लगी है और जिस पर भी इकलौते लड़कों की। ऐसा अधर्म पहले कभी नहीं हुआ। इस प्रकार का अधर्म उसी राज्य में होता है, जहाँ का राजा पापी होता है। ऐसे राज्य में रहना उचित नहीं है।

राम : महाराज! मैंने तो जान-बूझकर कोई पाप नहीं किया है, किन्तु...।

शिवकंठ : चुप रह पापी! तेरे पाप के कारण ही मेरे इकलौते पुत्र की अकाल मृत्यु हुई है। शीघ्र ही मेरे पुत्र को जीवित कर अन्यथा अभी श्राप देकर तुझे भस्म कर दूँगा।

राम : महाराज! कृपया मुझे मेरी भूल के प्रति अवगत कराइए।

शिवकंठ : राम! जैसा अधर्म तेरे राज्य में हो रहा है, ऐसा अधर्म कभी किसी राजा के राज्य में नहीं हुआ है। तेरे राज्य में शूद्र शम्बूक तपस्या कर रहा है। इसी कारण चारों ओर पापाचार छा गया है। इस पाप के बढ़ जाने के कारण आर्यों की अकाल मृत्युएँ होने लगी हैं। प्रत्यक्ष प्रमाण तेरे सामने उपस्थित है। देख! मेरे पुत्र की भी अकाल मृत्यु का यही कारण है। वर्णाश्रम धर्मानुसार शूद्र को तपस्या का अधिकार नहीं है।

[राम चुपचाप चिन्तित मुद्रा में खड़े रहते हैं।]

शिवकंठ : बोल राम, चुप क्यों खड़ा है?

जलेश्वरी : बोल! बोल! शीघ्रता कर अन्यथा इस मातृ हृदय को धैर्य नहीं! मैं तुझे अभी श्राप देकर भस्म कर दूँगी।

राम : कृपादायनी मातेश्वरी! मैं अपनी भूल के प्रति क्षमा माँगता हूँ, किन्तु भगवान भजन का अधिकार तो सभी को है। सभी परमब्रह्म परमात्मा की सन्तान हैं। पिता की सेवा करने का अधिकार कनिष्ठ और ज्येष्ठ, सभी पुत्रों को समान होता है। इसमें शूद्र और सवर्ण या आर्य और अनार्य का प्रश्न ही क्या? मैं किसी को भी उसके अधिकार से वंचित नहीं कर सकता?

शिवकंठ : घमंडी! तेरे इस मिथ्याभिमान के कारण ही शूद्र ऊपर को पैर करके चल रहे हैं। तूने उन्हें सर पर चढ़ा रखा है। तेरे पाप की कमाई के कारण तेरे राज्य में ब्राह्मण को कष्ट हो रहा है। उनके किशोर लड़कों की अकाल मृत्युएँ हो रही हैं। राम शीघ्र निर्णय कर अन्यथा...।

राम : *(स्वयं कुछ देर चुप रहकर)* प्रतिहारी!

प्रतिहारी : *(उपस्थित होकर)* रघुकुल भूषण राजा रामचन्द्र जी की जय! राजन, क्या आज्ञा है?

राम : लक्ष्मण से कहो कि शीघ्र ही राजदरबार के मुख्य द्वार पर उपस्थित हों।

प्रतिहारी : जो आज्ञा अन्नदाता!

[प्रतिहारी का प्रस्थान]

राम : ब्राह्मण देवता! आपके प्रश्न का हल 'मंत्रणादात्री सभा' में किया जाएगा। आप सभा के निर्णय की प्रतीक्षा करें।

शिवकंठ : स्वीकार है राम! शीघ्र ही सभा का आयोजन कर निर्णय व्यक्त करो।

[लक्ष्मण का प्रवेश]

लक्ष्मण : *(दोनों हाथ जोड़कर)* नमस्कार! प्रणाम!!

राम : कल्याण हो बन्धु! ये ब्राह्मण देवता हैं, इन्हें प्रणाम करो।

लक्ष्मण : हे ब्राह्मण देवता! राम का कनिष्ठ भ्राता लक्ष्मण आपको प्रणाम करता है।

शिवकंठ : शुभ हो! मंगल हो लक्ष्मण!!

लक्ष्मण : *(राम की ओर देखते हुए)* क्या आज्ञा है भ्राता राजा रामचन्द्र?

राम : शीघ्र ही आर्य ऋषियों—नारद, गुरु वसिष्ठ एवं समस्त मंत्रियों को सूचना दो कि एक अति आवश्यक आपातकालीन बैठक के लिए राज्यसभा में शीघ्रातिशीघ्र उपस्थित हों।

लक्ष्मण : जो आज्ञा राजन्!

[लक्ष्मण का प्रस्थान]

राम : हे ब्राह्मण देव! आप राज्यसभा में उपस्थित हों। वहीं आपका निर्णय होगा।

शिवकंठ : अवश्य! मैं चलता हूँ।

[शिवकंठ और जलेश्वरी का अपने अचेत पुत्र सहित प्रस्थान]

राम : *(स्वगत)* बड़ी ही कठिन समस्या है। कोई मरे अपनी मृत्यु से और मत्थे मढ़ा जाए मेरे नाम। इसमें राम या किसी शूद्र तपस्वी शम्बूक का क्या दोष? इसके पूर्व भी लोगों ने इस शम्बूक नामक शूद्र तपस्वी का परिवाद मेरे पास पहुँचाया है।...चलो चलें। इसका उचित निर्णय राज्यसभा ही करेगी।

[पटाक्षेप]

दृश्य-2

स्थान : अयोध्या में 'राज्यसभा'

समय : सायं 5 बजे

[राजा रामचन्द्र सिंहासनारूढ़ हैं। पास ही भरत, शत्रुघ्न एवं लक्ष्मण यथोचित स्थान पर बैठे हैं। गुरु वसिष्ठ तथा वामदेव आदि मंत्रिगण तथा अन्य सभासद भी अपने-अपने उचित स्थानों पर बैठे हैं।]

राम : गुरुजी एवं अन्य सज्जनो! आज यह अचानक आवश्यक बैठक क्यों बुलाई गई है, इस सम्बन्ध में शायद ही किसी उपस्थित व्यक्ति को ज्ञात हो?

प्रथम मंत्री : *(हाथ जोड़कर प्रणाम करता हुआ, खड़ा होकर)* रघुकुल भूषण की जय! अपराध को क्षमा कीजिएगा। अवश्य ही आज हम लोगों को अचानक राज्यसभा में उपस्थित होने का कारण ज्ञात नहीं है। अनुमानतः आज हमारे राजा पर अनायास ही किसी महान आपत्ति ने आक्रमण कर दिया है। स्पष्ट कीजिए अन्नदाता! स्पष्ट कीजिए! क्या कारण है? सम्पूर्ण राज्यसभा अज्ञात कारणवश व्याकुल हो रही है।

राम : अवश्य ही मंत्रिवर! आज इस जन और वर्ण सेवक पर एक विशालकाय आपत्ति का पहाड़ टूट पड़ा है।

दूसरा मंत्री : *(हाथ जोड़कर प्रणाम करता हुआ, खड़ा होकर)* कहिए, कहिए राजन्! किस महान संकट ने हमारे अन्नदाता के शान्त चित्त में ज्वार-भाटा उत्पन्न कर दिया है? हम लोगों पर कृपा कीजिए नाथ! अब और अधिक पहेलियाँ सुनाकर व्यथित मत कीजिए।

राम : आज हमारे समस्त भ्राता, सभासद, मंत्रिगण एवं गुरुजी सभी उपस्थित हैं। सभी लोग कान खोल कर सुन लें कि इस अपराधी राम के राज्य में एक अनहोनी घटना घट गई है। वाराणसी निवासी एक ब्राह्मण के इकलौते किशोर पुत्र की अकाल मृत्यु हो गई है, जिसका सम्पूर्ण उत्तरदायित्व इस अधर्मी राम के मत्थे मढ़ा गया है। वह क्रोधी ब्राह्मण कह रहा है कि शीघ्र मेरे पुत्र को जिलाओ अन्यथा तुम्हें श्राप देकर भस्म कर दूँगा। अस्तु समस्त

राज्यसभा मुझे इससे बचने का उपाय बताकर मेरी सहायता करे। बोलिए गुरुजी, क्यों मौन धारण किए बैठे हैं तात? आज आपके इस सेवक पर संकट आ पड़ा है, रक्षा कीजिए! रक्षा कीजिए!! गुरुजी, रक्षा कीजिए!!!

वसिष्ठ : राजन्! अवश्य ही तुमसे अपराध हो गया है। इससे मुक्त होना कठिन है। वही ब्राह्मण इस संकट से मुक्त होने का उपाय आपको बता सकता है, क्योंकि यह ब्राह्मण का पुत्र है। यदि दूसरे किसी का पुत्र होता, तो इसका कुछ निदान हो सकता था।

लक्ष्मण : किन्तु इसमें भैया का क्या दोष है? *(राम की ओर हाथ जोड़कर)* तात! आप इतने दुखी क्यों हैं? आपका यह सेवक आपकी सहायता के लिए प्राण अर्पण कर देगा।

भरत : आज हमारे ज्येष्ठ बन्धु के ऊपर झूठा अपराध लादा जा रहा है।

शत्रुघ्न : ब्राह्मण को राज्यसभा में उपस्थित होने की आज्ञा दीजिए राजन्! वह स्पष्ट करें कि किस प्रकार से राम अपराधी हैं? सब कुछ सहकर भी इस प्रकार का लांछन सहन नहीं किया जा सकता।

[सहसा नारद सहित अन्य आर्य ऋषियों का प्रवेश।]

[राम सम्पूर्ण भाइयों और सभासदों सहित खड़े हो जाते हैं।]

नारद व अन्य ऋषिगण : जय हो! रघुकुल भूषण की जय!! दिवाकर कुल दिवाकर की जय!! आनन्द कन्द रघुकुल चन्द की जय!! इच्छवाकु कुल कमल की जय!! राघेवन्द्र राजा रामचन्द्र की जय!!!

राम : ऋषिगणों को दशरथ पुत्र राम प्रणाम करता है।

तीनों भाई : *(भरत, लक्ष्मण और शत्रुघ्न एक साथ)* महात्मागणों को रघुकुल भूषण रामचन्द्र के कनिष्ठ भ्राता प्रणाम करते हैं।

सभी ऋषिगण : सभी भ्राता तेजस्वी हों! ऐश्वर्यमान हों!! चिरंजीवी हों!!!

[अन्य सभासद झुककर प्रणाम करते हैं और आशीर्वाद प्राप्त करते हैं।

[गुरु वसिष्ठ सबसे यथोचित मिलते हैं तथा सभी को यथा उचित आसन दिए जाते हैं।

[इसी समय शिवकंठ और जलेश्वरी का अपने अचेत पुत्र सहित प्रवेश]

शत्रुघ्न : ब्राह्मण देवता! स्पष्ट करो कि किस भाँति तुम्हारे पुत्र की मृत्यु का उत्तरदायित्व राजा राम पर है?

शिवकंठ : राजन्! जिस किसी राज्य में अधिक चोरियाँ या अन्य असंवैधानिक कार्य हों, अकाल पड़े अथवा अकाल मृत्युएँ होने लगें, तो उसका सम्पूर्ण उत्तरदायित्व राजा का समझा जाता है, क्योंकि राजा की कमी के कारण प्रजा को कष्ट भोगना पड़ता है।

लक्ष्मण : किन्तु! राम ने अभी तक ऐसा कोई अनर्थ नहीं किया, जिस कारण प्रजा को किसी दैवी कष्ट का भागी बनना पड़ेगा।

शिवकंठ : *(सिसककर तथा क्रोधित होकर)* अवश्य ही लक्ष्मण! तुम घमंडियों के राज्य में पापाँचार बढ़ गया है।

जलेश्वरी : *(क्रोधित होकर)* यदि मेरा पुत्र जीवित न किया गया तो हम दम्पती यहीं पर प्राण विसर्जन कर देंगे और तुम लोगों को ब्रह्महत्या का पाप भुगतना पड़ेगा।

भरत : आज चारों ओर राजा राम के कुशल शासन की चर्चा हो रही है, किन्तु फिर भी न जाने क्यों आप लोग एक कुशल शासक पर दोषारोपण कर रहे हो

राम : हे ब्राह्मण देवता! मैं आप सबसे हाथ जोड़कर अनुरोध करता हूँ, आज राज्यसभा में स्पष्ट किया जाए कि आपके बालक की मृत्यु का उत्तरदायित्व एकमात्र मुझ राजा राम पर ही क्यों है?

नारद : राजन्! व्यथित मत हों। अवश्य ही आप इस अकाल मृत्यु के उत्तरदायी हैं, किन्तु आपकी समझ में नहीं आ रहा है, क्योंकि आप एक कुशल शासक होने के नाते सम्पूर्ण प्रजा से पितातुल्य व्यवहार करते हैं। यही कारण है कि अनेक बड़ी-बड़ी भूलें आपकी आँखों से ओझल रहती हैं। मैं कारण स्पष्ट करता हूँ। आपको रास्ता बताता हूँ। मेरे बताए हुए उपाय को प्रयोग करेंगे तो निश्चय ही यह मृत पुत्र शीघ्र ही जीवित हो जाएगा और समस्त ब्राह्मणों, देवताओं तथा अन्य लोगों पर पड़ रहे असामयिक संकट भी दूर हो जाएँगे।

राम : आप ही बताइए नारद जी, इस ब्राह्मण-पुत्र की मृत्यु का क्या कारण है और इससे छुटकारा पाने का क्या उपाय है?

नारद : राजन्! मंत्रिगण एवं अन्य उपस्थित सभासदो, सुनो! राम के राज्य के भीतर दंडकारण्य में एक शूद्र, जिसका नाम शम्बूक है, तपस्या कर रहा है। वह सदेह बैकुंठ जाना चाहता है। इसके साथ ही साथ वह शूद्र यहाँ के आर्य लोगों की तरह समानता का दावा भी कर चुका है। इस दावे की सफलता के लिए उसने अपनी क्रान्तिकारी योजनाएँ 'सैनिक बल' व 'समाजोद्धारक समिति' जैसे ठोस संगठन भी बनाए हैं। इसलिए हे राम! यदि तुम शूद्र शम्बूक की हत्या कर दो, तो यह लड़का जीवित हो जाएगा और राज्य में उत्पन्न हुई समस्त विपदाएँ भी अवश्य ही जाती रहेंगी

राम : मानवाधिकार के अनुसार, आर्य व अनार्य सभी को पूजा, पाठ, तप और व्रत करने का अधिकार है। भगवान सबके और सभी भगवान के हैं। इसके अतिरिक्त समस्त प्रजा मेरी है और मैं सभी का राजा हूँ। अस्तु, मैं किसी के भगवत प्रदत्त अधिकारों का इस तरह खुलेआम हनन नहीं कर सकता। मेरा एकमात्र सिद्धान्त है कि सभी सुखी रहें एवं सभी राष्ट्रभक्त हों।

नारद : मैं भी यही चाहता हूँ राजन् कि तुम पग-पग पर अपने धर्म का पालन करो, परन्तु तुम्हारा यह भी धर्म है कि यदि कोई अत्याचार करे या अपने अधिकारों की सीमा का उल्लंघन करे, तो उसे अवश्यमेव दंड दो। इसलिए हे राम! तुम्हें उस दुष्ट महर्षि शम्बूक को अवश्य ही दंड देना चाहिए। यदि एक व्यक्ति को मारने से समस्त प्रजा को सुख मिलता है, तो उसे मारने में कोई पाप नहीं ऐसा नीति-शास्त्र का आदेश है।

राम : किन्तु महर्षि शम्बूक कौन-सा अनर्थ कर रहा है? वह केवल तपस्या ही तो कर रहा है। तपस्या अधिकारों का अतिक्रमण नहीं।

नारद : भूलते हो, राम! वेद और वर्णधर्म के अनुसार सबके अधिकार अलग-अलग हैं। सतयुग में केवल ब्राह्मण को ही तपस्या का अधिकार था। उस समय क्षत्रिय, वैश्य तथा शूद्र कोई भी तपस्या नहीं कर सकता था।

राम : *(मामूली क्रोधित दशा में)* केवल ब्राह्मण ही तपस्या के अधिकारी थे? शेष सभी ईश्वर की सन्तानें नहीं हैं?

नारद : *(प्रार्थनापूर्वक)* हैं सभी! रुष्ट न हों, राम। सुनो, जब त्रेता युग आया, तब यह अधिकार क्षत्रियों को भी प्राप्त हुआ। इसके अतिरिक्त यदि कोई अन्य तपस्या करता है, तो वह अनर्थ है।

राम : किन्तु किसी के कार्य से हमें क्या मतलब?

नारद : नीच वर्ण के तपस्या करने से देवतागण असन्तुष्ट होते हैं। उसी असन्तुष्टि का परिणाम यह है कि ब्राह्मण बालक की अकाल मृत्यु हुई है। ऐसे कितने ही कष्ट प्रजा को दैवी प्रकोप के कारण मिल रहे हैं, ये आपको क्या मालूम? हमारे समान भ्रमण करनेवाले ही जान सकते हैं। उस महर्षि शम्बूक ने एक 'आदिवासी महाविद्यालय' खोला है, जो केवल अनार्यों को शिक्षा प्राप्त करने का केन्द्र है। वह राज्य के विरुद्ध बहुत बड़ा विद्रोह करने जा रहा है।

राम : कैसा राज्य-विरुद्ध विद्रोह? शीघ्र स्पष्ट कीजिए, मुनिवर!

नारद : राजन्! इसके नेतृत्व में चल रही 'समाजोद्धारक समिति' आपके विरोध में प्रजा को भड़काती है तथा उसने बहुत बड़े संगठित 'सैनिक दल' का संगठन भी किया है जिसका सामना आपको सेना के द्वारा कर सकना कठिन है। शीघ्र ही आपके विरोध में एक बहुत बड़ी जनक्रान्ति होनेवाली है। जिस समय आप उस क्रान्ति को रोकने में व्यस्त होंगे, उसी समय आप पर आक्रमण कर दिया जाएगा तथा क्षण भर में आपकी हत्या कर, परास्त कर, आपको राज पद से अलग कर दिया जाएगा। यह है शम्बूक की बहुमुखी योजना।

राम : यह सब होने जा रहा है!

नारद : हाँ, राजन्! यह सब तत्काल होने जा रहा है। इसलिए शीघ्र ही सचेत हो जाओ राम। बिना किसी वाद-विवाद के उस शूद्र शम्बूक का वध कर दो। बस! इतनी हमारी सम्मति है। हम जाते हैं। नारायण! नारायण!!

[नारद का सम्पूर्ण ऋषियों सहित प्रस्थान]

वसिष्ठ : राजन् राम! मेरी ओर से आज्ञा है कि तुम उस शूद्र शम्बूक का वध करो। तब इस ब्राह्मण का मरा हुआ बालक तुरन्त ही जीवित हो जाएगा।

राम : गुरुजी! मैं समस्त राज्यसभा के समक्ष प्रण करता हूँ कि मैं अब अवश्य ही उस वर्णाश्रम धर्म एवं आर्य राज्य विरोधी दुष्ट शूद्र शम्बूक का वध करूँगा। *(कहकर खड़े हो जाते हैं और प्रस्थान करते हैं।)*

[राज्यसभा भी विसर्जित होती है।]

[पटाक्षेप]

दृश्य-3

स्थान : दंडकारण्य
समय : सायं काल

[आचार्य शम्बूक मुनि भूमि पर ही आसन जमाए बैठे तपस्या कर रहे हैं। राम का सशस्त्र प्रवेश। लक्ष्मण भी सशस्त्र पास ही कुछ दूरी पर किसी बड़े झगड़े की ताक में समीपी झाड़ी की आड़ में छिपे खड़े हैं।]

राम : कहिए, ऋषिवर! आप कौन हैं?

शम्बूक : *(राम के राजमुकुट की ओर देखते हुए)* मैं शम्बूक हूँ! आपका क्या परिचय है?

राम : मैं अयोध्या का राजा राम हूँ। महाराज, आप मुझे बताइए कि आप किस वर्ण के हैं?

शम्बूक : राम! मैं मनुष्य वर्ण का हूँ। इस भारत का आदिनिवासी हूँ।

राम : वेदशास्त्र कहते हैं—समस्त आदिनिवासी शूद्र वर्ण के माने गए हैं और शूद्रों को तपस्या करने का अधिकार वर्ण-व्यवस्थानुसार नहीं है तो आप तपस्या क्यों कर रहे हैं?

शम्बूक : राजन्! तपस्या और भगवत भजन करने का अधिकार सभी मनुष्यों को है—चाहे सवर्ण हो या अवर्ण।

राम : अवश्य! तुम शूद्र की तपस्या के फलस्वरूप हमारे राज्य में पाप छा गया है, जिस कारण प्रजा में दैवी प्रकोप हो रहा है। जिधर देखिए अनावृष्टि, तुषार व अन्य कारणों से जनता में त्राहि-त्राहि मची है। ब्राह्मण का बालक कम आयु में मर गया है। तेरी समाजोद्धारक समिति आर्य वर्ण-

व्यवस्था और ब्राह्मणी कर्मकांड का घनघोर विरोध कर रही है। सांथ ही साथ तूने राज्य के विरोध में जनक्रान्ति का व्यूह रचकर एक सुदृढ़ 'सैनिक दल' का संगठन किया है। अस्तु, तू मरने के लिए तैयार हो जा।

शम्बूक : राजन्! यह आपका भय है। मैंने एक पिछड़े समाज को उठाने-सचेत करने का प्रयत्न मात्र किया है। पुनः पूर्ण स्वराज्य प्राप्त करना जिनका जन्मसिद्ध अधिकार है, मैं उनमें ऐसी ही चेतना सृजित कर रहा हूँ। यदि आप इसे ही राजद्रोह कहते हैं, तो ठीक है!

राम : हाँ! मैं इसी को राजद्रोह कहता हूँ। तुम्हारे पिछड़े समाज को उठाना-गिराना तुम्हारा नहीं, मेरा कर्तव्य है। वर्ण-विधान के अनुसार मैं तुम्हारे समाज का मान-अपमान, कर्म और कार्य निर्धारित करूँगा।

तुंगभद्रा : राजन् राम! यद्यपि मेरे पतिदेव निर्दोष हैं फिर भी मैं आपसे उनके प्राणों की भीख माँगती हूँ।

शम्बूक : प्रिये! तुम चुप रहो। मैं मानवीय अधिकारों को प्राप्त करना व अपने समाज को पुनः पूर्णतः स्वतंत्र कराना अपना मूल धर्म समझता हूँ।

राम : यह तेरी धृष्टता मात्र है शम्बूक! मैं तुझे क्षमा नहीं कर सकता। मैं रंग-रूपी-वर्ण की मर्यादा की रक्षा कर मर्यादा पुरुषोत्तम राम बनना चाहता हूँ। वर्ण-व्यवस्था के विधान के अनुसार, 'शूद्रों-महाशूद्रों, स्त्रियों को ज्ञान प्राप्त करने का कोई अधिकार नहीं है। तुमने इस वर्ण-व्यवस्था की मर्यादा का उल्लंघन किया है। इसलिए आज उसकी रक्षा करते हुए मैं तुम्हारा संहार करता हूँ।'

[राम शम्बूक पर तलवार का प्रहार कर देते हैं। शम्बूक— 'हा! मेरा मानवीय अधिकार!' कहकर प्राण छोड़ देते हैं। राम के हाथ में लहूलुहान तलवार रह जाती है।]

तुंगभद्रा : *(अचेत होकर गिर पड़ती है, कुछ होश आने पर)* ओ शराबी-कबाबी हत्यारे राम! तूने जीवन भर यही कुकृत्य किए हैं। नीति विरुद्ध ताड़का का वध, आदिवासी महाराजाधिराज रावण की बहन सूर्पणखा के नाक-कान काटने, बहुपत्नी होते हुए अन्य स्त्रियों से प्रेम, शौर्य विरुद्ध बालि वध, राज्य नियम विरुद्ध गर्भिणी सीता को निःसहाय जंगल में छोड़

देने तथा न्याय विरुद्ध मेरे पतिदेव का वध आदि घटनाओं को भावी सन्तानें सत्य की तराजू पर अवश्य तौलेंगी और अपने जन्मसिद्ध अधिकारों को जैसे बनेगा, तैसे शान्ति से अथवा क्रान्ति से लेकर ही चैन की साँस लेंगी। तुम्हारे रामराज और वर्ण-व्यवस्था का आमूलचूल सर्वनाश होगा और समतामूलक समाज की स्थापना होगी...।

[कहकर धड़ाम-से धराशायी होकर पति वियोग में प्राण छोड़ देती है।]

[पटाक्षेप]

दृश्य-4

स्थान : दंडकारण्य से कुछ दूर
समय : सायंकाल

[शम्बूक की मृत्यु की सूचना पाकर शिवकंठ प्रसन्न होता है और भागकर शीघ्रता से शैलेन्द्र को, जो अपनी माँ की गोद में लाश के रूप में सुरक्षित दशा में बेहोश पड़ा है, होश में आने की दवा सुँघाने को कहता है। जलेश्वरी दवा सुँघाती है। शैलेन्द्र थोड़ी देर में उठकर खड़ा हो जाता है।]

शैलेन्द्र : माताजी व पिताजी, प्रणाम। मैं कई दिन सोया?

जलेश्वरी : ...तू मर गया था बेटा! ऐसा कह।

शिवकंठ : चिरंजीव भव: पुत्र! शम्बूक के वध के बाद तू जी गया। दुष्ट शूद्र मारा गया। अब ऐसी अकाल मृत्यु कभी न होगी।

[राम, भरत व शत्रुघ्न तथा सभी सभासदों का प्रवेश। राम के हाथ में रुधिर से सनी वही खूनी कृपाण है, जिससे उन्होंने शम्बूक का वध किया है।]

शिवकंठ : देखो! देखो! राजन्! शूद्र तपस्वी शम्बूक के मरते ही मेरा इकलौता पुत्र जी गया।

नारद : मैंने तो पहले ही कहा था सबसे!

[पटाक्षेप]

दृश्य-5

स्थान : श्मशान भूमि
समय : बारह बजे दोपहर

[श्मशान घाट पर आचार्य शम्बूक और उनकी धर्मपत्नी 'तुंगभद्रा' की लाश रखी है। आसपास शम्बूक के शिष्य विषाद-युक्त खड़े हुए हैं। अभी-अभी चिता सजाई गई है। परन्तु आग नहीं लगाई गई है।]

ज्ञानू : भैया सेतू! मैंने जब गुरुजी को आर्य दस्युओं द्वारा 'आदिवासी महाविद्यालय' दंडकारण्य पर अचानक आक्रमण किए जाने की सूचना दी थी, तब गुरुजी ने उन आर्यों के इस प्रकार के छुटपुट आक्रमणों को अपनी योजना में और भी अधिकाधिक जोश-खरोश आने का सहयोग बताया था।

सेतू : किन्तु! अब तो ये अचानक नहीं, बल्कि स्पष्ट आक्रमण है।

कुन्दन : *(आँसू टपकाते हुए)* भैया! मैंने गुरुजी से महाविद्यालय में ही रहने की प्रार्थना की थी। निर्भीक तपस्वी ने अस्वीकार कर दिया।

सेतू : हाय! अब हाथ मल-मल कर पछताने के सिवाय और कुछ नहीं है। हम लोगों का नेता उठ गया। नेतृत्व कौन करेगा?

ज्ञानू : न्यायप्रियता का ढोंग करनेवाले घमंडी राम का असली कंकाल रूप राष्ट्र और समाज के समक्ष स्पष्ट हो गया।

सेतू : यह वही राम है, जिसने लोहे को लोहे से काटा था। अनार्यों से अनार्यों में ही तोड़-फोड़ कराकर उनकी सेना को एकत्रित करके उन्हीं द्वारा आदिवासी महाराजाधिराज रावण को समूल नष्ट किया था।

कुन्दन : यह उनकी राजनीति थी, उस समय अनार्यों *(निषादराज, हनुमान, जामवन्त, नल, नील, शिव व शबरी आदि)* को गले लगाने, उनका जूठा खाने और सुग्रीव को बालि वध तथा विभीषण को रावण वध के पहले राज्य प्रलोभन की खुली घूस देने में उनका धर्म नष्ट नहीं होता था। किन्तु आदिवासियों की धार्मिक, सामाजिक,

आर्थिक व राजनीतिक उन्नति उनकी आँखों में रेत बनकर करक गई।

ज्ञानू : इसलिए राम ने बिना सोचे एकपक्षीय निर्णय कर दिया। क्या यही सच्चे न्याय की पहचान है?

कुन्दन : शक्तिशाली की इच्छा का नाम न्याय है। आज के समाज को इसी का समर्थन प्राप्त है।

सेतू : तो क्या स्वार्थ-सिद्धि ही न्याय की परिभाषा है?

ज्ञानू : हाँ! स्वार्थ ही राम के न्याय की परिभाषा है। आर्य राजा राम सदा ही आदिवासियों को नष्ट करने के लिए उद्धत रहे हैं। उन्हें न्याय-अन्याय की चिन्ता कभी भी नहीं रही है।

कुन्दन : तो कुछ नहीं साथियो! विलम्ब करने से कोई लाभ नहीं होगा। शीघ्र ही गुरुजी की अन्त्येष्ठ-क्रिया से अवकाश पाया जाए। तदुपरान्त सभी समस्याओं को सुलझाया जाएगा।

[चिता में आग लगाई जाती है, जो एकदम प्रज्वलित हो उठती है।]

[पटाक्षेप]

दृश्य-6

स्थान : गोदावरी के समीप दंडकारण्य में समाधि-स्थल

समय : दोपहर 12 बजे

[तपस्वी शम्बूक तथा उनकी धर्मपत्नी तुंगभद्रा की समाधि पर श्रद्धांजलि अर्पित करने के लिए सभी शिष्य और लाखों आदिवासी नर-नारी, बाल तथा वृद्ध एकत्रित हैं।]

सेतू : भैया कुन्दन! गुरुवर के बाद न्यायप्रिय आदिवासी शिक्षक आचार्य लवणासुर जी यमुना नदी के किनारे 'मधुवन' बसाकर तपस्या करते हुए 'समाजोद्धारक समिति', 'सैनिक दल' और हम लोगों का नेतृत्व करते थे। उनका

वध भरत व शत्रुघ्न ने कर दिया है। अन्य कई समाज-सुधारक आदिवासी संतों तथा नेताओं का वध गुरुजी की भावी योजनाओं की सफलता में भारी बाधक है। मैंने पहले भी कहा था, अब हमारा नेतृत्व कौन करेगा?

कुन्दन : आप लोग घबराएँ नहीं। धैर्य से काम लें। सच्चे ईमानदार, त्यागी व लगनशील कार्यकर्ताओं का नेतृत्व करनेवाला कोई न कोई अच्छा नेता समय के साथ मिल ही जाता है। यह समय सोचने-विचारने, श्रद्धांजलि अर्पित करने का है। ज्ञानू के पीछे-पीछे सभी लोग एक लाइन में हो कर श्रद्धांजलि अर्पित करते हुए अपने-अपने घरों को शान्तिपूर्वक चले जाएँ।

[सबका श्रद्धांजलि अर्पित करते हुए प्रस्थान]

[पटाक्षेप]

[यवनिका पतन]

सन्दर्भ

हृष्टा खलु भविष्यन्ति रामस्य परमः स्त्रियः।
अप्रहृष्टा भविष्यन्ति स्नुषास्ते भरतक्षये॥ 12॥

[वाल्मीकि रामायण, अयोध्या कांड, सर्ग 8]

के अनुसार, मंथरा ने कैकेयी को उभारते हुए कहा कि राम के राजा बन जाने पर राम की स्त्रियाँ प्रसन्न होंगी।

वर कांचन केयूर मुक्ता प्रवर भूषणौः।
भुजै परम नारीणामभिमृष्टमनेकधा॥ 3॥

[वाल्मीकि रामायण, युद्ध कांड, सर्ग 21]

के अनुसार, राम द्वारा समुद्र का पुल बाँधने से पहले समुद्र तट पर प्रायोप्रवेशन के समय कविवर वाल्मीकि ने कहा कि अनेक नारियों (स्त्रियों) से सेवित राम की भुजा है, राम अपनी उस भुजा (बाँह) से तकिया लगाकर लेट गए।

अनुवाद— डॉ. रेवेरेड फादर कामिल बुल्के की थीसिस 'रामकथा' से उद्धृत।

[मिलने का पता—मोती राम बनारसी दास बुक सेलर, चौक, वाराणसी]

कुथास्तरणसंबीते राम: मनिषवादह।
सीतामादाय हस्तेन मधु मैरेयकं शुचि॥ 18॥

जैसे नरेन्द्र (इन्द्र), शचि (इन्द्राणी) को मधु (सुरा) पान कराते थे, उसी तरह मुझे (राम) ने सीता को हाथ से पकड़कर मेरय (शराब) का पान कराया॥ 18॥

पाययामास काकुत्स्थ: शचीमिव पुरन्दर: ।
मासानि च सुमृष्टानि फलानि विविधनि च॥ 19॥

उसी समय जो जो मेरे नौकर-चाकर थे, वे मेरे (या हमारे दोनों के) लिए मांस तथा नाना प्रकार के मधुर फल ले आए॥ 19॥

रामस्याभ्यवहारार्थ किंकरास्तूर्णमाहरन।
उपानृत्यश्य राजानं नृत्तगीतविशारदा: ॥ 20॥

नाचने और गानेवाले वहाँ आकर नाचने गाने लगे॥ 20॥

लाश्च स्पघत्यश्च स्त्रिय: पानवंशानुगता: ।
उपानृत्यन्त काकुत्स्थं नृत्यगीतिविशारदा: ॥ 21॥

उस समय नाचने-गाने में कुशल, बहुत-सी चतुर तथा रूपवती स्त्रियाँ, सुरा-मद से मस्त होकर मेरे निकट अपनी नृत्यकला का प्रदर्शन करने लगीं॥ 21॥

मनोऽभिरामा रामास्ता रामो रमयतां वर: ।
रमयामास धर्मात्मा नित्यं परमविभूषत: ॥ 22॥

दूसरों के मन को रिझानेवाले पुरुषों में श्रेष्ठ मैं (राम), उत्तम वस्त्राभूषणों से भूषित हुई उन मनोरम रमणियों के साथ रमण करता था॥ 21॥

'वाल्मीकि रामायण', उत्तर कांड, सर्ग 42, अनुवादक—डॉ. भदंत आनन्द कौसल्यायन, 'राम की कहानी, राम की जबानी' से उद्धृत।

[मिलने का पता—मंत्री, भिक्षुक निवास प्रकाशन, दीक्षाभूमि, नागपुर-10]

एकलव्य

एकलव्य

लेखक

पेरियार ललई सिंह

रामअवतार पाल

अशोक पुस्तकालय (रजि.)

झींझक, जिला—कानपुर,

उत्तर प्रदेश, भारत-209 302

अंडर पेरियार ललई सिंह चेरिटेबुल ट्रस्ट

84/172, झकरकटी, जी.टी. रोड

जिला—कानपुर, उत्तर प्रदेश, भारत-208 003

प्रथम बार

अम्बेडकर जयंती दिनांक—14 अप्रैल, 1963 ई.

प्रथम बार 1000 प्रतियाँ प्रकाशित

दूसरी बार सन् 1968 ई.

तीसरी बार सन् 1975 ई.

चौथी बार सन् 1980 ई.

पाँचवीं बार सन् 1985 ई.

छठी बार सन् 1990 ई.

सातवीं बार सन् 1993 ई.

मुद्रक

समाज-सेवक प्रेस,

360/192, मातादीन रोड, सआदतगंज

लखनऊ, उत्तर प्रदेश, भारत-226 003

महँगाई के कारण संशोधित

मूल्य : 8.50 रुपये

!! समर्पण !!

अमर शहीद
श्रद्धेय प्रवीणचन्द्रभंजदेव
आदिवासी महाराज बस्तर (म.प्र.)
की पुण्य स्मृति में
जो आजीवन दुखियों के दुःख को
दूर करने के लिए सतत प्रयत्न करते हुए,
श्री देवी जी का उत्सव मनाते समय
अनेक साथियों सहित
दिनांक 25 मार्च, सन् 1966 ईसवी को पंडित द्वारिका प्रसाद मिश्र,
कांग्रेसी मुख्यमंत्री मध्य प्रदेश के शासन काल में शहीद हुए।

—लेखकगण

दो शब्द

आज हमें पाठकों के हाथ में 'एकलव्य' नाटक प्रस्तुत करते हुए महान हर्ष का अनुभव हो रह है। मुझे आशा है कि नाटक प्रेमी इसे बड़े ही प्रेम से पढ़ेंगे और इसके उद्देश्य पर विशेष ध्यान देकर उसके अनुकरण करेंगे। साथ ही साथ इसके रंग मंचन का प्रबंध कर जनता के समक्ष इसे प्रस्तुत करेंगे।

महाभारत तथा किंवदंतियों के आधार पर नाटक महान पराक्रमी, उत्साही, स्वावलम्बी, स्वाध्यायी, लगनशील एवं दृढ़प्रतिज्ञ वीर धनुर्धर एकलव्य के सम्बन्ध में लिखा गया है। नाटक लिखने का एक मात्र उद्देश्य है कि मनुष्य 'एकलव्य' की ही भाँति अपने जीवन के सभी लक्ष्यों को स्वावलम्बी बनाकर पूरा करें।

नाटक के खेलने में कोई अड़चन नहीं हुई है।

नाटक की भाषा सरल व चलताऊ रखी गई है, जिससे नाटक सर्वसाधारण की समझ में आ सके। फिर भी यदि कहीं जटिलता आ गई हो तो लेखक-द्वय को क्षमा करते हुए अपनी सम्मति देने की कृपा करें।

यदि इस नाटक से रंचमात्र सुधार एवं समाज परिवर्तन हो सका तो हम अपने परिश्रम को सफल समझेंगे।

दिनांक—14 अप्रैल, 1968

—रामअवतार पाल

जगनपुर, रूरा, कानपुर, उ.प्र.

प्रकाशकीय सम्मति

यह नाटक इस मतलब से छापा गया है कि एक ओर तो छुआछूत न मानने का कानू बन गया है, मगर दूसरी ओर शूद्र-विरोधी पुरानी सड़ियल भारतीय सभ्यता वाल स्मृतियाँ 'रामायण', 'गीता' व 'महाभारत' आदि धनवानों और विदेशियों के खर्चे स सस्ती कीमत में हम लोगों को दिमागी गुलाम बनाने के लिए धड़ाधड़ छप रही है जिनका घनघोर प्रचार श्री करपात्री जी, श्री नारदानन्द जी तथा श्री प्रकाशवीर शास्त्र आदि कर रहे हैं। उसके अ-समतावादी कड़वे फल (ऊँच-नीचपन की बेइज्जती शूद्र समुदाय जातीय-उपजातीय फूट के कारण खा रहा है। हमें इस शूद्र-विघात आपसी फूट से सावधान रहना चाहिए।

सामाजिक बेइज्जती गरीबी से ज्यादा खटकती है। आर्थिक एवं राजनीतिव समानता सामाजिक बेइज्जती को दूर नहीं कर सकती हैं।

शासन भारतीय संविधान विरोधी उपरोक्त ग्रंथों के शूद्रता-प्रचारक अंशों को—ज राष्ट्रीय एकता नष्ट करते हैं—उन्हें छापना बन्द करावे।

शूद्र तथा महाशूद्र घोषित जन एकलव्य की तरह स्वावलम्बी बनकर अपन काम पूरा करें, मगर अँगूठा दान करने जैसी भारी भूल कभी न करें, क्योंकि ये स बड़े जालिम हैं, छलिया हैं।

आप सबक

दिनांक—17 दिसम्बर, 1963 ई.

—पेरियार ललई सिं

अशोक पुस्तकालय (रजि.), झींझक, (कानपुर

सम्मति

गीता में श्रीकृष्ण द्वारा वेदों और वेद-प्रतिपादित यज्ञों एवं भागवत में इन्द्र-यज्ञ बन्द कराकर गौ-पूजा का प्रचार करने इत्यादि से मनीषियों की धारणा है कि यदुवंशी कृष्ण गौरांग आर्य-जाति के न थे, किन्तु यह चाहते थे कि आर्य और मूलनिवासियों में किसी तरह मेल हो जाए। अहंकारी आर्य-क्षत्रिय मूलनिवासियों का पनपना बरदाश्त नहीं करते थे।

इसका यह ज्वलन्त उदाहरण है कि स्वयं धर्मराज युधिष्ठिर के भाईबन्द (अर्जुन) आदिनिवासी युवक 'एकलव्य' का अद्वितीय धनुर्धर होना सहन न कर सके और उन्होंने मचलकर आचार्य द्रोण द्वारा गुरु दक्षिणा में उसका दाहिना अँगूठा कटवा लिया तथा ब्राह्मण द्रोण का हृदय इस जघन्यतम क्रूर कर्म करते समय विदीर्ण नहीं हुआ।

लेखकों ने इस क्रूर-कथा का नाटक लिखकर रंगमंच पर उसका दृश्य सुलभ कर दिया है। इस नाटक में लेखकों ने तत्कालीन समाज का अच्छा चित्रण किया है।

तारीख—15 अक्टूबर, 1963 ई.

—चन्द्रिका प्रसाद 'जिज्ञासु'
360/193, मातादीन रोड
सआदतगंज, लखनऊ-3

सम्मति

...इन कहानियों द्वारा फैलाया गया (ऊँच-नीच, सवर्ण-अवर्ण तथा आर्य-आदिनिवासी) राष्ट्रघाती विष तभी दूर हो सकता है, जब वे लोग इसके विरुद्ध विद्रोह करें, जिन (शूद्रों) को दबाकर रखने के लिए ये गढ़ी गई थीं। इसी राष्ट्र-हित की दृष्टि से मैं इस 'एकलव्य' नाटक को एक बहुमूल्य रचना समझकर इसका स्वागत करता हूँ।

इसके पढ़ने से कथित सवर्ण और अवर्ण, दोनों को लाभ होगा। समझदार सवर्ण अपनी कल्पित उच्चता और शूद्र अपने को नीचतम समझने का कुत्सित विचार छोड़ देंगे। इससे समता और बन्धुता का पुनीत भाव विकसित होगा और भारत एक सुदृढ़ एवं सुसंगठित लोकतंत्र बन सकेगा।

...दलित, पीड़ित मानवता से आत्म-सम्मान के विचार जाग्रत करने के उद्देश्य से लिखे गए इस नाटक को ठीक समझता हूँ।

आशा है, सर्वहारा जनता में अच्छी लोकप्रियता प्राप्त होगी।

तारीख—17 सितम्बर, 1963 ई.

—संतराम, बी.ए.

प्रधान—जाति-पाँति तोड़क मंडल

पुरानी बस्ती, जिला—होशियारपुर (पंजाब)

सम्मति

'एकलव्य' नाटक शोषकों के पाखंडी व अत्याचारी राज्य में शोषितों को उच्च शिक्षा, उच्च शासन-पदों व अन्य राजनीतिक तथा आर्थिक प्रगतियों को प्राप्त करने से वंचित रखने के षड्यंत्रों का भंडाफोड़ करता है।

भारत के आदिवासी (अनार्यों) पर आक्रमण करके विदेश से आनेवाले आर्यों का भारत भूमि पर कब्जा कर लेना और भारत राष्ट्र के लिए मात्र ठेकेदार बनाकर 'उल्टा चोर कोतवाल को डाँटे' की कहावत चरितार्थ करना एक बड़ी दर्दभरी कहानी है, जिसे सुनना सम्भवतः शासक-शोषक वर्ग के ढोंगी नेता व प्रवक्ता चाहे वे प्रजातंत्र का राग अलापते हों या समाजवाद या कम्यूनिज्म या भारतीयता के तराने गाते हों, खुशी-खुशी पसन्द न करेंगे, मगर 'एकलव्य' नायक का चरित्र इस नाटक में वर्तमान भारत के वर्ग-संघर्ष का सही चित्र प्रस्तुत करता है।

शृंगवेरपुर के निषाद महाराज हिरण धनुष का एक मात्र राजकुमार अभियुद्यु न आर्यों के सैनिक-विद्या के गुरु श्री द्रोणाचार्य के पास अपने माता-पिता की इच्छा के विरुद्ध विद्याध्ययन की तीव्र आकांक्षा से प्रेरित होकर आता है और शूद्र होने के कारण द्रोणाचार्य के मुख से 'दूर हट बदमाश! धृष्ट! पतित! शूद्र होकर छू लिया मुझे, अपवित्र कर दिया!' सुनकर धक्के खाकर निकल जाने को विवश किया जाता है किन्तु वाह रे, शूद्र निषाद-राजकुमार अभय! तू अपने दृढ़ विचार व स्वाध्याय से, उक्त मानवता से दूर वर्ग व जाति-द्वेषमूलक आत्मा वाले आर्य-गुरु द्रोणाचार्य की ही प्रतिमा बनाकर, उसी प्रतिमा को गुरु मानकर श्रेष्ठतम बाण-विद्या सीख डाली, किन्तु मूर्खाधिराज निषाद-राजकुमार! तूने अपनी शूद्र-बुद्धि से ही काम लिया और उक्त अपनी जाति व वर्ग से द्वेष रखनेवाले द्रोणाचार्य को गुरु-दक्षिणा में अपने दाहिने हाथ का अँगूठा काट कर दान कर दिया ताकि उसका कोई शूद्र शिष्य चाहे जितना ही प्रतिभाशाली क्यों न हो, वह उसके एक आर्य शिष्य अर्जुन से आगे न बढ़ सके।

'अभय!' तुम 'एकलव्य' हो गए और द्रोणाचार्य जैसे आर्य-आचार्यों व अनार्य श्रीकृष्ण जैसे नेताओं की कुचालों के जालों में इतना फँसते गए कि अन्त में तुम्हारा व तुम्हारी जाति-वर्ग वालों का नाश उन शत्रुओं के हाथों हुआ, जिन्हें पराजित करने में तुम असमर्थ नहीं थे।

नाटककारों ने शूद्रों के प्रति उदारता व न्याय बरतनेवाले आर्य नेता 'दुर्योधन' की प्रशंसा की है। शूद्र-नेता 'एकलव्य' को उसका साथी बताया है।

'अर्जुन इत्यादि आर्यों से अवसरवादिता के कारण रिश्तेदारी सम्बन्ध हो जाने से आदिवासी अनार्य नेता बलदाऊ की समझ में इतनी खराबी आ गई कि वे अपने को आर्य ही समझने लगे।' अहीरों (पिछड़ी जाति वालों) का दिमाग इतना फिर गया कि वे आर्यों के विरुद्ध न लड़कर शोषित शूद्र नेता 'एकलव्य' से भिड़ गए। जैसे पिछड़ी जाति वाले अहीर, कुर्मी व लोध आदि तथा अनुसूचित आदिम व अन्य अल्पसंख्यक जातियों के नेता ग्राम-प्रधान, एम.एल.ए. तथा एम.पी. आदि के चुनावों में आपस में लड़ रहे हैं, वास्तव में उन्हें आपस में नहीं लड़ना चाहिए।

एकलव्य यादवों से युद्ध करके तबाह होकर 'जरा' नामक बहेलिया बन जाता है और दुर्योधन का विदूषक 'धनेष' फटे-चिथड़े पहने हुए 'एकलव्य' को देखकर अपने पुराने शूद्र-विरोधी विचार छोड़कर कहने लगता है—

'कौन पूछता है जाति-पाँति! नीच-ऊँच! छुआछूत! बस, एक ही बात मुँह से निकलती है—कुछ दे दो दाता। पेट का दिवाला निकला जाता है।'

चूँकि 'धनेष' एक खरा ब्राह्मण होकर भी शूद्र 'एकलव्य' की भाँति रोटी के एक-एक टुकड़े के लिए लालायित है, इसलिए वह स्मृति के आदेश 'उत्तम भोजन ब्राह्मण खाएँ, छटकन-फटकन शूद्र खाएँ' को भूल जाता है...।

अन्त में इसी 'जरा' नामधारी 'एकलव्य' के बाण से आर्यों के युग-प्रवर्तक नेता (जातिवादी) श्रीकृष्ण की मृत्यु होती है। गांधी, जवाहर या वर्ग-समन्वयवाद का क्या यही हाल होगा?

...शोषक-शोषित के वर्ग-संघर्ष में अपनी सही भूमिका अदा करें, गुमराह न हों।

तारीख—14 नवम्बर, 1963 ई.

—दीप नारायण सिंह
एडवोकेट, एम.ए., एल.एल.बी., एम.एल.ए.
प्रकाश-विकास-निवास सादीपुर खुर्द
फतेहपुर, उत्तर प्रदेश

पाठकों के कर्तव्य

1. गुरु द्रोण एवं उनके शिष्यों—धनेश व युधिष्ठिर—ने जिस प्रकार वीर धनुर्धर एकलव्य का जातीय (नस्लीय) अपमान सामन्तीयुगीन भूतकाल में किया था, उसी प्रकार इस स्वतंत्र युग में भी अपने बच्चों का अपमान प्रतिदिन विद्यालयों में होता है, जिसे आप टुकुर-टुकुर चुपचाप देखते रहते हैं। यह बात आप व हम सबके लिए बड़े ही शर्म की है।

इन बच्चों की ऐसी बेइज्जती भविष्य में न हो, इसकी सरल तरकीब यही है कि आप अपने बच्चों के हृदय में संवैधानिक समता के स्वभाव की भावना हर प्रकार से जाग्रत कर दें। ऐसे जाग्रत स्वाभिमानी नर-नाहर विद्यार्थी के सबल मनोबल का सामना करना जालिम के बस के बाहर की बात हो जाए।

अज्ञानी को रस्सी साँप के रूप में, किन्तु ज्ञानी को रस्सी केवल रस्सी के ही रूप में दिखाई देती है।

2. स्वाध्यायी, स्वाभिमानी एकलव्य ने स्वतः विशेष धनुर्विद्या सीखी। छल की भावना वाले गुरु द्रोण को दक्षिणा में अँगूठा माँगने का कोई अधिकार नहीं था। अदूरदर्शी एकलव्य ने कल्पित जातीय गरिमा एवं अन्धविश्वासी गुरु-भक्ति के कारण अँगूठा दान में देकर धोखा खाया। अपना सर्वनाश किया।

3. आज की मौजूदा परिस्थिति में अपने हको-हकूक के लिए हथियार रूप में देने योग्य मात्र एक ही वस्तु है, वह है आपका कीमती वोट। उसे देने में एकलव्य की तरह धोखा न खाएँ।

अतः अब आप अपने कीमती वोट उसी व्यक्ति को दें, जो आपकी व आपके समाज के हित की हर प्रकार से रक्षा कर सके।

धन्यवाद!

दिनांक—1 जनवरी, 1975

—राव महेन्द्र सिंह

हरिनगर, कंचौसी, जिला—इटावा, (उ.प्र.)

पात्र-परिचय

पुरुष-पात्र

1.	हिरण धनुष	:	एकलव्य के पिता, शृंगवेरपुर के महाराजा
2.	एकलव्य	:	बचपन का नाम 'अभियुद्यु न'। बुढ़ापे का नाम 'जरा'
3.	गिरिवीर	:	प्रधानमंत्री
4.	रणवीर	:	प्रधान सेनापति
5.	द्रोणाचार्य	:	कौरवों एवं पांडवों के गुरु
6.	युधिष्ठिर	:	पांडव राजकुमार
7.	अर्जुन	:	पांडव राजकुमार
8.	भीम	:	पांडव राजकुमार
9.	दुर्योधन	:	कौरव राजकुमार
10.	दुःशासन	:	कौरव राजकुमार
11.	विकर्ण	:	कौरव राजकुमार
12.	धनेष	:	(विदूषक) राजकुमारों का सहपाठी व दुर्योधन का मित्र
13.	श्रीकृष्ण	:	द्वारिकापुरी (आभीर प्रदेश) के महाराजा
14.	प्रतिहारी, दूत एवं अन्य व्यक्ति		

स्त्री-पात्र

1.	सुलेखा	:	एकलव्य की माता। शृंगवेरपुर की महारानी
2.	सुनीता	:	(रेणुका)—एकलव्य की पत्नी
3.	नान्दी	:	सुलेखा की बाँदी। बाद को सुनीता की बाँदी

प्रथम अंक

दृश्य-1

स्थान : श्रृंगवेरपुर में राज्यसभा
समय : मध्याह्न से पूर्व

[महाराज हिरण धनुष सिंहासनारूढ़ हैं। बाईं ओर महामात्य गिरिवीर और दाईं ओर प्रधान सेनापति रणवीर बैठे हैं। परस्पर विचार-विनिमय कर रहे हैं।]

हिरण धनुष : प्रधानामात्य! उत्तर भारत के शासक आर्य बहुत बलशाली हो चुके हैं और अनार्य शासकों की शक्ति दिन-प्रतिदिन क्षीण होती जा रही है, क्योंकि दक्षिण भारत की यह भूमि उतनी उपजाऊ नहीं, जितनी उत्तर भारत की मैदानी भूमि।

गिरिवीर : *(अभिवादन करके)* अवश्य, महाराज! अनार्य शासकों की इस क्षीण होती हुई दशा का स्मरण कर मेरा हृदय काँप उठता है। एक तो इन आर्यों ने हमें उस उर्वरा भूमि से पठारी भूमि की ओर पहले से ही खदेड़ रखा है; दूसरे, यहाँ भी कुशल से नहीं रहने देते। आए दिन आर्यों के आक्रमणों, लूट-पाट और भयंकर नर-संहार ने हमें जर्जर बना दिया है।

हिरण धनुष : हजारों वर्षों से युद्ध करते-करते हम लोग थक गए हैं। इतिहास साक्षी है कि जब से उन आर्यों ने सिन्धु प्रदेश पर आक्रमण कर अधिकार किया, तब से आज तक हमारे पूर्वज और हम एक दिन भी चैन की साँस नहीं ले पाए हैं। उस समय हमारे पूर्वजों ने कितनी महान भूल की थी, जिसका दुष्परिणाम हमें आज तक भुगतना पड़

रहा है। यदि समकालीन भारतीय आदिनिवासी शासकों ने उन आर्यों की मीठी-मीठी बातों में फँसकर उन्हें शरण न दी होती और वर्ण-व्यवस्था, स्वर्ग-नरक और पुनर्जन्म की इस धोखे वाली योजना को स्वीकार न किया होता, तो ये दुर्दिन देखने को न मिलते।

गिरिवीर : *(विनम्र भाव से)* क्षमा करें, अन्नदाता! यदि भारतीय शासकों ने पारस्परिक वैमनस्य की भावना को भुलाकर इन चालाक लुटेरों का प्रतिकार किया होता, तो अतिथि बनकर आनेवाले ये दस्यु हमारे घर के हिस्सेदार न बन जाते।

हिरण धनुष : तुम ठीक कहते हो, प्रधानामात्य! वैमनस्यता ने ईर्ष्या का रूप धारण कर लिया और जब आर्यों ने शुरू-शुरू में सेना का संगठन किया, तब हमारे ही कुछ लोगों ने स्वार्थवश उन्हें आर्थिक सहायता भी दी, जिससे उनके हौसले बढ़े। साथ ही साथ उन्होंने हमारी आपसी फूट का लाभ उठाने का अच्छा अवसर पाया। धीरे-से उन्होंने हमारे हित-चिन्तक होने का दावा किया और मंत्री बन बैठे। हमारे पूर्वजों ने भी उनके मंत्रित्व को स्वीकार कर लिया, फिर...।

रणवीर : अन्नदाता! फिर क्या था? फिर तो उनकी गाड़ी के दोनों पहिए लुढ़क चले। प्रथम तो अपनी बनाई हुई वर्ण-व्यवस्था द्वारा हमें नीच घोषित करना प्रारम्भ कर दिया और दूसरे अवसर पाकर निर्बल शासकों पर आक्रमण करना भी प्रारम्भ कर दिया।

हिरण धनुष : और दूसरों ने उन निर्बल राजाओं की सहायता करना अनुचित समझा।...भला क्यों न समझते? आपसी अनबन से भाईचारे को स्थान कहाँ? उस समय तो विवेक नष्ट हो जाता है। लोग भविष्य पर ध्यान न देकर अपने भाई की पराजय पर प्रसन्न होते हैं।

गिरिवीर : श्रीमान् जी! यही तो हुआ। जब आर्यों ने सिन्ध के शासक पर आक्रमण कर उसे पराजित किया तो दूसरे राजा लोग प्रसन्न हुए। द्वेष-भावना के कारण सिन्धेश की सहायता नहीं की, जिसका परिणाम यह हुआ कि मोहेनजोदड़ो और हड़प्पा जैसे उद्योगशील एवं वैभवशाली नगर हाथ

से चले गए। बस फिर क्या था? उनकी नींव गहरी पड़ गई और उन्होंने हमें अपना शत्रु घोषित कर युद्ध की घोषणा कर दी।

हिरण धनुष : *(झुँझलाकर)* तब भी हमारे उस बुद्धिहीन पूर्वजों ने अपनी-अपनी डफली, अपना-अपना राग अलापा। यदि वे ऐसा न करते और एक सूत्र में बँधकर शत्रुओं का सामना करते तो अवश्य ही दुश्मनों को मुँह की खानी पड़ती, लेकिन उन्होंने ऐसा करने के बजाय एक-एक कर पराजित होना स्वीकार किया।

रणवीर : *(विनम्र भाव से)* किन्तु अब निषादराज को उन पूर्ववर्ती कृत्यों पर पश्चात्ताप करने से क्या लाभ होगा? हमें भविष्य में ठोस कदम उठाने के लिए किसी उपयोगी योजना का सूत्रपात करना चाहिए, क्योंकि आज भी तो इन आततायियों के आए दिन होनेवाले आक्रमणों से हमारे शान्त वातावरण में अशान्ति का ज्वार-भाटा आया-जाया करता है।

हिरण धनुष : ठीक कहते हो सेनापति! यदि हम आज भी सचेत होकर अपनी सामाजिक, आर्थिक एवं राजनीतिक स्वतंत्रता की रक्षा न कर पाए, तो हमारी अगली पीढ़ियाँ हमें उसी प्रकार धिक्कारेंगी, जिस प्रकार हम आज पुरानी पीढ़ियों को धिक्कार रहे हैं। इसलिए, महामंत्री! मेरी यह इच्छा है कि श्रृंगवेरपुर में एक विशाल सम्मेलन का आयोजन किया जाए और उसमें समस्त द्रविड़ राजाओं को आमंत्रित कर इस विषय पर विचार-विमर्श किया जाए।

गिरिवीर : *(हाथ जोड़कर)* निषादराज का यह विचार अत्यन्त महान है। यदि सभी एकमत होकर एक विशाल सेना का संगठन कर इनका प्रतिकार करें तो अवश्य ही खोया हुआ साम्राज्य पुनः प्राप्त हो सकता है।

[सहसा प्रतिहारी का प्रवेश]

प्रतिहारी : अन्नदाता की जय हो!

हिरण धनुष : कहो प्रतिहारी, क्या कहना चाहते हो?

प्रतिहारी : महाराज! उत्तरी पहाड़ी के पीछे वाली निषाद-गढ़ी से आया हुआ दूत श्रीमन्त की सेवा में उपस्थित होना चाहता है।

हिरण धनुष : जाओ, उसे भेज दो!

प्रतिहारी : *(हाथ जोड़कर)* जो आज्ञा।

[प्रस्थान]

[निषाद-गढ़ी से आए दूत का प्रवेश]

दूत : *(हाथ जोड़कर)* महाराज के जीवन की जय जयकार!

महाराज : बड़ा ही अनर्थ हो रहा है। आर्यों के अत्याचार दिन-प्रतिदिन बढ़ते चले जा रहे हैं, जिससे आतंकित प्रजा महाराज से रक्षा की कामना करती है।

हिरण धनुष : तुम इतना घबराए हुए क्यों हो? अभी निषादराज का पौरुष थका नहीं है और न उसके तीखे बाणों की नोक ही कुंठित हुई है। प्रत्येक परिस्थिति में प्रजा की रक्षा की जाएगी। कहो, तुम क्या कहना चाहते हो? अपनी बात को इस राजसभा में स्पष्ट करो।

दूत : महराज! उत्तरी पहाड़ी के पीछे वाली निषाद-गढ़ी पर आज आर्यों ने आक्रमण कर दिया है। बड़ी निर्दयता से मार-पीट और लूट-पाट की है, जिससे प्रजा घबरा उठी है।

रणवीर : *(क्रोधित होकर)* महाराज! शीघ्र ही मुझे आज्ञा दी जाए, जिससे मैं सेना सहित जाकर उन अत्याचारियों का दमन कर सकूँ।

हिरण धनुष : मैं तुम्हें आदेश देता हूँ कि तुम इसी समय जाकर उन शत्रुओं का दमन करो। प्रजा में किसी प्रकार का असन्तोष न होने पावे।

रणवीर : जो आज्ञा। *(हाथ जोड़कर प्रणाम करते हुए प्रस्थान)*

[दूत का भी हाथ जोड़कर प्रणाम करते हुए प्रस्थान]

हिरण धनुष : प्रधानामात्य! जाकर युद्ध के लिए अस्त्र-शस्त्र, भोजन व वस्त्रादि का समुचित प्रबन्ध करो, जिससे उन दुर्दान्त दस्युओं के सामने हमारे नौजवान सैनिकों के हौसले सदैव बढ़ते रहें।

गिरिवीर : जो आज्ञा!

[हाथ जोड़कर प्रणाम करते हुए प्रस्थान]

हिरण धनुष : *(अकेले ही चलते-चलते)* जब तक इन आक्रामक आर्य-साँपों को सदा के लिए न कुचल दिया जाए,

तब तक वे यों ही समय-असमय पर फन उठाकर खड़े होते रहेंगे। अस्तु हमें अब की बार ही उन्हें समूल नष्ट कर देना है।

[प्रस्थान]

[पटाक्षेप]

दृश्य-2

स्थान : शृंगवेरपुर में शिव मन्दिर
समय : सायंकाल

[निषादराज हिरण धनुष, महामंत्री गिरिवीर तथा कुछ ग्राम-प्रतिनिधि आदिदेव शिव के मन्दिर में पूजा कर चुकने के पश्चात् प्रार्थना कर रहे हैं।]

सभी—

आज तुम्हारे मन्दिर में हम एकसूत्र में बँधने आए हैं।
स्वदेश प्रेम की पी आसव, मर मिटने का ध्येय बनाए हैं॥
है अपार शक्ति सबके तन में, उर तंत्रिका झनझना उठी।
फड़क उठी बाँहें हम सब की, तलवारें स्वयं खनखना उठीं॥
फिर बोल उठे सभी जय जय जय शिव शंकर की।
गूँज उठे भारत में क्रान्ति ध्वनि हर हर बम बम की॥

[सभी चुप हो जाते हैं।]

हिरण धनुष : भगवान शंकर की जय! शिव शम्भो की जय!! द्रविड़ देवता महादेव की जय!!! *(कुछ देर मौन रहने के पश्चात्)* भगवान शंकर! सदियों से आर्यों के आतंक से आतंकित हम सभी आज आपके मन्दिर में आपको साक्षी बनाकर एक-सूत्र में बँधने की प्रतिज्ञा करते हैं। आपकी स्वदेश प्रेम की शिक्षा से प्रेरित होकर हम सभी आर्यों के विरोध में सदा एक सूत्र में बँध कर उनका प्रतिकार करना ही अपने भावी जीवन का लक्ष्य निर्धारित करते हैं।

पहला ग्रामीण प्रतिनिधि : *(हाथ जोड़कर)* भुवनपति शंकर! हम सब लोग देश प्रेम में डूबे हुए हैं, जैसा कि आपका सदुपदेश है।

दूसरा ग्रामीण प्रतिनिधि : और देश की सुरक्षा के लिए तन-मन-धन से अपने जन-नायक का सहयोग देने के लिए तैयार हैं।

गिरिवीर : हम आदिदेव शंकर के समक्ष प्रण करते हैं कि देश की स्वतंत्रता पर किसी प्रकार की आँच आने के समय एक-एक द्रविड़ सपूत स्वाधीनता की बलिवेदी पर बलिदान हो जाएगा।

हिरण धनुष : गिरिवीर! पूजा कार्य समाप्त हो चुका है, चलकर राज्य कार्य देखना चाहिए। प्रजा-प्रतिनिधियो! आप लोग जाकर प्रजा में इस बात का संवाद कहो कि वह शान्तिपूर्वक उत्पादन कार्य में संलग्न रहे, जिससे किसी प्रकार भी राष्ट्र निर्बल न होने पाए। उनका यह कार्य ही देश-प्रेम का सच्चा प्रतीक होगा।

पहला ग्रामीण प्रतिनिधि : महाराज! हम लोग सदा प्रजा में सच्चे देशानुराग की भावना भरा करते हैं और फिर युद्ध काल में तो हमारा एकमात्र लक्ष्य यही है।

दूसरा ग्रामीण प्रतिनिधि : हमने प्रजा को यह विश्वास दे रखा है कि उनकी रक्षा के लिए हमारे निषादराज प्रत्येक सम्भव प्रयत्न करेंगे।

हिरण धनुष : प्रजा प्रतिनिधियो! आप लोगों के इन वचनों का अक्षरशः पालन किया जाएगा। चाहे मुझे कोई भी मूल्य क्यों न चुकाना पड़े।

पहला ग्रामीण प्रतिनिधि : महाराज, हम लोगों को जाने की आज्ञा दीजिए जिससे...

हिरण धनुष : जाओ! आप सब लोग जाओ! मैं आप लोगों पर और अपनी प्यारी प्रजा पर बहुत प्रसन्न हूँ। मुझे सबकी सुख-शान्ति का पूरा-पूरा ध्यान है।

दोनों ग्रामीण प्रतिनिधि : *(हाथ जोड़ प्रणाम करते हुए)* जो आज्ञा महाराज! *(दोनों का प्रस्थान)*

हिरण धनुष : चलो, चलकर कुछ मंत्रणा करनी है, गिरिवीर क्योंकि अब मुझे आठों याम एक ही धुन सवार है। चिन्ता ने मेरे ऊपर अधिकार जमा रखा है। जब तक मेरी मनोकामना पूर्ण नहीं होती, तब तक मुझे चैन नहीं।

गिरिवीर : अन्नदाता, मैं भी यही लक्ष्य कर रहा हूँ कि इस समय आप घोर चिन्ता में डूबे हुए हैं, किन्तु आप इतने अधीर न हों। आपकी मनोकामना अवश्य पूर्ण होगी। हमारे राज्य का एक-एक व्यक्ति देशानुराग की आसव पी चुका है। वह किसी समय भी देश-हित के लिए अपना सर्वत्र बलिदान करने में न हिचकेगा। आपका मन व्यथित हुआ-सा जान पड़ता है। अस्तु, चलकर कुछ देर विश्राम करें। तदुपरान्त वार्ता होगी।

हिरण धनुष : चलो चलें।

[दोनों का प्रस्थान]

[पटाक्षेप]

दृश्य-3

स्थान : श्रृंगवेरपुर में राज्यसभा
समय : प्रातः 9 बजे

[निषादराज और गिरिवीर बैठे निषाद-गढ़ी के युद्ध के सम्बन्ध में बातचीत कर रहे हैं।]

गिरिवीर : *(खड़े होकर, दोनों हाथ जोड़कर)* महाराज, क्षमा करें! आज भी आपके मुखारबिन्दु पर प्रसन्नता की झलक नहीं दिखाई पड़ रही है। चिन्ता की रेखाएँ पूर्ववत् ज्यों की त्यों विद्यमान हैं, अन्नदाता! हम सब लोग आपकी इच्छानुसार कार्य करने के लिए उद्यत हैं। आप अपनी इस चिन्ता का परित्याग कर दें। जो भी आज्ञा प्रसारित की जाएगी, उसका पूर्णतया पालन किया जाएगा।

हिरण धनुष : यह तो ठीक है गिरिवीर! हम भी यही चाहते हैं कि किसी प्रकार हम इस चिन्ता से छुटकारा पा सकें, किन्तु जितना हम इससे बचना चाहते हैं, उतना ही फँसते चले जा रहे हैं।

गिरिवीर : ऐसा जान पड़ता है कि चिन्ता का यही सिद्धान्त है कि जितना लोग उससे बचने का प्रयत्न करते हैं, उतना ही सराबोर होते जाते हैं, किन्तु फिर भी आप शीघ्रातिशीघ्र

इससे छुटकारा पाने का प्रयत्न करें, अन्यथा चिन्ता का स्वास्थ्य पर घातक प्रभाव पड़ेगा।

हिरण धनुष : महामात्य, इन आर्यों ने हम लोगों से मिलकर हमारे समक्ष अपने को भोला-भाला प्रदर्शित कर हमसे ही युद्ध-कला आदि विद्याएँ सीखीं, हमने उनके भोले स्वाभाव को देखकर निष्कपट भाव से उन्हें युद्ध-कला आदि के प्रत्येक दाँव-पेंच बता दिए, किन्तु पूर्ण विद्वान हो जाने पर ये चालाक बन्दर ठौर पर ही उल्टी कला लगा गए और उन्होंने हमारे हथकंडे तथा अपने हथकंडों को मिलकर अपने को श्रेष्ठ सिद्ध कर शिष्य के स्थान पर गुरु होने की घोषणा कर दी। अब हम क्या करते? हाथ मल-मल कर पछताने लगे।

गिरिवीर : दीन दयाल! आज भी पछता रहे हैं।

हिरण धनुष : किन्तु पछताने से क्या होता है? हमें पुरुषार्थी बनकर प्रत्येक समस्या का निदान सोचना चाहिए। गिरिवीर, एक ऐसी योजना तैयार करो, जिससे दस-बीस द्रविड़ *(निषाद-मल्लाह, गोंड, भील, महार व सन्थाल)* आदि नौजवान उनके युद्ध-कला के विभिन्न आचार्यों से युद्ध कौशल सीख सकें। बस! इतने से ही समस्या का आधा भाग हल हो जाएगा।

गिरिवीर : आपका विचार तो अति उत्तम है महाराज! परन्तु ये आर्य बड़े ही चतुर व चालाक हैं। वे किसी भी मूल्य पर द्रविड़-पुत्र को युद्ध-कला सिखाने के लिए तैयार न होंगे। लेकिन फिर भी चालाकों के साथ चालाकी खेली जाएगी। शायद योजना सफल हो जाए।

हिरण धनुष : हाँ, अगर हम लोग इस कार्य में सफल हो गए तो अवश्य ही हम उन पर विजय प्राप्त कर सकेंगे।

[अभय का प्रवेश]

अभय : *(हाथ जोड़कर)* पिता श्री और चाचा जी की जय!

[अभय एक आसन पर बैठ जाता है]

हिरण धनुष : चिरंजीवी हो वत्स! आज तुम पाठशाला से जल्दी कैसे आ गए अभय? आज तो तुम्हारी परीक्षा का दिन था।

अभय : *(हाथ जोड़कर)* आज हमारी परीक्षा का दिन था। परीक्षा समाप्त हो गई है। मैं अपने समस्त साथी विद्यार्थियों में

प्रथम उत्तीर्ण हुआ हूँ। वही शुभ-संवाद पिताश्री को सुनाने आया हूँ।

गिरिवीर : अभय! मैं तुम्हारी लगनशीलता और चातुर्य पर अत्यन्त प्रसन्न हूँ। अभी तुम अपने में और प्रवीणता लाने का प्रयत्न करो, जिससे सुयोग्य शासक के उत्तराधिकारी बनकर देश का उद्धार कर सको।

अभय : चाचा जी! अभी मुझे धनुर्विद्या पर पूर्ण सन्तोष नहीं है। मैं इससे भी अधिक इस विद्या को सीखने का अभिलाषी हूँ।

[निषादराज की ओर झुक कर हाथ जोड़ते हुए]

: पिता श्री! आप मुझे बाहर जाकर बाण विद्या एवं अन्य रण-कौशल सीखने की अनुमति दें।

हिरण धनुष : राज-गुरु से तूने प्रशिक्षण प्राप्त की है, अभय! अब इससे अधिक रण कला में कुशल पंडित तुझे कहाँ मिल जाएगा? यहाँ घर में रहकर ही नित्य अपने अभ्यस्त हाथों को माँजा कर और कभी-कभी वन में जाकर आखेट किया कर, परन्तु घने जंगल में न जाना, क्योंकि वहाँ मार्ग भूल जाने का भय है।

और सुन अभय! तू अभी तक अपनी माता के पास नहीं गया? जा, तू भूखा होगा। तेरी माँ प्रतीक्षा कर रही होगी।

अभय : अवश्य पिताश्री! अभी मैं माताश्री के पास नहीं गया हूँ, शिक्षालय से सीधा आपके ही पास चला आया हूँ। अस्तु इसके पूर्व कि मैं माताश्री के चरणों के दर्शन करूँ, आप मुझे बाहर जाकर युद्ध विद्या सीखने की अनुमति दें।

हिरण धनुष : वत्स! तू यहीं रहकर अभ्यास कर। बाहर कहाँ जाएगा?

अभय : पिताश्री! मैंने सुना है कि युद्ध-कला में भारत के सर्वश्रेष्ठ विद्वान आचार्य द्रोण आजकल हस्तिनापुर में राजकुमारों को दीक्षा दे रहे हैं। मैं वहीं उन्हीं राजकुमारों के साथ प्रशिक्षा प्राप्त करना चाहता हूँ।

हिरण धनुष : नहीं वत्स! तुम हस्तिनापुर न जाओ। द्रोणाचार्य तुम्हें कभी भी शिक्षा देने के लिए तैयार नहीं होंगे, क्योंकि वे आर्य आचार्य हैं। हम अनार्यों और आर्यों की शत्रुता चल रही है।...

तू कितना पागल है अभय! भला कोई समझदार व्यक्ति साँप को दूध पिला कर मोटा करता है?

अभय : नहीं पिताश्री! किन्तु आप मुझे हस्तिनापुर जाने की अनुमति दें। मुझे विश्वास है कि वे मुझे अपना शिष्य बनाना स्वीकार करेंगे।

हिरण धनुष : अभय, तू नहीं जानता। आर्यों ने हमें शूद्र घोषित कर रखा है। वे हमसे घृणा करते हैं। भला जो व्यक्ति हमें नीच समझकर हमसे घृणा करेगा, वह हमारे पुत्र को शिक्षा क्यों देगा?

अभय : पिताश्री! आप इस बात की चिन्ता न करें। मैं वहाँ पहुँच कर उन्हें पटा लूँगा। मुझे विश्वास है कि वे मुझे विमुख नहीं लौटावेंगे।

गिरिवीर : राजन्! अपराध को क्षमा करें। यदि राजकुमार की यही इच्छा है तो उसे जाने दीजिए। राजकुमार को सबसे श्रेष्ठ युद्ध-कुशल होना चाहिए, जिससे हम अपनी भावी योजना सफल बना सकें।

हिरण धनुष : गिरिवीर! यदि तुम्हारी यही सम्मति है तो राजकुमार को अनुमति है, किन्तु इसके पूर्व इसे अपनी माता से भी अनुमति लेनी होगी। यदि वह अनुमति दे दें तो जा सकता है। अभय! तू अपनी माँ के पास जाकर आज्ञा ले ले।

अभय : मैं माताश्री से आज्ञा ले लूँगा। *(अभय का प्रणाम करते हुए प्रस्थान)*

[प्रतिहारी का प्रवेश]

प्रतिहार : अन्नदाता की जय हो! सेनापति का भेजा हुआ दूत महाराज की सेवा में उपस्थित होना चाहता है।

हिरण धनुष : उसे आने दो।

प्रतिहारी : जो आज्ञा महाराज। *(अभिवादन करते हुए प्रस्थान)*

[दूत का प्रवेश]

दूत : *(अभिवादन करते हुए)* महाराजाधिराज की जय हो! सेनापति ने समाचार भेजा है कि वे 'विजयश्री' के साथ कल दोपहर तक राज्यसभा में उपस्थित हो जाएँगे।

हिरण धनुष : महामंत्री! मैं पूछने ही वाला था युद्ध-समाचार। तब तक संवाद-वाहक ने यह मांगलिक सूचना दी। जाओ, इसे पुरस्कार दो।

गिरिवीर : जो आज्ञा महाराज।

[प्रणाम करते हुए दोनों का प्रस्थान]

हिरण धनुष : *(एकाकी)* पुनः आर्यों को मुँह की खानी पड़ी, किन्तु ये तो इतने हठीले हैं कि बार-बार हार कर भी हिम्मत नहीं हारते।

फिर भी देखा जाएगा, कब तक ये लोग सर उठाते रहेंगे?

[प्रस्थान]

[पटाक्षेप]

दृश्य-4

स्थान : श्रृंगवेरपुर का अन्तःपुर

समय : सायं 4 बजे

[अन्तःपुर में महारानी सुलेखा कुछ चिन्तित मुद्रा में बैठी हैं। पास ही बाँदी नान्दी खड़ी है।]

सुलेखा : नान्दी! आज चार दिन बीत चुके हैं, परन्तु...।

नान्दी : *(हाथ जोड़कर)* परन्तु क्या महारानी? यह सब मेरी समझ में भी नहीं आ रहा है। न जाने क्यों चार दिन से आप अधिक चिन्तित और व्यग्र रहती हैं? अभय भी खिन्न-सा दिखाई पड़ता है।

सुलेखा : अभय की मूर्खता के कारण ही तो मेरी...।

नान्दी : महारानी! राजकुमार से कौन-सा अपराध हो गया है? वह अपनी परीक्षा में प्रथम श्रेणी में उत्तीर्ण हुए हैं। यह समाचार सुनकर आजकल सभी आदिनिवासी प्रसन्न हैं। महाराज भी प्रसन्न होकर सेवक-सेविकाओं को पुरस्कार दे रहे हैं। सामन्त और सभासद् राजकुमार को गोद में लेकर पुचकारते दृष्टिगोचर हो रहे हैं, किन्तु आपके मुखारबिन्दु पर...। महारानी! यदि अनजाने में

अभय से कोई भूल हो गई हो तो आपको क्षमा कर देना चाहिए।

सुलेखा : क्या कहती है, क्षमा कर देना चाहिए?

नान्दी : हाँ, महारानी! ये तो बालक हैं। इनसे भूल हो सकती है, किन्तु इतना क्रोध नहीं करना चाहिए। आपके गुस्से को देखकर राजकुमार भी सशंकित रहते हैं। उनके चेहरे पर सर्वदा मलिनता छाई रहती है।

सुलेखा : यही मलिनता मेरी व्यग्रता का कारण है, नान्दी। भरसक प्रयत्न किया। पीटा, पुचकारा और दुलराया, किन्तु हठीला अभय अपनी हठ पर अडिग है।

नान्दी : हठ करना तो मानो राजकुमार के जीवन का पहला काम है। जिस बात पर हठ करता है, उसे पूरा किए बिना नहीं मानता। मैंने बुढ़ापे तक के इस जीवन में इतना हठीला बालक कहीं नहीं देखा। उसकी बचपन की आदत अब तक नहीं बदली।

सुलेखा : किन्तु अब अभय बालक नहीं है। अब उसको हठ करना उचित नहीं है। वह सयाना हो गया है। प्रत्येक काम सोच-समझकर करना चाहिए।

नान्दी : किस बात की हठ किए हैं अभय?

सुलेखा : तुझे नहीं ज्ञात, नान्दी?

नान्दी : महारानी, मुझे इस विषय में नहीं मालूम।

सुलेखा : जबसे अभय परीक्षा देकर आया है, तबसे वह उच्चतर शिक्षा प्राप्त करने के लिए हस्तिनापुर जाने के लिए व्याकुल है।

नान्दी : *(चौंककर)* हस्तिनापुर! राजकुमार आज तक एक दिन के लिए घर छोड़कर बाहर नहीं गया। भला वहाँ कैसे रह सकेगा?

सुलेखा : रहने की बात तो पीछे है, नान्दी! वहाँ तो भेजना ही मेरे बस के बाहर है। भला जान-बूझकर हम क्यों अभय को कष्टों की उस अन्धी कोठरी में बन्द कर दें? मैं तो समझती हूँ।...

नान्दी : कोई भी माता-पिता इतने निर्मोही नहीं होते, जो अपने पुत्र को कष्टों के खन्दक में ढकेल दें, परन्तु महारानी जी! राजकुमार को भविष्य में सुयोग्य शासक बनाने के

लिए उच्चतर शिक्षा की अवश्य आवश्यकता है, जो हर प्रकार के कष्ट सहकर दिलाया जाना उचित है।

[सहसा राजकुमार अभियुद्यु न का प्रवेश।]

[अभय माताश्री को अभिवादन कह एक ओर खड़ा हो जाता है।

मुखारबिन्दु पर मलिनता का साम्राज्य है। इसीलिए शान्त रहता है। सुलेखा उसे गले लगा लेती है।]

सुलेखा : चिरंजीव हो, वत्स। चार दिन से तेरे मुखारबिन्दु पर खिंची ये चिन्ता की रेखाएँ तेरी व्यग्रता का कारण बन गई हैं। तू अपना हठ छोड़ दे, अभय।

अभय : माताश्री! आपका कहना उचित है, किन्तु आपकी ममता मेरे भविष्य के लिए अहितकर सिद्ध होगी।

सुलेखा : नहीं अभय! अब तू पर्याप्त शिक्षा ग्रहण कर चुका है। मैं तुझे बाहर जाकर कष्ट नहीं भोगने दूँगी।

अभय : नहीं माँ! आप मेरे कष्ट की चिन्ता त्याग कर मुझे आज्ञा दीजिए।

सुलेखा : वत्स! मैं जान-बूझकर तुझे कष्टों के झमेले में नहीं पड़ने दूँगी। अभी तो तेरी खेलने-खाने की अवस्था है, कष्ट भोगने की नहीं। इसलिए तू अपनी विचारधारा बदल दे। अभी तुझे कौन-सी चिन्ता पड़ी है? खेलो-खाओ और आनन्द करो।

अभय : माताश्री, आप भूल कर रही हैं। आपकी यह भूल मेरे जीवन के लिए वरदान नहीं, श्राप सिद्ध होगी। आपकी यह ममता मेरे भविष्य को नष्ट कर देगी। आपकी यह इच्छा मुझे केवल कुछ दिनों के कष्ट से बचा कर जीवन-पर्यन्त कष्ट सहने के लिए बाध्य कर देगी।

सुलेखा : नहीं अभय! माता का हृदय कभी अपने पुत्र के भविष्य को काला कर कष्ट सहने के लिए बाध्य नहीं करता और न उसकी ममता ही वरदान के स्थान पर श्राप सिद्ध होती है। केवल तुम्हारी तीव्र जिज्ञासा तुम्हें भ्रमित किए है। तुम मेरी बात मान कर घर बैठो, बेटा। दुख की खीर से सुख की खिचड़ी अच्छी होती है। न जाने किसने तुझे बहका दिया है। राज-प्रासादों का-सा सुख भला निर्जन वनों में कहाँ से प्राप्त हो जाएगा?

अभय : मुझे राज-प्रासादों का सुख नहीं चाहिए, माँ। मुझे इस षट्रस भोजन से वनों के कन्द-मूल फल ही अधिक प्रिय हैं। इन व्यंजनों, बहुमूल्य वस्त्रों और सुख का मोह कुछ समय के लिए मैंने त्याग दिया है, क्योंकि मैं इस अल्पविद्या से अपने भविष्य को भयंकर नहीं बनाना चाहता। मुझे आज्ञा दीजिए माँ, जिससे शीघ्र ही उच्चतर शिक्षा ग्रहण करने के लिए प्रस्थान कर सकूँ।

सुलेखा : तूने यह जिद क्यों पकड़ ली है, अभय? क्या किसी ने तूझे भर रखा है? मुझे तो ऐसा आभास हो रहा है कि तेरे इस हठ के पीछे कुचक्र काम कर रहा है। किसी शत्रु ने अपने हृदय की ज्वाला शान्त करने के लिए तेरे कान फूँक रखे हैं।

अभय : माँ! आपका भ्रम निराधार है। आज तक किसी ने भी मुझे ऐसी सलाह नहीं दी। जिस किसी ने भी सुना, उल्टे रोका।

नान्दी : महारानी जी! राजकुमार को किसी ने बरगलाया नहीं है। उसकी बातचीत के ढंग से सच्चाई टपकती है। उच्चतर शिक्षा प्राप्त करने की अनुमति देना उचित है।

सुलेखा : मैं नहीं मान सकती, नान्दी! तू जाकर महाराज को बुला ला। मैं अभय की हठ के पीछे छिपे कुचक्र का अवश्य पता लगाऊँगी। देखूँगी, कौन-सा शत्रु षड्यंत्र रच कर मेरा सर्वनाश करना चाहता है?

नान्दी : जो आज्ञा महारानी।

[प्रणाम करके प्रस्थान]

अभय : माँ! मुझे किसी ने नहीं भड़काया है।

सुलेखा : मैं कैसे मान लूँ तेरी बात को? तू अभी लड़का है। तुझे क्या पता? शृंगवेरपुर का राजसिंहासन चारों ओर के राजाओं की आँखों के लिए बालू का कण है। सभी चाहते हैं कि इसका सर्वनाश हो जाए।

[सहसा महाराज हिरण धनुष का प्रवेश]

हिरण धनुष : और किसका सर्वनाश चाहती हो, महारानी? इस शान्त सागर में अशान्ति की लहरें क्यों चंचलित हो उठी हैं? क्या कोई आकर नए संकट की सूचना दे गया है?

सुलेखा : व्यंग्य-बाणों से मर्माहित न कीजिए, महाराज! क्या आपको नहीं मालूम कि श्रृंगवेरपुर के राज्य पर...?

हिरण धनुष : राज्य पर क्या होनेवाला है?

सुलेखा : संकट के बादल आकाश में उमड़ रहे हैं।

हिरण धनुष : आज महारानी का मन स्थिर नहीं है। तभी स्पष्ट बात न कहकर अनजाने ही पहेलियाँ बुझा रही हैं। अधिक चिन्तित न हो, प्रिये। इस चिन्ता का कारण स्पष्ट शब्दों में बताओ।

सुलेखा : कारण! कारण क्या बताऊँ, प्राणनाथ? आपसे कोई बात छिपी नहीं है, किन्तु...।

हिरण धनुष : किन्तु क्या?

सुलेखा : आप व्यंग्य-बाणों के प्रहार से इस दुखिया को और अधिक आहत करने पर उतारू हो गए हैं।

हिरण धनुष : *(गम्भीर होकर)* भूल कर रही हो, सुलेखा। तुम्हारी इन पहेलियों का अर्थ मैं नहीं समझ पा रहा हूँ। अधिक अच्छा हो कि तुम अपनी व्यग्रता का कारण स्पष्ट कर देतीं।

सुलेखा : महाराज! चार दिन से अभय हठ किए हैं। न ठीक से भोजन करते हैं और न समय पर अन्य कार्य। रात-दिन हस्तिनापुर जाने की रट लगाए हैं। मैंने लाख समझाया और बरजा, किन्तु वह एक भी नहीं मानते।

अभय : पिताश्री! मैं अभी इस थोड़ी-सी शिक्षा से सन्तुष्ट नहीं हूँ। इसलिए उच्च शिक्षा ग्रहण करने के लिए माताश्री से आज्ञा माँगता हूँ, किन्तु...।

हिरण धनुष : किन्तु तेरी माता मना करती है। *(हँसकर)* तभी तो मैंने तुझे माता से आज्ञा माँगने को कहा था। *(सुलेखा की ओर मुड़कर)* किन्तु प्रिये, यदि अभय की यही इच्छा है, तो उसे जाने दो। अधिक ममता-मोह में फँस कर उसका जीवन नष्ट न करो।

सुलेखा : आप तो ऐसी बहकी-बहकी बातें कर रहे हैं, मानो आपने अपने हृदय पर पत्थर रख लिया है! भला कौन ऐसा होगा जो जान-बूझकर अपने एकमात्र लड़ैते लाल को संकट के जाल में फाँस देगा? मैं अभय को घर से निकालकर वनवास नहीं दूँगी।

हिरण धनुष : तुम्हारी यह धारणा निराधार है, सुलेखा। बाहर जाकर सभी को कष्ट नहीं उठाना पड़ता है। फिर अभय के समान पुरुषार्थी व्यक्ति को? सिंह का पुत्र जहाँ रहता है, वहीं नया राज्य बनाकर राज करता है। क्या आर्यों की माताओं के हृदय नहीं होगा कि वे अपने लड़कों को क्यों हँसते-हँसते विद्या-आश्रमों व गुरुकुलों में भेज देती हैं? यदि वे स्नेह के चक्कर में फँस कर अपनी सन्तानों को घर में बैठाए रखतीं तो ये अल्पसंख्यक आर्य आज इतने बड़े देश पर अपने प्रभुत्व नहीं जमा पाते, किन्तु उन बुद्धिजीवियों ने संकटों को हँसते-हँसते गले लगाना सीखा है।

इस थोड़े-से संकट को सहन कर लेने के पश्चात् वे जीवनपर्यन्त सुख का उपभोग करते हैं। हम आदिनिवासियों की बुद्धि का यह दोष है कि वे तात्कालिक क्षणिक संकट से भयभीत होकर दीर्घकालिक संकट को आजीवन सहते रहते हैं। इसलिए तुम इसका अपवाद न बनो-प्रिये! प्रसन्नतापूर्वक अभय को जाने दो। जब अभय श्रेष्ठतम युद्धवीर एवं प्रकांड विद्वान होकर लौटेगा, तब उसका सुख आज के दुख से अधिक मीठा होगा।

सुलेखा : महाराज! यह तो सब ठीक है, परन्तु आपने क्या इस बात का भी पता लगा लिया है कि किन्हीं विरोधी राजाओं के षड्यंत्र ने अभय को तो नहीं बरगला दिया है, आन्तरिक भेद कुछ और ही निकले, जिसका दुष्परिणाम आपको व मुझे आजीवन भुगतना पड़े।

हिरण धनुष : हमारा गुप्तचर विभाग इस विषय में बहुत सतर्क है। अभय को किसी ने बरगलाया नहीं है।

सुलेखा : अच्छा! यदि आपकी यही इच्छा है, तो फिर जाने दीजिए। किन्तु मेरा मातृ-हृदय...।

अभय : मातेश्वरी! अब आप अवरोध न बनिए। आप अपनी समस्त चिन्ताओं को तिलांजलि दे दें। मैं शीघ्र ही विद्या विशारद बनकर आपके चरण-कमलों की सेवा करने के लिए उपस्थित होऊँगा।

सुलेखा : जाओ मेरे लाल! मैं तुम्हें प्रसन्नतापूर्वक आज्ञा देती हूँ।

अभय : *(प्रसन्नतापूर्वक पिता श्री व माता श्री को अभिवादन कहकर)* माता श्री! आपसे यही आशा थी।

सुलेखा : वत्स! सुखी रहो। मैं तुमको आशीर्वाद देती हूँ। शीघ्र शिक्षा ग्रहण कर पुनः इन तृषित नेत्रों को तृप्त करना।

हिरण धनुष : आज देश की दलित, शोषित और अधिकार वंचित समुदाय की माताओं को भी इसी प्रकार के विशाल हृदय बनने की आवश्यकता है। इन्हीं निराद्रित स्वयं भुक्तभोगी नव युवकों के उत्थान में देश का भी उत्थान व उद्धार निहित है। अभय! मैं तुम्हें सद्शिक्षा देता हूँ। प्रेम और शान्ति को अपनाते हुए अपने भावी-जीवन को सुखमय बनाना और आशीर्वाद देता हूँ कि तुम अपने उद्देश्य में सफलता प्राप्त करो।

[अभय का धनुष-बाण लेकर प्रस्थान।

हिरण धनुष और सुलेखा का उसी ओर एकटक देखना।]

[पटाक्षेप]

द्वितीय अंक

दृश्य-1

स्थान : हस्तिनापुर का समीपी जंगल
समय : सायं 4 बजे

[एक पेड़ के नीचे युधिष्ठिर, भीम, अर्जुन, दुर्योधन, दुःशासन व विकर्ण आदि पांडव तथा कौरव-राजकुमार एवं विदूषक धनेष खेल बन्द कर एकत्रित हुए हैं। परस्पर वार्ता कर रहे हैं।]

दुःशासन : भैया! इन पांडवों से हम लोग हैरान हो चुके हैं। इन्होंने हमारे नाक में दम कर रक्खा है।

दुर्योधन : क्यों? कौन-सा नया संकट इन्होंने पैदा कर दिया है?

दुःशासन : यही जब भी भीम का दाव आ पड़ता है, हम लोगों...।

धनेष : हम लोगों को खड़भड़ाते ओलों की भाँति भूमि पर आना पड़ता है।

विकर्ण : भूमि की खाक छाननी पड़ती है। गहरी चोटें आती हैं। हमें इनके ये न्याय विरोधी कार्य पसन्द नहीं हैं। धर्म के ठेकेदार धर्मराज इनके साथ बने रहते हैं। वह भी भीम को नहीं रोकते। मुझे तो ऐसा आभास होता है कि इस कार्य में धर्मराज का भी हाथ है।

युधिष्ठिर : तुम भूल रहे हो, विकर्ण। मैंने कब कहा भीम से कि वह तुम लोगों को गिरा दिया करे? तुम्हारी ये भ्रान्त-धारणाएँ ही तो पारस्परिक कलह का कारण बनी रहती हैं।

और भीम! तुम्हारी ये भारी भूल है। तुम्हें इस प्रकार से गिरा कर अपने इन भाइयों को चोटें नहीं पहुँचाना चाहिए। ये तुम्हारे शत्रु नहीं हैं। यदि इन्हें कुछ कष्ट हो, तो तुम्हें उसे अपना कष्ट समझना चाहिए।

दुर्योधन : यह निराधार प्रेम प्रदर्शित न करो, धर्मराज। मैं तुम्हारी वाक्पटुता को भली भाँति जानता हूँ। तुम केवल हम लोगों की चोटों पर अपने शीतल शब्दों से मरहम-पट्टी करने

की चेष्टा कर रहे हो, किन्तु भूल जाओ, हम लोग भी इतने बलहीन नहीं हैं, जो तुम्हारे इन कार्यकलापों का प्रतिकार न कर सकें।

अर्जुन : व्यर्थ में ही क्यों कीचड़ उछालने की कोशिश कर रहे हो भैया, दुर्योधन? हम लोग किसी भी प्रकार का दुराभाव आप लोगों से नहीं रखते।

धनेष : यह दुराभाव नहीं तो और है क्या? कितनी जोर से तो हम लोग नीचे गिरे। दुःशासन और विकर्ण के चोटें आ गईं, परन्तु भीम से एक शब्द भी नहीं कहा। केवल हम लोगों से लल्लो-पुच्चो करके फुसला देना चाहते हो। याद रखो भैया दुःशासन, अब इस प्रकार की ढील से काम चलनेवाला नहीं।

दुर्योधन : अब असावधानी नहीं होगी भैया धनेष। कल से हम लोग भी अश्वत्थामा को साथ लाया करेंगे। फिर देखें, भीम कितने बलशाली हैं?

भीम : एक नहीं, सौ अवश्वत्थामा आओ, हम रोकते नहीं हैं।... हम और कर ही क्या सकते थे? लड़ेंगे, आदमी ठहरे। पेड़ पर चढ़ने में असमर्थ। दौड़ सकते नहीं। अब हमारे सामने और चारा ही क्या था? किसी न किसी प्रकार अपने ऊपर से दाँव हटाना था, मैंने पेड़ को झकझोर दिया। इससे अधिक कुछ नहीं किया।

धनेष : क्यों व्यर्थ की दम्भ भरते हो, भीम? आज थोड़ा-सा चूक गए हम अन्यथा जब मेरे पक्ष में दाँव था, तभी यदि मैंने पेड़ झकझोर दिया होता, तो तुम लोगों का कचूमर निकल गया होता अथवा बिलकुल सफाया ही था।

भीम : *(व्यंग्य से हँसकर)* तो तुममें भी पेड़ झकझोरने की शक्ति है! अरे! हमने तो आज जाना। तुम्हारे समान बलशाली लोगों से भला हम लोग कब पार पा सकते हैं?

धनेष : बलशाली नहीं तो क्या बलहीन हैं? तुम क्या समझते हो? अपने को मोटा-ताजा देखकर ही अपनी शक्ति का दम्भ भरते हो?

भीम : दम्भ तो नहीं भरते, परन्तु तुम्हारी शक्ति को देखने की तीव्र इच्छा अवश्य है, क्योंकि अभी तक कभी तुम्हारी वीरता देखी नहीं।

धनेष : क्या हम अपनी वीरता सड़क पर फैलाते फिरते हैं, जो तुम सरीखे देखकर बटोर लेते?

भीम : हम कब कहते हैं कि तुम उसे सड़क पर फैला दो, जिससे हम बटोर सकें? किन्तु, अन्ततोगत्वा कभी-न-कभी तो उसका प्रदर्शन होना ही चाहिए।

धनेष : कभी-न-कभी! प्रदर्शन तो आए दिन हुआ ही करता है। यदि तुम्हें देखना हो, तो मेरे घर आओ किसी दिन।

भीम : घर में तुम मेरा क्या बिगाड़ लोगे? जब यहाँ कुछ न कर पाए, तो घर में क्या कर लोगे बच्चू?

धनेष : डरों नहीं! डरो नहीं, भीम! बस, इतने से ही घबड़ा गए, वहाँ तुम्हारा कुछ नहीं बिगाड़ा जाएगा, भीम। केवल वीरता का प्रदर्शन किया जाएगा। जिस समय हमारे घर में चूहे और बिल्ली का घमासान युद्ध हो, उस समय मैं अपनी वीरता तुम्हें दिखा दूँगा।

अर्जुन : बिल्ली और चूहे के युद्ध में तुम क्या करते हो?

धनेष : जब बिल्ली लड़ते-लड़ते थक जाती है, भागने के लिए बगलें झाँकती है और चूहा गुस्से में भरकर बार-बार पटकी लगाता है, तब हृदय में दया उमड़ पड़ती है। उस समय हम बड़ी बहादुरी से दोनों को पकड़कर अलग-अलग कर देते हैं।

अर्जुन : और कभी-कभी बिल्ली के बदले तुम्हीं भिड़ जाते होगे?

धनेष : ऐसा भी समय आ जाता है, अर्जुन। उस समय हम घबराते नहीं। एक बार चूहे को अधिक गुस्सा आया। वह समझाने पर भी न माना, तब हमें भी गुस्सा आ गया। बस, फिर क्या था? चट् मैंने कपड़े उतार फेंके और अपना जाँघिया खींच लिया, किन्तु...।

[जल्दी-जल्दी कपड़े उतारने का अभिनय करता है।]

अर्जुन : बस-बस, रहने दो...किन्तु क्या हुआ?

धनेष : किन्तु चूहा सशंकित हो गया और तुरन्त क्षमा माँगने के लिए गिड़गिड़ाने लगा। मुझे दया आ गई। इसलिए मैंने उसे क्षमा कर दिया।

भीम : या घबराकर कोने में दुबक गए?

दुर्योधन : भीम, तुम्हारे ये व्यंग्य बाण ही तो पारस्परिक तनाव के कारण हैं। यदि तुम्हें इसका फल न भुगतना पड़ा, तो

कुछ नहीं हुआ। और भैया धनेष! तुम शान्त रहो। समय स्वयं इसका उत्तर दे देगा।

[सामने से वेशभूषानुसार भील-कुमार सा कोई आता हुआ दिखाई पड़ता है।]

धनेष : वह देखो भैया दुर्योधन! सामने से साक्षात यमराज आ रहे हैं।

[सभी उसकी बात सुनकर पहले तो हँसते हैं, तत्पश्चात्...]

भीम : *(युधिष्ठिर की ओर देखते हुए)* भैया! उसे भी अपनी ओर मिला लो।

युधिष्ठिर : *(उस ओर देखकर)* शान्त रहो भीम! अवश्य ही कोई हृष्ट-पुष्ट युवक आ रहा है।

[सभी उसी की ओर देख रहे है]

दुर्योधन : *(दुःशासन की ओर देखते हुए)* ऐसा ज्ञात होता है, मानो किसी राजा का राजकुमार है!

दुःशासन : *(दुर्योधन की ओर देखकर)* हृष्ट-पुष्ट और धनुर्धर होने से ही कोई राजकुमार नहीं हो जाता है, भैया। वह देखो। इधर ही आ रहा है। समीप आ जाने के कारण उसका मुखारबिन्दु स्पष्ट दिखाई पड़ने लगा। चेहरा महानतम देदीप्यमान होते हुए भी कितना काला है! ऐसा जान पड़ रहा है कि आखेटक भील युवक आ गया है। अतः लगता है कि मार्ग पूछने के लिए ही इधर चला आ रहा है।

युधिष्ठिर : *(सभी खिलाड़ियों से)* शान्त रहिए, भाई। देखो, वह आ गया है। कुछ बात अवश्य ही कहनेवाला है। सम्पूर्ण अभिप्राय अभी ज्ञात हो जाएगा।

[सभी शान्त हो जाते हैं। अभय की ओर देखने लगते हैं।]

[अभय का प्रवेश]

अभय : *(सभी खिलाड़ियों से)* जय शंकर बन्धुगण!

युधिष्ठिर : जय शंकर! भाई जय शंकर! कहो भाई, आपका परिचय?

अभय : बन्धुवर! मैं निषादराज हिरण धनुष का पुत्र अभियुद्यु न हूँ। गुरुवर द्रोणाचार्य के पास धनुर्विद्या सीखने के अभिप्राय से हस्तिनापुर जा रहा हूँ।

धनेष : *(स्वगत)* अब पृथ्वी पलटी। आकाश गिरा। सूर्य शीतल हुआ। हे देव! यह मेरे कानों को आज क्या सुनाई पड़ रहा है? हे विधाता! क्या होना चाहता है? अब तो आदिनिवासी भी आर्यों के साथ शिक्षा पाने के लिए उद्यत हो गए हैं। *(प्रकट)* तो यहाँ क्या करने आए हो? जाओ न हस्तिनापुर। हम लोग क्या मना कर रहे हैं?

दुर्योधन : असन्तुष्ट न हो, भाई! किसी व्यक्ति से इस प्रकार असभ्यता का परिचय देना मूर्खता है।

धनेष : महाराज! और शूद्र का सवर्णों के साथ बैठ कर शिक्षा पाना सभ्यता है? किस धर्मशास्त्र में ऐसा विधान निर्दिष्ट किया गया है, भला आप ही बताइए?

दुर्योधन : भूल रहे हो, धनेष! ये धर्मशास्त्र कुछ चालाक, स्वार्थी मनुष्यों ने केवल वर्ग विशेष के लाभार्थ रचे हैं। इसलिए उनके निर्देश युगों तक सर्वमान्य नहीं समझे जाने चाहिए। आज का युग ऐसा युग नहीं है कि मनुष्य मनुष्य से घृणा करे। यदि देश को सबल बनाना है तो इसे भी अपने बराबर का भाई समझना होगा। प्राचीन तथा आधुनिक देशवासियों को कन्धे-से-कन्धा मिला कर उत्थान का कार्य करना होगा। तभी राष्ट्र का कल्याण होगा।

युधिष्ठिर : और धर्म को सदा के लिए गहरे गाड़ देना चाहते हो, दुर्योधन! तुम भूल रहे हो, धर्मशास्त्रों के आदेशानुसार आचरण न करना अधर्म है। धर्मशास्त्रों में ऐसा कहीं आदेश नहीं है कि शूद्र और सवर्ण एक साथ बैठ कर शिक्षा ग्रहण करें।

दुर्योधन : आपका यह कथन मानवता के विकास में बाधक सिद्ध होगा। धर्मशास्त्र का अर्थ है—जो मानव को मानव के साथ मानवता का व्यवहार करने का आदेश दे। जो धर्मशास्त्र मानव-मानव के मध्य भेद-भाव की खाई खोदे, उसे धर्मशास्त्र के स्थान पर अधर्मशास्त्र की संज्ञा दी जानी चाहिए।

धनेष : *(मुँह बनाकर)* ऊँ हूँ! कथन धर्मराज का सत्य है। अन्तर केवल इतना...।

दुर्योधन : मैं सब जानता हूँ अन्तर। व्यर्थ की बकवास मत करो, धनेष। भैया अभियुद्यु न! आप जहाँ जिस काम के लिए जा रहे हैं, जाइए।

अभय : आप मुझे हस्तिनापुर का मार्ग बता दें।

दुःशासन : यह सामनेवाली पगडंडी सीधी हस्तिनापुर को जाती है।

अभय : बहुत अच्छा भैया! जय शंकर।

[अभय का प्रस्थान]

भीम : यह अनर्थ होगा भैया धर्मराज! चलो, चलकर गुरुजी से मिल लें, जिससे यह निषाद-राजकुमार हम आर्यों की पाठशाला में प्रवेश न पा सके।

[सबका प्रस्थान]

[पटाक्षेप]

दृश्य-2

स्थान : हस्तिनापुर में पाठशाला

समय : प्रातः 10 बजे

[आचार्य के आसन पर गुरु द्रोणाचार्य विराजमान हैं। सामने कौरव-पांडव शिष्य बैठे हैं। अभी तक धनेष नहीं आया है।]

द्रोण : युधिष्ठिर! तुम सभी विद्यार्थियों में बड़े हो। तुम अपना पाठ याद करने के साथ-साथ अन्य विद्यार्थियों पर भी दृष्टि रखा करो। मेरी अनुपस्थिति में कभी किसी प्रकार का लड़ाई-झगड़ा न होने पाए।

युधिष्ठिर : गुरुजी! मैं सदा इसका ध्यान रखता हूँ, किन्तु फिर भी किसी-न-किसी में झगड़ा हो ही जाता है। और धनेष? धनेष को मैं क्या कहूँ? वह तो ज्यों ही आपने पाठशाला से पीठ फेरी, त्यों ही उपद्रव करने लगता है। वही सबसे अधिक झगड़ालू है। लाख रोकने पर भी नहीं मानता।

भीम : उसे दुर्योधन शह दिया करते हैं, अन्यथा उसमें क्या साहस कि किसी से चूँ भी करे?

दुर्योधन : आप झूठ कहते हैं, भीम! मैं उसे मना किए रहता हूँ, अन्यथा...।

द्रोण : कुछ नहीं दुर्योधन। तुम उसको डाँटे रहा करो अन्यथा बदमाश विदूषक किसी दिन तुम लोगों को आपस में लड़वा कर दूर से हँसेगा। और वह है कहाँ? अभी तक क्यों नहीं आया?

दुःशासन : गुरुजी! अभी तो वह सोकर ही नहीं उठा होगा।

द्रोण : क्या कहा, सोकर भी नहीं उठा होगा? दिन का प्रथम पहर समाप्त हो रहा है और अभी तक सोकर ही नहीं उठा होगा? जाओ, कोई जाकर उसे घर से पकड़कर लाओ। जिस किसी भी दशा में हो, ले आओ। जब तक उसकी कस कर पिटाई नहीं की जाएगी, उसमें सुधार नहीं हो सकता।

[भीम और दुःशासन धनेष को पकड़ने के लिए जाने लगते हैं]

द्रोण : एक व्यक्ति जाओ। दुःशासन! तुम बैठो। भीम! तुम जाओ। जिस किसी भी दशा में हो उसे घसीट लाओ।

[सहसा धनेष का प्रवेश]

धनेष : गुरुजी प्रणाम! आप क्यों व्यर्थ में भीम को कष्ट दे रहे थे? मैं तो स्वयं ही अपने को घसीट लाया हूँ। यद्यपि जी तो नहीं चाहता था, परन्तु...।

द्रोण : परन्तु क्या?

धनेष : मैं उसे बलपूर्वक घसीट ही लाया, क्योंकि मैं तो जानता था कि और कोई तो साहस करेगा नहीं, किन्तु भीम अवश्य ही फुदक पड़ेंगे, बस...।

भीम : बस क्या?

धनेष : बस, मैंने सोच लिया कि यदि मैं पाठशाला जाने से जी चुराता हूँ तो व्यर्थ में।

द्रोण : क्या व्यर्थ में...?

धनेष : गुरु! व्यर्थ में शान्त वातावरण में अशान्ति उत्पन्न हो जाएगी। वेग का तूफान आ जाएगा। सारी प्रकृति थर्रा उठेगी और धूल, तृण व पत्तों आदि सहित हवा को व्यर्थ में चक्रवात के चक्कर में पड़ कर चकित होना पड़ेगा और हम दोनों का...।

द्रोण : *(हँसकर)* और तुम दोनों का क्या कविराज?

धनेष : हम दोनों का...हम दोनों का...गुरुजी! रात भर का बासी पसीना व्यर्थ में निकल जाएगा। भीम को रोना पड़ेगा और मुझे कोष्ठबद्धता से पीड़ित होना पड़ेगा।

[सभी हँस पड़ते हैं?]

दुर्योधन : क्या पहेलिया बुझा रहे हो धनेष! अपनी बात साफ-साफ क्यों नहीं कहते?

धनेष : *(घबराकर)* वही तो कह रहा था! हमारा और भीम का मल्ल युद्ध होता। इनको चोट लगती और रोते और... और मेरी माताश्री मुझ पर अधिक प्रसन्न होकर मुझको अधिक रबड़ी खिलाकर व्यर्थ में कोष्ठबद्धता से पीड़ित कर देतीं।

[सभी जोर से हँस पड़ते हैं। द्रोण रुष्ट होते हैं।]

द्रोण : चुप रह वाचाल, बैठ जा!

[धनेष अपने स्थान पर बैठ जाता है।]

[सहसा निषाद-राजकुमार अभियुद्यु न का प्रवेश]

अभय : गुरुजी, प्रणाम!

द्रोण : कीर्तवान भव! आयुष्मान भव वत्स! कहो, तुम कौन हो? यहाँ कैसे आए हो?

अभय : गुरुजी, मैं श्रृंगवेरपुर निवासी निषादराज हिरण धनुष का पुत्र अभियुद्यु न हूँ। आपके पास बाण-विद्या की उच्च शिक्षा लेने आया हूँ।

धनेष : *(स्वगत)* यही वह व्यक्ति है, जो कल जंगल में मिला था। *(प्रकट)* गुरुजी, यह आदिनिवासी है। शूद्र है।

युधिष्ठिर : गुरु देव! यह कैसे सम्भव है कि शूद्र और आर्य एक साथ बैठ कर शिक्षा ग्रहण करें?

दुर्योधन : इसमें कठिनाई ही क्या है?

धनेष : ऊँहुँ! यह नहीं हो सकता, गुरु! हम इस शूद्र के साथ नहीं बैठ सकते। इसके स्पर्श से अपनी पुस्तकों एवं अपने शरीर को अपवित्र नहीं बना सकते।

द्रोण : शान्त बैठो धनेष। मैं खुद ही ऐसा नहीं करूँगा। *(अभय की ओर मुड़कर)* राजकुमार अभियुद्यु न, तुम लौट जाओ। मैं आर्य आचार्य हूँ। मेरी पाठशाला में समस्त विद्यार्थी भी आर्य हैं। भला आर्य विद्यार्थियों के साथ अनार्य विद्यार्थी

कैसे शिक्षा ग्रहण कर सकता है? इसलिए मैं तुम्हें पढ़ा सकने में असमर्थ हूँ।

अभय : *(हाथ जोड़कर)* ऐसा न कहिए, गुरुदेव! मैं बहुत बड़ी आशा लेकर आपकी शरण में आया हूँ। विमुख न कीजिए, महाराज।

द्रोण : असम्भव है, अभियुद्यु न! धर्मराज युधिष्ठिर के कथनानुसार ये सम्पूर्ण आर्य राजकुमार तेरे साथ बैठकर विद्याध्ययन नहीं कर सकते।

धनेष : वैसे भी क्या भगवती-सरस्वती की आराधना को शूद्र कर सकता है? उसे क्या अधिकार?

अभय : क्यों भैया, क्या भगवती-सरस्वती की आराधना के लिए आपका एकाधिकार है? विद्याध्ययन तो कोई भी कर सकता है।

धनेष : *(मुँह बनाकर और भौं मटका कर)* ऊँहुं! और क्या तुम शूद्र को भी अधिकार होगा? भला आर्य-देवी की आराधना अनार्य कैसे करेंगे? वे अपनी देवी भुइंया-माता की पूजा गाँव बाहर लाल झंडी गाड़ कर जो करते हैं, सो करें।

द्रोण : चुप रहो, धनेष! व्यर्थ की बकवास मत करो। *(अभय की ओर मुड़कर)* तू लौट जा, लड़के। मैं कभी शूद्र को शिक्षा नहीं दूँगा।

[निषाद-राजकुमार अभियुद्यु न पैरों पर गिर पड़ता है, और सविनम्र निवेदन करता है। द्रोण दूर हटते जाते हैं।]

अभय : महाराज, आप अपने शिष्य को हताश न करें। मैंने आपको अपना गुरु मान लिया है। इस संकल्प को किसी दशा में परिवर्तित नहीं किया जा सकता है।

द्रोण : *(क्रोधित होकर)* दूर हट नीच! धृष्ट!! पतित!!! शूद्र होकर परछाईं से छू लिया। मुझे अपवित्र कर दिया। अब स्नान करना पड़ेगा। *(फिर अपने शिष्यों की ओर देखते हुए)* शिष्यो! निकाल दो, इसे पकड़कर पाठशाला के बाहर।

[दो-तीन शिष्य बाहर निकालने की कोशिश करते हैं, किन्तु अभय हठ करता है।]

द्रोण : यदि हठ करे तो इसे घसीट कर बाहर निकाल दो। नारायण! नारायण!! नारायण!!! इस दुष्ट-शूद्र के प्रवेश से सम्पूर्ण पाठशाला अपवित्र हो गई। अब सम्पूर्ण गुरुकुल धुलवाना पड़ेगा।

[छात्रों ने निषाद-राजकुमार अभियुद्यु न को घसीटकर पाठशाला के बाहर निकाल दिया।]

अभय : *(दोनों हाथ जोड़कर)* गुरुदेव प्रणाम! जाता हूँ, किन्तु मैं आपको ही गुरु मानकर स्वाध्याय के बल पर शिक्षा ग्रहण करूँगा। मुझे कोई भी शक्ति रोक नहीं सकती।

दुर्योधन : यह अनर्थ हुआ, आचार्य जी!

द्रोण : चलो बच्चो! अभी दिन कुछ शेष है। पहले पाठशाला को धोओ, फिर शरीर एवं वस्त्र प्रक्षालन कर अपवित्रता को दूर करो।

[सभी का प्रस्थान]

[पटाक्षेप]

दृश्य-3

स्थान : मार्ग, एक पेड़ के नीचे
समय : मध्याह्न

[विश्रान्तावस्था में अभय एक पेड़ के नीचे एकाकी खड़ा-खड़ा खेद प्रकट कर रहा है।]

अभय : आह! अब नहीं चला जाता। सारा शरीर टूट कर छिन्न-भिन्न हो जाना चाहता है। प्यास के कारण गला सूख गया है। बोला नहीं जाता। हृदय-गति रुकना ही चाहती है। मेवा, मिष्ठान और पकवान खानेवाले इस राजकुमार की यह दुर्दशा, दिवस का मध्याह्न हो रहा है। किन्तु अभी तक मुख में एक बूँद पानी नहीं गया। शोक! महान शोक!! सारी आकांक्षाएँ धूल-धूसरित हो गईं। आशाओं पर तुषारापात हो गया। कल्पना का यह हरा-भरा उद्यान, जिसके विकसित पुष्प फलों का रूप धारण करना ही चाहते थे, क्षण भर में नष्ट हो गया।

आँधी के केवल एक झोंके ने धूल-धूसरित कर दिया। चक्रवात के एक चक्कर ने उस हरे-भरे उद्यान के सुगन्धित पुष्पों के पराग के रसास्वादन की अभिलाषा से उड़नेवाले इस भौंरे को क्षणमात्र में लाकर इस स्थिति में खड़ा कर दिया।...द्रोणाचार्य ने शिक्षा देने से इनकार कर दिया...।

अब मैं क्या करूँ? कहाँ जाऊँ? घर में सभी ने मना किया। माताश्री ने लाख समझाया, किन्तु मैं हठ करता ही रहा। किसी की न मानी, जिसका फल मुझे तुरन्त मिल गया...। क्या करूँ? घर लौट जाऊँ? किस मुँह को लेकर घर लौट जाऊँ? जब लोग पूछेंगे, तो क्या उत्तर दूँगा? *(कुछ सोचने लगता है और माथे पर हाथ टेक कर बैठ जाता है।)* नहीं! मैं घर नहीं लौटूँगा!! जब तक मैं धनुर्विद्या में विशारद नहीं हो जाऊँगा, लौटकर घर नहीं जाऊँगा। स्वयमेव कला का अभ्यास करूँगा। गुरु द्रोण की प्रतिमा बनाकर उस प्रतिमा को ही गुरुदेव मान कर अपनी धनुर्विद्या का अभ्यास करूँगा। इसी निर्जन वन में किसी सघन वृक्ष की छाया में कुटी बनाकर रहूँगा। *(कहता हुआ एक ओर को चला जाता है।)*

[पटाक्षेप]

दृश्य-4

स्थान : शृंगवेरपुर का अन्तःपुर
समय : प्रातः 6:30 बजे

[महारानी सुलेखा एक पलंग पर बैठी हैं। अभी सोकर उठी हैं। आज उन्होंने रात्रि के अन्तिम प्रहर में जो अशुभ स्वप्न देखा है, उसी की चिन्ता में चिन्ताग्रस्त होकर कुछ सोच रही हैं।]

सुलेखा : *(स्वतः एकाकी)* आदिदेव शंकर! यह क्या? कौन-सा अनिष्ट होना चाहता है? आज मैं इतना अशुभ स्वप्न क्यों देख रही हूँ? लोग कहते हैं, प्रातःकाल का स्वप्न

सत्य होता है। क्या सचमुच सत्य होगा? क्या मेरे इकलौते लड़ैते पुत्र का अनिष्ट होना चाहता है? क्या करूँ? कैसे अपने आँखों के तारे को वापस बुलाऊँ? जी चाहता है कि दौड़ कर प्यारे पुत्र से लिपट जाऊँ। उसे गोद में भर लूँ, किन्तु क्या यह असम्भव है? नहीं! नहीं! संसार में परिश्रम द्वारा प्रत्येक वस्तु का प्राप्त करना सम्भव है। हाँ, कठिनाई अवश्य है। *(कुछ देर रुककर)* नान्दी! नान्दी!

[नान्दी का प्रवेश]

नान्दी : महारानी की जय! आज्ञा देवी?

सुलेखा : जाओ, शीघ्र ही सम्राट से अन्तःपुर में उपस्थित होने की प्रार्थना करो।

[नान्दी हाथ जोड़कर प्रणाम करती है और चली जाती है।]

[कुछ देर बाद सम्राट का प्रवेश]

[सुलेखा पलंग पर से उतर कर खड़ी हो जाती और सम्राट का अभिवादन करती है। सम्राट हिरण धनुष पलंग पर बैठ जाते हैं तथा सुलेखा उनके पास खड़ी रहती है।]

हिरण धनुष : प्रिये! आज अनायास ही इतने सवेरे मुझे क्यों बुला लिया? *(कुछ रुककर)* बोलो-बोलो, मौन क्यों हो महादेवी? अनमनी-धनमनी-सी क्यों प्रतीत हो रही हो? कौन-सा संकट अचानक आ गया, जो मुझे इतने सवेरे बुलवा लिया? बोलो, शीघ्र बोलो महादेवी! मौन त्याग कर सारी व्यथा-कथा को स्पष्ट करो।

सुलेखा : प्राणनाथ! आज प्रातः काल जिस समय मेरी आँख खुलनेवाली ही थी, मैंने एक अशुभ स्वप्न देखा।

हिरण धनुष : कैसा अशुभ स्वप्न?

सुलेखा : महाराज, मैं सो रही थी। अचानक मेरा लड़ैता लाल मेरे समक्ष आ कर खड़ा हो गया। उसके मुखारबिन्दु पर उदासी छाई थी। मुझे देखकर मानो वह रोये दे रहा था। मैंने पुचकारकर पूछा, 'बेटा, इतने शीघ्र कैसे लौट आए?' बेटा अभियुद्यु न अपने को सँभाल न सका और उसके हृदय की सारी करुणा आँखों से निकलने का प्रयास करने लगी। वह रो-रो कर मुझसे कहने लगा, 'माँ, मैंने आप

लोगों का कहना न माना, जिसका यह परिणाम है। मुझे अपमानित होना पड़ा और निराश घर लौटना पड़ा। गुरु द्रोण ने शिक्षा देने से इनकार कर दिया।' इतना सुनकर मैं घबरा गई। मेरी आँखें खुल गईं। तब से मैं परेशान हूँ।

हिरण धनुष : जिन बातों के लिए जैसा सोचा जाता है, वैसा ही स्वप्न होता है। अब उन पर विश्वास करना नादानी है। फिर इसमें घबराने की क्या बात है? यदि ऐसा सम्भव भी होगा तो क्या हुआ! अभय तो लौटकर घर आ ही जाएगा।

सुलेखा : जीवनाधारा! मेरे प्राण घबरा रहे हैं। मुझे सन्देह है कि कहीं आर्य लोग मेरे सुत...।

हिरण धनुष : यह तुम्हारे हृदय की दुर्बलता है महादेवी। सिंहसूअन जिस वन में रहता है, राज करता है। अभियुद्यु न किसी ऐरे-गैरे का पुत्र नहीं है, जो आर्य उसे अकेला पाकर उसका कुछ बिगाड़ सकें। मुझे विश्वास है कि मेरा सुत जहाँ कहीं भी होगा, सकुशल होगा।

सुलेखा : किन्तु माँ की ममता तो अद्‌भुत होती है देव! भला उसे कैसे सन्तोष हो? अन्धा आँखों देखे, तब पतियाय। इसलिए...।

हिरण धनुष : इसलिए क्या? स्पष्ट कहो, महादेवी?

सुलेखा : आज ही दूत को भेज कर अभय को बुलवा लिया जाए। मैंने बहुत मना किया, किन्तु आप और अभय, दोनों न माने।

हिरण धनुष : ये सब व्यर्थ की धारणाएँ हैं। इनसे कोई लाभ नहीं। शिक्षा समाप्त करके वह स्वयं ही लौट आएगा।

सुलेखा : नहीं-नहीं, महाराज! और अधिक पुत्र वियोग असहनीय है, इसलिए शीघ्र ही उसे बुलाने का कष्ट करें अन्यथा सुलेखा के लिए यह वियोग प्राणघातक सिद्ध होगा।

हिरण धनुष : *(हँसकर)* घबराओ नहीं प्रिये! व्यथित न हो। मैं शीघ्र ही दूत भेज कर अभय का पता लगवाता हूँ। यदि गुरु द्रोण ने उसे अपना शिष्य बनाना स्वीकार न किया होगा, तो दूत वापसी में अभय को अपने साथ बुला लाएगा। चिन्ता का परित्याग कर दो।

[हिरण धनुष का प्रस्थान। महारानी सुलेखा खड़ी ही रहती है।]

[पटाक्षेप]

दृश्य-5

स्थान : जंगली मार्ग

समय : तीसरा पहर

[मार्ग में द्रोणाचार्य, युधिष्ठिर, भीम, अर्जुन, दुर्योधन और धनेष आदि छात्र हैं। साथ में एक कुत्ता है, जिसके मुँह में कुछ बाण भरे हैं। इस कारण वह भौंक नहीं सकता है।]

अर्जुन : *(गुरुवर को अभिवादन करते हुए)* गुरुदेव, परीक्षा के बाद आपने घोषणा की थी कि हमारे शिष्यों में अर्जुन सर्वश्रेष्ठ बाण योद्धा है, किन्तु...

द्रोण : क्या कुछ सन्देह है, अर्जुन? तुम भारत के सर्वश्रेष्ठ बाण योद्धा हो। इसमें किन्तु या परन्तु के लिए कोई स्थान नहीं है।

अर्जुन : किन्तु गुरुजी, जिस व्यक्ति ने इस भूँकते कुत्ते के मुँह को बाणों से भर कर इसका भूँकना बन्द कर दिया है, नि:सन्देह वह ही विश्व में सर्वश्रेष्ठ बाण योद्धा है, क्योंकि मैं इतना कुशल बाण-चालक नहीं हूँ कि भूँकनेवाले कुत्ते के मुँह में बाण भर कर उसका भूँकना बन्द कर दूँ।

धनेष : और क्या तुम्हीं एक अनोखे सर्वश्रेष्ठ योद्धा हो? एक से एक पड़े हैं आगे माई के लाल संसार में।

भीम : यहीं कहीं पास ही होगा वह व्यक्ति, जो हम लोगों का सरदर्द बन गया है। यहीं कहीं वह आखेट कर रहा होगा, क्योंकि अपना कुत्ता अभी दूर तक नहीं जा सका होगा कि उसे उन्हीं पैरों तत्काल वापस आना पड़ा।

धनेष : ढूँढ़ो! अवश्य ढूँढ़ो जिससे ह्रदय के अरमान मिट सकें। अरे भाई, ऊँट जब तक पहाड़ के नीचे नहीं जाता है, तब तक अपने को सबसे ऊँचा समझता है।

अर्जुन : हाँ, मैं अवश्य ढूँढूँगा! मैं कुत्ते को इस दशा में पहुँचानेवाले व्यक्ति को अपना शत्रु समझता हूँ। शत्रु से अपरिचित रहना महान मूर्खता है।

द्रोण : मेरी भी अभिलाषा है कि उस व्यक्ति को अवश्य देखा जाए। ऐसा व्यक्ति कल्पना के परे है।

दुर्योधन : *(स्वगत)* मेरी भी इच्छा तीव्र हो रही है। ऐसे व्यक्ति से मैत्री करने से मुझे लाभ है। आशा है, उससे मिलते ही दम्भी

पांडव युद्ध ठान देंगे, जहाँ अवश्य इनको प्राण गँवाने पड़ सकते हैं। *(प्रगट)* यदि धर्मराज भी चाहते हों, तो अवश्य ही उस पराक्रमी व्यक्ति के दर्शन किए जाएँ, गुरुजी।

युधिष्ठिर : भला कौन-सा व्यक्ति होगा, जो ऐसे पराक्रमी को न देखना चाहेगा, किन्तु अभी तक कुछ बाकी राजकुमार आखेट से वापस नहीं आए हैं। कहीं ऐसा न हो हमारी अनुपस्थिति में वे सभी छोट-छोटे राजकुमार मार्ग भूल जाएँ?

धनेष : ऊँ हुँ! ऐसा कैसे हो सकता है? भला राजकुमार और मार्ग भूल जाएँगे? वे सभी चतुर हैं। चलकर उस व्यक्ति को शीघ्र ढूँढ़।

दुर्योधन : शीघ्रता करो अन्यथा वह कहीं दूर निकल जाएगा।

द्रोण : चलो।

[जिस ओर से कुत्ता मुँह में बाण भरे हुए वापस आया था, उसी ओर को सभी का प्रस्थान।]

[पटाक्षेप]

दृश्य-6

स्थान : सघन जंगल में एक पेड़ के समीप एक कुटी
समय : सूर्यास्त के लगभग

[एक पेड़ के समीप एक साधारण कुटी और उसी पेड़ के नीचे गुरु द्रोणाचार्य की मिट्टी की मूर्ति स्थापित है। सामने निषाद-राजकुमार अभियुद्यु न बाण विद्या का अभ्यास कर रहा है। एक ओर से द्रोण और उनके शिष्यों का प्रवेश।

[अभियुद्यु न गुरु द्रोण एवं उनके पूर्व परिचित शिष्यों को देखकर आश्चर्यचकित होता है। सभी शिष्य एवं गुरु द्रोण भी विस्मित होते हैं।]

धनेष : सम्भव है, यही होगा वह व्यक्ति, क्योंकि यह बड़ा हठीला है। इसी ने वैमनस्यता का साहस किया होगा।

अभय : *(बाणों से ही सभी का यथोचित अभिवादन करते हुए)* आचार्य गुरुदेव को प्रणाम। सभी साथियों को जय शंकर।

द्रोण : यशस्वी हो वत्स! तुम कौन हो?

अभय : मैं गुरुदेव का शिष्य हूँ।

द्रोण : स्पष्ट एवं पूर्ण परिचय दो युवक। तुम कौन हो और किस प्रकार मेरे शिष्य हुए?

अभय : आचार्य जी! मैं वही शृंगवेरपुर के महाराज हिरण धनुष का पुत्र अभियुद्यु न हूँ, जो आपकी पाठशाला में शिक्षा ग्रहण करने गया था। उस समय आपने मुझे शूद्र कहकर तिरस्कृत कर दिया था, बाण विद्या सिखाने से इनकार कर दिया था। आपकी प्रतिमा के समक्ष बाण विद्या का अभ्यास करता रहा हूँ। इस प्रकार आप मेरे गुरुदेव हैं।

द्रोण : मैं तेरे शिष्यत्व को स्वीकार करता हूँ युवक! वास्तव में तू महान बाण चालक है।

अर्जुन : महाराज! आपने मुझे सर्वश्रेष्ठ योद्धा घोषित किया था, किन्तु आज आप इसे महानता दे रहे हैं!

द्रोण : *(कुछ सोचकर धीमे स्वर में)* शान्त रहो धनंजय। *(स्पष्ट स्वर से)* वीर युवक! यदि तुम मेरे शिष्य हो, तो तुम्हें आज अर्जुन से युद्ध करना पड़ेगा। यदि तू इस युद्ध में सर्वश्रेष्ठ बाण चालक सिद्ध हुआ तो मैं तुझे ही अपना सर्वश्रेष्ठ शिष्य समझूँगा।

अभय : गुरुवर! यद्यपि हम दोनों गुरु भाई हैं। भाई-भाई का आपस में लड़ना-लड़ाना लज्जाजनक है, किन्तु आपकी आज्ञा स्वीकार है।

द्रोण : अर्जुन! तुम भी तैयार हो जाओ।

अर्जुन : जो आज्ञा, गुरुदेव।

[दोनों में भीषण घमासान बाण युद्ध होता है। कुछ ही देर के बाद अर्जुन पराजित हो जाता है।]

द्रोण : धन्य हो वीर युवक! तुम धन्य हो! मुझे विश्वास हो गया कि तुम ही सर्वश्रेष्ठ बाण योद्धा हो। क्या तुम्हीं ने इस कुत्ते के मुख को बाणों से बाँधा है?

अभय : यह सब आपका आशीर्वाद है, गुरुदेव।

द्रोण : मैं तुझ पर प्रसन्न हूँ, शिष्य! तेरी विद्या भी पूरी हो चुकी है। अब मुझे गुरु दक्षिणा देनी पड़ेगी।

अभय : मैं गुरु-दक्षिणा देने के लिए प्रस्तुत हूँ। जो चाहें, माँग लीजिए।

द्रोण : वत्स! दक्षिणा में तुम मुझे अपने दाहिने हाथ का अँगूठा काट कर दो। अन्य उपहार स्वीकार न किया जाएगा।

अभय : जो आज्ञा, गुरुदेव!

[बाण से दाहिने हाथ का अँगूठा काटकर प्रस्तुत करता है। द्रोणाचार्य अपने सीधे हाथ की हथेली द्वारा उस कटे हुए खून से सने अँगूठे को ले लेते हैं और प्रसन्न होकर अभियुद्यु न को आशीर्वाद देते हैं।]

द्रोण : यशस्वी हो वत्स! अब तुम एकलव्य हो। आज से तुम्हारा नाम 'एकलव्य' होगा।

(शीघ्र ही छलियों की भाँति अपने शिष्यों की ओर मुड़कर चलने के लिए संकेत करते हुए) चलो शिष्यो!

[द्रोण का अपने शिष्यों सहित प्रस्थान]

[किन्तु पीछे से धनेष इशारे के रूप में दुर्योधन आदि कौरव राजकुमारों से कहता हुआ चला जा रहा है।]

धनेष : *(दुर्योधन के कान के समीप अपना मुँह ले जाकर)* देखा भैया, दुर्योधन! गुरुदेव ने यह अच्छा नहीं किया। बेचारे कला-विशारद की कला की इसलिए हत्या कर दी कि जिससे अर्जुन सर्वश्रेष्ठ योद्धा बन जावे। स्पष्ट है, ये गुरुदेव अर्जुन के मुकाबले में आपको भी धोखा दे सकते हैं।

दुर्योधन : सच कह रहे हो, धनेष। मैं यही सोच रहा हूँ कि अर्जुन को दुनिया का सर्वश्रष्ठ धनुर्धर बनाने के बाद क्या उससे भी गुरु द्रोणाचार्य दक्षिणा में दाहिने हाथ का अँगूठा माँगेंगे?

अभय : *(एक लम्बी ठंडी साँस के साथ)* आह! अरे! अब समझा आर्यों की ये पेचीदा चालें। इस देश पर इनके आधिपत्य की कुंजी छल का बल है। विष की बजाय रस पिला कर प्राण ले लेने में ये जितने अधिक चतुर हैं, उतने ही अधिक इनके चक्कर में फँस कर हँसते-हँसते अपना सर्वनाश कराने में आदिनिवासी आगे। इस स्वाभिमानी के जीवन को दूसरा धक्का। जब मैं पाठशाला गया था, तब मुझे शूद्र कहकर मेरा तिरस्कार किया गया था, किन्तु जब मैंने स्वाध्याय द्वारा स्वयं दक्षता प्राप्त कर ली, तब मैं द्रोणाचार्य की आँखों का तिनका बनकर तुरन्त ही करक गया...। मुझसे और उस घमंडी अर्जुन से युद्ध कराने में भी छिपी चाल थी। यदि मैं हार गया होता तो आज से ही मेरा नाम मिट जाता। जब हार न सका, तब गुरु दक्षिणा चुकानी पड़ी। छलिया द्रोण! दक्षिणा लेते समय क्या मैं शूद्र

नहीं था? दक्षिणा। दक्षिणा भी अँगूठा! वह भी दाहिने हाथ का, जिससे मेरी बाण विद्या का सत्यानाश हो जाए...।

किन्तु मूर्ख, अब क्यों पछता रहा है? जब माता-पिता, गुरुजन-पुरुजन, ग्रामवासी और सभी साथी समझा रहे थे, तब किसी की न मानी। पाठशाला में घोर अपमान हुआ, तब भी न सोचा। गुरुभक्ति में अन्धे! फिर भी उसी घमंडी गुरुदेव की प्रतिमा को साक्षी बनाकर अभ्यास किया, जिसका यह परिणाम हुआ। अब क्यों पछता रहा है? करनी का फल तो मिलता है, किन्तु अब मैं क्या करूँ?

[कुछ रुककर और सोचकर]

परन्तु अब पछताने से क्या लाभ होगा...अब कहीं का न रहा, न घर का, न बाहर का। घर जाकर क्या कहूँगा? ऐसी दशा में घर जाऊँ तो जा कर क्या करूँगा?...किन्तु यह पुरुषार्थी एकलव्य अब एकलव्य ही बनकर रहेगा। दायाँ हाथ न सही, बायाँ ही सही। अब बाएँ हाथ से ही यह कार्य किया जाएगा, जो दाएँ हाथ से करता रहा हूँ लेकिन द्रोण, तेरी करनी असहनीय है।

[द्रोणाचार्य की मूर्ति को उठाकर जोर से भूमि पर पटक देता है। वह टूट कर टुकड़े-टुकड़े हो जाती है।]

और अब मैं घर भी न जाऊँगा। जब तक इन आक्रमणकारी दुष्ट आर्यों के घमंड को चूर करके हम लोग अपनी खोई हुई शक्ति को पुनः प्राप्त नहीं कर लेंगे, तब तक शान्त नहीं रहेंगे।

मैं अब यहीं से नई धनुर्विद्या का प्रतिपादन करके जाऊँगा। आनेवाला युग इस नव धनुर्विद्या से ही धनुष-बाण चलाएगा। आज से नव धनुर्विद्या का अभ्यास प्रारम्भ होता है।

[एक वर्ष बाद एक दिन सहसा एकलव्य एक ओर जाने लगता है। उसी समय दूसरी ओर से दो दूतों का प्रवेश।]

दूत : निषाद राजकुमार की जय!

एकलव्य : कौन? तुम कौन हो? किसे राजकुमार कह रहे हो?

दूत : राजकुमार! हम लोग आपके दूत हैं। महाराज ने आपको वापस बुलाने को भेजा है। आप हम लोगों के साथ घर चलने की कृपा करें।

एकलव्य : दूत! तुम लोग घर को वापस लौट जाओ। मेरा सर्वनाश हो चुका है। मैं अब वापस न जाऊँगा।

दूत : नहीं राजकुमार, ऐसा न कहो! आपकी अनुपस्थिति में राजमाता और सम्राट का जीवित रह सकना असम्भव है। द्रविड़ों का राज्य छिन्न-भिन्न हो जाएगा। सम्पूर्ण द्रविड़ समाज निःसहाय हो जाएगा। हम लोगों का कोई बाँह गहैया नहीं रहेगा। सम्राट वयोवृद्ध हैं। इसलिए राष्ट्र, समाज और हम सब प्रजाजनों का हित देखकर आप वापस लौट चलिए।

एकलव्य : दूतो! तुम लोग मुझे घर चलने के लिए बाध्य न करो।

दूत : राजकुमार! ऐसा न कहें। आप अपने दुख को भूल कर अपनी धारणा बदल दें। आप मेरे साथ श्रृंगवेरपुर चलें।

[एकलव्य और दूतों का साथ-साथ श्रृंगवेरपुर को प्रस्थान]

[पटाक्षेप]

दृश्य-7

स्थान : श्रृंगवेरपुर का अन्तःपुर
समय : दिन का अन्तिम पहर

[महाराज हिरण धनुष मृत्युशैया पर लेटे हुए हैं। कभी आँखें खोल देते हैं, कभी बन्द कर लेते हैं। कभी किसी के प्रश्न का उत्तर देते हैं, कभी नहीं। महारानी सुलेखा, प्रधानमंत्री, राज-वैद्य, राज-पुरोहित, राज-परिवार, अधिकारीगण एवं अन्य प्रजा-जन उनकी चारपाई के आसपास शोकाकुल बैठे हुए हैं।]

गिरिवीर : राजवैद्य! कोई नई दवा तजवीज करें।

राजवैद्य : मंत्रिवर! अत्यन्त वृद्धावस्था के कारण अब महाराज का अन्तिम समय है। अच्छी से अच्छी औषधि कतई काम नहीं कर रही है।

[सहसा एकलव्य का दोनों दूतों सहित प्रवेश]

अभय : *(मरणासन्न महाराज पिताश्री की इन्द्रियाँ शिथिल देखकर जोर से)* पिताश्री! प्रणाम।

[कहकर एकलव्य ने उनको जोर से पकड़ लिया]।

हिरण धनुष : *(आँखें खोलकर, शक्तिहीनता के कारण बलपूर्वक)* कौन है? बेटा अभय! सुखी रहो। *(कटे हुए अँगूठे की ओर देखते हुए)* यह अँगूठा कैसे कट गया?

अभय : *(जोर से)* मैं द्रोणाचार्य के पास विशेष धनुर्विद्या अध्ययन हेतु गया। उन्होंने मुझे अनार्य, शूद्र व नीच कहकर अपमानित करते हुए विशेष धनुर्विद्या नहीं सिखाई। जब मैंने उनकी मिट्टी की मूर्ति बनाकर स्वाध्याय और अथक अभ्यास द्वारा दक्षता प्राप्त कर ली, तब...।

हिरण धनुष : *(बीच में ही जोर से)* तब क्या हुआ?

अभय : तब द्रोणाचार्य ने एक दिन अचानक आकर मेरा और अपने सर्वश्रेष्ठ धनुर्धारी प्रिय शिष्य अर्जुन से बाण-युद्ध करा दिया। अर्जुन के हार जाने पर उन्होंने मुझसे गुरु दक्षिणा के नाम पर यह अँगूठा दान में ले लिया।

हिरण धनुष : *(क्रोधपूर्वक जोर से)* जबकि उस छली आचार्य ने तुझे अनार्य व शूद्र कहकर अपमानित किया, विशेष धनुर्विद्या नहीं सिखाई, तब उसे गुरु दक्षिणा में अँगूठा देकर तूने बड़ी भारी भूल की है, बेटा। इसका प्रायश्चित्त...?

अभय : *(जोर से)* हाँ पिताश्री! मैंने तत्क्षण प्रायश्चित्त स्वरूप द्रोणाचार्य की मिट्टी की मूर्ति तोड़ कर प्रण किया कि हम लोग जब तक इन कपटी-छल-छद्मवादी आर्यों के घमंड को चूर करके अपने खोए हुए आदिनिवासियों के जन साम्राज्य और शक्ति को पुनः प्राप्त नहीं कर लेंगे, तब तक शान्त नहीं रहेंगे।

हिरण धनुष : *(पूर्ववत्)* इस कटे अँगूठे ने तो तेरी बाण-विद्या बिलकुल ही निष्फल कर दी है बेटा!

अभय : *(पूर्ववत्)* पिताश्री! आप निश्चिन्त रहें। मैंने वहीं पर कुछ समय तक गहन-चिन्तन, मन और अथक अभ्यास के बाद बाएँ हाथ से बाण चलाने में अद्भुत दक्षता प्राप्त कर ली है। मैंने ऐसी बाण-विद्या की सर्जन किया है कि आनेवाला युग उस बाण-विद्या का ऋणि होगा, सदा अनुकरण करेगा।

हिरण धनुष : शाबाश बेटा! इन आर्यों की कुचालों से सदा होशियार रहना...*(कहकर चुप रह जाते हैं।)*

गिरिवीर : राजवैद्य! अच्छा हो कि महाराज स्वयं अभय का राजतिलक करें, कोई तीव्रतर 'रस' पिलाइए, ताकि कुछ चेतना आवे।

[राजवैद्य पत्थर की सिल पर सर्वश्रेष्ठ औषधि पानी में घिस कर महाराज को पिलाते हैं। कुछ होश आने पर]

गिरिवीर : महाराज! चिन्ता न करें। हम लोग अभय के साथ हैं। आप राजकुमार का राजतिलक कर पूर्ण शान्ति प्राप्त करें।

हिरण धनुष : *(कुछ सिर उठाकर)* ठीक है!

[महाराज हिरण धनुष लेटे ही लेटे राजकुमार अभियुद्यु न का राजतिलक पुरोहित की सहायता से करते हैं।]

हिरण धनुष : *(धीमे स्वर से)*...सबका मंगल हो!

[कहकर चार महाभूतों में विलीन हो जाते हैं। अभय आदि सभी उपस्थित जनसमूह विलाप करता है।]

सुलेखा : *(विलाप करती हुई)*...मैं पति का साथ नहीं छोड़ सकती। सबका मंगल हो!

[कहकर लम्बी साँस सदा ऊपर की ओर खींचकर निःस्वार्थ हो जाती हैं। बैठक ही एक ओर लुढ़क जाती हैं।]

[उपस्थित जनसमूह का भारी करुणा क्रन्दन]

[पटाक्षेप]

तृतीय अंक

दृश्य-1

स्थान : श्रृंगवेरपुर की राज्यसभा
समय : दोपहर के बाद

[महाराज एकलव्य एवं उनकी बाईं ओर महारानी सुनीता [रेणुका] रत्न जटित सिंहासन पर विराजमान हैं। पास ही प्रधानमंत्री, प्रधान सेनापति, अन्य अधिकारीगण, सम्मानित भद्र पुरुष, प्रजा जन एवं दर्शकगण अपने-अपने नियत स्थानों पर बैठे हुए हैं। दो चोबदार चाँदी के पत्र से मढ़ी हुई छड़ियाँ अपनी-अपनी बगल में दबाए राजसिंहासन के दाईं व बाईं ओर खड़े हैं। राजकीय विषयों पर दो घंटे से वार्तालाप चल रहा है।]

एकलव्य : प्रधानामात्य! सम्पूर्ण भारत में श्रृंगवेरपुर की राज्यशक्ति किस श्रेणी में हैं?

गिरिवीर : श्री मन्त! आपकी गणना द्वितीय श्रेणी में है।

एकलव्य : कैसे?

गिरिवीर : प्रथम मगध-नरेश *(जरासन्ध)*, द्वितीय श्रृंगवेरपुर, तृतीय हस्तिनापुर *(कौरव)* और तत्पश्चात् क्रमश: सिन्ध, चन्देरी व मथुरा आदि।

एकलव्य : क्या मेरी शक्ति हस्तिनापुर से अधिक है?

गिरिवीर : जी हाँ, श्रृंगवेरपुर के बिखरे हुए उपनिवेश हैं। इसलिए शक्ति का ठीक-ठीक पता नहीं चल पाता है।

एकलव्य : प्रधानामात्य! आप तो बहुत बुजुर्ग हैं। बतलावें कि हस्तिनापुर की राजगद्दी का असली हकदार कौन है, कौरव या पांडव?

गिरिवीर : राजन्! हस्तिनापुर की राजगद्दी के वास्तविक अधिकारी दुर्योधन आदि कौरव हैं, क्योंकि पांडवों के बजाय दुर्योधन के पिताश्री महाराज धृतराष्ट्र आयु में सबसे बड़े थे, परन्तु जन्मान्ध होने के कारण उन्होंने राज्य का कारोबार अपने छोटे भाई पांडु को सौंप दिया था। जब धृतराष्ट्र का बड़ा लड़का दुर्योधन युवा

हो गया तो उसने स्वयं राज्य की बागडोर अपने हाथ में ले ली। इस कारण कौरवों और पांडवों में गृह-कलह शुरू हो गया है। अब आप उनकी शक्ति नष्ट-सी ही समझें। न जाने दोनों में कितनी जल्दी यह गृह-कलह एक बहुत बड़े विश्व-युद्ध का रूप धारण कर ले।

एकलव्य : दुर्योधन ने पांडवों के भरण-पोषण का क्या प्रबन्ध किया?

गिरिवीर : हस्तिनापुर के सरकारी खजाने से पांडवों के भरण-पोषण का उतना ही अच्छा प्रबन्ध है, जितना स्वयं दुर्योधन का। बल्कि सच पूछा जाए तो ये पांडव गण बड़े ही फिजूलखर्च हैं।

एकलव्य : कैसे?

गिरिवीर : पांडवों ने अपने बड़े भाई युधिष्ठिर को बनावटी राजा मानकर हस्तिनापुर के सरकारी खजाने से अनगिनत धन खर्च करके विश्व का एक सर्वोपरि राजमहल अभी-अभी बनवाया है, जिसमें पानी की जगह जमीन, जमीन की जगह पानी, दरवाजा की जगह दीवाल और दीवाल की जगह दरवाजा दिखाई पड़ता है। सम्पूर्ण महल में हीरे-मोती व पन्ना आदि भारी कीमत वाले जवाहरात जड़े हुए हैं। ये जवाहरात रात में अपनी अनोखी छटा तो दिखाते ही हैं, इनकी सुन्दरता दिन में भी मन को मोह लेती है।

एकलव्य : मंत्रिवर! एक बात और बताइए, क्या श्रीकृष्ण ने केवल ग्वाल बालों के संगठन से मथुरा-नरेश कंस को मारा?

गिरिवीर : ग्वाल बालों और देहाती बेपढ़ी-लिखी जनता को थोड़े समय के लिए इकट्ठा कर लेना संगठन की परिभाषा नहीं है। वह इस तरह के मूर्खों का अस्थायी संगठन थोड़े समय के लिए था, जो अब बिलकुल ही नष्ट हो गया है।

एकलव्य : अब श्रीकृष्ण का क्या हाल है?

गिरिवीर : राजन्! अपने गुप्तचर ने कल शाम को सूचना दी थी कि मथुरा-नरेश कंस के श्वसुर मगध-नरेश जरासन्ध

ने अपने प्रधान सेनापति कालयवन के साथ तेईस अक्षौहिणी सेना लेकर श्रीकृष्ण के ऊपर घोषणा करके चढ़ाई कर दी। उनका उपरोक्त अस्थायी क्षणिक संगठन जरासन्ध की संगठित सेना के सामने क्षणमात्र भी न ठहर सका। उसने श्रीकृष्ण व उनके साथियों के कोड़े मार-मार कर चमड़ी उधेड़ दी है। सभी समीपी जनता ने श्रीकृष्ण का साथ छोड़ दिया है। सिर्फ उनके कुछ घनिष्ठ मित्र व कुछ रिश्तेदार ग्वाल बाल आपके पास प्राण रक्षा की भीख माँगने हेतु आ रहे हैं।

एकलव्य : तब तो श्रीकृष्ण की राजनीति अच्छी नहीं है।

गिरिवीर : राजन्! आप बिलकुल ठीक कह रहे हैं। कभी आर्यों की तरफ और कभी आदिनिवासियों (द्रविड़ों) की तरफ। इन दोमुँही नीति ने ही उन्हें परेशान कर रखा है।

द्वारपाल : *(दोनों हाथ जोड़कर)* महाराज! प्रणाम।

एकलव्य : सुखी रहो तात! कहो मुख्य द्वार की कुशलता।

द्वारपाल : राजन्! मुख्य द्वार पर मगध-नरेश (जरासन्ध) द्वारा मथुरा प्रदेश से खदेड़े हुए पाँच ग्वाल बाल थके-माँदे, भूखे-प्यासे, लहू-लुहान, फटे-हाल महानुभावों की भूख-प्यास, औषधि एवं वस्त्रादि का समुचित प्रबन्ध करके राजकीय उच्चतर विश्रामालय में ठहरा कर आपके पास आया हूँ। वे लोग आपसे मिलना चाहते हैं। उनमें से एक व्यक्ति कहता है कि मेरे पिता नन्द और महाराज हिरण धनुष की बड़ी मित्रता थी। उसका नाम है नन्द नन्दन श्रीकृष्ण।

एकलव्य : *(अति शीघ्रतापूर्वक)* प्रधानामात्य! आप यहीं ठहरे। मैं स्वयं उनकी आगवानी के लिए प्रधान सेनापति सहित जा रहा हूँ।

[कहकर चल देते हैं। उन्हें चलता देखकर महारानी स्वयं उनके साथ चल देती हैं। दो सेनापतियों सहित प्रधान सेनापति भी पीछे-पीछे चल देते हैं। महाराज एकलव्य उचित अभिवादन के पश्चात् उन्हें सम्मान-पूर्वक राज्यसभा में लाते हैं। अपने और सुनीता के बीच राजसिंहासन पर बिठाते हैं। इशारा

पाकर शेष चार ग्वाल बाल भी सम्मानित स्थानों पर बैठ जाते हैं]

एक व्यक्ति : एकलव्य, श्रीकृष्ण मिलन—

सभी एक साथ : अमर रहे!

एकलव्य : श्रीकृष्ण! कहिए, मथुरा-प्रदेश की बीती कहानी।

श्रीकृष्ण : महाराज! सम्पूर्ण बीती कहानी कहने की मुझमें कतई शक्ति नहीं है। आप मेरी बीती कहानी सब जानते हैं। राज्यसभा के सामने मुझे ज्यादा शर्मिन्दा न करें। हम लोग आए हैं आपकी शरण में। एकान्त सुरक्षित शरण दीजिए।

एकलव्य : घबराइए नहीं 'गोपचर!' अब आप मेरी शरण में आ चुके हैं। मैं स्वतः को जलती आग की भट्ठी में झोंक कर भी आपकी रक्षा तन-मन-धन से करूँगा। हम आदिनिवासियों की शक्ति मगध नरेश जरासन्ध के मुकाबले में कम इसलिए दिखाई पड़ रही है, क्योंकि हमारे उप-निवेश बिखरे हुए हैं।

श्रीकृष्ण : महाराज! आपका कथन बिलकुल सत्य है। मैं यह नहीं चाहता हूँ कि आपकी व जरासन्ध की भिड़न्त हो। आप जैसा समझें, करें।

एकलव्य : हे 'गोपालक', मैं भिड़न्त के लिए कतई नहीं डरता। मरना सबको है। फिर रणस्थल में जूझना अति उत्तम है। मुझे डर इस बात का है कि इस भिड़न्त में भारत की सम्पूर्ण सैन्य शक्ति नष्ट हो जावेगी। हो सकता है, आज न सही, आगे चलकर शक्तिहीन भारत कभी भी आर्य विदेशियों का गुलाम बन सकता है। *(प्रधानामात्य से)* प्रधानामात्य! बताओ! इनके लिए कहाँ है एकान्त सुरक्षित शरण स्थान?

गिरिवीर : राजन्! आपने यदा-कदा शान्तिमय समय बिताने हेतु समुद्र किनारे जो नई नगरी द्वारिकापुरी बनवाई है, राज्य भर में सबसे अधिक एकान्त सुरक्षित शरण स्थान वही केवल एकमात्र है।

एकलव्य : कहो, प्राणेश्वरी! तुम्हारी क्या सम्मति है?

सुनीता : प्राणनाथ! मैं तो इससे भी अधिक सोच रही हूँ।

एकलव्य : वह क्या?

सुनीता : महाराज! द्वारिकापुरी के समीपी प्रदेश *(वर्तमान गुजरात प्रदेश)* सहित द्वारिकापुरी नगरी यशोदा-नन्दन को दी जावे। उन्हें उस प्रदेश का स्वतंत्र राजा मान लिया जावे। नन्द और अपने पिताश्री की मित्रता का पूर्ण परिचय इससे कम बिलकुल नहीं होना चाहिए।

राज्यसभा : महाराज! पूर्वजों की मित्रता के साथ-साथ आज एकलव्य-श्रीकृष्ण मिलन का पूर्ण परिचय इससे कम बिलकुल नहीं होना चाहिए।

एकलव्य : *(जोर से)* मैं राज्यसभा के समक्ष घोषणा करता हूँ कि "श्रीकृष्ण को आज से द्वारिकापुरी-प्रदेश का राजा घोषित किया जाता है।" *(प्रधानामात्य से)* प्रधानामात्य! द्वारिकापुरी-प्रदेश के प्रबन्धक को हिदायत की जाए कि वह अब श्रीकृष्ण को राजा मान कर उनकी आज्ञाओं का शतशः पालन करें।

प्रधानामात्य : राजन्! अक्षरशः पालन होगा।

श्रीकृष्ण : *(खड़े होकर जोर से)* महाराज श्री, महारानी श्री एवं राज्यसभा को अनन्त धन्यवाद!

एक व्यक्ति : 'एकलव्य-श्रीकृष्ण मिलन।'

राज्यसभा : 'अमर रहे! अमर रहे!'

प्रधानामात्य : घोषणा की जाती है कि द्वारिकाधीश श्रीकृष्ण तीन दिन शृंगवेरपुर में मेहमान रहेंगे। नगर सजाया जावे। दीपक जलाए जाएँ। चौथे दिन प्रातःकाल सूर्योदय के समय विदाई हेतु एक मील तक सभी नगरवासी उन्हें पैदल भेजने जावेंगे।

एकलव्य : प्रधान सेनापति, आप श्रीकृष्ण के साथ कुछ सहस्र सेना रक्षार्थ द्वारिकापुरी तक भेज देवें।

रणवीर : राजन्! अक्षरशः पालन होगा।

गिरिवीर : मैं घोषणा करता हूँ—राज्यसभा समाप्त की जाती है।

[पटाक्षेप]

दृश्य-2

स्थान : श्रृंगवेरपुर का अन्त:पुर
समय : दिन का प्रथम पहर

[सम्राट एकलव्य और महारानी सुनीता रत्नजटित पलंग पर विराजमान हैं सम्राट के मुखमंडल पर चिन्ता की गहरी रेखाएँ हैं, जिसे देखकर महारानी भी उदास हैं।]

एकलव्य : प्रिये! पिताजी चल बसे, माताजी न रहीं, मेरे हाथ का अँगूठा कटा, थोथे अभिमानियों से अपमानित होना पड़ा...। इस छोटे-से जीवन में मुझे न जाने कौन-कौन से संकटों का सामना करना पड़ा? पग-पग पर धक्का...। हाँ! युद्धों में अवश्य सफलता मिली और आज तक मैं किसी भी युद्ध में नहीं हारा। जो भी मेरे समक्ष युद्ध में आया, वह हारा चाहे आर्य हो या कोई अन्य। विश्व के बड़े-बड़े योद्धाओं को मुँह की खानी पड़ी, किन्तु फिर भी मेरे हृदय को धैर्य नहीं। इस चंचल मन को चैन नहीं।

और जब मुझे अपने माता-पिता का स्नेह स्मरण हो जाता है, तब मन तिलमिला उठता है। हृदय विह्वल हो जाता है। इच्छा होती है, सब कुछ छोड़कर जंगल को चला जाऊँ।

सुनीता : ऐसा न कहो, हृदयेश। इतने व्यथित न हो, देव। सभी के माता-पिता सदैव जीवित नहीं रहते। सभी को समाज में मान-अपमान का सामना करना पड़ता है। सभी के जीवन में सुख-दुःख के दिन आते हैं, लेकिन कोई घबराकर प्राण नहीं दे देता। घर नहीं छोड़ देता। निष्क्रिय होकर नहीं बैठे रहता। संघर्ष ही मानव जीवन है। जीवन के संकटों से घबराकर हार मान लेनेवाला व्यक्ति कभी उन्नति नहीं कर सकता। कायरों की भाँति कोठरियों में सोनेवाला व्यक्ति समाज में सम्मान नहीं पा सकता। अस्तु आप अपनी चिन्ता का परित्याग कर दें, धैर्य से काम लें।

एकलव्य : तुम ठीक कहती हो, सुनीते! लेकिन जब माताश्री के उस अगाध स्नेह का स्मरण होता है, तब धैर्य का बाँध टूट जाता है। हृदय की व्याकुलता आँखों से निकल पड़ती है।

सुनीता : किन्तु उससे लाभ क्या? जीवन को दु:खमय बनाना कोई समझदारी नहीं है।

एकलव्य : जीवन की सारी खुशियाँ माता-पिता के साथ चली गईं, सुनीते। बसंत की बहार लुट गई। अब केवल तुम्हीं मेरी खुशियों की एक झलक विद्यमान रह गई हो। ऐसा आभास होता है, यदि तुम भी न होतीं, तो मैं अपने को सम्हाल न पाता और पागल हो जाता।

सुनीता : माता-पिता के निधन का मुझे भी दु:ख है, प्राणनाथ! उनका अपार स्नेह, उनकी मांगलिक कामनाएँ, उनकी मीठी-मीठी कल्पनाएँ, उनके नित्य नूतन एवं उत्तम आशीर्वादों का स्मरण मेरे भी धैर्य को डगमगा देता है, परन्तु मैं आपकी स्थिति को सोचकर शान्त रह जाती हूँ।

एकलव्य : इसलिए मैं अकर्मण्य-सा हो रहा हूँ। प्रिये! यह चिन्ता मुझे क्रियाशील नहीं बनने देती।

सुनीता : इससे आपको खतरा हो सकता है, देव! शत्रु यदि इस स्थिति को समझ जाएँ, तो अवसर का लाभ उठा सकते हैं।

एकलव्य : उठा तो सकते हैं, किन्तु मैं क्या करूँ? मैं अपने किसी भी काम में सफल न हो सका। जिसे शुरू किया, असफलता हाथ लगी। इसलिए यह हृदय निरुत्साही बन गया। इच्छा होती है, सभी धारणाओं को हृदय में ही दबा कर बैठ जाऊँ।

सुनीता : क्षमा करें, प्राणनाथ। आपकी यह भावनाएँ कायरता का प्रत्यक्ष प्रतीक हैं। इस प्रकार जीवन-संघर्ष से घबरानेवाला व्यक्ति कुछ भी नहीं कर सकता और जब आपकी ही यह स्थिति है, तो अन्य छोटे-मोटे व्यक्तियों का मन कर्तव्य-पथ से विचलित होना कठिन नहीं। आपको स्मरण नहीं, आपने ही आर्यों की बर्बरता, क्रूरता का मूलोच्छेदन कर समाज में आदिनिवासी अनार्यों को

समता-बन्धुता की स्थिति में लाकर खड़ा कर देने का व्रत लिया था। जो व्रत अभी तक पूरा नहीं हो पाया और आपने कर्तव्य से मुख मोड़ लेने की ठान ली है।

एकलव्य : ऐसा नहीं है, सुनीते! मैं अपने व्रत को भूला नहीं हूँ। प्रत्येक दशा में अपना सर्वस्व बलिदान करके मैं अपने व्रत को पूरा करूँगा। भारी से भारी संकट भी मुझे अपने कर्तव्य से विचलित नहीं कर सकते।

यद्यपि रोज-रोज युद्ध करते-करते सम्पूर्ण शरीर जर्जर हो गया है, सेना में भारी कमी आ गई है। खजाना खाली हो गया है। महाभारत ने तो कमर तोड़ दी। दुर्योधन की सहायता के लिए जितनी सेना भेजी गई थी, सब की सब मारी गई, किन्तु फिर भी मैं अपने कर्तव्य पथ पर अडिग हूँ। अभी मेरे बचे हुए सैनिक भी साहस नहीं खोए हैं। मैं अपने व्रत को पूरा करूँगा।

सुनीता : यही आशा थी। मुझे अपने प्रियतम से यही भरोसा था। आपके शब्दों को सुनकर हृदय गर्व से उन्नत हो गया।

[सहसा प्रतिहारी का प्रवेश]

प्रतिहारी : अन्नदाता के जीवन की जय-जयकार! प्रधानमंत्री सेनापति सेवा में उपस्थित होना चाहते हैं।

एकलव्य : आने दो, प्रतिहारी।

प्रतिहारी : जो आज्ञा, आदिपुत्र।

[अभिवादन करके प्रस्थान]

एकलव्य : आज असमय में महामात्य और सेनापति का आगमन क्यों? क्या राष्ट्र पर कोई संकट आ गया है?

[सेनापति और महामात्य का प्रवेश]

दोनों : महाराजाधिराज की जय!

[दोनों उचित आसन पर बैठ जाते हैं।]

एकलव्य : कहो महामात्य, नया समाचार क्या है?

महामात्य : महाराज! आज कल बलबीर के अहीर सैनिक अपने राज्य की सीमा पर बड़ा ही उत्पात मचा रहे हैं। सुधार-कार्य रुका है। रास्ते के इस काँटे को शीघ्र समाप्त किया जाए।

एकलव्य : बलदाऊ (बलबीर) तो अनार्य-आदिनिवासी हैं। इन्हें हमारा सहयोगी होना चाहिए?

सेनापति : होना तो चाहिए देव, किन्तु अर्जुन इत्यादि आर्यों की अवसरवादिता के कारण रिश्तेदारी का सम्बन्ध हो जाने से वे अपने को आर्य ही समझने लगे हैं। उन्हें क्या मालूम कि राजनीति के चतुर व चालाक खिलाड़ी आर्य अपना उल्लू सीधा करने के लिए उल्टी और सीधी, सभी चालें चलते हैं।

सुनीता : तो सेनापति! तुमने अपना मार्ग साफ करने के लिए कौन-सा उपाय सोचा है?

सेनापति : महारानी! मेरी तो इच्छा है कि द्वारिकापुरी पर आक्रमण करके मार्ग के इस कंटक को साफ किया जाए।

सुनीता : तुम्हारी विचारधारा और उत्साह सराहनीय है, सेनापति। *(एकलव्य की ओर मुड़ कर देखते हुए)* देव! इन्हें आज्ञा दीजिए—आक्रमण किया जाए।

एकलव्य : महामात्य! तुम्हारी क्या राय है?

मंत्री : अन्नदाता, आपकी जैसी आज्ञा हो। मेरी तो वही राय है, जो महारानी की इच्छा।

एकलव्य : जाओ सेनापति! युद्ध की तैयारी करो। सभी सैनिकों से कह दो कि उन्हें शासन-सत्ता के मदान्ध व विवेकहीन यादवों के टिड्डी-दल से लड़ना है। जिन्हें प्राणों की चिन्ता हो, वे सेना में न जाएँ। जिन्हें देश और समाज की चिन्ता है, शोषितों, दलितों एवं पीड़ितों के उत्थान की अभिलाषा है, वही युद्ध-स्थल में जाएँ।

सेनापति : जो आज्ञा, देव!

एकलव्य : महामात्य! आप भी जाइए। युद्ध का समुचित प्रबन्ध कराइए।

मंत्री : जो आज्ञा, राजन्!

[प्रणाम करते हुए दोनों का प्रस्थान]

एकलव्य : प्रियतमे! तुम भी जाओ। राजमहल की भीतरी रक्षा का ठीक-ठीक प्रबन्ध रखना। और भी ध्यान रखना। पुत्र का लालन-पालन उत्तम रहे, क्योंकि युद्ध का परिणाम क्या होगा, कहा नहीं जा सकता।

सुनीता : आप इतने कामों से निश्चिन्त रहें, प्राणनाथ!

[एकलव्य का प्रस्थान]

दृश्य-3

स्थान : युद्ध-स्थल
समय : प्रातः काल

[एकलव्य, महामात्य और सेनापति खड़े युद्ध की बातचीत कर रहे हैं। युद्ध शुरू हो रहा है।]

एकलव्य : सेनापति! समर की स्थिति अच्छी नहीं है। सेना का बहुत बड़ा भाग इसी युद्ध-स्थल में खप चुका है। आगे की क्या योजना है?

सेनापति : अभी योजना पर विचार करना निरर्थक है, सम्राट। जो सैनिक शहीद हो चुके हैं, उनके सम्बन्ध में भी अभी कुछ सोचना व्यर्थ है। हमारे शेष सैनिक अपने मोर्चे पर डटे हुए हैं। उन्होंने इस युद्ध को जीवन-मरण का प्रश्न बना रखा है। यद्यपि लक्षण अच्छे नहीं हैं, किन्तु...।

एकलव्य : किन्तु क्या, सेनापति? स्पष्ट कहो। युद्ध-काल में किन्तु-परन्तु की आवश्यकता नहीं होती है।

सेनापति : यदि आप आज अस्त्र उठा लें और युद्ध का सम्पूर्ण संचालन अपने नेतृत्व में ले लें, तो निःसन्देह हम विजयी हो सकते हैं।

एकलव्य : तुम ठीक कहते हो, सेनापति परन्तु युद्ध बराबर वालों से होता है। मैं सम्राट हूँ। साधारण सैनिकों से लड़ना शोभा नहीं देता। जब समर में बलराम स्वयं आवें, तभी मेरा अस्त्र-शस्त्र उठाना सम्भव है।

मंत्री : अन्नदाता! आज अपने गुप्तचर विभाग ने यह सूचना दी है कि हमारे से दस गुने अधिक सैनिक यादवों के मारे गए हैं। इस बात का दुःख बलदाऊ को है। इसलिए आज वे स्वयं सेना का नेतृत्व करेंगे।

एकलव्य : यदि ऐसा है, तो मैं अवश्य धनुष उठाऊँगा। सेनापति! मैं इसी दिन की प्रतीक्षा कर रहा था। आज युद्ध का अन्तिम निर्णय हो जावेगा। सेना चार भागों में बाँट दो।

सेनापति : फिर क्या होगा, महाराज?

एकलव्य : इस बात की प्रतीक्षा करो। मैं समय देखकर आदेश प्रसारित करूँगा। ध्यान रहे, रणभूमि में मेरे मुख से निकली बात अथवा मेरे अन्य संकेत का तत्काल पालन किया जाए। विलम्ब हानिकारक हो सकता है। मेरे सारथी से कहो, मेरा रथ खुला रहेगा, जिससे चौमुखी मार हो सके।

[नेपथ्य में रण के बाजे बजने लगे। 'बलदाऊ की जय, बलदाऊ की जय' ध्वनि का कोलाहल सुनाई पड़ने लगा।]

मंत्री : राजा, आज्ञा दें। यादवों की सेना समर-भूमि में आ गई है। देखिए, दाहिनेवाले रथ के झंडे पर हल और मूसल का, जो चिह्न दिखाई पड़ता है, वह रथ बलदाऊ का है।

एकलव्य : हाँ, जाओ। शीघ्रता करो। मेरी बताई विधि के अनुसार सेना का संचालन करो। ध्यान रहे, आज अन्तिम निर्णय के उपरान्त ही युद्ध बन्द होगा। मैं स्वयं बलदाऊ से भिड़ता हूँ।

दोनों : जो आज्ञा, देव!

[अभिवादन करके प्रस्थान]

एकलव्य : *(स्वगत)* महीनों प्रतीक्षा के बाद आज अवसर आया है, जब बलदाऊ से युद्ध होगा! आज युद्ध होगा! आज यदुवंशी समझ जाएँगे कि किसी से पाला पड़ा है। अब देरी करना ठीक नहीं है।

[दोनों सेनाओं का घमासान युद्ध कई टुकड़ियों में होने लगा। एकलव्य और बलदाऊ आमने-सामने आ डटे]

[एकलव्य ने बाण से बलदाऊ का अभिवादन किया। बलदाऊ ने भी बाण द्वारा ही स्वागत स्वीकार किया।]

एकलव्य : भैया दाऊ जी! आपके यादवों ने हमारे राज्य की सीमा के भीतर बड़ा ही उत्पात मचा रखा है। प्रजा की जान-माल खतरे में है। अन्य समीपी राज्यों में भी यादवों के अन्याय-अत्याचार से हाहाकार मचा हुआ है...।

बलदाऊ : समीपी राज्यों के ठेकेदार, सावधान! व्यर्थ की बकवास मत कर! यादवों की बढ़ती शक्ति को कोई रोक नहीं सकता।

एकलव्य : यदि आप अपनी बढ़ती शक्ति का ऐसा ही दुरुपयोग भविष्य में भी करते रहे, तो इसका अन्तिम परिणाम होगा—महानतम भीषण गृहयुद्ध और सर्वनाश।

बलदाऊ : अच्छा तो लेना, परिणाम भेज रहा हूँ।

[कहकर बलदाऊ ने एक तीक्ष्ण बाण एकलव्य के कलेजे पर ताक कर छोड़ दिया, जिसे एकलव्य ने बीच में ही काट गिराया।]

[एकलव्य के जीवन का अन्तिम समर है। युद्ध ने भारी विकराल रूप धारण कर लिया। सूर्यास्त का समय था। उभय पक्षों के भीषण नर-संहार होने के पश्चात् 'विजय श्री' एकलव्य के पक्ष में आनेवाली ही थी कि अचानक कृष्ण की नारायणी सेना ने, जो कहीं बाहर से द्वारिकापुरी को लौट रही थी, एकलव्य को चारों ओर से घेर लिया। एकलव्य सेना सहित प्राणों का मोह छोड़कर बड़ी बहादुरी से लड़े। घायल दशा में रण-स्थल छोड़कर एक पगडंडी द्वारा सघन-जंगल की ओर लड़खड़ाते हुए चल दिए। अपने घायल सम्राट के पीछे-पीछे दो भील सैनिक भी एकलव्य की रक्षा हेतु चल दिए।]

एकलव्य : *(स्वगत—एकाकी लड़खड़ाते हुए)* आह! आज स्वाहा हो गया। सर्वस्व स्वाहा हो गया। थके हुए मेरे बेचारे सैनिक संध्या समय दोनों ओर से घिर गए। डट कर लड़ा। यदुवंशियों की दूसरी नारायणी सेना के भी छक्के छूट गए, किन्तु सभी मारे गए। सभी बलिदान हुए। रथ टूट गया। सारथी मारा गया और मैं भी आहत हुआ। सारा शरीर जर्जर हो गया। सम्पूर्ण रुधिर निकल गया। इतनी दुर्बलता आ गई कि चल सकना भी असम्भव है। धनुष पर भी कोई ऐसा शस्त्र गिरा कि उसके दो खंड हो गए हैं। मैं निहत्था रह गया। युद्धस्थल से भागने का जीवन में यह पहला और अन्तिम अवसर है। जब

मेरी यह दशा हुई। जल्दी ही कहीं छिप जाऊँ, कहीं शत्रु या शत्रु सेना न आ जाए, किन्तु छिप कर क्या करूँगा? प्राणों के मोह से लाभ क्या? सेना समाप्त। सम्पत्ति समाप्त। आदिनिवासियों का साम्राज्य समाप्त। भाई-बन्धु समाप्त। सभी समाप्त। दिन भर की प्यास के कारण प्राण बाहर निकल रहे हैं। शृंगवेरपुर जाऊँ, लेकिन वहाँ जाकर क्या करूँगा? जब कुछ नहीं है, तो राज्य चला ही जाएगा।

[एकलव्य के पीछे-पीछे वाले दोनों भील-सैनिकों को अचानक तीन यदुवंशी-सैनिकों ने घेर लिया।]

यदुवंशी सैनिक : *(कड़ी आवाज से)* सावधान! शत्रुओ सावधान!!

भील सैनिक : स्वागत है! स्वागत है!! सावधान!!!

[दोनों ओर से घमासान युद्ध होता है। तीनों यदुवंशी-सैनिक और एक भील-सैनिक मारा गया। दूसरा घायल हुआ।]

भील सैनिक : मारे गए उत्पाती, आततायी। और साथी भी बलिदान हुए। मेरे शरीर के घावों का खून बन्द नहीं हो रहा है। *(कुछ दूर चलकर लड़खड़ा कर भूमि पर गिर जाता है)* आह! अब हमारे सम्राट अकेले ही रह गए। *(प्राण छोड़ देता है।)*

[एकलव्य को सहसा दो यदुवंशी सैनिकों ने घेर लिया।]

[एकलव्य और दो यदुवंशी सैनिकों का प्रवेश]

यदुवंशी सैनिक : पकड़ लो! पकड़ लो!! ये हैं—समता, बन्धुता व स्वतंत्रता के ठेकेदार! समाज-सुधार और सामाजिक परिवर्तन के नेता। शृंगवेरपुर के महाराजा!

एकलव्य : सावधान सैनिको! सावधान!! तुम घमंडियों में यह साहस? घायल सिंह तुम लोगों के लिए काफी है।

[एकलव्य शीघ्रता के साथ घूमकर और कुछ उछलकर एक सैनिक को जोर का तमाचा गाल पर मारते हैं। वह लड़खड़ा कर गिर पड़ता है। फिर उसी की तलवार से दोनों को मार देते हैं।]

[एकलव्य का प्रस्थान]

दृश्य-4

स्थान : श्रृंगवेरपुर का राजप्रासाद
समय : प्रातः 9 बजे

[महारानी सुनीता अपने राजप्रासाद में आसनासीन हैं। पास ही बाँदी नान्दी खड़ी है। महारानी एकलव्य की याद में विह्वल हैं। मुखमंडल की रेखाएँ क्षण-क्षण में बन-बिगड़ रही हैं।]

सुनीता : काफी समय हो गया। अभी तक सही-सही पता नहीं चल सका। केवल इतना ही पता चलता है कि द्वारिकापुरी के समीपी घने वनों में एक हृष्ट-पुष्ट व्यक्ति, जिसके सिर पर बड़े-बड़े बाल, धूल-धूसरित शरीर मानो जीवन में कभी स्नान न किया हो, बड़े-बड़े नाखून, लम्बी दाढ़ी, केवल एक लंगोटी लगाए नंगे शरीर घूमा करता है। इतना खूँखार और भयानक है कि रास्ता चलनेवाले को देखते ही उसकी ओर दौड़ पड़ता है और उसके पास जो भी खाने-पीने की वस्तु होती, छीन कर खा लेता है। फिर जोर से हँसता है। इस छीना-झपटी में पथिकों को कभी-कभी अपने प्राणों से भी हाथ धोना पड़ता है। लोग उसे देखकर छिप जाते हैं, भयभीत होकर भाग जाते हैं। आस-पास भयंकरता का साम्राज्य है। दूत कहते हैं कि वही सम्राट है। क्या यह सम्भव है, नान्दी?

नान्दी : महारानी! अपराध क्षमा करें। सम्भव है, दुखी महाराज को इस दशा में आना पड़ा हो। हो सकता है, सर्वस्व बलिदान करने के बाद उनका धैर्य समाप्त हो गया हो और वे असहनीय दुःख के कारण पागल हो गए हों।

सुनीता : किन्तु यह कैसे सम्भव हो सकता है? धैर्यधारी सम्राट विक्षिप्तों की दशा में क्यों घूमेंगे? यद्यपि द्वारिकापुरी के समर में सर्वस्व स्वाहा हो गया। सेना में कोई घर के लिए समाचार पहुँचानेवाला भी न बचा। कहते हैं, केवल सम्राट ही बच सके।

हालाँकि उन्होंने यदुवंशियों से घुटने टिकवा लिए, परन्तु उन्हें भी परिस्थितियों ने बाध्य कर दिया। समर छोड़कर वन-खंड की शरण लेनी पड़ी। बस उसी के कुछ दिन बाद से एक लुटेरे शिकारी का 'जरा' बहेलिया नाम से समाचार मिल रहा है। हो सकता है, वही सम्राट हों। अपनी कुरूपता के कारण न पहचाने जा सकते हों, किन्तु मैं उन्हें कैसे वापस बुलाऊँ? किस तरह अपने संकटमय जीवन का समाचार उनके समीप तक पहुँचाऊँ?

कोई यत्न बताओ, नान्दी क्योंकि तुम्हारा अनुभव सराहनीय है। राज-माता भी तुम्हारे अनुभव की सराहना किया करती थीं। उन्होंने कई बार मुझसे कहा था—"जब कभी समझ काम न करे, तो नान्दी से सलाह लेना।"

नान्दी : जितना दुख आपको है देवि, उतना ही दुख आपकी इस दासी को भी है। इस समय मेरा भी मस्तिष्क काम नहीं करता। वैसे भी लोग कहते हैं, चौथेपन में बुद्धि क्षीण हो जाती है।

सुनीता : राज्य छिन्न-भिन्न हो गया। पतिदेव के दुश्मनों ने उसे हड़प लिया। स्वामी-भक्त सेवकों की बदौलत केवल कुछ भाग बचा है। इतने विशाल साम्राज्य का रूप बदलकर एक छोटी-सी जागीरमात्र रह गई है। इस छोटी-सी जागीर से किस तरह मेरे पुत्र का कार्य चल सकेगा?

पति वियोग, पुत्र का अस्पष्ट भविष्य, स्वयं का संकटापन्न जीवन—इन्हीं चिन्ताओं ने इस शक्तिशालिनी युवा को दुर्बल और वृद्धा बना दिया है। रोते-रोते शरीर का सारा रुधिर आँसू बनकर निकल गया है। अब कुछ उपाय बताओ नान्दी। दिल चाहता है, चलकर स्वयं पतिदेव से मिलूँ अथवा आत्महत्या कर लूँ।

नान्दी : ऐसा न सोचिए, महारानी। आपके इन विचारों से राज्य को धक्का लग सकता है, कुमार का जीवन संकटमय हो सकता है, स्वामी-भक्त सेवक किनारा पकड़ सकते हैं और यह सम्भव नहीं कि सम्राट को आप पहचान ही

जाएँ या सम्राट आपको पहचान जाएँ। यह भी सम्भव नहीं कि सम्राट आपकी बात सुनें, मानें और घर वापस आ जाएँ।

सुनीता : कहो नान्दी! चुप क्यों हो गई? प्रत्येक बात निर्भीकतापूर्वक कहो। भयभीत होने की आवश्यकता नहीं, तुम्हें छूट है। जो चाहो, कह सकती हो।

नान्दी : कृपालु रानी! मैं क्या कहूँ? मुझे विश्वास है कि युद्ध में आई किसी चोट से महाराज की कोई नस टूट या कट गई है, जिसके कारण उनकी स्मरण शक्ति नष्ट हो गई है और पागल हो गए हैं अथवा युद्ध में भारी नर-संहार के कारण उन्हें मानव-समाज से घृणा हो गई है अन्यथा अद्वितीय योद्धा, श्रेष्ठ धुनर्धर एवं महान धैर्यधारी महाराज अवश्य घर लौट आते। उनका आपसे अटूट प्रेम था, कुमार से अगाध स्नेह था, सेवक-सेविकाओं से भी प्रेम था। समाजोत्थान की दिन-रात चिन्ता थी। मातृभूमि के उद्धार की लालसा थी। अपने जीवन का एक क्षण भी व्यर्थ खो सकना उनके लिए कठिन था। फिर भला इतने दिन वे व्यर्थ मारे-मारे क्यों फिरते?

सुनीता : तुम ठीक कहती हो, हरिचारके! तुम्हारे कथन में सत्यता का प्रकाश प्रकट हो रहा है, किन्तु मुझे विश्वास है कि अपनी पत्नी से मिलते ही प्राणनाथ का मस्तिष्क ठीक हो जाएगा। वे मेरी प्रार्थना को मान लेंगे और अपने प्यारे पुत्र के मन में समाजोद्धार की लगन उत्पन्न करने के लिए घर वापस आ जाएँगे।

नान्दी : *(हाथ जोड़कर प्रार्थना करती है।)* महारानी! आप ऐसा न कहें। आप उनसे मिलने न जाएँ क्योंकि मुझे सन्देह है, उस वन खंड में पहुँचते ही आपको, कुमार को और अंगरक्षकों को प्राणों से हाथ धोना पड़ सकता है।

सुनीता : मैं क्या कहूँ? मेरी बुद्धि भ्रान्त है, नान्दी! मैं वन-खंड में...

[सहसा नेपथ्य से बच्चे के रोने की ध्वनि आती है।]

बच्चा : *(नेपथ्य से)* माँ! माँ!! तुम कहाँ हो? मुझे अकेला...।

सुनीता : नान्दी! देखो! बच्चा जगा। अकेला पाकर घबरा जाएगा।

[नान्दी दौड़कर जाती है। पीछे से सुनीता का प्रस्थान।]

[पटाक्षेप]

दृश्य-5

स्थान : जंगली मार्ग

समय : चतुर्थ पहर का प्रारम्भ

[मार्ग में एकलव्य पागलों की भाँति कुछ बड़बड़ाते हुए आ रहे हैं—पेड़ की छाल की केवल एक लंगोटी लगाए। शेष शरीर नंगा, काला और गन्दा है। बड़े-बड़े नाखून, बड़े-बड़े बाल, भयावना चेहरा, बड़ी-बड़ी मूँछें तथा दाढ़ी, धनुष-बाण लिये हैं।]

एकलव्य : *(स्वगत—एकाकी)* कई दिन हो गए। खाने को रोटी का टुकड़ा भी न मिला, न शिकार मिला और न कन्द-मूल-फल ही मिले। भूख के मारे प्राण निकले जा रहे हैं। भोजन खोजते-खोजते थकान आ गई, किन्तु कुछ भी प्राप्त न हो सका। मेरे डर के कारण पथिकों ने इस वन में आना-जाना बन्द कर दिया है। पशु-पक्षी भी लम्बे हो गए। गर्मियों के दिन पेड़ों में फलों की कौन चलावे, फूलों तक का नाम नहीं, लेकिन कोई चिन्ता नहीं। स्वावलम्बन का घमंड रखनेवाले तुझे जीवन भर धक्के पर धक्के खाने पड़े। अब भी वही। फिर व्यर्थ के पश्चात्ताप से लाभ क्या? चल, चलकर भोजन की खोज कर। कुछ न कुछ मिल ही जाएगा। व्यर्थ बड़बड़ाने से क्या लाभ?

[जोर से हँसते हैं। अट्टहास करते हैं और एक ओर को चले जाते हैं।]

[धनेष का प्रवेश। खराब सूरत, फटे चिथड़े पहने है। माँगी हुई रोटियों के टुकड़े खाता जा रहा है।]

धनेष : *(स्वगत—एकाकी)* भूल गए हथकंडे। निकल गए वे दिन जब गुलछर्रे उड़ाया करते थे। चूर हो गया सारा घमंड। अब नहीं सूझता है कि कौन आर्य है कौन अनार्य? कौन सवर्ण है कौन अवर्ण है? दो-दो चार-चार दिन तक खाने का ठिकाना नहीं लगता है। यदि कभी लगा भी तो आँख मींच कर खा लिया। चाहे जूठा हो चाहे खराब चाहे बासी हो, चाहे तिबासी हो, कौन पूछता है—वर्ण-जाति-पाँति, ऊँच-नीच, छुआछूत? बस! एक ही बात मुँह से निकलती है—"कुछ दे-दो दाता, बाल बच्चे खुश रहें भाई, गाँव-नगरी आबाद रहे, जो दे उसका भला, जो न दे उसका भी भला।" आह! पेट का दिवाला निकला जा रहा है। कोई दयालु रोटी का टुकड़ा दे देता है तो कोई मेहनतकश सुधारवादी किसान या मजदूर कमा कर खाने का पाठ पढ़ाता है। डाँटता-फटकारता है।

बस, इसी जगह कुछ समझ में नहीं आता। यहीं तो गाड़ी का पहिया घूमते-घूमते अटक जाता है। बुद्धि भ्रमित हो जाती है। यहीं मनुस्मृति का दिवाला निकल जाता है। स्मृति का आदेश है कि 'उत्तम भोजन ब्राह्मण खाएँ! छटकन-फटकन शूद्र खाएँ!!' लेकिन मैं तो खरा ब्राह्मण हूँ परन्तु खाना पड़ता है छटकन-फटकन, जूठन, बासी-तिबासी, सो भी शूद्रों के घरों का! ब्राह्मण केवल लेना जानता है, देना नहीं जानता। वह देवता नहीं, लेवता है।

असल में यह सब मिथ्या है। मनुष्य जैसी परिस्थिति में रहता है, वैसा ही करता है। वैसे ही विधानों की रचना कर लेता है। जैसे हम्हीं निषाद राजकुमार एकलव्य से घृणा करते थे, लेकिन आज हम उल्टे धक्के खा रहे हैं। कई वर्ष हो गए, आज भी घर जाने का साहस नहीं होता।

महाभारत के अस्त्रों-शस्त्रों की भंडार आज भी कानों में गूँज रही है। ऐसा आभास होता है, मानो लड़ते हुए सैनिक इधर की ओर ही बढ़े आ रहे हैं। चलो, हटो यहाँ से। कहीं स्वप्न सत्य न हो जाए। युद्ध में एक

किनारे से निकल भागे थे। आज भी प्राणों के लाले पड़ जाएँगे।

[धनेष का प्रस्थान और एकलव्य का प्रवेश]

एकलव्य : यहाँ भी धोखा? जहाँ जाऊँ, वहीं धोखा? मेरे जीवन में धोखा और असफलताओं का ताँता बँध गया है। अभी-अभी मेरे कानों में किसी मनुष्य की आवाज झनझना रही थी, इसलिए लपक कर आया, किन्तु हाथ कुछ भी न लगा। केवल मृग-तृष्णा निकली।

परन्तु ऐसा नहीं हो सकता। मेरे कान धोखा नहीं खा सकते। अवश्य ही यहाँ कोई मनुष्य होगा। मुझे देखकर छिप गया होगा और भूख के कारण मिचती आँखें उसे देखने में असफल रही होंगी। इधर-उधर देखा जाए।

[एकलव्य घूम कर इधर-उधर देखते हैं। कुछ दूर पर एक वृक्ष के नीचे चमकती आँख-सी दिखाई पड़ती हैं।]

वहाँ दूर सामने किसी की आँख चमक रही है। हो सकता है, वहीं होगा, वही व्यक्ति...। नहीं! नहीं!! वह तो कोई बैठा हुआ हिरण जान पड़ता है। उसी की वह आँख है। चलकर उसे ही देखना चाहिए, लेकिन? लेकिन वहाँ पहुँचते ही वह उठकर भाग लेगा और यह भूखा, शक्तिहीन शरीर उसका पीछा न कर सकेगा। इसलिए यहीं से वार करना चाहिए, जिससे शिकार हाथ से न निकल जावे।

[एकलव्य बाण छोड़ते हैं, जो जाकर श्रीकृष्ण के पैर के कदम को भेद कर वहीं भूमि पर गिर पड़ता है। एकलव्य उनके पास जाते हैं। पर्दा उठता है और सामने आहत श्रीकृष्ण दिखाई पड़ते हैं।]

श्रीकृष्ण : ये क्या? किस आखेटक ने प्राण ले लिये? कहाँ आकर मरा? न कोई घर का है, न गाँव का। वाह री मौत! घर-द्वार, राज-पाट, कुटुम्ब-परिवार, सेना और कोष—सभी व्यर्थ रहे। ऐसे स्थान पर मरा, जहाँ कोई मृत शरीर भी नहीं ले जानेवाला नहीं!

[सहसा एकलव्य का प्रवेश]

एकलव्य : *(अट्टहास करके)* कई दिनों की क्षुधा शान्त होगी ...आह महान दुःख। मारा था हिरण, मरा मनुष्य यह क्या?

श्रीकृष्ण : क्षुधा शान्त करनेवाले बर्बर तुम कौन हो?

एकलव्य : *(मुँह बनाकर)* तुम नहीं जानते हो? मैं वहीं 'जरा' नाम का बहेलिया हूँ, जिसके कारण तुम सरीखे पथिकों ने इस वन खंड में आना बन्द कर दिया है। और तुम कौन हो?

श्रीकृष्ण : मैं हूँ द्वारिकाधीश श्रीकृष्ण!

[श्रीकृष्ण का नाम सुन कर एकलव्य रोते हुए उनके चरणों पर गिर पड़ते हैं।]

एकलव्य : हा! अनार्य कृष्ण! अनर्थ हो गया। मुझ अभागे ने सत्यानाश कर डाला। महान युगनेता को मार कर कलंकी बना। अनार्यों और आर्यों के कर्णधार की हत्या क्या इन्हीं हाथों से होनी थी? दुःख! महान दुःख!!

[श्रीकृष्ण उसकी बात सुनकर चकित होते हैं।]

श्रीकृष्ण : तुम कौन हो, बहेलिए? तुम्हारा नाम मैंने केवल कुछ वर्षों से ही एक लुटेरे के रूप में सुना है। तुम इतना दुख क्यों कर रहे हो? पिछला परिचय साफ-साफ बताओ।

एकलव्य : बन्धु! दलितों, शोषितों, पिछड़ों और पीड़ितों के कर्णधार का हत्यारा मैं शृंगवेरपुर नरेश वही एकलव्य हूँ, जिसने आपको द्वारिकाधीश बनाया था।

श्रीकृष्ण : हा! एकलव्य! तुम्हारी यह दुर्गति? पीड़ित समाज के उन्नायक की यह दशा? इस दशा में समाज के सच्चे-साथी को पहुँचानेवाला व्यक्ति यह तुच्छ कृष्ण ही है। यदि द्वारिकापुरी के समर में मैंने सच्चाई व समझदारी से अपनी भूल स्वीकार की होती और यादवों की बढ़ती शक्ति का तुम्हारे सुझाव के अनुसार, उसी समय सदुपयोग किया होता, तो देश तथा समाज के उद्धारक की यह दुर्गति न हुई होती। क्षमा करो, देशबन्धु! मेरे अपराध को क्षमा करो!

एकलव्य : यह क्या बन्धुवर! इस हत्यारे से क्षमा माँगते हैं? इस पापी को इतना महत्त्व! मैंने तो जीवन भर अपने समाज को असफलताओं के खंदक में गिराया है।

श्रीकृष्ण : ऐसा नहीं है, बन्धुवर! तुमने समाज को स्व-सम्मान का पाठ पढ़ाया है। उसमें एक नई शक्ति का संचार पैदा किया है। तुम्हारी सेवाएँ युग-युगान्तरों तक भुलाई नहीं जा सकतीं। सच्चे युग नेता तो तुम हो। आर्यों पर शासन करना समता-मानवता का समाज बनाना हमारे-तुम्हारे जीवन का लक्ष्य था।

हम दोनों का लक्ष्य एक ही था, परन्तु मार्ग था भिन्न-भिन्न। तुम्हारा मार्ग हमसे उत्तम था। यदि मैं भी तुम्हारे मार्ग पर चला जाता और तुम्हारे कन्धे से कन्धा मिलाकर चलता, तो देश का उद्धार हो जाता।

वास्तव में, भाइयों-भाइयों को आपस में लड़ा कर मातृभूमि के हाथों में चिर-स्थायी बेड़ियाँ पहनानेवाला पापी मैं ही कृष्ण हूँ। वीर धनुर्धर एकलव्य, शोक मत करो। मुझे अब मरने दो।

[श्रीकृष्ण की मृत्यु होती है। एकलव्य विलाप करते हुए गिर पड़ते हैं।]

एकलव्य : हा! कृष्ण! हा! कृष्ण! आप चल भी दिए...

[धनेष का प्रवेश।]

['श्रीकृष्ण' और 'जरा' को देखकर]

धनेष : अरे! यह क्या नाटक हो रहा है? यह तो अर्जुन के सारथी महाभारत के प्रणेता, शान्ति के शत्रु कृष्ण हैं। इन्होंने ही शिशुपाल, जरासन्ध, कर्ण, द्रोण, भीष्म और दुर्योधन का वध छल-कपट, अन्याय-अत्याचार द्वारा कराकर देश का नैतिक पतन किया है, जिसका दुष्परिणाम आज हम लोगों को भुगतना पड़ रहा है। शाबाश बहेलिए! अच्छा मारा।...यार, वैसे हो तुम बड़े हत्यारे!! कहीं मुझे भी मत मार डालना! भागो!! यहाँ से शीघ्र भागो!!!

[धनेष वहाँ से भागने की चेष्टा करता है।]

एकलव्य : ठहरो! अधम!! दु:ख में हँसी उड़ाने आए हो?

धनेष : *(दोनों हाथ जोड़ते हुए गिड़गिड़ाकर)* हमें छोड़ दो! भैया, हम तो धनेष नाम के निर्धन ब्राह्मण हैं। हमें मारने से क्या मिलेगा?

एकलव्य : आ हा, आओ! वही धर्म का ठेकेदार धनेष! वही घमंडी! वही सवर्णपन का रक्षक! वही पाठशात प्रवेश का विरोधी! वही विद्यार्थियों में छुआछूत फैलानेवाला! लो, तुम भी स्वर्ग जाओ!

[एकलव्य बाण का वार धनेष पर करते हैं। वह वहीं गिर कर मर जाता है।]

[एकलव्य का एक ओर को प्रस्थान।]

[यवनिका पतन]

नाग यज्ञ

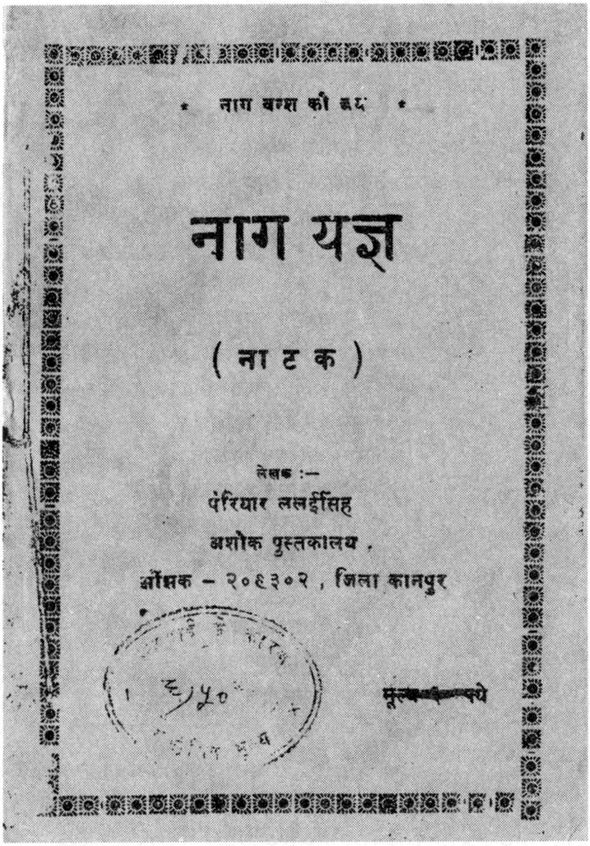
नाग यज्ञ

(नाटक)

लेखक :—
पेरियार ललईसिंह
अशोक पुस्तकालय,
झींझक – २०९३०२, जिला कानपुर

नागवंश की जय!

नाग यज्ञ

लेखक

पेरियार ललई सिंह

अशोक पुस्तकालय

झींझक, जिला—कानपुर

उत्तर प्रदेश-भारत, 209 302

पुस्तक मिलने का पता

अशोक पुस्तकालय

अंडर पेरियार ललई सिंह चेरिटेबल ट्रस्ट

84/172, झकरकटी, जी.टी. रोड

जिला—कानपुर, उत्तर प्रदेश, भारत-208 003

पहली बार

नाग पंचमी श्रावण शुक्ल पक्ष संवत् 2023 विक्रमी

रविवार दिनांक—21 अगस्त, सन् 1966 ई.

दूसरी बार सन् 1968 ई.

तीसरी बार सन् 1977 ई.

चौथी बार सन् 1983 ई.

पाँचवीं बार सन् 1988 ई.

छठी बार सन् 1992 ई.

मुद्रक

पेरियार प्रेस

झींझक, जिला—कानपुर

उत्तर प्र्देश, भारत-209 302

महँगाई के कारण संशोधित

मूल्य : 7.50 रुपये

!!समर्पण!!

श्रद्धेय, वयोवृद्ध प्र-पितामह
श्री हीरा सिंह यादव
ग्राम—कठारा, रेलवे स्टेशन झींझक, जिला—कानपुर
की पुण्य स्मृति में

—पेरियार ललई सिंह

भूमिका

प्रस्तुत नाटक 'नाग यज्ञ' महाभारत, जिसे पंचम वेद कहते हैं, में वर्णित सच्ची घटना है। टूटी हुई कड़ियों को सही ढंग से मिलाकर रोचक बनाने की यथाशक्ति कोशिश की गई है। आप अपनी शंकाएँ व सुझाव कृपया भेजें, ताकि अगले अंक में सुधार हो सके। आप इस बात को समझें कि द्रविड़, असुर, राक्षस, दास, नागवंशी, आदिवंशी व अनार्य एक ही शब्द हैं। ये सब एक हैं। इस देश के आदिनिवासी हैं। आर्यों ने इस देश पर वर्चस्व स्थापित करने के साथ ही समाज को वर्णों और जातियों में बाँट दिया। इसी को आधार बनाकर आर्य अब तक हम पर राज कर रहे हैं।

दृश्य 6 में वर्णित 'उत्तंग समिति' का आजकल के शब्दों में मतलब 'गांधीवाद' है, जो अब तक छुआछूत भी नष्ट नहीं कर पाया है। 'कश्यप समिति' का मतलब है 'हिन्दूवाद', जो आज के विज्ञान युग में भी 'लकीर का फकीर' है। 'जनमेजय समिति' का मतलब 'कुर्सीवाद' है, जो शोषितों, दलितों, पिछड़ों, पीड़ितों और अल्पसंख्यकों के रोटी-रोजी, मकान, बच्चों की पढ़ाई-लिखाई, दवा-दारू तथा उनकी इज्जत की समस्या भी हल नहीं कर पाया है।

तक्षशिला के उपनिवेश भद्रवाह (हिमाचल प्रदेश) के समीपस्थ चौरासी मन्दिरों की काले पत्थर से बनी छः-छः फीट ऊँची दो मूर्तियों में से पहली मूर्ति नाग राजा वासुकि की व दूसरी मूर्ति अन्य नाग राजा जीमूत वाहन की है। इनके सिरों पर राज-मुकुट के ऊपर साँप का फन बना हुआ है। सिन्धिया-नरेश ग्वालियर के राज-मुकुट में बैठे हुए फनयुक्त साँप व सूर्य अंकित हैं।

विश्व के इतिहास में इतना अधिक अत्याचार, अग्निकांड, लूट-मार व कत्लेआम किसी ने भी नहीं किया है, जितना आर्यों ने अनार्यों तत्पश्चात् बौद्धों पर किया, जिनके लिखित प्रमाण ऋग्वेद, लंका दहन, खांडव दहन, प्रस्तुत नाटक एवं शंकर दिग्विजय आदि हैं।

सन् 1957 ई. में जिला रामनाथपुरम् तमिलनाडु प्रान्त में जात्याभिमानियों ने शूद्रों व महाशूद्रों के सहस्त्र घरों में आग लगा दी। तत्कालीन प्रधानमंत्री पंडित जवाहरलाल नेहरू के कानों में जूँ तक नहीं रेंगी, परन्तु जब उन संतप्त, प्रताड़ित शूद्रों के मन में इस कुकृत्य के बदले की भावना का रूप धारण कर लिया, तब वे तिलमिला

उठे। राजकाज ही नहीं, अपितु खाना-पीना तक छोड़कर अतिशीघ्र आकाश मार्ग से तमिलनाडु पहुँचे। प्रातः-वन्दनीय परम पूज्य पचहत्तर वर्षीय वयोवृद्ध महान द्रविड़ कषगम नेता गुरु पेरियार ई.वी. रामास्वामी ने बीस हजार काले झंडों से उनका स्वागत किया। कहा—'हे जात्याभिमानी नेहरू! यदि आपने हम लोगों की बात पहले ही सुनी होती, तो यह अघटित घटना कदापि न घटती।' नेहरू ने चुप रहकर इस कटु सत्य की पुष्टि की। सेना ने शान्ति स्थापित की।

लेखक जिला 'रामनाथपुरम' की तरह बदले की भावना का समर्थक नहीं है किन्तु जिस पर बीतती है, वही जानता है। आखिर मरता क्या न करता?

जात्याभिमानियों से विनम्र अनुरोध है कि उपरोक्त घटनाओं की पुनरावृत्ति न होने दें अन्यथा याद रखो—जो दूसरों को आजादी नहीं देना चाहता, वह खुद भी आजाद नहीं रह सकता। रंग-भेदी रक्त शुद्धतावादी जात्याभिमानी आर्यों द्वारा पैदा की गई सामाजिक फूट ही विदेशी आक्रमणों का मूल कारण सदा रही है, जो आज भी ब-दस्तूर जगह-जगह मौजूद है।

नाटक के जनप्रिय होने का सबूत यह संस्करण है।

गुणग्राही प्रिय प्रबुद्ध पाठकों को सादर सपरिवार सप्रेम अनन्त धन्यवाद।

दिनांक—1 मई, 1983 ई. **—पेरियार ललई सिंह**

सम्मति

प्रस्तुत नाटक मैंने पढ़ा। प्रत्येक दृश्य आदर्श रखता है।

पहले दृश्य में बाँदी 'जयमाला' द्वारा वर्णित अटल सिद्धान्त।

दूसरे दृश्य में गुरुवर 'जरत्कारु' की शिक्षा प्रणाली। नाग राजकुमारी 'मणिमाला' की अनोखी तर्क-शक्ति।

तीसरे दृश्य में ब्राह्मणों की रक्तशुद्धि के कल्पित बड़प्पन का पर्दाफाश एवं सुयोग्य प्रधानामात्य द्वारा अन्तर्जातीय विवाहों से मेधावी सन्तान व दो भिन्न-भिन्न संस्कृतियों के मेल-मिलाप से राष्ट्र को सबल बनाने की अपूर्व खोजपूर्ण वास्तविक थ्योरी।

चौथे दृश्य में तक्षशिला के नाग महाराजा तक्षक का सुदृढ़ राज प्रबन्ध व संकट के समय अपार धैर्य।

पाँचवें दृश्य का मुहावरा 'गंग गए गंगादास, जमुना गए जमुनादास' अपनी जगह एक प्रकार की भविष्यवाणी है।

छठे दृश्य में हिन्दुओं की सामाजिक असमानता ही समाज की हर प्रकार की परेशानी का मूल कारण है। इससे महाराजा 'जन्मेय' को अवगत कराने में चोबदार की वाक्पटुता का कमाल। अश्वसेन द्वारा बरते गए मार्ग से अब भी महत्त्वपूर्ण बन्दी, वस्तुएँ व नकदी आदि पहरे से गायब हो जाते हैं।

सातवें दृश्य में 'नास्तिक' मुनि की प्रशंसनीय निःस्वार्थी सेवा।

आठवें दृश्य में पिता ब्राह्मण व माता नाग कन्या से उत्पन्न मुनि 'आस्तिक' ने बड़ी चतुराई से तक्षक व जन्मेय में मेल कराकर नाग वंश को नष्ट होने से बचा लिया, जिससे राष्ट्रीय एकता बढ़ी।

भूमिका में वर्णित मौजूदा कुकृत्य भारतीय संस्कृति के भाल पर अमिट कलंक है। हिन्दू समाज-व्यवस्था के अगुआ ब्राह्मणों एवं जात्याभिमानियों को चाहिए कि ऐसे अनेक कलंकों की स्याही गहरी न करें तथा मजलूमों को चाहिए कि वे अपनी रक्षा स्वतः करें।

दिनांक—1 नवम्बर, 1977 ई.

—राव महेन्द्र सिंह
हीरा नगर, कंचौसी (इटावा)

पात्र-परिचय

पुरुष-पात्र

तक्षक : तक्षशिला का नागवंशी महाराजा
वासुकि (नाग सरदार) : 'तक्षशिला' के उपनिवेश 'भद्रावाह प्रदेश का राजा', नागों का नेता व तक्षक का प्रधान सेनापति
गक्षक : तक्षक का प्रधानमंत्री
निधड़क : गुप्तगृह बनानेवाला कारीगर व तक्षक का सेनापति
अश्वसेन : तक्षक का पुत्र (नाग राजकुमार)
माणवक : वासुकि का पुत्र
नाग सभासद : सेनापति, सैनिक, द्वारपाल, चोबदार व दूत आदि
जनमेजय : इन्द्रप्रस्थ का आर्य महाराजा
चंडभार्गव : जनमेजय का प्रधान सेनापति
अजीत : जनमेजय का प्रधानमंत्री
कश्यप : जनमेजय का पुराना पुरोहित व ब्राह्मणों का नेता
सोमश्रवा : जनमेजय का नया पुरोहित (उग्रश्रवा का पुत्र)
उत्तंग : आर्य ब्रह्मचारी (ब्रह्मचारी व ऋषियों का नेता)
आर्य सभासद : सेनापति, सैनिक, द्वारपाल, चोबदार व दूत आदि

स्त्री-पात्र

जयमाला : नाग महाराज तक्षक की महारानी
मणिमाला : नाग महाराज तक्षक की पुत्री (नाग राजकुमारी)
पुष्पमाला : जयमाला की बाँदी
शीलमाला : मणिमाला की सहेली
मनसा : जरत्कारु की स्त्री व नाग सरदार वासुकि की बहन
वपुष्टमा : आर्य महाराजा जनमेजय की महारानी, नाग एवं आर्य आवश्यक स्त्री पात्र

दृश्य-1

स्थान : तक्षशिला (रावलपिंडी, भूतपूर्व पंजाब प्रान्त, वर्तमान पाकिस्तान) में नागवंशीय महाराज तक्षक का अन्त:पुर

समय : दोपहर के बाद

[महारानी जयमाला रत्नजटित पलंग पर बैठी हैं। चिन्तामग्न जान पड़ती हैं।]

जयमाला : *(धीमे स्वर में)* बाँदी!

[बाँदी पुष्पमाला का प्रवेश]

पुष्पमाला : *(हाथ जोड़कर)* महारानी श्री को प्रणाम।

जयमाला : मंगल हो। गर्मी है। पंखा लाओ।

[पुष्पमाला लपककर समीपी कमरे से पंखा लाकर, पलंग के पास खड़ी होकर धीरे-धीरे पंखा डुलाती है।]

जयमाला : कई दिन से नाग महाराजा युद्ध में इतने व्यस्त हैं कि उन्होंने कोई सूचना तक नहीं भेजी। हमारे गुप्तचर क्या कर रहे हैं?

पुष्पमाला : *(दोनों हाथ जोड़कर)* महारानीश्री, क्षमा करें! परसों महाराज कुमारी मणिमाला ने अपनी सहेली शीलमाला द्वारा मेरे पास गुप्त सूचना भेजी थी कि युद्ध अति शीघ्र समाप्त होनेवाला है। महाराजा परीक्षित के पास अब थोड़ी-सी सेना शेष बची है, जिसे हमारे नाग वीर एक या दो दिन में ही शस्त्र डालने के लिए विवश कर देंगे।

जयमाला : *(कुछ क्रोधपूर्वक, टेढ़ी आँखें करके)* क्योंरी पुष्पा! तूने यह शुभ समाचार मुझे तत्काल क्यों नहीं बताया?

पुष्पमाला : *(कुछ सहमती हुई)* महारानीश्री! क्षमा करें। सत्य तो यह है कि महाराज कुमारी ने नाग महाराज से छिपकर यह

शुभ समाचार गुप्त रूप से मेरे पास भेजा था। उसका सीधा सम्बन्ध मुझसे था, आपसे नहीं।

जयमाला : *(प्रेमपूर्वक)* पुष्पे! मैं यह कब कहती हूँ कि मणिमाला द्वारा भेजी गई गुप्त शुभ सूचना का सम्बन्ध मुझसे था, परन्तु अच्छी बात तो सदा अच्छी ही होती है।

पुष्पमाला : चतुर महाराज कुमारी ने किसी कारणवश ही गुप्त सूचना भेजी होगी।...।

जयमाला : *(बात टालते हुए)* मैं भली भाँति जानती हूँ कि मणिमाला मुझसे अधिक तुमको अपनी गुप्त बातें पहले से ही बताया करती थी।

पुष्पमाला : महारानी श्री! महाराज कुमारी आपके बड़प्पन का बहुत ही आदर करती हैं।

जयमाला : यह तो ठीक ही है। अच्छा, शीलमाला को बुलाओ।

पुष्पमाला : महारानीश्री! शीलमाला सूचना देकर परसों ही घायलों के ओढ़ने, बिछाने आदि के लिए हाट से कपड़े खरीद कर लौट गईं।

जयमाला : शीलमाला क्या युद्धभूमि से पैदल अकेली आई थी?

पुष्पमाला : नहीं, वह स्वयं पुरुष भेस में श्याम वर्ण घोड़े पर सवार थी। साथ में एक नौजवान घुड़सवार भी था।

जयमाला : पुष्पे! तब तो हम मणिमाला की सूचना के अनुसार आज और नई सूचना का इन्तजार करें। कल प्रात: ही दूत भेज कर ताजी सूचना समर भूमि की मँगावें।

पुष्पमाला : जी हाँ, महारानीश्री! यही सबसे उत्तम है।

जयमाला : इस उजड़े हुए प्राचीन खँडहर राजमहल से तो नर्मदा प्रदेशीय अपना खपरैल वाला मकान ही अच्छा था।

पुष्पमाला : पूर्व समय में तक्षशिला पर अपने पूर्वजों का अधिकार था। यह राजमहल उसी समय का बना हुआ है। आर्यों ने जब से इस प्रदेश को जीता, तब से यह प्राचीन राजमहल खँडहर हो गया है क्योंकि आर्यों ने अपनी नई राजधानी इन्द्रप्रस्थ (हस्तिनापुर) बना ली है।

जयमाला : क्या ये प्राचीन खँडहर राजमहल भविष्य में किसी समय फिर अपनी पुरानी याद को ताजा बना सकेगा?

पुष्पमाला : महारानीश्री! चिन्ता न करें। अपने नाग महाराज ने अभी तो चलते युद्ध की दशा में अचानक परीक्षित से छीन

कर तक्षशिला व तक्षशिला से सम्बन्धित भारी भू-भाग पर पुनः अधिकार प्राप्त कर लिया है। ज्यों ही उन्हें इन आततायी आर्यों के युद्ध से थोड़ी-सी चैन की साँस मिली, त्यों ही वे इसे पहले से भी अधिक विश्व सुन्दर राजमहल बना देंगे।

जयमाला : क्या कहती हो बाँदी! विश्व सुन्दर राजमहल?

पुष्पमाला : जी हाँ, महारानीश्री!

जयमाला : पहले जैसा विश्व सुन्दर राजमहल बनानेवाले कारीगर इस समय मिलना असम्भव है।

पुष्पमाला : बिलकुल आसान है, महारानीश्री! जिन कारीगरों ने इस राजमहल, हड़प्पा और मोहेनजोदड़ो आदि नगरों को बनाया था, उनकी सन्तानें नर्मदातटीय समीपी सघन वनों में आज भी मौजूद हैं।

जयमाला : कोई कारीगर चतुर कारीगरी का काम बिना किए चतुर कारीगर कैसे हो सकता है?

पुष्पमाला : उन कारीगरों की सन्तानों ने पहाड़ों और नदियों की कगारों के भीतर सुन्दर-सुन्दर गुप्त गृह बनाकर अपनी कारीगरी को जीवित रखा है। उन्होंने...।

जयमाला : उन्होंने अभी हाल ही में कौन-से अच्छे गुप्त गृह बनाए हैं?

पुष्पमाला : उन कारीगरों ने खांडव प्रदेश की जंगली एवं तक्षशिला की मैदानी भूमि में अनेक गुप्त गृह बनाकर वहीं इस चलती लड़ाई के लिए सहस्त्रों की संख्या में अस्त्र-शस्त्र भी बनाए हैं और स्वयं भारी तादाद में आज भी युद्धभूमि में अपने नाग महाराज के साथ कन्धे से कन्धा मिला कर शत्रु के दाँत खट्टे कर रहे हैं।

जयमाला : पुष्पा! ऐसे मनुष्य तो अवश्य ही धन्यवाद के पात्र हैं।

पुष्पमाला : महारानीश्री! नाग महाराज उनकी बहुत इज्जत करते हैं। खांडव प्रदेश की लड़ाई में बेधड़क कारीगर सेनानायक मारा गया। उस समय महाराज उसकी यादगार में तत्काल पक्का चबूतरा बनाने की आज्ञा साथी सेनानायक को देकर ही आगे बढ़े।

जयमाला : बाँदी, तू बड़ी चंट-खोपड़ी है। मुझसे कहीं अधिक तुझे राजपाट का हाल मालूम है। एक बात पूछती हूँ, बताएगी न?

पुष्पमाला : महारानीश्री! हाल तो मुझे आपसे ज्यादा जरूर मालूम रहता है, मगर मैं और बांदियों की तरह भड़-भड़, भड़-भड़ कहती नहीं फिरती। मेरी आदत है कि बिना पूछे नहीं बताती फिरती, आप पूछें। मेरी जानकारी का समाचार होगा, सीधा सरल उत्तर दूँगी।

जयमाला : मैंने सुना है कि नाग महाराज और महाराज परीक्षित की इस लड़ाई में इस बार श्रृंगी ऋषि भी, अपनी ऋषि मंडली सहित, कई दिनों से हमारी सेना की सहायता में सक्रिय हैं।

पुष्पमाला : जी महाराजश्री! यह खबर बिलकुल सत्य है।

जयमाला : वे आर्य ऋषि हैं, हमारी मदद क्यों कर रहे हैं?

पुष्पमाला : कुछ सार्वभौमिक अटल सिद्धान्तों के कारण, महारानी श्री!

जयमाला : वे सार्वभौमिक अटल सिद्धान्त कौन से हैं?

पुष्पमाला : पहला मित्र, दूसरे मित्र का मित्र, तीसरा शत्रु का शत्रु और चौथा शत्रु के शत्रु का मित्र। ये चारों अपने मित्र होते हैं।

जयमाला : इनमें से श्रृंगी ऋषि किस सिद्धान्त की परिभाषा में आते हैं?

पुष्पमाला : नाग महाराज के शत्रु महाराज परीक्षित हैं। महाराज परीक्षित के शत्रु श्रृंगी ऋषि हैं। इस प्रकार श्रृंगी ऋषि तीसरे सिद्धान्त की परिभाषा में आते हैं।

जयमाला : महाराज परीक्षित और श्रृंगी ऋषि की शत्रुता कब से है?

पुष्पमाला : थोड़े दिन हुए, राजसत्ता के मदान्ध महाराज परीक्षित अकेले ही शिकार खेलने जंगल में गए। शिकार मिला नहीं। भोजन साथ में था नहीं। सूरज अस्त होनेवाला था। वह इन्द्रप्रस्थ का राजमार्ग गए भूल। बहुत परेशान थे। भूलते-भूलते पहुँच गए, वयोवृद्ध 'अंगिरा' ऋषि के पुत्र 'लोमश' ऋषि के आश्रम पर।

जयमाला : फिर यहाँ आश्रम पर शत्रुता की घटना क्या घटी?

पुष्पमाला : श्रृंगी ऋषि के परम पूज्य पिता 'लोमश' ऋषि दोनों आँखें बन्द किए पद्मासन जमाये ध्यानमग्न थे। महाराज परीक्षित ने घोड़े पर चढ़े ही चढ़े कहा, 'ऐ ऋषि! मुझे

राजमार्ग बता!' इस पर पिताश्री ने आँखें बन्द किए ही उत्तर दिया, 'मैं जन्म से ही इस बियाबान घनघोर जंगल में रहता हूँ। कन्द-मूल-फल खाता हूँ। मुझे राजमार्ग ज्ञात नहीं।'

जयमाला : पुष्पा! उत्तर बड़ा सीधा व सरल है। महाराज ने क्या कहा?

पुष्पमाला : महादेवीश्री! क्या बताऊँ? बड़ों की सच्ची बात कहना अच्छी बात नहीं। तिस पर भी मैं हूँ दासी।

जयमाला : नहीं-नहीं—चाहे बड़े हों, या छोटे, सच्ची बात कहना अच्छी बात है। यह उल्टा मंत्र आर्यों का तूने कहाँ से सीखा है कि बड़ों की कड़वी, मगर सच्ची बात कहना ठीक नहीं है?

पुष्पमाला : महाराज परीक्षित ने लोमश ऋषि को अनेक अश्लील अप-शब्द कहकर कहा, 'धूर्त कहीं का, ढोंगी। आँखें बन्द किए बैठा है—कहता है, राज-मार्ग मालूम नहीं।... फिर...'

जयमाला : *(बीच में ही)* फिर क्या हुआ?

पुष्पमाला : फिर महाराज परीक्षित ने आश्रम की समीपी झाड़ी के पास से बढ़े भारी बूढ़े किचुलियाने विषधर काले 'तक्षक' नाग को अपने बाण की नोक से उठाकर ध्यानामग्न लोमश के गले में डाल दिया और चल दिए।

जयमाला : महाराज होकर परीक्षित का वह बरताव आम जनता की निगाह में अच्छा नहीं है। हाँ, पुष्पा! आगे क्या घटना घटी?

पुष्पमाला : लोमश ऋषि के युवा पुत्र शृंगी ऋषि जब बाहर से आश्रम पर वापस आए, तब उन्होंने न आव गिना, न ताव, क्रोधित होकर पिताश्री के समीपी कमंडल से अपने चिल्लू में जल लेकर श्राप दिया, 'जिस व्यक्ति ने मेरे पिताश्री के गले में यह 'तक्षक' साँप डाला है, उस व्यक्ति को 'तक्षक' आज के सातवें दिन डस लेगा, उसकी मौत हो जावेगी।' बाद में मालूम हुआ कि पिताश्री के गले में साँप डालनेवाला व्यक्ति है—हस्तिनापुर का महाराज जनमेजय। इस प्रकार शृंगी ऋषि महाराज 'परीक्षित' के शत्रु बन गए।

जयमाला : यह तो बहुत ही अच्छा हुआ। अब तो मुझे पूर्णतय विश्वास हो गया है कि युवक नेता शृंगी ऋषि, ऋषि मंडली सहित युद्ध में तन-मन से हमारी सहायता अवश्य करेंगे। और हाँ, तूने पहले क्यों नहीं बताया?

पुष्पमाला : महारानीश्री! मैं पहले कह चुकी हूँ कि मेरी आदत है, बिना पूछे उत्तर बताती नहीं फिरती।

जयमाला : अच्छा, तो अब बता, तेरी और शीलमाला की क्या-क्या अन्य बातें हुईं?

पुष्पमाला : कुछ स्वार्थी, अकर्मण्य, बुड्ढे-ठिड्ढे, लालची आर्य ब्राह्माण ऋषिगण महाराज परीक्षित को भी मदद का बनावटी ढोंग बनाए समर भूमि के पिछले पड़ाव पर मौज की छान रहे हैं। अशुद्ध मंत्र सैत्ताराम-सैत्ताराम जप रहे हैं। महाराज परीक्षित को शीघ्र ही रौरव नरक का टिकट मिलनेवाला है।

[सहसा छोटी बाँदी का प्रवेश]

जयमाल : *(दोनों हाथ जोड़कर)* महारानीश्री! को प्रणाम!

जयमाला : मंगल हो! कहो शुभ समाचार?

छोटी बाँदी : समर भूमि से आया हुआ दूत आपकी सेवा में उपस्थित होने के लिए अति ही उतावला अन्तःपुर के मध्य द्वार पर खड़ा है।

जयमाला : उसे शीघ्र अन्तःपुर में उपस्थित होने की सूचना दो।

छोटी बाँदी : *(दोनों हाथ जोड़कर)* महारानीश्री को प्रणाम!

[छोटी बाँदी का सवेग प्रस्थान]

पुष्पमाला : महरानीश्री! छोटी बाँदी बड़ी प्रसन्न जान पड़ती थी। इससे ज्ञात होता है कि समर भूमि में नाग महाराज ने अभूतपूर्व विजय प्राप्त की है।

जयमाला : छोटी बाँदी की प्रसन्नता का विजय से क्या सम्बन्ध है?

पुष्पमाला : मालूम होता है, समर भूमि की जीत की शुभ सूचना दूत ने अपने हँसमुख चेहरे द्वारा छोटी बाँदी के हृदय में प्रसन्नतापूर्वक संचारित की, जिसे छोटी बाँदी ने भी अपनी प्रसन्नता द्वारा प्रकट किया है।

जयमाला : समझ तो कुछ-कुछ मैं भी गई थी, परन्तु...

[समर भूमि से आए हुए दूत का प्रवेश]

दूत : *(हँसमुख मुखाकृति द्वारा प्रसन्न मन से दोनों हाथ जोड़कर)* महारानीश्री, प्रणाम्!

जयमाला : मंगल हो *(उतावली होकर)* कहो, युद्ध का सुसमाचार?

दूत : *(प्रसन्नतापूर्वक)* सम्पूर्ण युद्ध का समाचार फुरसत में सुनाऊँगा। सबसे बड़ी खुशी की बात यह...।

जयमाला : *(बीच में ही उतावली होकर)* सूक्ष्म और जल्दी कहो?

दूत : जो आज्ञा महारानीश्री! नाग माता के आशीर्वाद तथा महा-मान्यवर युवक नेता शृंगी ऋषि की सहायता से कल संध्या के समय अपने परम पराक्रमी नाग महाराज ने महाराजा परीक्षित को युद्धभूमि से इतना खदेड़ा कि वे अकेले ही इन्द्रप्रस्थ की ओर भाग खड़े हुए और अपने राजमहल में घुस गए। पीछे से भेस बदलकर नाग-महाराज भी उनके राजमहल में घुस गए। संध्या के समय अँधेरे का लाभ उठाकर उन्होंने भयानक विकराल, काल-कराल शक्ति (कटार) के एक ही वार से महाराजा परीक्षित को मौत के घाट उतार दिया। शीघ्र ही वे यमुना नदी के किनारे अपनी सेना में वापस आए। जब विजय का डंका बजने लगा, तब हम लोगों ने जाना कि महाराजा परीक्षित मारे गए। यह घमासान युद्ध सात दिन लगातार दिन-रात यमुना नदी के किनारे हुआ था।

जयमाला : *(प्रसन्नतापूर्वक)* पुष्पे, जाओ! समीपी कमरे में से एक तीन लड़ी रत्नजटित माला लाओ।

[पुष्पमाला लपक कर समीपी कमरे से एक तीन लड़ी और दूसरी दो लड़ी रत्नजटित मालाएँ लाती है।]

पुष्पमाला : *(दोनों मालाएँ महारानीश्री के हाथों में देती हुई)* लीजिए, एक के बजाय दो मालाएँ।

जयमाला : *(दूत से)* लो, यह शुभ सूचना का उपहार।

[जयमाला प्रसन्नतापूर्वक पलंग से खड़ी होकर दोनों हाथों से तीन लड़ी वाली रत्नजटित माला दूत के गले में पहनाती है।]

दूत : *(दोनों हाथ जोड़कर)* महारानीश्री को प्रणाम! महारानीश्री की जय हो!

जयमाला : *(दूत से)* मंगल हो तात्! *(पुष्पमाला की ओर देखती हुई)* लो! तुम भी यह शुभ सूचना का उपहार पुष्पे।

[जयमाला ने खड़ी दशा में ही अपनी अतिप्रिय बाँदी पुष्पमाला के गले में दो लड़ी वाली रत्नजटित माला पहनाई।]

पुष्पमाला : *(दोनों हाथ जोड़कर)* महारानीश्री को प्रणाम!

जयमाला : *(पलंग पर बैठती हुई)* मंगल हो!

पुष्पमाला : आज्ञा करें महारानीश्री! नाग महाराज के स्वागत की तैयारी की जाए।

जयमाला : यही तो सोच रही हूँ! मैं भी। *(दूत से)* नाग महाराज विजय पताका सहित नगर की सीमा पर कब तक पधारेंगे?

दूत : आज ही शाम तक।

जयमाला : *(प्रेमपूर्वक)* तात्! तुम थके-माँदे जरूर हो। यह शुभ सूचना मान्यवर प्रधानामात्य 'गक्षक' को देकर उन्हें मेरी ओर से सूचित करो कि वे स्वयं सम्मानित महानुभावों एवं नगरवासियों सहित विजयोल्लास के उपलक्ष्य में अतिशीघ्र नगर की सीमा पर 'नागमाता' (भुइंयामाता) के चबूतरे के पास नाग महाराज की आगवानी के लिए उपस्थित हों।

दूत : *(दोनों हाथ जोड़कर)* महारानीश्री को प्रणाम!

[दूत का प्रस्थान]

जयमाला : चलो! हम लोग भी आरती की थाल सजा कर शीघ्र नगरवासियों में शामिल हों।

पुष्पमाला : साथ में कुछ पँचलड़ी, चार लड़ी, तीन लड़ी, दो लड़ी रत्नजटित मालाओं, अँगूठियों एवं कुछ अन्य आभूषणों को भी प्रधान सेनापति व सेनापतियों आदि को उपहार में देने के लिए लेती चलें।

जयमाला : जो कुछ उचित समझती हो, वह सब अवश्य लेती चलो।

[पुष्पमाला का एक ओर को प्रस्थान एवं जयमाला का दूसरी ओर को प्रस्थान]

[पटाक्षेप]

दृश्य-2

स्थान : आर्य ऋषि 'जरत्कारु' का आश्रम
समय : दिन का प्रथम पहर

[परम पूज्य वयोवृद्ध गुरुवर 'जरत्कारु' जी अपने आश्रम में पीपल के पेड़ के नीचे भूमि पर बिछी जंगली घास की चटाई के आसन पर विराजमान हैं। उनके सामने पाँच हाथ की दूरी पर लम्बी पाँच चटाइयों पर बालक तथा बालिकाएँ विद्याभ्यास के लिए एक-एक आ-आकर दोनों हाथ जोड़कर परम पूज्य गुरुवर को प्रणाम करती हुई बैठती जाती हैं। गुरुजी सब को अलग-अलग 'मंगल हो!' आशीर्वाद दे रहे हैं। उपस्थिति पूरी हो चुकी है।]

गुरुजी : बच्चो! प्रार्थना होगी। खड़े हो जाओ।

[तीन लाइनों से तीन छात्र और दो लाइनों से दो छात्राएँ आगे निकलकर प्रार्थना की एक-एक कड़ी ध्वनिपूर्वक गाते हैं। शेष सभी बालक-बालिकाएँ ध्वनिपूर्वक दुहराते हुए गाते हैं। गुरुजी चुप-चाप खड़े हैं। अब प्रार्थना समाप्त हो चुकी है।]

गुरुजी : अपनी-अपनी जगह पर बैठ जाओ। *(सभी बालक-बालिकाएँ अपने-अपने स्थानों पर बैठ जाते हैं)* अच्छा! सब लोग नम्बरवार एक-एक अपठित कविता ध्वनिपूर्वक गाते हुए अलग-अलग सुनाओ।

[प्रत्येक छात्र तथा छात्रा नम्बरवार एक-एक अपठित कविता ध्वनिपूर्वक गाते हुए सुनाते हैं।]

गुरुजी : *(पहले विद्यार्थी से)* बताओ, इस समय 'खांडव प्रदेश' का शासक कौन है?

पहला विद्यार्थी : *(चुपचाप)*

गुरुजी : तुमने पाँच दिन पहले इस प्रश्न का सही उत्तर बताया था।

पहला विद्यार्थी : गुरुजी! मैं भूल गया।

गुरुजी : *(पहले विद्यार्थी से)* जो पाठ याद हो जावे, उसे भी कभी-कभी दोहराते रहना चाहिए, ताकि भूल न जाएँ।

'घोखन्त विद्या, खोदन्त पानी।' पिछला पाठ याद करो। आज तुम्हें नया पाठ नहीं पढ़ाया जावेगा। *(दूसरे विद्यार्थी से)* तुम बताओ।

दूसरा विद्यार्थी : गुरुजी! इस समय 'खांडव प्रदेश' के शासक हैं—इन्द्रप्रस्थ के आर्य, महाराजा जनमेजय।

गुरुजी : *(तीसरी विद्यार्थिनी से)* तुम बताओ, दूसरे विद्यार्थी का उत्तर सही है या गलत?

तीसरी विद्यार्थिनी : गुरुजी! इनका उत्तर बिलकुल ही गलत है।

गुरुजी : सही उत्तर बताओ।

तीसरी विद्यार्थिनी : इस समय 'खांडव प्रदेश' के शासक हैं, तक्षशिला के परम-पराकर्मी नाग-महाराज तक्षक।

गुरुजी : *(तीसरी विद्यार्थिनी से)* शाबाश! *(दूसरे विद्यार्थी से)* बिना सोचे-समझे अशुद्ध उत्तर देना ठीक नहीं। पिछला पाठ याद करो। आज तुम्हें नया पाठ नहीं पढ़ाया जावेगा। *(तीसरी विद्यार्थिनी से)* कल वाला पाठ याद कर लिया?

तीसरी विद्यार्थिनी : अच्छी तरह याद नहीं है।

गुरुजी : *(तीसरी विद्यार्थिनी से)* कल वाला पाठ याद करो। आज तुम्हें नया पाठ नहीं पढ़ाया जावेगा। *(चौथी विद्यार्थिनी से)* कल वाला पाठ सुनाओ।

चौथी विद्यार्थिनी : गुरुजी! इन्द्रप्रस्थ के आर्य-महाराजा परीक्षित के मरने के एक सप्ताह पहले ही नाग महाराज तक्षक ने पुनः अपने को तक्षशिला का सम्राट होने की घोषणा कर दी और उन्होंने शीघ्र ही नाग सेना को दो भागों में बाँट दिया। नाग-सेनापति 'निधड़क' एवं प्रधानमंत्री 'गक्षक' ने नाग सेना के एक भाग को लेकर अतिशीघ्र उसी रात को तक्षशिला नगर और तक्षशिला प्रदेश पर पुनः अधिकार कर लिया। नाग-महाराज तक्षक मय प्रधान सेनापति वासुकि नाग सेना के एक भाग सहित आर्य महाराज परीक्षित से लड़ते रहे। इस प्रकार तक्षशिला नगर और तक्षशिला प्रदेश आर्य महाराज परीक्षित के अधिकार से साँप की तरह सर्र-से उनके मरने के एक सप्ताह पहले सरक गया। उन्हें इस बात का पता मरते समय तक नहीं चला।

गुरुजी : शाबाश! पिछले पाठ याद हैं या नहीं?

चौथी विद्यार्थिनी : जी हाँ।

गुरुजी : बताओ! नाग महाराज तक्षक जो जम्बूद्वीप के आदिवासी महाराजा हैं? उन्हें नाग (साँप) वंश का क्यों कहा जाता है। उनके झंडे पर नाग (साँप) का चित्र क्यों अंकित रहता है?

चौथी विद्यार्थिनी : जम्बूद्वीप के आदिवासी महाराजा पुराने समय में द्रविड़ नाम से पुकारे जाते थे। पेशावर घाटी, सिन्धु घाटी, जम्बू घाटी, तक्षशिला और कुरुक्षेत्र के मैदानों में इन असंगठित सीधे-साधे, भोले-भाले द्रविड़ियन महाराजाओं की मध्य एशियन आर्य एवं तिब्बत से आनेवाले साम, दाम, दंड, भेद व राजनीति प्रवीण सु-संगठित तथा अस्त्र-शस्त्र से सुसज्जित आर्यों से मुठभेड़ हुई। द्रविड़ियन महाराजे स्थान-स्थान पर बड़ी बहादुरी से लड़े, किन्तु उनकी कपटपूर्व विभिन्न नीतियों से हार कर दक्षिणी प्रदेश के सघन जंगलों में भिन्न-भिन्न स्थानों में जा छिपे। वहाँ...।

गुरुजी : *(चौथी विद्यार्थिनी से चुप रह जाने का इशारा करते हुए पाँचवें विद्यार्थी से)* बताओ, वहाँ जंगलों में क्या घटना घटी?

पाँचवाँ विद्यार्थी : गुरुजी! वहाँ एक द्रविड़ियन महाराजा उत्तरी भारत की लड़ाई से हारा-थका कई दिनों का भूखा-प्यासा, नौकर-चाकर रहित एक ऊँची-सी सुनसान, निर्जन, जंगली पहाड़ी पर बादल रहित निर्मल आकाश के नीचे भूमि पर ही चादर बिछाकर मध्य रात्रि में सो गया। प्रातः हो गया। दिन का पहला पहर बीत गया। दूसरा पहर समाप्त हो गई। तीसरे पहर जब जागा, तब देखा...।

गुरुजी : *(पाँचवें विद्यार्थी से चुप रह जाने का इशारा करते हुए, छठे विद्यार्थी से)* बताओ, उस हारे हुए द्रविड़ियन महाराजा ने तीसरे पहर जागने पर क्या देखा?

छठा विद्यार्थी : गुरुजी! उस द्रविड़ियन महाराजा ने तीसरे पहर जागने पर देखा—सूर्य की प्रखर किरणों से बचाव के लिए एक महानतम विषधर काला नाग (साँप) उस सोए हुए द्रविड़ियन महाराजा के ऊपर अपना फन फैलाकर

छाया किए हुए है। महाराजा के जागते ही वह साँप बड़ी शीघ्रता से सरक कर समीपी कँटीली झाड़ी में घुस गया। महाराजा ने तुरन्त ही...।

गुरुजी : *(छठे विद्यार्थी से चुप रह जाने का इशारा करते हुए, सातवीं विद्यार्थिनी से)* बताओ, तब उस महाराजा ने तुरन्त ही क्या किया?

सातवीं विद्यार्थिनी : गुरुजी! तब उस हारे हुए द्रविड़ियन महाराजा ने तुरन्त ही कुछ सूखी लकड़ियाँ इकट्ठी कीं। चकमक पत्थर से आग जला कर कोयला तैयार किया। फिर उस कोयले से अपनी चादर पर नाग का चित्र बनाकर उस चादर को राष्ट्रीय झंडा नाम रखकर उसे लम्बे बाँस में नाग (साँप) वाली झाड़ी में खोंस दिया और अपने को नाग महाराज के नाम से घोषित करके उसी पहाड़ी पर 'नागपुर' नामक अपनी नई राजधानी बनाई। यह राजा बड़ा ही न्यायी, सदाचारी, वीर, साहसी, पराक्रमी, प्रजा-पालक और सुप्रबन्धक था।

अत: समीपी प्रदेशवासियों ने भी उसे अपना महाराजा मान लिया। धीरे-धीरे समीपी प्रदेशवासी व तत्पश्चात् सम्पूर्ण भारत के अधिकाधिक द्रविड़ियन, असुर व दास आदि नाग जाति के नाम से पुकारे जाने लगे और सभी ने एक प्रकार से नाग (साँप) पूजक मत स्वीकार कर लिया। इनकी भाषा आर्यों की भाषा से भिन्न थी। जिसे आर्यगण 'पैशाची भाषा' कहते थे।

गुरुजी : *(आठवीं विद्यार्थिनी से)* परसोंवाला पाठ सुनाओ।

आठवीं विद्यार्थिनी : गुरुजी! इन्द्रप्रस्थ के आर्य महाराजा परीक्षित सोमरस में धुत रनिवास में ही पड़े रहते थे। मूक प्राणियों—हिरन व बारहसिंघा आदि के शिकार तक ही उनकी शूरवीरता सीमित थी। इधर तक्षक-पुत्र अश्वसेन, तक्षक-पुत्री मणिमाला, मणिमाला की सहेली शीलमाला व प्रधान सेनापति का पुत्र माणवक—चारों ने मिलकर सम्पूर्ण खांडव प्रदेश पैदल गाँव-गाँव, घर-घर झोंपड़ी-झोंपड़ी जा-जाकर नागरिकों को समझाया—"तुम लोग रोटी, कपड़ा, मकान, बच्चों की उच्चतम शिक्षा, दवा-दारू, छोटे से छोटे रोजगार व छोटी से छोटी नौकरी आदि के

लिए परेशान हो। चोरी, शक्तिमय चोरी, कत्ल, डकैती, रहजनी, घूसखोरी, भ्रष्टाचार, कुनबापरवरी, मुँहदेखी सिफारिशें, आदिवासियों (अनार्यों) एवं आर्यों के बीच ऊँच-नीच के भेदभाव दिनोंदिन बढ़ते चले जा रहे हैं। तुम्हारी इज्जत तक सुरक्षित नहीं है। आर्य महाराजा परीक्षित इस व्यवस्था को बदलने में अपनी स्वत: की कमजोरियों, पुरोहितों, ऑफिसरों और सेठ-साहूकारों के स्वार्थी दबाव के कारण असमर्थ सिद्ध हो चुके हैं। आप लोगों को सही व्यवस्था स्थापित करने के लिए...।"

गुरुजी : *(आठवीं विद्यार्थिनी से चुप रह जाने का इशारा करते हुए, नौवें विद्यार्थी से)* बताओ, अश्वसेन व मणिमाला आदि ने खांडव प्रदेशवासियों को सही व्यवस्था स्थापित करने के लिए क्या सम्मति दी?

नौवाँ विद्यार्थी : गुरुजी! अश्वसेन व मणिमाला आदि ने खांडव प्रदेशवासियों से कहा कि आप लोग सही व्यवस्था करने के लिए, सुख-चैन की जिन्दगी बिताने के लिए, अपने पुराने जाने-माने आदिवंशीय नाग महाराज तक्षक की प्रजा होना स्वीकार करो। बहुमत अनुकूल देखकर नाग महाराज तक्षक ने यकायक दल-बल सहित खांडव प्रदेश पर चढ़ाई कर दी। नाग सेना ने कस कर महाराज परीक्षित को एक ऐसी फुत्कार मारी कि उन्हें रण-स्थल छोड़कर इन्द्रप्रस्थ की ओर खाली हाथ भागना पड़ा। इस प्रकार खांडव प्रदेश के पुन: शासक नाग महाराज तक्षक हो गए।

गुरुजी : *(चौथी व सातवीं विद्यार्थिनी एवं पाँचवें व छठे विद्यार्थी से)* तुम लोगों ने अगले पाठ की तैयारी घर पर की है या नहीं?

चारों : *(एक साथ)* जी हाँ!

गुरुजी : *(चारों से)* शाबाश! तुम लोगों को पिछला पाठ याद है? कल वाला पाठ याद है? अगले पाठ की तैयारी भी घर पर कर ली है। अत: नया पाठ पढ़ना क्रमश: प्रारम्भ करो।

[चारों विद्यार्थी एवं विद्यार्थिनी अपना पाठ पढ़ना प्रारम्भ करते हैं। गुरुजी कठिन शब्दों के अर्थ और मुश्किल पदों का भावार्थ समझाते जाते हैं।]

पहला विद्यार्थी : आर्यों से युद्ध में हारे हुए द्रविड़ियन महाराजा के मुख पर श्रावण मास के शुक्ल पक्ष की पंचमी के दिन नाग (साँप) ने सूर्य की प्रखर किरणों के बचाव हेतु छाया की थी। उसकी याद में आज भी आदिवासी, नागवंशी एवं आपसी मेल-मिलाप हो जाने के कारण आर्यगण भी प्रतिवर्ष श्रावण मास की शुक्ल पक्ष की पंचमी को नागों की पूजा किया करते हैं। इसे 'नाग पंचमी' का त्योहार कहते हैं।

[अचानक गुरुजी जरत्कारु के कलेजे में किसी शिकारी का जहरीला बाण लगता है। बैठे गुरुजी स्वतः एक ओर को लुढ़क कर लेट जाते हैं।]

गुरुजी : *(लेटे ही लेटे घबराई दुःखित कराहती हुई तेज आवाज से)* बेटा 'आस्तीक'!

[समीपी च्यवन ऋषि के आश्रम से भाग कर आस्तीक, मणिमाला और मनसा का प्रवेश। ऋषिवर जरत्कारु की दशा देखकर तीनों भौंचक्के रह गए। हृदय गति को सँभाल कर 'आस्तीक' बोले :]

आस्तीक : *(दोनों हाथ जोड़कर)* परम पूज्य पिताजी! प्रणाम!

जरत्कारु : *(कराहते हुए धीमे स्वर से)* बेटा! मंगल हो!

आस्तीक : *(सीने की समीपी पसलियों में बिंधे हुए तीर को निकालने की कोशिश करते हुए)* तीर किसने मारा है?

जरत्कारु : *(कराहते हुए, धीमे स्वर से)* यह पूछने का समय नहीं है। तीर जल्दी निकालो, मैं मरना चाहता हूँ।

आस्तीक : इस तीर की अनोखी बनावट है। इसमें दाएँ-बाएँ दो मुड़ी हुई नोकें हैं, जो निकालने पर दोनों पसलियों में और अधिक उलझती चली जा रही हैं।

जरत्कारु : *(कराहते हुए, धीमे स्वर से)* मामूली तीर होता, तो किसी विद्यार्थी से निकलवा लेता। तुम्हें विशेष ध्यान से नहीं बुलाता।

[जरत्कारु भारी पीड़ा से दुखी होकर विशेष तौर से 'आह! आह!' कहकर कराहते हैं। भौंचक्की मणिमाला एकदम होश में आ जाती है।]

मणिमाला : *(आस्तीक से)* मैं समझ गई तीर की असाधारण चाल। परम पूज्य गुरुवर को महान कष्ट है। अतः इन्हें पहले

अच्छा-सा बढ़िया सोमरस पिलाओ। बेहोशी आने पर मैं इसे क्षण-मात्र में निकाल दूँगी। गुरुवर को बिलकुल ही कष्ट नहीं होगा। मैंने खांडव प्रदेश की लड़ाई में ऐसे अनेक कठिन तीरों को निकालकर मरणासन्न घायलों की जान बचाई हैं।

[वृद्धा मनसा शीघ्रता से सर्वश्रेष्ठ सोमरस लाती है। मणिमाला बाएँ हाथ से गुरुजी का सिर ऊँचा करके बाएँ हाथ से सोमरस पिलाती है। आस्तीक तीर को सीधा पकड़े हुए हैं। बेहोशी आने पर :]

आस्तीक : *(मणिमाला से)* यही समय है तीर निकालने का।

[आस्तीक के हाथ से मणिमाला ने तीर लेकर दोनों पसलियों में बिंधे तीर को पहले कुछ थोड़ा-सा भीतर की ओर ढकेल दिया। ऐसा करने से पसलियों में उलझी तीर की नोकें पसलियों से अलग हो गईं। तत्पश्चात् तीर को भीतर-भीतर इतना घुमाया कि तीर की दोनों नोकें दोनों लम्बी समानान्तर पसलियों की खाली जगह में सीधी-सीधी आ गईं। इस तरह थोड़े-से इशारे के झटके में तीर को निकालकर बाहर फेंक दिया।]

जरत्कारु : *(जोर से कराहते हैं)* आहऽऽऽ...!

मणिमाला : गुरुजी! घबड़ाइए नहीं। तीर निकल गया। आप बिलकुल स्वस्थ हैं।

जरत्कारु : बेटी! मंगल हो! कष्ट अधिक है। पूर्ण स्वस्थ होना...। *(कहकर चुप हो जाते हैं।)*

[राजसी भेस में धनुषबाण सहित महाराजा जनमेजय का शिकारी भेस में प्रवेश।]

जनमेजय : *(थर-थर काँपते हुए, दोनों हाथ जोड़कर)* आर्य ऋषिवर को साष्टांग दंडवत् है।

जरत्कारु : *(चुपचाप)*

जनमेजय : *(पूर्ववत्)* आर्य ऋषिवर को साष्टांग दंडवत् है।

जरत्कारु : *(शक्तिपूर्वक आँख खोलकर राजमुकुट की ओर देखते हुए)* आशीर्वाद देने के पहले बताओ, तुम कौन हो?

जनमेजय : ऋषिवर! आपका हत्यारा। इन्द्रप्रस्थ का आर्य महाराजा जनमेजय, आपके सन्मुख अपराधी दशा में खड़ा है। क्षमा करें।

जरत्कारु : *(शक्तिपूर्वक, किन्तु असाधारण स्वर से)* राजन्! मंगल हो। मैं मरणशैया पर हूँ। हत्या सरीखे गम्भीर आरोप में क्षमा प्रदान करने या न करने का ठीक-ठीक उत्तर देने के लिए अब इस समय बुद्धि काम नहीं दे रही है। क्षमा का उत्तर मेरा पुत्र आस्तीक देगा।

[कहकर गुरुजी चुप हो जाते हैं। कुछ देर बाद :]

आस्तीक : *(जोर से)* पिताश्री! कोई अन्तिम उपदेश?

जरत्कारु : *(शक्तिपूर्वक आँखें खोलकर, सब को देखकर लड़खड़ाती जिह्वा से)* सबका मंगल हो। *(कहकर गुरु जरत्कारु प्राण छोड़ देते हैं।)*

[आर्य महाराजा जनमेजय अभी पूर्ववत् हाथ जोड़े हुए खड़े हैं। वे आस्तीक मुनि की प्रशंसा पहले ही अनेक बार सुन चुके थे कि ऋषि जरत्कारु का लड़का आस्तीक मुनि वर्णसंकर होने के कारण बड़ा ही विद्वान, अद्भुत बलशाली एवं दृढ़प्रतिज्ञ है। आज महाराजा जनमेजय को खुद ही उनसे पाला पड़ गया।]

जनमेजय : मुनिवर! मैं निर्दोष हूँ। मैंने हिंसक सिंह पर तीखा बाण छोड़ा था। तनिक-सी भूल ही गुरु जरत्कारु की हत्या का कारण बन गई। मुझे क्षमा प्रदान कीजिए!

आस्तीक : *(अति ही क्रोधित होकर, समीपी रखे हुए पिताश्री के कमंडल से अपने दाएँ हाथ के चुल्लू में जल लेकर)* ओ हत्यारे जनमेजय! तू मेरे श्राप से भस्म होने के लिए तैयार हो जा!

मनसा : *(कड़क कर)* बेटा! हत्यारे जनमेजय को शीघ्र भस्म करो। इसने मेरा सुहाग लूटा है।

छात्र-छात्राएँ : *(सभी एक साथ)* बड़े भैया! हत्यारे जनमेजय को शीघ्र भस्म करो। इसने तो एक ही बाण से आश्रम तथा पाठशाला, दोनों सूनी कर दी हैं।

मणिमाला : *(कुछ दुलारपूर्वक, किन्तु दुलार की सीमा के भीतर ही)* बड़े भैया! भूल आखिर भूल है, जो सबसे होती है। आप

अपराधी आर्य महाराजा जनमेजय का अपराध क्षमा न करें, कोई दूसरा दंड दें। यह दूसरी बात है, मगर महाराज जनमेजय को भस्म करने का आपको कोई अधिकार नहीं है।

आस्तीक : *(क्रोधित दशा में ही)* चुप रहो, मणिमाला! तुम्हें इस तरह की पक्षधरता का बिलकुल भी अधिकार नहीं है।

मणिमाला : *(क्रोधित होकर)* पढ़कर सुनाऊँ न्याय का अधिकार पत्र! मुझसे ही सुनना चाहते हो?

[आस्तीक व मणिमाला, दोनों आपस में गुरु-भाई हैं। पहले ऋषिवर जरत्कारु के आश्रम में तत्पश्चात् अब उच्चतर शिक्षा महर्षि च्यवन ऋषि के आश्रम में विशेष अध्ययन कर रहे हैं।]

आस्तीक : *(सम्मान के कारण चुपचाप)*

मनसा : *(शान्ति स्वभाव से)* बेटी! यह क्या? जले पर नमक छिड़कती हो? चुप रहो।

मणिमाला : *(पूर्ववत्)* बुआश्री! मैं जले पर नमक नहीं छिड़कती। सच्ची बात कहना जले पर नमक छिड़कना नहीं। बड़े भैया द्वारा अपराधी जनमेजय को भस्म करने का कोई अधिकार नहीं है।

मनसा : *(प्रेमपूर्वक)* अच्छा बेटी! बता कैसे?

मणिमाला : *(साधारणतया)* परम पूज्य फूफा जी (ऋषिवर जरत्कारु) ने मरने से पूर्व अपराधी महाराज जनमेजय को पहचान कर ही तो कहा था—'राजन्! मंगल हो' फिर...।

मनसा : *(पूर्ववत्)* फिर का मतलब?

मणिमाला : *(पूर्ववत्)* फिर का मतलब है, फिर भी अन्त में बड़े भैया के अन्तिम उपदेश पूछने पर परम पूज्य गुरुवर ने मरते समय कहा था—'सबका मंगल हो।'

मनसा : इस 'मंगल हो' शब्द में अपराधी महाराजा जनमेजय को भस्म न करने का कौन-सी अधिकार रहित बात है?

मणिमाला : अपराधी महाराजा जनमेजय को भस्म कर देने से उनका अमंगल होगा जो परम आदरणीय गुरुवर जरत्कारु के प्रथम एवं अन्तिम, दोनों आशीर्वादी वचनों का सरासर-पूर्णतया उल्लंघन है।

आस्तीक : *(पूर्ववत् क्रोधित दशा में ही)* बस, बस! सुन ली तुम्हारी वकालत। चुप रहो, मणिमाला!

मणिमाला : *(क्रोधित होकर)* मैं परम पूज्य गुरुजी के आशीर्वादी वचनों का अपने जीवित रहते, आपको तनिक भी उल्लंघन नहीं करने दूँगी। मैं भी इसी पाठशाला की विद्यार्थिनी रह चुकी हूँ। मेरा भी गुरुजी पर पूरा हक है।

[फुर्तीली मणिमाला ने नाग (साँप) की भाँति सर्र-से लपक कर आस्तीक मुनि के हाथ के चुल्लू के पानी को अपने हाथ का धक्का देकर फैला दिया।

आस्तीक मुनि अपनी भौंहें और भी टेढ़ी करके अधिकाधिक क्रोध प्रदर्शित कर रहे हैं। माँ मनसा की ओर देख रहे हैं, मगर हैं सब चुपचाप।]

मनसा : बेटी, तुम्हीं बताओ, अपराधी महाराज जनमेजय को ज्यादा से ज्यादा कौन-सी सजा दी जाए, क्योंकि ऐसे गम्भीर आरोप में बिलकुल ही क्षमा प्रदान करना अपराधों को बढ़ावा देना है?

मणिमाला : *(पाठशाला के छात्र-छात्राओं से)* बताओ, तुम सब अपराधी महाराजा जनमेजय को कम से कम क्या सजा देना चाहते हो?

छात्र-छात्राएँ : *(सभी एक साथ)* जो आप चाहती हैं, वही हम सब भी चाहते हैं।

मनसा : बस, बेटी! अब कुल दारोमदार तेरे ऊपर मुनहसिर है। तू ही बता कोई उचित सजा।

मणिमाला : अब अगर कुल दारोमदार मेरे ही ऊपर है, तो सब ध्यानपूर्वक सुनें। बड़े भैया के सामने अपराधी महाराज जनमेजय प्रण करें कि 'मैं महाराज, जनमेजय भविष्य में सदैव विश्व मैत्री भावना का पालन करूँगा।'

मनसा : *(चकित होकर)* ऐ बेटी, इतने बड़े गम्भीर आरोप में इतनी कम सजा?

मणिमाला : जी हाँ। अपराधी राजा-महाराजाओं के लिए इतनी ही सजा सबसे भारी सजा होती है।

छात्र-छात्राएँ : *(सभी एक साथ)* बिलकुल ठीक है।

तीनों एक साथ : महाराज, प्रणाम!

तक्षक : *(सबसे)* मंगल हो। *(पहली नर्तकी से)* तुम कहाँ की रहनेवाली हो?

पहली नर्तकी : मैं नर्मदा प्रदेश की नवीन राजधानी रत्नवती की रहनेवाली हूँ।

तक्षक : *(प्रसन्नतापूर्वक उतावले होकर)* बताओ, जल्द बताओ, हमारे गुरुकुल का समाचार।

पहली नर्तकी : महाराज! प्रधानाचार्य एवं सभी आचार्य महोदय बड़े ही परिश्रमी, लगनशील एवं सच्चरित्र हैं। गुरुकुल के सभी छात्र व छात्राएँ भी अनुशासित होने के साथ-साथ हृष्ट-पुष्ट, मेहनती व सदाचारी हैं। परीक्षा फल जम्बू द्वीप में द्वितीय श्रेणी का है, परन्तु क्षमा करें। *(कहकर चुप हो जाती है।)*

तक्षक : डरो मत! क्षमा! क्षमा! तुम मेरे राज्य की एक जासूस इकाई हो। जो भी बात हो, राजसभा के समक्ष स्पष्ट कहो।

पहली नर्तकी : रत्नवती एवं समीपी नगरों के धनी-मानी महानुभाओं की ओर से बँधी हुई उचित सहायता प्रति वर्ष समय पर पहुँच जाती है, परन्तु राज्य कोष से दी जानेवाली सहायता प्रतिवर्ष देर से पहुँचती है। इससे प्रबन्ध में गड़बड़ी है।

गक्षक : महाराज! क्षमा करें! शिक्षा विभाग के अधिकारियों की अदला-बदली में रत्नवती गुरुकुल का अनुमानित बजट गुम हो गया था। अब परसों अनुमानित बजट की प्रतिलिपि आ गई है। एक माह बाद दोनों किस्तों की रकम साथ-साथ भेज दी जावेगी।

तक्षक : *(कुछ टेढ़ी आँखें करते हुए)* प्रधानामात्य! इसी समय दोनों किस्तों की रकम प्रधानाचार्य महोदय गुरुकुल रत्नवती के पास हुंडी पद्धति से श्री सेठ रायसेन नदी मार्ग, रत्नवती नर्मदा प्रदेश के द्वारा भेजो। जिन अधिकारियों की गफलत से गुरुकुल का प्रथम अनुमानित बजट गुम हो गया है, उन्हें शीघ्र नौकरी से हटा दिया जाए। शिक्षा विभाग राष्ट्र की प्रथम धरोहर है। मैं ऐसी गड़बड़ी भविष्य में कतई नहीं सुनना चाहता।

गक्षक : महाराज! शीघ्र आज्ञा पालन करता हूँ।

तक्षक : *(दूसरी नर्तकी से)* तुम कहाँ की रहनेवाली हो?

दृश्य-3

स्थान : इन्द्रप्रस्थ में आर्य महाराजा जनमेजय की राज्यसभा
समय : दोपहर से पहले

[महाराजा जनमेजय रत्नजटित सिंहासन पर शोभायमान हैं। अजीत प्रधानामात्य, चंडभार्गव प्रधान सेनापति, कश्यप पुरोहित, सोमश्रवा, सभासद, सम्मानित भद्र पुरुष, ग्रामीण एवं दर्शक अपनी-अपनी जगह विराजमान हैं। उत्तंग ब्रह्मचारी के आने की प्रतीक्षा है।]

[मुख्य द्वार के द्वारपाल का प्रवेश]

द्वारपाल : (दोनों हाथ जोड़कर) राजन्! प्रणाम्।

जनमेजय : मंगल हो, तात्! कहो, मुख्य द्वार की कुशलता?

द्वारपाल : कुशलता तो है मुख्य द्वार पर परन्तु ऋषि मंडली सहित, उत्तंग ब्रह्मचारी के आगमन के लिए आज चंडभार्गव प्रधान सेनापति की आज्ञानुसार मुख्य द्वार खुला है।

अजीत : *(क्रोधित होकर)* क्यों रे द्वारपाल! तुझे भली भाँति ज्ञात है कि महाराज परीक्षित के दाह-संस्कार से वापस लौटने पर ही स्वतः महाराज जनमेजय ने मुख्य द्वार सदा बन्द रहने की आज्ञा दी थी। अतएव मुख्य द्वार खुला रखने की यह धृष्टता कैसी?

द्वारपाल : *(अकड़कर प्रधानमंत्री से)* क्रोधित होने के पहले मेरे उत्तर पर भी थोड़ा-सा पुनर्विचार कीजिएगा। मैं हूँ केवल द्वारपाल कि न राज्यपाल। मेरा कर्तव्य है महाराजा और आप सरीखे सभी राज्य-अधिकारियों की आज्ञाओं का ठीक-ठीक ढंग से पालन करना।

जनमेजय : *(कुछ क्रोधित होकर, चंडभार्गव की ओर देखते हुए)* तुमने मुख्य द्वार खुला रहने की आज्ञा क्यों दी?

चंडभार्गव : *(दोनों हाथ जोड़कर)* राजन्! क्षमा करें। आपने ब्रह्मर्षि जरत्कारु को मार कर जो ब्रह्म हत्या की है, इसी मुख्य विषय पर विचार करने के लिए यह राज्यसभा बुलाई गई है।

जनमेजय : *(पूर्ववत्)* ब्रह्म हत्या का मुख्य द्वार से क्या सम्बन्ध है?

चंडभार्गव : उत्तंग ब्रह्मचारी ने साफ-साफ कहला भेजा है कि मैं लघु दक्षिणी द्वार से राज्यसभा में आज पधारने में अपना अपमान समझता हूँ। अस्तु! उनके शुभागमन के लिए मैंने मुख्य द्वार खुलवा दिया।

जनमेजय : *(साधारणतया)* उत्तंग ब्रह्मचारी की बात मानना बिलकुल ठीक है किन्तु स्थिति संकटकालीन है। इसलिए मुख्य द्वार सदा बन्द रहना चाहिए।

चंडभार्गव : महाराज! संकटकालीन स्थिति की चिन्ता न करें। मैंने मुख्य द्वार की रक्षा का महानतम् समुचित प्रबन्ध कर दिया है।

जनमेजय : *(पुनः क्रोधित होकर, प्रधानामात्य से)* सुना आपने प्रधान सेनापति का उत्तर!

अजीत : ध्यान से सुन रहा हूँ, महाराज।

जनमेजय : *(पूर्ववत् क्रोधित दशा में ही)* जिस समय नाग महाराज तक्षक की समर भूमि में पिताश्री से अन्तिम मुठभेड़ हुई, उस समय ये प्रधान सेनापति बगलें झाँकते हुए, कश्यप पुरोहित के बरगलाए में आकर, श्रृंगी ऋषि से समर भूमि के दूसरे कोने में, एक पेड़ की आड़ में समझौते के बहाने खड़े-खड़े बातों का मजा लूट रहे थे। नाग महाराज तक्षक ने इस सुअवसर का लाभ उठाया। यह है इनकी दशा। आज उत्तंग ब्रह्मचारी की बातों में आकर मुख्य द्वार खुलवा दिया।

अजीत : महाराज! मुख्य द्वार तत्काल बन्द करा दीजिए। खांडव प्रदेश गया। तक्षशिला प्रदेश गया। अगर नाग महाराज तक्षक को पता चल गया कि इन्द्रप्रस्थ का मुख्य द्वार खुला है, तो वे किसी भी समय सर्प से भी अधिक द्रुतगामी नाग सेना लेकर अचानक धावा बोल कर इन्द्रप्रस्थ को भी एक ही फुत्कार में समाप्त कर देंगे।

कश्यप : *(अकड़कर)* राजन्! मुख्य द्वार का खुला न रहना केवल उत्तंग ब्रह्मचारी का ही अपमान नहीं है, बल्कि सम्पूर्ण ब्राह्मणों और ऋषियों का भी अपमान है, जिसे हम लोग किसी कीमत पर कभी भी बर्दाश्त नहीं कर सकते हैं।

सभी ब्राह्मण व सभी ऋषिवर : *(एक साथ खड़े होकर)* राजन्! ऐसा अपमान हम लोग कभी किसी कीमत पर सहन नहीं कर सकते।

और आदिवासियों को गाँव-गाँव नाग यज्ञ के नाम से जीवित ही आग में जला रही है। इसके पीछे दूसरी सैनिक टुकड़ी चंडभार्गव प्रधान सेनापति की देखरेख में अश्वमेधी यज्ञ के सजे सजाए अश्व के साथ चल रही है। सबसे पीछे तीसरी सैनिक टुकड़ी के साथ स्वयं महाराजा जनमेजय हैं।

तक्षक : *(शीघ्रतापूर्वक)* क्या यह सब हो रहा है?

गुप्तचर : महाराज! जी हाँ! सम्पूर्ण राज्य में उत्तर से दक्षिण तक एक साथ पूर्व से चलकर पश्चिम की ओर प्रलय ज्वाला जलती हुई बड़े वेग के साथ आ रही है।

तक्षक : बता सकते हो कि शान्तिप्रिय महाराजा जनमेजय को इस जघन्यतम क्रूर कार्य करने के लिए किसने सुझाव दिया है?

गुप्तचर : कश्यप पुरोहित और उत्तंग ब्रह्मचारी ने।

तक्षक : वे दोनों इस समय कहाँ हैं?

गुप्तचर : कश्यप पुरोहित का पता नहीं। उत्तंग ब्रह्मचारी कुछ साथियों सहित पहली सैनिक टुकड़ी के साथ हैं। वे ही खास तौर से इस समय इस अमानवीय युद्ध के अगुवा हैं।

तक्षक : उत्तंग ब्रह्मचारी ने ऐसा क्यों किया?

गुप्तचर : महाराज! तक्षशिला नगर एवं तक्षशिला प्रदेश भारी खतरे में है। शीघ्रातिशीघ्र बचाव का प्रबन्ध कीजिए। यह समय प्रश्नोत्तर का नहीं। फिर भी संक्षिप्त उत्तर यह है कि ब्राह्मण वर्ग अपनी सामाजिक वर्ण-व्यवस्था के कारण अपना स्थान सर्वोपरि रखता है जो समता, बन्धुता, स्वतंत्रता का महान शत्रु है। ब्राह्मणी वर्ण-व्यवस्था रक्षक और घोर अवसरवादी, महाराजा युधिष्ठिर ने अपनी राज्यसभा में अ-महत्त्वपूर्ण पदों पर तीन शूद्र तथा एक महाशूद्र (सूत) मंत्री बनाकर राजसूय यज्ञ में श्वपच (भंगी) आदि आदिवासियों को बचा-खुचा, जूठा-जाठन भोजन करा कर उनकी सहानुभूति किसी अंश तक प्राप्त कर ली थी एवं दासी पुत्र विदुर द्वारा संस्थापित 'विदुर महाविद्यालय' की म्लेच्छ (नाग व असुर आदि) भाषा प्रचार नीति से विषमता की कड़ी कुछ ढीली पड़

जनमेजय : ब्रह्मचारी जी! आपका यह कार्य इन्द्रप्रस्थ राज्य के प्रति विशेष कर्तव्य निष्ठा का घोतक है।

कश्यप : चलने का शुभ मुहूर्त आज ही अर्द्धरात्रि है। मार्ग सतलुज नदी पार कर के मैदानी भू-भाग होकर तक्षशिला। तत्पश्चात् काबुल नगर व कुंभा नदी के इलाके तक जाकर वापस इन्द्रप्रस्थ।

जनमेजय : *(प्रधानमंत्री एवं सोमश्रवा से)* तुम दोनों की जिम्मेदारी है इन्द्रप्रस्थ राज्य में रक्षक-दल की सहायता से शान्ति व्यवस्था बनाए रखने की।

अजीत : राजन्! निश्चिन्त रहें। आपके प्रताप और हम दोनों के सुप्रबन्ध से इन्द्रप्रस्थ राज्य के भीतर आदमी की कौन कहे, परिन्दा भी पर नहीं मार सकता।

जनमेजय : प्रधान सेनापति! शुभ मुहूर्त के अनुसार, आज ही अर्द्धरात्रि के समय अश्वमेधी यज्ञ का सजा-सजाया अश्व चल देगा। आप विशेष सूचित हों। *(राज्यसभा से)* आप सब लोग अश्वमेधी यज्ञ के अश्व की वापसी तक अधिकाधिक सतर्क रहें। राज्यसभा समाप्त की जाती है।

[पटाक्षेप]

दृश्य-4

स्थान : तक्षशिला में नाग-वंशीय महाराजा 'तक्षक' की राज्यसभा
समय : मध्याह्न से पूर्व

[नाग महाराज तक्षक रत्नजटित सिंहासन पर शोभायमान हैं। तक्षक प्रधानामात्य, नाग सरदार वासुकि, प्रधान सेनापति, सभासद, सम्मानित भद्र पुरुष, ग्रामीण और दर्शक अपनी-अपनी जगह विराजमान हैं।]

[चोबदार का प्रवेश]

चोबदार : *(दोनों हाथ जोड़कर)* राजन्, प्रणाम! नाग महाराज की जय हो!

तक्षक : मंगल हो तात्! कहो कुशल समाचार?

जनमेजय : *(अति प्रसन्न होकर, प्रधानामात्य से)* इन दोनों गायिकाओं को अलग-अलग उचित पारितोषिक दो।

[सहसा चंडभार्गव प्रधान सेनापति का उत्तंग ब्रह्मचारी एवं ऋषि मंडली सहित प्रवेश]

जनमेजय : *(दोनों हाथ जोड़कर)* माननीय उत्तंग ब्रह्मचारी को ऋषि मंडली सहित, मैं इन्द्रप्रस्थ का आर्य महाराजा परीक्षित-सुत जनमेजय प्रणाम करता हूँ।

उत्तंग : *(नाराज मन से)* राजन्! मंगल हो।

जनमेजय : *(सम्मानपूर्वक)* आप लोग यथास्थान अपना आसन ग्रहण करें।

[चंडभार्गव एवं सभी ऋषिगण अपने-अपने सुरक्षित आसनों पर बैठ जाते हैं। केवल उत्तंग ब्रह्मचारी खड़े के खड़े ही रहते हैं।]

उत्तंग : *(पूर्ववत् नाराज मन से)* राजन्! आपने मुख्य द्वार बन्द करा कर केवल मेरा ही अपमान नहीं किया है, बल्कि जम्बू द्वीप के सम्पूर्ण ब्राह्मणों व ऋषियों का अपमान किया है। हम लोगों का ऐसा घोर अपमान आपके पूर्वजों परीक्षित, अभिमन्यु, अर्जुन व पांडु आदि ने कभी नहीं किया।

जनमेजय : ब्रह्मचारी जी! क्षमा करें। प्रधान सेनापति ने मुख्य द्वार बन्द रखने की सम्पूर्ण विकट परिस्थिति आपको समझाई होगी।

उत्तंग : जहाँ आपमें इतनी कमजोरी और दब्बूपन है, वहाँ वह रंगरेलियाँ, आमोद-प्रमोद, गाना सुनना हराम होना चाहिए।

[एक युवक ऋषि की ओर देखते हुए—'भगाओ इन दोनों गायिकाओं व बजंत्रियों को। यह अनमोल समय है।']

[युवक ऋषि उन्हें धक्के देकर राज्यसभा के बाहर निकालता है।]

[दोनों गायिकाएँ बिना इनाम प्राप्त किए बजंत्रियों सहित शीघ्रतापूर्वक झुके-झुके काँपती दशा में लुढ़कती-पुढ़कती राज्यसभा के बाहर भाग गईं।]

जनमेजय : *(हाथ जोड़कर)* ब्रह्मचारी जी! अपराध क्षमा करें। आसन पर विराजें ताकि आज के मुख्य विषय पर विचार विनिमय हो।

[उत्तंग ब्रह्मचारी अपने आसन पर बैठ जाते हैं।]

(जनमेजय प्रधानामात्य से) आज के मुख्य विषय को राज्यसभा के सन्मुख स्पष्ट एवं विस्तार सहित उपस्थित करो।

अजीत : *(राज्यसभा को सम्बोधित करते हुए धीरे-धीरे, किन्तु उच्च स्वर से)* आप सभी महानुभाव ध्यानपूर्वक सुनें—आज की राज्यसभा का मुख्य विषय है कि महाराज जनमेजय ने शिकार की दशा में हिंसक सिंह पर तीखा बाण छोड़ा जो तनिक भूल के कारण आर्य ऋषि जरत्कारु की ब्रह्म-हत्या का कारण बन गया। उन्होंने मरने के पूर्व महाराजा जनमेजय को इस अपराध को क्षमा करने या न करने का अधिकार अपने इकलौते पुत्र आस्तीक मुनि को सौंप दिया था। अब कुछ ब्राह्मणों व ऋषियों का कहना है कि...।

उत्तंग : *(क्रोधित होकर बीच में ही, जोर से)* सुनो जी प्रधानमंत्री! जो कुछ कहना है, सर्र-फर्र कहो। घंटों जुगाली मत करो। हम सब कामकाजी मध्याह्न की अधूरी पूजा छोड़-छाड़कर लेत-पलेत आए हैं। जल्दी-जल्दी में दोपहर वाला भोग भी भगवान जी को नहीं लगा पाए हैं। जनमेजय व तुम सबकी तरह निरे-निठल्ले नहीं हैं।

एक युवा कृषक : *(खड़े होकर, डपट कर बहुत जोर से)* सुनो जी ब्रह्मचारी! तुम निठल्ले, तुम्हारे बाप-दादे निठल्ले, तुम्हारे भगवान निठल्ले। कामकाजी हैं हम लोग, जो अपने पसीने से धरती का पेट चीरकर अनाज पैदा करते हैं। खुद खाते हैं, तुम्हारा व तुम्हारे निठल्ले नकली भगवान का भी पेट भरते हैं। खबरदार! आइंदा हम सबको निठल्ला मत कहना, वर्ना भरी राज्यसभा में जबान खींच लेंगे। फिर जो होगा, सो देखा जाएगा।

अनेक युवा कृषक : *(सभी एक साथ खड़े होकर जोर-जोर से ब्रह्मचारी जी पर छींटा कसते हैं। हल्ला मचाते हैं।)* तुम निठल्ले, तुम्हारे

दिया जाएगा। यह अपराध रक्षक दल के हस्तक्षेप योग्य, काबिल जमानत व नाकाबिल राजीनामा होंगे। *(प्रचार मंत्री से)* इस राजाज्ञा का प्रचार डुग्गी आदि हर सम्भव तरीकों से नर्मदा, खांडव व तक्षशिला, तीनों प्रदेशों में तीन दिन के अन्दर करें।

[द्वारपाल का प्रवेश]

द्वारपाल : *(दोनों हाथ जोड़कर)* महाराज, प्रणाम!

तक्षक : मंगल हो तात्। कहो शुभ समाचार?

द्वारपाल : दक्षिणी प्रदेशों से दो नर्तकियाँ मुख्य द्वार पर पधारी हैं। राज्यसभा को अपनी कला द्वारा प्रसन्न करना चाहती हैं।

तक्षक : मंत्रिवर, कुछ समय?

गक्षक : महाराज! वही अवकाश वाली ढाई घड़ी *(एक घंटा)* है।

तक्षक : *(दूत से)* जाओ, उन्हें शीघ्र एक गुप्तचर के साथ यहाँ भेजो।

[दूत का दोनों हाथ जोड़कर प्रणाम करते हुए प्रस्थान]

तक्षक : प्रधानामात्य! कोई आवश्यकीय कार्य?

गक्षक : महाराज! इस समय तो सैन्य संगठन ही सबसे अधिक आवश्यकीय कार्य है। महाराज 'परीक्षित' के मरने के बाद से कुछ स्वार्थी आर्यों द्वारा नित नई-नई योजनाएँ महाराजा जनमेजय को अपने पिताश्री परीक्षित की मृत्यु का बदला लेने के लिए सुझाई जा रही हैं।

तक्षक : तुम्हें उनकी किन-किन योजनाओं का पता है?

गक्षक : महाराज! पहली है सीधी योजना विधिवत् स्पष्ट युद्ध घोषणा। दूसरी टेढ़ी योजना, ऋषिवर जरत्कारु की ब्रह्म-हत्या के बदले में महाराज जनमेजय अश्वमेध यज्ञ करें। अश्वमेध यज्ञ का सजा-सजाया अश्व तक्षशिला से काबुल जाकर वापसी में इसी मार्ग से इन्द्रप्रस्थ लौटे। इस प्रकार तक्षशिला प्रदेश को आग, लूट-पाट, कत्लेआम द्वारा दो बार में सदा-सदा के लिए मिटा दिया जाए।

तक्षक : इस गम्भीर विषय पर आज ही अवकाश के पश्चात् अच्छे ढंग से विचार किया जाए।

[दोनों नर्तकियों का बाजे वालों सहित एक गुप्तचर की देख-रेख में प्रवेश। दोनों नर्तकी व बजंत्री एक साथ दोनों हाथ जोड़कर :]

भीतर-भीतर से चुपचाप असन्तुष्ट थे। महाराजा परीक्षित की मृत्यु के बदले की दुहाई के चक्कर में महाराजा जनमेजय को फाँस कर यह बीभत्स कांड करा डाला।

वासुकि : महाराज! यदि युद्ध में महाराज जनमेजय हार जाते, तो इन सबकी क्या दुर्गति होती?

तक्षक : नाग सरदार! इन पुरोहितों, ब्रह्मचारियों व पंडों आदि का क्या बिगड़ता? कुछ नहीं। 'गंगा गए गंगा दास, जमुना गए, जमुना दास।' महाराजा जनमेजय न सही, नाग महाराजा तक्षक सही। जैसे बनेगा तैसे सदा अपना उल्लू सीधा रखते हैं, सीधा रखते रहेंगे। बिना परिश्रम के सदा मौज की छानते हैं, छानते रहेंगे। यही तो बुद्धिजीवियों का बोलता हुआ जिन्दा जादू है।

वासुकि : महाराज! ठीक कहते हैं। कश्यप पुरोहित महाराजा परीक्षित की लड़ाई के समय स्वार्थवश ही अपनी ओर था। स्वार्थ सिद्धि के पश्चात् फिर उन्हीं इन्द्रप्रस्थ के महाराजा जनमेजय की पुरोहिताई स्वीकार करके मौज की छानने लगा। उल्टे हम लोगों का शत्रु बन बैठा।

[मनसा, मणिमाला और शीलमाला का प्रवेश]

तक्षक व वासुकि : *(खड़े होकर हाथ जोड़कर एक साथ)* बहन जी, प्रणाम्।

मनसा : मंगल हो।

[मणिमाला और शीलमाला ने नाग महाराज और नाग सरदार का उचित अभिवादन किया।]

तक्षक : कहो—कुशल समाचार!

मणिमाला : पिताश्री! वहाँ तो अकुशल समाचारों का ताता बँधा हुआ है।

तक्षक : *(बड़े प्यार से)* बेटी, बताओ, कौन-सा नया अशुभ समाचार है, जिस कारण अधिकाधिक उदास और घबड़ाई हुई हो?

मणिमाला : राज-पाट गया। भीषण अमानवीय नर-संहार हुआ। अनगिनत सम्पत्ति जली, लुटी। *(कहकर रोने लगती है।)*

तक्षक : *(विशेष दुखी होकर)* चुप रह बेटी! इस कहानी को मत सुना। यह सभी दृश्य मेरी इस कमबख्त आँखों ने भली प्रकार देखा है। कलेजा फटा जाता है। मगर क्या करें,

तो उसी धर्म शास्त्र के अनुसार वर्णसंकर की सन्तान उत्तंग को भी ब्रह्म हत्या के अपराध में कोई भी निर्णय देने का अधिकार नहीं है।

एक ब्राह्मण : राजन! आर्य ब्राह्मण ऋषि जरत्कारु की ब्रह्म हत्या का निर्णय हम शुद्ध आर्य ब्राह्मण ही करेंगे और वह निर्णय यह है कि ऋषिवर जरत्कारु शुद्ध आर्य ब्राह्मण की ब्रह्म हत्या के प्रायश्चित्त हेतु अश्वमेध यज्ञ होना चाहिए।

सोमश्रवा : प्रियवर! भूतकाल में मित्र और वरुण नामक श्रेष्ठ ब्राह्मणों ने अति खूबसूरत उर्वशी को तालाब में अकेली क्रीड़ा करते नग्न दशा में देखा। दोनों ने काम के वशीभूत होकर उसके साथ क्रमश: निर्दयता व निर्लज्जतापूर्वक बलात्कार किया। फलस्वरूप, दो जुड़वाँ लड़के अगस्त व वसिष्ठ (गुरु वसिष्ठ इक्ष्वाकवंशी राजाओं के गुरु) पैदा हुए, जिन्हें उसने रात्रि में ही मिट्टी के घड़े में रखकर कुम्हार के आवाँ (पजावा) के पास नि:सहाय छोड़ दिया। अकस्मात् प्रात:काल कुम्हार (आदिवासी जाति) की दृष्टि पड़ी। वह अपने घर उठा लाया, पाला-पोसा। उन्हीं बड़े लड़के अगस्त की सन्तान आप हैं। अत: आपको भी ऋषिवर जरत्कारु आर्य ब्राह्मण की ब्रह्म-हत्या के अपराध में कोई भी निर्णय देने का अधिकार नहीं है।

[वसिष्ठ गोत्रीय ब्राह्मण, अगस्त गोत्रीय ब्राह्मणों की यह वर्णसंकरपन की बेइज्जती सुनकर स्वयं ही चुप रह जाते हैं।]

दूसरा ब्राह्मण : राजन्! आर्य ब्राह्मण जरत्कारु की ब्रह्म-हत्या का निर्णय हम शुद्ध आर्य ब्राह्मण ही करेंगे और वह निर्णय यह है कि ऋषिवर जरत्कारु आर्य ब्राह्मण की ब्रह्म-हत्या के प्रायश्चित्त हेतु अश्वमेध यज्ञ होना चाहिए।

सोमश्रवा : प्रियवर! पूर्वकाल में ब्रह्मर्षि भारद्वाज अन्य ऋषियों सहित स्नान हेतु गंगा नदी के किनारे पधारे। वहीं उत्तर की ओर कुछ दूरी पर 'धृताची' नामक एक अप्सरा (वेश्या) भी स्नान कर रही थी। वस्त्र खिसकने से उसे नग्न दशा में देख ब्रह्मर्षि भारद्वाज काम के वशीभूत हो गए। वे अन्य ऋषियों का साथ छोड़कर लघुशंका के बहाने शीघ्रता के कारण 'द्रोण' नामक यज्ञ पात्र *(दोना,*

जो पलाश-ढाक के पत्तों से बनाया जाता है) में जल लेकर चल दिए। अप्सरा को डाँट लगाई, 'हरामजादी! पानी गन्दा कर रही है।' अकड़लू, निर्भीक अप्सरा ने अकड़कर खटाक से जवाब दिया—'ऋषिवर! मैं तो उतार की ओर हूँ। आप चढ़ाव की ओर हैं।' इतना-सा सीधा-साधा सही उत्तर सुनकर कामान्ध ऋषि बिगड़ पड़े। आपे से बाहर हो गए। चुल्लू में पानी लेकर बोले—'बदमाश! नीच जाति की औरत होकर तेरी जवाब देने की यह हिम्मत? अभी श्राप देकर भस्म किए देता हूँ।' श्राप का नाम सुनकर बेचारी भयभीत होकर गिड़गिड़ाकर प्राणदान की भीख माँगने लगी। बस, फिर क्या था? ब्रह्मर्षि की पाँचों उँगलियाँ घी में हो गईं। जरा-से इशारे से फुसलाकर समीपी पलाश की झाड़ी की आड़ में निश्चिन्त होकर विधिवत् अपनी कामाग्नि बुझाई, जिससे 'द्रोण' नामक महा विद्वान का जन्म हुआ। अप्सरा ने बाद में उसे उसी झाड़ी में फेंक दिया, जो अचानक 'द्रोण' *(दोना-पत्तल)* बनानेवाली 'बारी' आदिवासी जाति की एक बुढ़िया को पत्ता तोड़ती दशा में लावारिस पड़ा हुआ मिला। उसने पाला-पोसा। आप उन्हीं वर्णसंकर 'द्रोण' की सन्तान हैं।

अत: आपको भी ऋषिवर जरत्कारु आर्य ब्राह्मण की ब्रह्म-हत्या के अपराध में कोई भी निर्णय देने का अधिकार नहीं है।

एक ऋषि : राजन्! आर्य ब्राह्मण जरत्कारु की ब्रह्म-हत्या का निर्णय हम शुद्ध आर्य ब्राह्मण ही करेंगे और वह निर्णय यह है कि ऋषिवर जरत्कारु आर्य ब्राह्मण की ब्रह्म हत्या के प्रायश्चित्त हेतु अश्वमेध यज्ञ होना चाहिए।

सोमश्रवा : ऋषिवर! आपके पूर्वज पिछले समय में भिक्षा-वृति के लिए एक बार आदिवासी की झोंपड़ी पर पधारे, जो जंगल में थी। 'शशक' (खरगोश) के चमड़े का व्यापार करनेवाले आदिवासी (कंजर, सहेरिया) आदि जंगली जाति की अति सुन्दर युवा पुत्री देखकर उस पर सम्मोहित हो गए। घर वाले शशक का शिकार खेलने गए थे। एकान्त सूनी झोंपड़ी में मीठी-मीठी

नर्मदा प्रदेश में नागों आदि आदिवासियों का संगठन किया जाए।

तक्षक : नाग सरदार! जानते हो, तब तक महाराज जनमेजय मेरे बजाय उसकी ही नाग यज्ञ को पूर्ण आहुति कर देंगे।

[शीलमाला का प्रवेश]

मणिमाला : पिताश्री! मेरे दिमाग में एक बात शीघ्रता वाली है। बताऊँ क्या?

तक्षक : बता बेटी, शीघ्र बता। मेरा दिमाग अब इस समय ठीक ठिकाने नहीं है। अगणित परेशानियों के साथ-साथ बुढ़ापा भी है।

मणिमाला : जनमेजय ने ऋषिवर जरत्कारु की हत्या के समय आस्तीक मुनि के सामने यह प्रण किया था कि 'मैं महाराजा जनमेजय भविष्य में सदैव विश्व मैत्री भावना का पालन करूँगा', किन्तु अब उन्होंने तक्षशिला विजय के समय भीषण रक्तपात करके अपने पुराने प्रण का उल्लंघन किया है। अत: मैं, शीलमाला व बुआश्री, तीनों आस्तीक मुनि के पास जाएँ। उन्हें सम्पूर्ण परिस्थिति से अवगत कराएँ। उन्हें समझाएँ कि...

तक्षक : *(बीच में ही)* आप लोग आस्तीक मुनि को क्या समझाएँगी?

मणिमाला : हम लोग आस्तीक मुनि को समझाएँगी कि महाराज जनमेजय ने आपके समक्ष की गई प्रतिज्ञा का उल्लंघन तक्षशिला विजय के समय अमानवीय क्रूर हमला करके किया है। उन्हें अधिकाधिक दंड मिलना चाहिए।

मनसा : बेटी! बात तो बढ़िया है। आस्तीक है भी बड़ा पराक्रमी, परन्तु यदि कहीं उसने हम लोगों की बात न मानी तब?

शीलमाला : बुआश्री! वे हम लोगों की बात मानेंगे कैसे नहीं? उन्हें मानने के लिए मजबूर किया जावेगा, तभी मानेंगे।

तक्षक : *(मनसा से)* बहन जी! पराक्रमी आस्तीक मुनि को समझाना कठिन जरूर है, लेकिन अगर कहीं आस्तीक मुनि अपनी पर आ गए, तो महाराजा जनमेजय क्या, इन्द्रप्रस्थ की राज-व्यवस्था ही भंग कर देंगे। आजकल

चुकी थी, क्योंकि भूतपूर्व समय में महाराजा युधिष्ठिर तत्पश्चात् जनमेजय स्वयं इस विद्यालय के विद्यार्थी रह चुके थे। आर्य क्षत्रियों, नागों, असुरों से यह मनमाना मेल-मिलाप ब्राह्मण वर्ग के लिए उनकी गिरती गरिमा के समक्ष असह्य सिरदर्द बन गया। अत: अवसर पाकर कुछ स्वार्थी ब्राह्मणों ने महाराजा परीक्षित की मृत्यु का बदला लेने की पट्टी पढ़ाकर महाराजा जनमेजय से यह कुकृत्य रचा डाला।

तक्षक : *(शीघ्रतापर्वूक नाग सरदार वासुकि से)* तुम स्वयं दो सेनापतियों व दस सैनिक टुकड़ियों सहित चंडभार्गव के, *(अश्वसेन व माणवक से)* तुम दोनों चार सेनापतियों व बीस सैनिक टुकड़ियों सहित महाराजा जनमेजय की पहली टुकड़ी की विभिन्न टुकड़ियों के और मैं स्वयं शेष सेना सहित महाराजा जनमेजय के सन्मुख अति शीघ्र जा डटता हूँ। *(मणिमाला से)* बेटी! तुम अपनी सहेली शीलमाला और बुआ मनसा आदि सहित समर भूमि के पीछे वाले पड़ाव पर घायलों की सेवा करना। चलती लड़ाई की हर किसी कमी को प्रधानमंत्री की सहायता से पूरा करना एवं सहेलियों सहित पुरुष भेस में दक्षिणी तिरछे रास्ते से चक्कर काटकर अश्वसेन व माणवक की मदद रणक्षेत्र में बहन के बजाय भाई बनकर समय-समय पर करना। *(गक्षक से)* प्रधानमंत्री! ऐसी भीषण परिस्थिति में नए सैनिकों की भर्ती का अब समय नहीं है। रक्षक दल को आज्ञा दो कि वह बड़े-बड़े गाँवों में सभी अठारह साल से ऊपर एवं पचास साल से कम उम्र वालों को सैनिक शिक्षा दें। प्रति गाँव पाँच-पाँच आदमी प्रति सप्ताह चलती लड़ाई की कमी को पूरा करने के लिए सीधे पिछले पड़ाव पर भेजें। किन्हीं परिस्थितियों में तक्षशिला नगर के बजाय यदि दूसरा स्थान राजधानी का बदलना पड़े, तो सूचना पिछले पड़ाव पर मणिमाला को तुरन्त दें। *(नर्मदा प्रदेश के सभासद से)* सभासद! आप महारानी जयमाला व बाँदी पुष्पमाला आदि राज परिवार को कुछ जवाहरात *(हीरा, पन्ना आदि)* सहित अपने साथ ले जाकर दक्षिणी प्रदेश

बहुमत : *(एक साथ)* राजन्! इन दोनों को जाने दीजिए। अश्वमेध यज्ञ नहीं होना चाहिए। *(सम्पूर्ण ब्राह्मण एवं सभी ऋषिगण—एक साथ खड़े होकर)* राजन्! हम लोग भी कश्यप व उत्तंग के साथ-साथ जाते हैं।

[कहकर सम्पूर्ण ब्राह्मण तथा सभी ऋषिगण चलने लगते हैं। राज्यसभा में बड़ी ही अशान्ति छा जाती है। कुछ कहते हैं, जाने दो। कुछ कहते हैं, लौटा लो। कुछ कहते हैं, ठीक है। कुछ कहते हैं, अनर्थ है। बेचारे सीधे-सादे, भोले-भाले, अल्हड़ युवक महाराजा जनमेजय ब्राह्मणवादी जाल की धमकी भरी चाल से बहुत परेशान हैं। बिना सोचे-समझे ब-दर्जे मजबूरी।]

जनमेजय : *(शान्ति स्थापित करने के लिए शीघ्रतापूर्वक कुछ क्रोधित होकर)* प्रधान सेनापति! शक्तिपूर्वक शान्ति स्थापित करो। *(कश्यप व उत्तंग से)* आप लोग रुक जाइए। *(राज्यसभा से)* मैं घोषणा करता हूँ, अश्वमेध यज्ञ होगा। अवश्य होगा।

[चंडभार्गव प्रधान सेनापति ने सेना की सहायता से तत्काल शान्ति स्थापित की। कश्यप, उत्तंग, सम्पूर्ण ब्राह्मण एवं ऋषिगण जो पहले से खड़े थे, अपने-अपने आसन पर पूर्ववत् बैठ जाते हैं।

जनमेजय : *(गुप्तचर से)* बताओ, इस समय नाग महाराजा तक्षक के पास तक्षशिला में कितनी सेना है?

गुप्तचर : राजन्! अधिकांश नाग सेना खांडव प्रदेश व नर्मदा प्रदेश वापस जा चुकी है। मगर अब भी जो शेष सेना है, वह अपनी सेना की आधी है, परन्तु...।

जनमेजय : *(उतावले होकर)* शीघ्र बतलाओ, 'परन्तु' का मतलब?

गुप्तचर : परन्तु का मतलब है, परन्तु अपनी सेना से कई गुनी फुर्तीली है। तक्षशिला के मैदानी भू-भाग में अपनी सेना को वे लोग खदेड़-खदेड़ कर मार डालेंगे।

जनमेजय : *(चुपचाप)*

उत्तंग : राजन्! आप घबड़ाएँ नहीं। हम लोग सीधी मैदानी लड़ाई कदापि नहीं लड़ेंगे। अश्मेध यज्ञ के सजे-सजाए अश्व को नाग महाराज तक्षक पकड़ें या न पकड़े, तक्षशिला

राज्य की सीमा प्रारम्भ होते ही पूर्व से पश्चिम तक के सभी गाँवों में एक ओर से क्रमशः आग लगा दी जाए, कीमती-कीमती माल लूट लिया जाए। नागों, द्रविड़यनों-आदिवासियों में से जो भी भागे, उन्हें कत्ल कर दिया जाए। जो पकड़े मिलें, उन्हें पकड़कर गाँव-गाँव में नाग यज्ञ के नाम से आग में जीवित ही जलाकर महाराज परीक्षित की मृत्यु का पाई-पाई, पैसा-पैसा बदला इस आसान ढंग से चुका लिया जाए।

जनमेजय : *(चकित होकर)* ब्रह्मचारी जी! ऐसा भीषण नर-संहार असम्भव है।

उत्तंग : *(क्रोधपूर्वक डाँटते हुए)* राजन्! मालूम होता है, आपका दिमाग खराब है।

जनमेजय : *(साधारणतया)* कैसे दिमाग खराब है, ब्रह्मचारी जी?

उत्तंग : *(साधारणतया)* राजन्! समझ का फेर है। आमने-सामने के धर्म-युद्ध में भी भीषण नर-संहार होता है और इस प्रकार के नर-संहार को जो अधर्म कहे, कहने दीजिए। कोई चिन्ता नहीं।

जनमेजय : *(चुपचाप)*

उत्तंग : राजन्! यह अमूल्य समय सोचा-विचारी का नहीं है। राम ने अपने पौरुष की एक झांकी हनुमान द्वारा लंका में आग लगवाकर दिखाई थी। पुनः राम ने स्वयं रात्रि में लंका जलवाई थी।

कश्यप : राजन्! आपके पड़दादा अर्जुन ने नागों से खांडव प्रदेश सेना की शक्ति से नहीं अपितु पूरे खांडव प्रदेश में आग लगाकर ही तो जीता था। जो जले मरे, सो जले मरे, जो उनके गांडीव धनुष के सामने आए, वे धराशायी हुए।

जनमेजय : *(कुछ गुनगुनाकर, कुछ अल्हड़ बुद्धि से सोच-समझकर)* ब्रह्मचारी जी! एक पिताश्री महाराजा परीक्षित की मृत्यु का बदला केवल नाग महाराज तक्षक से न लेकर अश्वमेध यज्ञ के नाम से उनकी निरीह, गरीब, दलित, पीड़ित, पिछड़ी व शोषित मूक प्रजा से लेना मेरे लिए प्रत्येक दशा में असम्भव है।

उत्तंग : *(क्रोधित होकर)* राजन्! महाराज परीक्षित की मृत्यु का बदला इससे कम हरगिज नहीं लिया जा सकता।

तक्षक : ये अहीर मन के बड़े मैले हैं। बड़े ही स्वार्थी हैं। इन्होंने अपनी बढ़ती जनसंख्या के प्रसार के लिए मित्र-राज श्रृंगवेरपुर का तहस-नहस कर डाला।

वासुकि : महाराज! यदि मैं गलत नतीजे पर नहीं पहुँचा तो इस नतीजे पर पहुँचा हूँ कि श्रीकृष्ण ने अर्जुन आदि आर्यों से मिलकर अपनी ही स्वार्थ सिद्धि की है और शेष आदिवासी जाति को हर प्रकार से कुचलने की कोशिश की है।

तक्षक : और क्या, बिलकुल सही नतीजा यही है।

वासुकि : महाराज! एक बात है। ये अहीर राजनीतिज्ञ तो हैं, इसमें कोई दो राय नहीं, परन्तु सदा अपना ही स्वार्थ चाहते हैं।

तक्षक : इन्होंने अभी तक तनिक स्वतंत्र सत्ता का मजा चखा है। इसलिए विशेष स्वार्थी हैं। जिस दिन इन्हें पूर्ण स्वतंत्र सत्ता का मजा चखने की धुन सवार हो जाएगी, उस दिन ये बेलगाम घोड़े की तरह किसी के रोके नहीं रुकेंगे। अपने अधिकार तो ये ले ही लेंगे, अन्य निर्बलों को भी समान अधिकार दिलाने में अपने प्राणों तक की परवाह नहीं करेंगे। ऐसा अद्भुत गुण है इनके अन्दर।

वासुकि : असम्भव।

तक्षक : सम्भव, बिलकुल सम्भव। आज नहीं तो कल, कल नहीं तो परसों। देरी है तो केवल बुद्धि के विशेष विकसित होने की और सही दिशा में उसे लगाने की।

वासुकि : महाराज! उत्तंग ब्रह्मचारी आदि ब्राह्मणों के चक्कर में महाराज जनमेजय इतनी जल्दी कैसे आ गए?

तक्षक : इसके पीछे अनेक कारण हैं। महाभारत के बाद समस्त जम्बूद्वीप में आर्य क्षत्रियों की धार्मिक व राजनीतिक सत्ता करीब-करीब एकदम समाप्त हो गई। अनेक छोटे-छोटे राज्य कायम हो गए। इन्द्रप्रस्थ राज्य भी सिकुड़कर छोटा-सा रह गया। इसके शासक महाराजा जनमेजय शान्तिप्रिय प्रजाप्रेमी थे। खर्चीले यज्ञ, धार्मिक अनुष्ठान, तीर्थ स्थानों तथा ऋषि आश्रमों के भारी-भारी सदावर्त को फिजूलखर्ची समझते थे। इसलिए पुरोहित, ब्राह्मण, ब्रह्मचारी, ऋषिगण, पंडा, पुजारी आदि सभी

जनमेजय : ब्रह्मचारी जी! आपका यह कार्य इन्द्रप्रस्थ राज्य के प्रति विशेष कर्तव्य निष्ठा का घोतक है।

कश्यप : चलने का शुभ मुहूर्त आज ही अर्द्धरात्रि है। मार्ग सतलुज नदी पार कर के मैदानी भू-भाग होकर तक्षशिला। तत्पश्चात् काबुल नगर व कुंभा नदी के इलाके तक जाकर वापस इन्द्रप्रस्थ।

जनमेजय : *(प्रधानमंत्री एवं सोमश्रवा से)* तुम दोनों की जिम्मेदारी है इन्द्रप्रस्थ राज्य में रक्षक-दल की सहायता से शान्ति व्यवस्था बनाए रखने की।

अजीत : राजन्! निश्चिन्त रहें। आपके प्रताप और हम दोनों के सुप्रबन्ध से इन्द्रप्रस्थ राज्य के भीतर आदमी की कौन कहे, परिन्दा भी पर नहीं मार सकता।

जनमेजय : प्रधान सेनापति! शुभ मुहूर्त के अनुसार, आज ही अर्द्धरात्रि के समय अश्वमेधी यज्ञ का सजा-सजाया अश्व चल देगा। आप विशेष सूचित हों। *(राज्यसभा से)* आप सब लोग अश्वमेधी यज्ञ के अश्व की वापसी तक अधिकाधिक सतर्क रहें। राज्यसभा समाप्त की जाती है।

[पटाक्षेप]

दृश्य-4

स्थान : तक्षशिला में नाग-वंशीय महाराजा 'तक्षक' की राज्यसभा
समय : मध्याह्न से पूर्व

[नाग महाराज तक्षक रत्नजटित सिंहासन पर शोभायमान हैं। तक्षक प्रधानामात्य, नाग सरदार वासुकि, प्रधान सेनापति, सभासद, सम्मानित भद्र पुरुष, ग्रामीण और दर्शक अपनी-अपनी जगह विराजमान हैं।]

[चोबदार का प्रवेश]

चोबदार : *(दोनों हाथ जोड़कर)* राजन्, प्रणाम! नाग महाराज की जय हो!

तक्षक : मंगल हो तात्! कहो कुशल समाचार?

चोबदार : महाराज! पूर्वजों व भद्र पुरुषों की शिक्षाओं और आपके सुप्रबन्ध से राज की सम्पूर्ण प्रजा सुख-चैन से दिन व्यतीत कर रही है।

तक्षक : स्थान ग्रहण करो।

[चोबदार पीछे हटकर कुछ दूर पर खड़ा हो जाता है।]

प्रधानामात्य : राजन्! बड़े भारी परिश्रम के बाद यह राज्यसभा भवन बैठने योग्य हो पाया है।

तक्षक : अभी इसमें बहुत कुछ दुरुस्त होना है।

निधड़क : महाराज! अब कोई चिन्ता की बात नहीं। एक माह के भीतर ही हम लोग इस राज्यसभा भवन को ऐसा बना देंगे, जिसमें जाड़ों में गर्मी और गर्मी में जाड़ा मालूम होगा।

तक्षक : ऐसा राज्यसभा भवन धीरे-धीरे बनता रहेगा। बताओ, जल्दी मैं बसनेवाला हूँ। नदी के कगार वाला गुप्त गृह बन गया है या नहीं?

निधड़क : नदी के कगार वाला गुप्त गृह बिलकुल बनकर तैयार हो गया है। मानचित्र केवल दो ही हैं। एक स्थानीय गुप्तचर के पास है। दूसरा आप स्वयं अपने पास रखें। लीजिए यह मानचित्र।

[निधड़क ने नाग महाराज तक्षक को नदी के कगार वाले गुप्त गृह का मानचित्र देकर अपना स्थान ग्रहण किया।]

एक सभासद : *(दोनों हाथ जोड़कर)* महाराज को प्रणाम! मैं खांडव प्रदेश के दक्षिणी भाग का सभासद हूँ। महलों और गुप्तगृहों से भी अधिक आवश्यक काम एक और है, वह है खेतों की सिंचाई की व्यवस्था।

तक्षक : माननीय सभासद! चार मोंठ (पुर, परोहे) वाले दो सौ पचास, दो मोंठ वाले पाँच सौ कुएँ सिंचाई वाले तथा सात सौ पचास कुएँ पानी पीनेवाले खांडव प्रदेश के दक्षिणी भाग में प्रति वर्ष बनने को स्वीकृति हो चुकी है। मानवीय माल मंत्री ही इस काम को प्रारम्भ करानेवाले हैं। इस प्रकार पच्चीस वर्ष के भीतर भूमि सिंचित भूमि हो जाएगी।

दूसरा सभासद : *(दोनों हाथ जोड़कर)* महाराज, प्रणाम। मैं तक्षशिला प्रदेश के पूर्वी भाग का सभासद हूँ। पिछली घोषणा के अनुसार, पशु-पालन का समुचित प्रबन्ध अभी तक नहीं हो पाया है।

तक्षक : माननीय सभासद! पशुओं की मामूली बीमारी पोंका, पयफुटा आदि की औषधि प्रति ग्राम चौधरियों को भेजी जा चुकी हैं। माता (चेचक) आदि की कठिन बीमारियों के लिए राजकीय रसायनशाला अच्छी से अच्छी दवाइयाँ बनाने में प्रयत्नशील है। शासन के समीप एक कठिनाई अवश्य है।

दूसरा सभासद : वह कौन-सी कठिनाई है?

तक्षक : शासन चाहता है, बाँझ-बुड्ढी गाएँ, भैंसे व बुड्ढे बैल, भैंसे, जो खाते ज्यादा हैं, आमदनी कतई नहीं, ऐसे पशुओं को उनके मालिक आवारा छोड़ देते हैं। वे खेती को काफी नुकसान पहुँचाते हैं। उन पशुओं के लिए क्या किया जाए?

दूसरा सभासद : इसके लिए केवल ये ही एक तरकीब है, निरर्थक पशुओं को तुरन्त मार दिया जाया करे। उनका बचा हुआ भोजन शेष सार्थक पशु खाएँ। राज्य की आमदनी बढ़े। परेशानी एवं हानि घटे।

तक्षक : *(राज्यसभा से)* शासन द्वारा घोषणा की जाती है कि माननीय सभासद द्वारा बताई गई तरकीब का पालन आज से ही राजाज्ञा के रूप में हो एवं सूचना विभाग जनमत भी तैयार करे।

तीसरा सभासद : *(दोनों हाथ जोड़कर)* महाराज, प्रणाम्। मैं खांडव प्रदेश के उत्तरी भाग का सभासद हूँ। आर्य लोग यज्ञों के बहाने काम वाले पशु मारकर खा जाते हैं। देव यज्ञ के नाम पर अपार खाद्य सामग्री (घी, गरी, छुहारे आदि) प्रतिदिन जला डालते हैं। उसे राष्ट्रहित में बन्द कराया जाना आवश्यक है।

तक्षक : *(राज्यसभा से)* शासन द्वारा घोषणा की जाती है कि जो व्यक्ति यज्ञों में जीव हिंसा करेगा, खाद्य सामग्री जलाएगा या दूसरों को ऐसा करने के लिए उकसाएगा (जैसे पड़ोसी, पुरोहित, पुजारी, पंडा, भगत, नाउते आदि), उसे दो वर्ष सश्रम कारावास एवं दो हजार रुपये का आर्थिक दंड

दिया जाएगा। यह अपराध रक्षक दल के हस्तक्षेप योग्य, काबिल जमानत व नाकाबिल राजीनामा होंगे। *(प्रचार मंत्री से)* इस राजाज्ञा का प्रचार डुग्गी आदि हर सम्भव तरीकों से नर्मदा, खांडव व तक्षशिला, तीनों प्रदेशों में तीन दिन के अन्दर करें।

[द्वारपाल का प्रवेश]

द्वारपाल : *(दोनों हाथ जोड़कर)* महाराज, प्रणाम!

तक्षक : मंगल हो तात्। कहो शुभ समाचार?

द्वारपाल : दक्षिणी प्रदेशों से दो नर्तकियाँ मुख्य द्वार पर पधारी हैं। राज्यसभा को अपनी कला द्वारा प्रसन्न करना चाहती हैं।

तक्षक : मंत्रिवर, कुछ समय?

गक्षक : महाराज! वही अवकाश वाली ढाई घड़ी *(एक घंटा)* है।

तक्षक : *(दूत से)* जाओ, उन्हें शीघ्र एक गुप्तचर के साथ यहाँ भेजो।

[दूत का दोनों हाथ जोड़कर प्रणाम करते हुए प्रस्थान]

तक्षक : प्रधानामात्य! कोई आवश्यकीय कार्य?

गक्षक : महाराज! इस समय तो सैन्य संगठन ही सबसे अधिक आवश्यकीय कार्य है। महाराज 'परीक्षित' के मरने के बाद से कुछ स्वार्थी आर्यों द्वारा नित नई-नई योजनाएँ महाराजा जनमेजय को अपने पिताश्री परीक्षित की मृत्यु का बदला लेने के लिए सुझाई जा रही हैं।

तक्षक : तुम्हें उनकी किन-किन योजनाओं का पता है?

गक्षक : महाराज! पहली है सीधी योजना विधिवत् स्पष्ट युद्ध घोषणा। दूसरी टेढ़ी योजना, ऋषिवर जरत्कारु की ब्रह्म-हत्या के बदले में महाराज जनमेजय अश्वमेध यज्ञ करें। अश्वमेध यज्ञ का सजा-सजाया अश्व तक्षशिला से काबुल जाकर वापसी में इसी मार्ग से इन्द्रप्रस्थ लौटे। इस प्रकार तक्षशिला प्रदेश को आग, लूट-पाट, कत्लेआम द्वारा दो बार में सदा-सदा के लिए मिटा दिया जाए।

तक्षक : इस गम्भीर विषय पर आज ही अवकाश के पश्चात् अच्छे ढंग से विचार किया जाए।

[दोनों नर्तकियों का बाजे वालों सहित एक गुप्तचर की देख-रेख में प्रवेश। दोनों नर्तकी व बजंत्री एक साथ दोनों हाथ जोड़कर :]

तीनों एक साथ : महाराज, प्रणाम!

तक्षक : *(सबसे)* मंगल हो। *(पहली नर्तकी से)* तुम कहाँ की रहनेवाली हो?

पहली नर्तकी : मैं नर्मदा प्रदेश की नवीन राजधानी रत्नवती की रहनेवाली हूँ।

तक्षक : *(प्रसन्नतापूर्वक उतावले होकर)* बताओ, जल्द बताओ, हमारे गुरुकुल का समाचार।

पहली नर्तकी : महाराज! प्रधानाचार्य एवं सभी आचार्य महोदय बड़े ही परिश्रमी, लगनशील एवं सच्चरित्र हैं। गुरुकुल के सभी छात्र व छात्राएँ भी अनुशासित होने के साथ-साथ हृष्ट-पुष्ट, मेहनती व सदाचारी हैं। परीक्षा फल जम्बू द्वीप में द्वितीय श्रेणी का है, परन्तु क्षमा करें। *(कहकर चुप हो जाती है।)*

तक्षक : डरो मत! क्षमा! क्षमा! तुम मेरे राज्य की एक जासूस इकाई हो। जो भी बात हो, राजसभा के समक्ष स्पष्ट कहो।

पहली नर्तकी : रत्नवती एवं समीपी नगरों के धनी-मानी महानुभाओं की ओर से बँधी हुई उचित सहायता प्रति वर्ष समय पर पहुँच जाती है, परन्तु राज्य कोष से दी जानेवाली सहायता प्रतिवर्ष देर से पहुँचती है। इससे प्रबन्ध में गड़बड़ी है।

गक्षक : महाराज! क्षमा करें! शिक्षा विभाग के अधिकारियों की अदला-बदली में रत्नवती गुरुकुल का अनुमानित बजट गुम हो गया था। अब परसों अनुमानित बजट की प्रतिलिपि आ गई है। एक माह बाद दोनों किस्तों की रकम साथ-साथ भेज दी जावेगी।

तक्षक : *(कुछ टेढ़ी आँखें करते हुए)* प्रधानामात्य! इसी समय दोनों किस्तों की रकम प्रधानाचार्य महोदय गुरुकुल रत्नवती के पास हुंडी पद्धति से श्री सेठ रायसेन नदी मार्ग, रत्नवती नर्मदा प्रदेश के द्वारा भेजो। जिन अधिकारियों की गफलत से गुरुकुल का प्रथम अनुमानित बजट गुम हो गया है, उन्हें शीघ्र नौकरी से हटा दिया जाए। शिक्षा विभाग राष्ट्र की प्रथम धरोहर है। मैं ऐसी गड़बड़ी भविष्य में कतई नहीं सुनना चाहता।

गक्षक : महाराज! शीघ्र आज्ञा पालन करता हूँ।

तक्षक : *(दूसरी नर्तकी से)* तुम कहाँ की रहनेवाली हो?

दूसरी नर्तकी : मैं खांडव प्रदेश की राजधानी खंडवा की रहनेवाली हूँ।

तक्षक : *(प्रसन्नतापूर्वक उतावले होकर)* बताओ, बताओ शीघ्र हमारी जनता की मुख्य परेशाानी?

दूसरी नर्तकी : महाराज! पशुओं के लिए चारे की बड़ी कमी है। यह कमी परसाल के अकाल से प्रारम्भ हुई है।

तक्षक : प्रधानामात्य! नर्मदा प्रदेश से सूखी घास एवं तक्षशिला प्रदेश से भूसा अति शीघ्र लागत की तिहाई कीमत पर तकाबी स्वरूप भेजा जावे।

गक्षक : महाराज! शीघ्र आज्ञा पालन करता हूँ।

तक्षक : *(दोनों नर्तकियों से)* समय बहुत थोड़ा रह गया है। तुम दोनों अलग-अलग आधी-आधी घड़ी *(बारह-बारह मिनट)* में क्रमशः सर्वश्रेष्ठ नर्तन दिखाओ। काल-ताल का विशेष ध्यान रखना।

[पहली नर्तकी ने अर्थाभाव से उत्पन्न हुई गुरुकुल की गड़बड़ी और दूसरी नर्तकी ने पशुओं के चारा की कमी के कारण खंडवा नगर की परेशानी का मूक नर्तन अलग-अलग क्रमशः दिखाया।]

तक्षक : *(प्रसन्नतापूर्वक)* प्रधानामात्य, इन्हें पाँच-पाँच स्वर्ण मुद्राएँ गुप्तचर विभाग से एवं पाँच-पाँच स्वर्ण मुद्राएँ मनोरंजन विभाग से पुरस्कार स्वरूप दो।

[प्रधानमंत्री से दोनों नर्तकियों ने उपरोक्त पारितोषिक सहर्ष प्राप्त किया। दोनों नर्तकियों का बाजे वालों सहित दोनों हाथ जोड़कर प्रणाम करते हुए प्रस्थान। सहसा अश्वसेन व माणवक, दोनों का शिकारी भेस में घबड़ाई दशा में प्रवेश]

अश्वसेन, माणवक : *(दोनों एक साथ हाथ जोड़कर हाँफते हुए) पिताश्री! प्रणाम!*

तक्षक : *(शीघ्रतापूर्वक)* मंगल हो तात्! कहो। शीघ्र कहो। कुशल समाचार।

अश्वसेन : *(घबड़ाई दशा में, हाँफते हुए)* आज हम दोनों भैया शिकार के लिए आधी रात से ही पूर्व की ओर गए थे, शिकार मिला नहीं। 'अब मिलेगा, अब मिलेगा' लालच ही लालच में बहुत दूर निकल गए। तक्षशिला राज्य

की सीमा पर कुछ गाँव जलते दिखाई दिए। बड़े जोर का धुआँ आकाश को अन्धकारमय बनाए हुए था। हम दोनों घोड़ा दौड़ाते हुए वहाँ पहुँचते हुए देखा—अपना एक विशाल नगर आर्य सेनापति की अध्यक्षता में आर्य सैनिकों द्वारा जलाया जा रहा है। लूटा जा रहा है। नागरिकों का कत्ल किया जा रहा है। बन्दी नागों व द्रविड़ियनों, आदिवासियों को जलती आग में नाग यज्ञ के नाम पर जीवित ही जलाया जा रहा है। तब हम दोनों...।

तक्षक : *(बीच में ही क्रोधित होकर)* तब तक तुम दोनों वहाँ खड़े-खड़े तमाशा देखते रहे?

माणवक : नहीं चाचाजी! तब तक हम दोनों ने सोचा, सहस्त्रों आर्य सैनिकों का मुकाबला हम दो व्यक्ति कैसे करें? समुचित प्रबन्ध के बिना पत्थर से टकराना बुद्धिमानी नहीं है। अपनी सरहद्दी सैनिक टुकड़ी की तलाश की। वह बेचारी स्वयं छोटी टुकड़ी होते हुए भी बड़ी बहादुरी से अपार आर्य सेना से लड़ रही थी। उसमें से कुछ नाग सैनिकों की सहायता से हम दोनों ने एक बहुत बड़े तालाब का बाँध काट दिया है, जिसके पानी से समीपी नदी आधा दिन के लिए भारी बाढ़ जैसी हो गई है। हम अपनी सैनिक टुकड़ी को आश्वासन दे आए हैं—घबड़ाना मत। नाग महाराज दल बल सहित शीघ्र सहायता के लिए आ रहे हैं।

[गुप्तचर का हाँफता हुआ घबराई हुई दशा में प्रवेश]

गुप्तचर : *(दोनों हाथ जोड़कर)* महाराज को प्रणाम!

तक्षक : *(उतावले होकर)* मंगल हो तात्। शीघ्र कहो उत्तरी व पूर्वी सीमा का समाचार।

गुप्तचर : महाराज! शीघ्रता कीजिए! तक्षशिला नगर एवं तक्षशिला राज्य भारी खतरे में है। इन्द्रप्रस्थ के आर्य महाराजा जनमेजय ने अपने पिताश्री परीक्षित की मृत्यु का बदला अश्वमेध यज्ञ के अश्व के बहाने तक्षशिला राज्य पर जालिमाना हमला बोल दिया है। उनकी अगली सैनिक टुकड़ी सैकड़ों छोटी-छोटी टुकड़ियों में बँट कर तक्षशिला राज्य में अग्नि-कांड, लूट-पाट और कत्लेआम कर रही है। बन्दी नागों, द्रविड़ियों

और आदिवासियों को गाँव-गाँव नाग यज्ञ के नाम से जीवित ही आग में जला रही है। इसके पीछे दूसरी सैनिक टुकड़ी चंडभार्गव प्रधान सेनापति की देखरेख में अश्वमेधी यज्ञ के सजे सजाए अश्व के साथ चल रही है। सबसे पीछे तीसरी सैनिक टुकड़ी के साथ स्वयं महाराजा जनमेजय हैं।

तक्षक : *(शीघ्रतापूर्वक)* क्या यह सब हो रहा है?

गुप्तचर : महाराज! जी हाँ! सम्पूर्ण राज्य में उत्तर से दक्षिण तक एक साथ पूर्व से चलकर पश्चिम की ओर प्रलय ज्वाला जलती हुई बड़े वेग के साथ आ रही है।

तक्षक : बता सकते हो कि शान्तिप्रिय महाराजा जनमेजय को इस जघन्यतम क्रूर कार्य करने के लिए किसने सुझाव दिया है?

गुप्तचर : कश्यप पुरोहित और उत्तंग ब्रह्मचारी ने।

तक्षक : वे दोनों इस समय कहाँ हैं?

गुप्तचर : कश्यप पुरोहित का पता नहीं। उत्तंग ब्रह्मचारी कुछ साथियों सहित पहली सैनिक टुकड़ी के साथ हैं। वे ही खास तौर से इस समय इस अमानवीय युद्ध के अगुवा हैं।

तक्षक : उत्तंग ब्रह्मचारी ने ऐसा क्यों किया?

गुप्तचर : महाराज! तक्षशिला नगर एवं तक्षशिला प्रदेश भारी खतरे में है। शीघ्रातिशीघ्र बचाव का प्रबन्ध कीजिए। यह समय प्रश्नोत्तर का नहीं। फिर भी संक्षिप्त उत्तर यह है कि ब्राह्मण वर्ग अपनी सामाजिक वर्ण-व्यवस्था के कारण अपना स्थान सर्वोपरि रखता है जो समता, बन्धुता, स्वतंत्रता का महान शत्रु है। ब्राह्मणी वर्ण-व्यवस्था रक्षक और घोर अवसरवादी, महाराजा युधिष्ठिर ने अपनी राज्यसभा में अ-महत्त्वपूर्ण पदों पर तीन शूद्र तथा एक महाशूद्र (सूत) मंत्री बनाकर राजसूय यज्ञ में श्वपच (भंगी) आदि आदिवासियों को बचा-खुचा, जूठा-जाठन भोजन करा कर उनकी सहानुभूति किसी अंश तक प्राप्त कर ली थी एवं दासी पुत्र विदुर द्वारा संस्थापित 'विदुर महाविद्यालय' की म्लेच्छ (नाग व असुर आदि) भाषा प्रचार नीति से विषमता की कड़ी कुछ ढीली पड़

चुकी थी, क्योंकि भूतपूर्व समय में महाराजा युधिष्ठिर तत्पश्चात् जनमेजय स्वयं इस विद्यालय के विद्यार्थी रह चुके थे। आर्य क्षत्रियों, नागों, असुरों से यह मनमाना मेल-मिलाप ब्राह्मण वर्ग के लिए उनकी गिरती गरिमा के समक्ष असह्य सिरदर्द बन गया। अतः अवसर पाकर कुछ स्वार्थी ब्राह्मणों ने महाराजा परीक्षित की मृत्यु का बदला लेने की पट्टी पढ़ाकर महाराजा जनमेजय से यह कुकृत्य रचा डाला।

तक्षक : *(शीघ्रतापर्वूक नाग सरदार वासुकि से)* तुम स्वयं दो सेनापतियों व दस सैनिक टुकड़ियों सहित चंडभार्गव के, *(अश्वसेन व माणवक से)* तुम दोनों चार सेनापतियों व बीस सैनिक टुकड़ियों सहित महाराजा जनमेजय की पहली टुकड़ी की विभिन्न टुकड़ियों के और मैं स्वयं शेष सेना सहित महाराजा जनमेजय के सन्मुख अति शीघ्र जा डटता हूँ। *(मणिमाला से)* बेटी! तुम अपनी सहेली शीलमाला और बुआ मनसा आदि सहित समर भूमि के पीछे वाले पड़ाव पर घायलों की सेवा करना। चलती लड़ाई की हर किसी कमी को प्रधानमंत्री की सहायता से पूरा करना एवं सहेलियों सहित पुरुष भेस में दक्षिणी तिरछे रास्ते से चक्कर काटकर अश्वसेन व माणवक की मदद रणक्षेत्र में बहन के बजाय भाई बनकर समय-समय पर करना। *(गक्षक से)* प्रधानमंत्री! ऐसी भीषण परिस्थिति में नए सैनिकों की भर्ती का अब समय नहीं है। रक्षक दल को आज्ञा दो कि वह बड़े-बड़े गाँवों में सभी अठारह साल से ऊपर एवं पचास साल से कम उम्र वालों को सैनिक शिक्षा दें। प्रति गाँव पाँच-पाँच आदमी प्रति सप्ताह चलती लड़ाई की कमी को पूरा करने के लिए सीधे पिछले पड़ाव पर भेजें। किन्हीं परिस्थितियों में तक्षशिला नगर के बजाय यदि दूसरा स्थान राजधानी का बदलना पड़े, तो सूचना पिछले पड़ाव पर मणिमाला को तुरन्त दें। *(नर्मदा प्रदेश के सभासद से)* सभासद! आप महारानी जयमाला व बाँदी पुष्पमाला आदि राज परिवार को कुछ जवाहरात *(हीरा, पन्ना आदि)* सहित अपने साथ ले जाकर दक्षिणी प्रदेश

की नवीन राजधानी 'रत्नवती' के किसी समीपी गुप्त गृह में छिपा दें। *(खांडव प्रदेश के सभासदों से)* आप लोग भी सचेत रहें। *(राज्यसभा से)* परम आदरणीय बन्धुवर! आपने नागवंश को हर समय अपने खून में सींचा है। जो जाति मरना जानती है—उसे ही जीने का अधिकार है। आपने अनेक परीक्षाओं में सफलता प्राप्त की है। आज फिर परीक्षा की घड़ी है। अपनी रक्षा का भार स्वतः अपने कन्धों पर लें। अन्तिम विदाई। सबका मंगल हो। राज्यसभा समाप्त हो।

सभी : *(एक साथ जोर से)* नाग वंश की जय! नाग महाराजा की जय हो!! जम्बूद्वीप की जय!!!

[पटाक्षेप]

दृश्य-5

स्थान : तक्षशिला के समीप नदी की कगार में गुप्त गृह
समय : दोपहर के बाद

[आर्य महाराज जनमेजय के हिंसक, क्रूर एवं अमानवीय युद्ध से हारकर नाग महाराज तक्षक अपने प्रधान सेनापति नाग सरदार वासुकि से बातचीत तख्त पर बैठकर कर रहे हैं।]

वासुकि : महाराज! इस युद्ध में आर्य महाराजा जनमेजय ने तो मनुष्यत्व को ताक में रखकर विश्व के समक्ष सबसे बड़ा खूँखार जालिम इतिहास तैयार कर दिया है। मानवता कराह उठी है।

तक्षक : जो अग्निकांड, लूट-पाट तथा कत्लेआम भूतपूर्व समय में आर्य महाराज जनमेजय के परदादा अर्जुन ने खांडव प्रदेश विजय के समय आदिवासी अहीर श्री कृष्ण की क्रूर नीति के वशीभूत होकर किया था, उसमें जो आग की लपटों के प्रतिकूल उत्तर की ओर भागे, वे ही अर्जुन

के गांडीव धनुष के शिकार हुए और जो पूर्व, दक्षिण, पश्चिम की ओर भागे, वे सभी बच गए। मगर इस तक्षशिला के भीषण नरसंहार में केवल नैऋत्य *(दक्षिण, पश्चिम के बीच की)* दिशा की ओर भागनेवाले ही कोई कोई शेष बच पाए हैं।

वासुकि : महाराज! अहीर (यादव) श्री कृष्ण आदिवासी थे और हम नागवंशी भी आदिवासी हैं। फिर इन्होंने खांडव प्रदेश विजय के लिए आर्य अर्जुन को ऐसी अमानुषिक क्रूर नीति बरतने की गलत सलाह क्यों दी? यदि श्रीकृष्ण चाहते, तो ये दोनों आदिवासी मिलकर सम्पूर्ण भारत के सिरमौर होते। श्रीकृष्ण उत्तरी भारत 'इन्द्रप्रस्थ' के निषाद राज (मध्य भारत) 'शृंगवेरपुर' के व हम लोग दक्षिणी भारत 'नागपुर' के शासक होते।

तक्षक : नाग सरदार! यह बातें बड़े दाँव-पेंच की हैं। इन्हें महानतम् चतुर राजनीतिज्ञ ही समझ सकते हैं। श्रीकृष्ण ने सदा जीवन भर पहले अपनी परछाईं देखी है। अपने मित्र आर्य अर्जुन से खांडव प्रदेश विजय कराकर हम नागों का करीब-करीब सर्वनाश कराया, पांडवों और कौरवों को आपस में भाई-भाई होते हुए लड़ाया ताकि दोनों अहंकारी आर्य शक्तियाँ नष्ट हो जाएँ! हो गईं। इतनी गहरी राजनीति के बाद स्वयं श्रीकृष्ण दक्षिणी भारत के एकच्छत्र राजा बन बैठे। समुद्र के किनारे एकलव्य द्वारा बसाई गई द्वारिकापुरी को अपनी नई राजधानी बनाया।

वासुकि : यदि ऐसी ही बात है, तो जब नागों ने आर्य अर्जुन से गोपिकाएँ छीनी थीं तो इन अहीरों ने नागों की सहायता क्यों की?

तक्षक : प्रधान सेनापति! यह भी एक राजनीति है। इस थोड़ी-सी मदद से द्वारिकापुरी को अटल अहीर (यादव) राज्य स्थापित करने में नाग वंश की हमदर्दी हमेशा-हमेशा के लिए उन्हें मिल गई।

वासुकि : महाराज! इन अहीर श्रीकृष्ण व बलदाऊ ने निषादराज एकलव्य के शृंगवेरपुर राज्य को क्यों तहस-नहस कर डाला?

तक्षक : ये अहीर मन के बड़े मैले हैं। बड़े ही स्वार्थी हैं। इन्होंने अपनी बढ़ती जनसंख्या के प्रसार के लिए मित्र-राज श्रृंगवेरपुर का तहस-नहस कर डाला।

वासुकि : महाराज! यदि मैं गलत नतीजे पर नहीं पहुँचा तो इस नतीजे पर पहुँचा हूँ कि श्रीकृष्ण ने अर्जुन आदि आर्यों से मिलकर अपनी ही स्वार्थ सिद्धि की है और शेष आदिवासी जाति को हर प्रकार से कुचलने की कोशिश की है।

तक्षक : और क्या, बिलकुल सही नतीजा यही है।

वासुकि : महाराज! एक बात है। ये अहीर राजनीतिज्ञ तो हैं, इसमें कोई दो राय नहीं, परन्तु सदा अपना ही स्वार्थ चाहते हैं।

तक्षक : इन्होंने अभी तक तनिक स्वतंत्र सत्ता का मजा चखा है। इसलिए विशेष स्वार्थी हैं। जिस दिन इन्हें पूर्ण स्वतंत्र सत्ता का मजा चखने की धुन सवार हो जाएगी, उस दिन ये बेलगाम घोड़े की तरह किसी के रोके नहीं रुकेंगे। अपने अधिकार तो ये ले ही लेंगे, अन्य निर्बलों को भी समान अधिकार दिलाने में अपने प्राणों तक की परवाह नहीं करेंगे। ऐसा अद्‌भुत गुण है इनके अन्दर।

वासुकि : असम्भव।

तक्षक : सम्भव, बिलकुल सम्भव। आज नहीं तो कल, कल नहीं तो परसों। देरी है तो केवल बुद्धि के विशेष विकसित होने की और सही दिशा में उसे लगाने की।

वासुकि : महाराज! उत्तंग ब्रह्मचारी आदि ब्राह्मणों के चक्कर में महाराज जनमेजय इतनी जल्दी कैसे आ गए?

तक्षक : इसके पीछे अनेक कारण हैं। महाभारत के बाद समस्त जम्बूद्वीप में आर्य क्षत्रियों की धार्मिक व राजनीतिक सत्ता करीब-करीब एकदम समाप्त हो गई। अनेक छोटे-छोटे राज्य कायम हो गए। इन्द्रप्रस्थ राज्य भी सिकुड़कर छोटा-सा रह गया। इसके शासक महाराजा जनमेजय शान्तिप्रिय प्रजाप्रेमी थे। खर्चीले यज्ञ, धार्मिक अनुष्ठान, तीर्थ स्थानों तथा ऋषि आश्रमों के भारी-भारी सदावर्त को फिजूलखर्ची समझते थे। इसलिए पुरोहित, ब्राह्मण, ब्रह्मचारी, ऋषिगण, पंडा, पुजारी आदि सभी

भीतर-भीतर से चुपचाप असन्तुष्ट थे। महाराजा परीक्षित की मृत्यु के बदले की दुहाई के चक्कर में महाराजा जनमेजय को फाँस कर यह बीभत्स कांड करा डाला।

वासुकि : महाराज! यदि युद्ध में महाराज जनमेजय हार जाते, तो इन सबकी क्या दुर्गति होती?

तक्षक : नाग सरदार! इन पुरोहितों, ब्रह्मचारियों व पंडों आदि का क्या बिगड़ता? कुछ नहीं। 'गंगा गए गंगा दास, जमुना गए, जमुना दास।' महाराजा जनमेजय न सही, नाग महाराजा तक्षक सही। जैसे बनेगा तैसे सदा अपना उल्लू सीधा रखते हैं, सीधा रखते रहेंगे। बिना परिश्रम के सदा मौज की छानते हैं, छानते रहेंगे। यही तो बुद्धिजीवियों का बोलता हुआ जिन्दा जादू है।

वासुकि : महाराज! ठीक कहते हैं। कश्यप पुरोहित महाराजा परीक्षित की लड़ाई के समय स्वार्थवश ही अपनी ओर था। स्वार्थ सिद्धि के पश्चात् फिर उन्हीं इन्द्रप्रस्थ के महाराजा जनमेजय की पुरोहिताई स्वीकार करके मौज की छानने लगा। उल्टे हम लोगों का शत्रु बन बैठा।

[मनसा, मणिमाला और शीलमाला का प्रवेश]

तक्षक व वासुकि : *(खड़े होकर हाथ जोड़कर एक साथ)* बहन जी, प्रणाम्।

मनसा : मंगल हो।

[मणिमाला और शीलमाला ने नाग महाराज और नाग सरदार का उचित अभिवादन किया।]

तक्षक : कहो—कुशल समाचार!

मणिमाला : पिताश्री! वहाँ तो अकुशल समाचारों का ताता बँधा हुआ है।

तक्षक : *(बड़े प्यार से)* बेटी, बताओ, कौन-सा नया अशुभ समाचार है, जिस कारण अधिकाधिक उदास और घबड़ाई हुई हो?

मणिमाला : राज-पाट गया। भीषण अमानवीय नर-संहार हुआ। अनगिनत सम्पत्ति जली, लुटी। *(कहकर रोने लगती है।)*

तक्षक : *(विशेष दुखी होकर)* चुप रह बेटी! इस कहानी को मत सुना। यह सभी दृश्य मेरी इस कमबख्त आँखों ने भली प्रकार देखा है। कलेजा फटा जाता है। मगर क्या करें,

मजबूर हैं। बुढ़ापा है। फिर भी बताओ। असली बात क्या है?

[मणिमाला रोना बन्द करके लम्बी साँसों से सिसक रही है।]

शीलमाला : महाराज! क्या बताएँ? बताने के लिए तो आई ही हूँ। युवराज अश्वसेन को आज प्रात:काल चंडभार्गव ने बन्दी बना लिया। शत्रु आपकी तलाश में थे।

तक्षक : *(यकायक चौंककर)* अश्वसेन व चंडभार्गव की मुठभेड़ कैसे-कहाँ हुई?

शीलमाला : तक्षशिला विजय के पश्चात् सेना सहित महाराजा जनमेजय ने चिनाव नदी के ऊपरी भाग परगना 'स्योरज' के समीप रात्रि में पड़ाव डाला। वातावरण रहित शान्त समय था। मन्द-मन्द हवा चल रही थी। कई दिनों की थकी-थकाई सेना सो रही थी। पहरेदारों को गाफिल पाकर अश्वसेन व माणवक ने लेटे-लेटे धीरे-धीरे सरकना शुरू कर दिया। अश्वमेधी यज्ञ के अश्व के पास जाकर उसे आज रात्रि के अन्तिम पहर में खोल दिया...।

तक्षक : *(बीच में ही उतावले होकर)* शीघ्र बताओ, फिर क्या हुआ?

शीलमाला : फिर ज्योंही अश्व पड़ाव के बाहर निकलनेवाला ही था, कि बड़े जोर से हिनहिनाया। अश्व का हिनहिनाना था कि बस, गजब हो गया। आकाश फट गया। पैरों तले जमीन निकल गई। चंडभार्गव ने स्वयं रणफेरी बजा दी, जिसके घनघोर शब्द को सुनकर हम सभी लोग जो गिनती में कुल पच्चीस थे, भाग खड़े हुए। सहस्त्रों आर्य सैनिकों ने पीछा किया। समीपी नाले पर एक घड़ी विकराल संग्राम हुआ। चंडभार्गव ने एक बगल से लपक कर अश्वसेन को बन्दी बना लिया। तब मैं, मणिमाला व माणवक घायलों की-सी सूरत बनाते हुए घोड़ों के ऊपर से नीचे सरक पड़े।

तक्षक : *(शीघ्रतापूर्वक)* माणवक कहाँ है?

शीलमाला : तलाश की, पता नहीं चला। मैं व मणिमाला लाशों के नीचे नीचे सरक कर भाग आई हूँ।

तक्षक : तुमने यह कैसे जाना कि शत्रु मेरी तलाश में थे?

शीलमाला : चंडभार्गव के रणभेरी बजाने के तुरन्त बाद ही महाराजा जनमेजय ने बार-बार उत्तंग ब्रह्मचारी से जोर-जोर शब्दों में कहा, 'नाग महाराज को ढूँढ़ो। शीघ्र बन्दी बनाओ। उनके सिवाय रात्रि में छिपकर चढ़ाई करने का हुनर दूसरे व्यक्ति के पास नहीं है।'

तक्षक : अच्छा, बैठो। सुस्ताओ। धीरज धरो।

[कुछ समय के लिए सभी चुप रह जाते हैं।]

मणिमाला : पिताश्री! मेरे पास अब धीरज नहीं है। *(शीलमाला से)* चलो शीला। हम तुम दोनों कुछ नाग नागरिक युवकों को रास्ते में ही कहीं इधर-उधर से इकट्ठा करके आज रात को अगले पड़ाव पर अश्वमेधी यज्ञ के अश्व को पुनः एक बार घेरेंगे।

तक्षक : परिणाम क्या होगा, बेटी?

मणिमाला : कत्ल या बन्दी। अन्य बन्दी नागों के साथ नाग यज्ञ की पूर्णाहुति।

तक्षक : *(प्यारपूर्वक)* मेरी बुद्धिमान बेटी! एक बार फिर विचार कर। पत्थर से सिर टकराना ठीक नहीं।

मणिमाला : पिताश्री! इस प्रकार जीवित रहने से मर जाना कहीं अच्छा है। *(शीलमाला से)* शीला, शीघ्र चलो। मेरे कहने और चलने में देरी हो गई है। इसलिए बाहर खड़े घोड़े अपनी टापों से मिट्टी कुरेदने लगे हैं तथा अपनी टापें जमीन पर पटकने लगे हैं।

[कहकर मणिमाला और शीलमाला उठकर खड़ी हो गई हैं और चलना चाहती हैं।]

मनसा : *(मणिमाला से)* बेटी, ठहरो। जल्दबाजी ठीक नहीं। *(शीलमाला से)* शीला, जा, घोड़ों को थपकी दे आ। वे खड़े रहेंगे।

[मनसा ने मणिमाला को हाथ पकड़कर बैठा लिया।]
[शीलमाला का दोनों घोड़ों को थपकी देने के लिए प्रस्थान।]

तक्षक : नाग सरदार! बताओ, अश्वसेन को बन्धन-मुक्त कराने की तात्कालिक तरकीब क्या है?

वासुकि : महाराज! तात्कालिक युक्ति तो मेरी समझ में कोई नहीं आ रही है। वही अधिक समय वाली युक्ति है। पुनः

नर्मदा प्रदेश में नागों आदि आदिवासियों का संगठन किया जाए।

तक्षक : नाग सरदार! जानते हो, तब तक महाराज जनमेजय मेरे बजाय उसकी ही नाग यज्ञ को पूर्ण आहुति कर देंगे।

[शीलमाला का प्रवेश]

मणिमाला : पिताश्री! मेरे दिमाग में एक बात शीघ्रता वाली है। बताऊँ क्या?

तक्षक : बता बेटी, शीघ्र बता। मेरा दिमाग अब इस समय ठीक ठिकाने नहीं है। अगणित परेशानियों के साथ-साथ बुढ़ापा भी है।

मणिमाला : जनमेजय ने ऋषिवर जरत्कारु की हत्या के समय आस्तीक मुनि के सामने यह प्रण किया था कि 'मैं महाराजा जनमेजय भविष्य में सदैव विश्व मैत्री भावना का पालन करूँगा', किन्तु अब उन्होंने तक्षशिला विजय के समय भीषण रक्तपात करके अपने पुराने प्रण का उल्लंघन किया है। अत: मैं, शीलमाला व बुआश्री, तीनों आस्तीक मुनि के पास जाएँ। उन्हें सम्पूर्ण परिस्थिति से अवगत कराएँ। उन्हें समझाएँ कि...

तक्षक : *(बीच में ही)* आप लोग आस्तीक मुनि को क्या समझाएँगी?

मणिमाला : हम लोग आस्तीक मुनि को समझाएँगी कि महाराज जनमेजय ने आपके समक्ष की गई प्रतिज्ञा का उल्लंघन तक्षशिला विजय के समय अमानवीय क्रूर हमला करके किया है। उन्हें अधिकाधिक दंड मिलना चाहिए।

मनसा : बेटी! बात तो बढ़िया है। आस्तीक है भी बड़ा पराक्रमी, परन्तु यदि कहीं उसने हम लोगों की बात न मानी तब?

शीलमाला : बुआश्री! वे हम लोगों की बात मानेंगे कैसे नहीं? उन्हें मानने के लिए मजबूर किया जावेगा, तभी मानेंगे।

तक्षक : *(मनसा से)* बहन जी! पराक्रमी आस्तीक मुनि को समझाना कठिन जरूर है, लेकिन अगर कहीं आस्तीक मुनि अपनी पर आ गए, तो महाराजा जनमेजय क्या, इन्द्रप्रस्थ की राज-व्यवस्था ही भंग कर देंगे। आजकल

जम्बूद्वीप में उनका मुकाबला करनेवाला कोई भी माई का लाल नहीं है।

मनसा : आस्तीक को मैं, मणिमाला व शीलमाला बाद में समझाती रहेंगी। पहले आप स्वयं व नाग सरदार दोनों वक्षु-उपत्यका *(ताजिकिस्तान अर्थात् स्वर्ग प्रदेश)* के महाराजा देवराज इन्द्र के पास जावें। वे अश्वमेध यज्ञ के घोर विरोधी हैं। उन्हें महाराजा जनमेजय के अश्वमेध यज्ञ को नष्ट करने की सम्मति दें। इस प्रकार अश्वमेध यज्ञ के पहले होनेवाला अन्तिम नाग यज्ञ स्वयमेव रुक जाएगा और उसी गड़बड़ में हम लोग शक्तिपूर्वक अश्वसेन को बन्धन से छुड़ा लेंगे।

वासुकि : महाराज! यही युक्ति सबसे अच्छी है। देवराज इन्द्र के पास अगणित निष्पक्ष पर्वतीय सेनाएँ भी हैं जो समय पर काम में लाई जा सकती हैं।

तक्षक : *(मनसा से)* मैं व वासुकि, दोनों इसी समय देवराज इन्द्र के पास जा रहे हैं। देवराज इन्द्र हैं, तो आर्य महाराजा। मगर अश्वमेध यज्ञ के विरोधी होने के साथ-साथ उनके और महाराजा जनमेजय के आपसी हितों में कई टकराव भी हैं। इसलिए देवराज इन्द्र से मेरी मित्रता स्थापित होना कोई कठिन बात नहीं।

मनसा : महाराज! हम लोग यहाँ आपके इन्तजार में कब तक ठहरें?

तक्षक : तुम सब लोग अब वहीं आस्तीक मुनि के आश्रम पर पहुँचो। अब काम केवल दो ही हैं।

मनसा : वे दो कौन-कौन से?

तक्षक : पहला काम है—अश्वसेन को बन्धन-मुक्त कराना, दूसरा काम है—छिप-छिपा कर किसी भी प्रकार नर्मदा प्रदेश पहुँचना और वहीं शान्तिपूर्वक जीवन की शेष घड़ियाँ बिताना।

मनसा : महाराज, आप धैर्य रखें। यह दोनों काम विशेष कठिन नहीं हैं।

मणिमाला : कठिन तो नहीं हैं, परन्तु पहला काम अति शीघ्रता का है। अन्यथा 'का वर्षा जब कृषि सुखानी'।

तक्षक : *(गुप्तचर से)* यदि माणवक भूलता-भटकता आवे, तो उसे आस्तीक मुनि के आश्रम पर भेज देना।

गुप्तचर : महाराज! आज्ञा शिरोधार्य।

मणिमाला : पिताश्री! अन्दाजन अब आप कब तक लौटेंगे?

तक्षक : एक सप्ताह में।

मणिमाला : तब तक तो भैया जी का जीवन ही चला जावेगा।

तक्षक : नहीं बेटी! घबड़ाओं नहीं। अवश्मेध यज्ञ की तिथि निर्धारित करने के लिए जो राज्यसभा बुलाई जावेगी, उसके लिए ही कम से कम चार सप्ताह चाहिए। उसी के सिलसिले में दो-तीन दिन पहले होगा अन्तिम नाग यज्ञ।

[नाग महाराज तक्षक व नाग सरदार वासुकि का दोनों हाथ जोड़कर मनसा को प्रणाम करते हुए प्रस्थान।]

[पटाक्षेप]

दृश्य-6

स्थान : इन्द्रप्रस्थ में विजयी आर्य महाराजा जनमेजय की राज्यसभा

समय : मध्याह्न से पूर्व

[महाराज जनमेजय रत्नजटित सिंहासन पर शोभायमान है। अजीत प्रधानामात्य, चंडभार्गव प्रधान सेनापति, कश्यप पुराना पुरोहित, सोमश्रवा नया पुरोहित, उत्तंग ब्रह्मचारी, सभासद, सम्मानित भद्र पुरुष ग्रामीण एवं दर्शक अपनी-अपनी जगह विराजमान हैं।]

चोबदार : *(दोनों हाथ जोड़कर)* राजन्, प्रणाम। आर्य महाराज की जय हो!

जनमेजय : मंगल हो। कहो कुशल समाचार?

चोबदार : आपके बल पौरुष और तक्षशिला विजय से सम्पूर्ण भारत वर्ष में सन्नाटा छा गया है।

जनमेजय : *(चौंककर शीघ्रता से)* चोबदार, क्या कहा? सन्नाटा छा गया है? कैसा सन्नाटा?

चोबदार : राजन्! बस, यह न पूछो।

जनमेजय : *(हठपूर्वक)* बताना होगा। इसी समय बताना होगा।

चोबदार : *(हठपूर्वक)* नहीं। अभी नहीं। ठहर कर बताऊँगा।

अजीत : राजन्! आपके लिए हठ बिलकुल नहीं जँचता। ठहर कर ही सन्नाटा सुन लीजिए। इसमें कोई हानि नहीं।

जनमेजय : प्रधानामात्य! तुम्हारी बात तो माननी ही पड़ेगी। *(चोबदार से)* स्थान ग्रहण करो।

[चोबदार पीछे हट कर कुछ दूर पर खड़ा हो जाता है।]

जनमेजय : *(प्रधानामात्य से)* कहिए, कोई नवीन कार्य?

अजीत : राजन्! आपके पड़दादा अर्जुन ने खांडव प्रदेश विजय के बाद उस प्रदेश की भीतरी व बाहिरी रक्षा का ठीक-ठीक प्रबन्ध नहीं किया एवं आपके पिताश्री महाराज परीक्षित ने भी उस ओर कोई विशेष ध्यान नहीं दिया। नतीजा यह हुआ कि खांडव प्रदेश में अराजकता फैल गई। फलस्वरूप नर्मदा प्रदेशीय नागों ने नाग महाराज तक्षक के नेतृत्व में पुनः आक्रमण करके वापस छीन लिया। बस, उसी समय से नाग महाराज तक्षक का हौसला और अधिक बढ़ गया।

कश्यप : *(उचककर)* राजन्! अब तक्षशिला विजय के बाद भी वही पुराना इतिहास दोहराने की नौबत हम सरीखे सलाहकार होते हुए नहीं आनी चाहिए।

अजीत : राजन्! भविष्य में खांडव प्रदेश एवं तक्षशिला प्रदेश, दोनों का सीधा प्रबन्ध राजधानी इन्द्रप्रस्थ से आपकी निगरानी में होना चाहिए।

जनमेजय : और नर्मदा प्रदेश के लिए?

अजीत : नर्मदा प्रदेश का मामला बड़ा ही पेचीदा एवं गम्भीर है क्योंकि यह बात तो निर्विवाद सिद्ध है कि महाभारत की लड़ाई के बाद सम्पूर्ण भारत में अलग-अलग छोटे छोटे स्वतंत्र राज्य स्थापित होने के कारण इन्द्रप्रस्थ राज्य की वह पुरानी शक्ति अब नहीं रही है। अब नर्मदा प्रदेश के लिए किसी महानतम नागवंशी व्यक्ति को प्रदेशपति नियुक्त करें और उसे अख्तियार दिया जाए, राजा के बराबर।

उत्तंग : प्रधानामात्य! क्या कहा, राजा के बराबर अख्तियार?

अजीत : जी हाँ, ब्रह्मचारी जी! राजा के बराबर अख्तियार दिया जाए। 'सब धन देखे जात, तब आधा लीजै बाँट'।

कश्यप : प्रधानामात्य! नर्मदा प्रदेश क्या कहीं भागा जा रहा है? आप महाराजा साहेब को बेकार भयभीत कर रहे हैं।

अजीत : पुरोहित जी! मैं महाराजा साहब को बेकार भयभीत नहीं कर रहा हूँ। क्या तुम नहीं जानते हो कि नाग महाराज तक्षक, नाग सरदार वासुकि व वासुकि पुत्र माणवक, तीनों कितने जहरीले नाग हैं?

कश्यप : प्रधानामात्य! क्या फिजूल बकवास करते हैं आप! नाग महाराज तक्षक इतनी भीषण लड़ाई में कहीं मर गए होंगे। लाशों के नीचे दब गए होंगे। जल गए होंगे। कहीं उनका पता भी है इतने दिनों से?

उत्तंग : नामुमकिन। बिलकुल नामुमकिन।

चंडभार्गव : राजन, बिलकुल ही असम्भव। नाग महाराज अभी मरे नहीं। तीन दिन हुए, आधी रात को कैदखाने के संतरी ने सूचना दी थी कि दो नाग नवयुवक कारागार के पीछे वाली बड़ी दीवाल पर चढ़ने का प्रयत्न कर रहे थे। बन्दीगृह के चारों ओर चक्कर लगानेवाले सिपाही के जरिये आगाही मिलने पर जेलखानेवाले द्वारपाल ने खतरनाक घंटा 'टन्न-टन्न, टन्न-टन्न, टन्न-टन्न' बजा दिया। फलत: वे सर्र-से किसी समीपी झाड़ी में सरक गए। काफी ढुँढ़वाया, मिले नहीं।

अजीत : राजन्! यह सब हरकतें नाग महाराज तक्षक की ही हैं। कोई भी पिता अपने सामने अपनी थोड़ी शक्ति के रखते हुए अपने प्राणप्रिय पुत्र को कारागार में बन्द होते नहीं देख सकता। फिर अश्वसेन की तो अन्तिम नाग यज्ञ में पूर्णाहुति दी जानी है। इस सब भेद का पता उन्हें अवश्य होगा।

जनमेजय : आपका कहना बिलकुल सत्य है।

चंडभार्गव : राजन्! तीन नहीं, वे अठ्यानासी आठ हैं।

जनमेजय : *(उतावले होकर)* आठ कौन-कौन से हैं?

चंडभार्गव : नाग महाराज, नाग सरदार, माणवक, मणिमाला, शीलमाला, मनसा, आस्तीक मुनि व नास्तीक जो च्यवन ऋषि का पुत्र एवं आस्तीक मुनि का गुरु-भाई है।

जनमेजय : प्रधान सेनापति! यह तो खूब पते की बात कही। आस्तीक मुनि की ओर किसी का ध्यान ही नहीं था। ताजा वर्णसंकर होने के कारण वह अपने मामा, नाना व मौसी आदि के खानदान वाले नागों के हितों का भी उतना ही ध्यान रखता है जितना आर्यों के हितों का। अश्वसेन उसका सहपाठी है। इसलिए उसे कारागार से छुड़ाने की तिकड़म में वह जरूर कोई न कोई हिस्सा लेगा।

सोमश्रवा : राजन्! निश्चित रहें। आस्तीक और नास्तीक मुनि, दोनों आपके विरुद्ध युद्ध घोषणा नहीं कर सकते।

जनमेजय : यह तो मुझे पहले से ही विश्वास है।

चंडभार्गव : राजन्! ऐसे गम्भीर समय में चारों ओर निगाह दौड़ाई जाती है। पिछली बात आपबीती तो आपको याद ही है। मैं समर भूमि में आपके बगल में था। जब तक्षशिला नगर के पश्चिमी कोने पर दूसरे दिन संध्या समय दक्षिण, पश्चिम व उत्तर तीन ओर से अश्वसेन मणिमाला व शीलमाला ने आपको घेर कर पीछे लौटने के लिए मजबूर कर दिया था। उस समय आपने कहा था कि क्या नाग महाराज के तीन लड़के हैं? तब मैंने कहा था—'नहीं! यह दाएँ वाली जोड़ी पुरुष भेस में मणिमाला व उसकी सहेली शीलमाला हैं।'

जनमेजय : ओ हो! वह दिन? वह दिन तो मुझे जीवन भर नहीं भूलेगा। मैंने जब पूर्ण में इन्द्रप्रस्थ की ओर वापसी का इरादा किया। मुड़कर देखा, तो नाग सरदार वासुकि सेना सहित घने बाग में पेड़ों की आड़ में छिपे चुपचाप खड़े दिखाई दिए। मैं समझ गया कि वे इस मौके की ताक में हैं। मेरे मुँह का थूक सूख गया। होश बिगड़ गया। अचानक आप पूर्व उत्तर के कोने से सेना सहित नागों पर गरुड़ की भाँति टूट पड़े। तब कहीं मेरी जान में जान आई।

उत्तंग : राजन्! आपको ध्यान से देखने का मौका नहीं मिला। मैं भी अपने साथियों सहित नाग सरदार वाले घने बाग की दक्षिणी पूर्वी मेड़ के पीछे वाले गड्ढे में नाग सरदार की घात में छिपा हुआ खड़ा था। चंडभार्गव का लगाव आप से था। इसलिए मैं निश्चिन्त था।

जनमेजय : *(कुछ आँख बदलकर)* प्रधान सेनापति! तुमने उस समय युद्धस्थल में दक्षिणी भाग की रक्षा का क्या प्रबन्ध किया था, जरा बताओ तो सही?

चंडभार्गव : *(चुपचाप)*

अजीत : राजन्! क्षमा करें। पुरानी भूलों को भूल जाइए। 'विजयश्री' आपको मिली। रही बात, मुँह का थूक सूख गया। होश बिगड़ गया, तो समर भूमि में सदा मुँह का थूक सूखा करता है। होश बिगड़ा करता है।

[द्वारपाल का प्रवेश]

द्वारपाल : *(दोनों हाथ जोड़कर)* राजन, प्रणाम्!

जनमेजय : मंगल हो। कहो शुभ समाचार?

द्वारपाल : पहले वाली दोनों गायिकाएँ बजंत्री सहित मुख्य द्वार पर पधारी हैं। राज्यसभा को अपनी कला से मोहित करना चाहती हैं।

जनमेजय : शीघ्र भेजो।

द्वारपाल : *(दोनों हाथ जोड़कर)* राजन्, प्रणाम।

[द्वारपाल का प्रस्थान]

जनमेजय : प्रधानमंत्री! नर्मदा प्रदेश के लिए शीघ्र सर्वगुण सम्पन्न प्रदेश पति की नियुक्ति की जाए। उसे राजा के बराबर अधिकार दिए जाएँ, किन्तु वह किसी राज्य पर मेरी मंजूरी के बिना चढ़ाई नहीं कर सकेगा।

अजीत : ऐसा सर्वगुण सम्पन्न शक्तिशाली प्रदेश पति कोई नाग मुखिया ही मिलेगा। आर्य प्रदेश पति को नर्मदा प्रदेशीय नाग जनता कभी भी सुख की साँस नहीं लेने देगी। उनमें देशाभिमान कूट-कूट कर भरा है।

कश्यप : *(उचककर)* राजन्! प्रदेश पति आर्य ही होना चाहिए।

सोमश्रवा : राजन्! कुछ भी हो, नर्मदा प्रदेश के लिए प्रदेश पति खूब अच्छी तरह सोच-विचार कर मुकर्रर करें।

जनमेजय : प्रधानामात्य! नर्मदा प्रदेश के लिए प्रदेश पति की नियुक्ति का मामला बड़ा ही पेचीदा है। इसे अगले दिन राज्यसभा में पेश करें।

[दोनों गायिकाओं का बजंत्रियों सहित प्रवेश]

दोनों गायिकाएँ : *(दोनों हाथ जोड़कर)* राजन्, प्रणाम्।

बजंत्रियों सहित

जनमेजय : मंगल हो। समय कम है। तुम दोनों मिलकर एक अच्छा-सा कश्मीरी गाना सुनाओ।

[दोनों गायिकाएँ तक्षशिला विजय की प्रशंसा में एक अति सुन्दर एवं मनमोहक गीत गाती हैं।]

जनमेजय : प्रधानामात्य! इन्हें पहले का भी मिला कर दोगुना पुरस्कार दो।

[प्रधानामात्य ने मुनासिब दोहरा इनाम दिया।]

जनमेजय : *(गायिकाओं से)* अब तुम दोनों जा सकती हो।

[दोनों गायिकाओं का बजंत्रियों सहित दोनों हाथ जोड़कर महाराजा जनमेजय को प्रणाम करते हुए प्रस्थान।]

जनमेजय : *(चोबदार से)* हाँ, अब बताओ, कैसा सन्नाटा?

चोबदार : राजन्! क्षमा करें। जब से आपने तक्षशिला विजय के समय गाँव-गाँव में आगजनी, लूट-पाट, कत्लेआम, बन्दी नागों व आदिवासियों आदि को धधकती हुई आग में जला कर गाँव-गाँव में जो नाग यज्ञ किए हैं, तब से तक्षशिला राज्य ही नहीं, अपितु सम्पूर्ण राज्य की नाग वंशी, आदिवासी आदि प्रजा, उत्तंग समिति, कश्यप समिति व जनमेजय समिति से इतना डर गई है कि बेघर होते हुए घरों की व्यवस्था नहीं कर सकती। धन्य होते हुए अच्छा भोजन नहीं कर सकती। दुधारू गाय होते हुए भी दूध नहीं पी सकती। रुपया-पैसा होते हुए भी आभूषण की कौन कहे, अच्छे कपड़े नहीं पहन सकती। पाठशाला होते हुए भी अपने बच्चों को नहीं पढ़ा सकती। बमुश्किल तमाम एक-दो पढ़ भी गए, तो सिफारिश नहीं, प्रतियोगिता व व्यक्तित्व आदि में सटीक न होने के कारण छोटी से छोटी सरकारी नौकरी नहीं पा सकती, चारपाई पर अपने ही दरवाजे नहीं बैठ सकती। हलवाईगीरी कौन कहे, पकौड़ी तक नहीं बेच सकती।

उत्तंग : *(बीच में ही)* राजन्! एक बार मैंने पहले भी कहा था, यह चोबदार बड़ा मगरूर है। नौकरी के वक्त अपने को अहीर *['अहि' का अर्थ नाग (साँप) और 'इर' का अर्थ*

शत्रु, नाग वंश का शत्रु] अर्थात् आर्य बताकर भर्ती हो गया है। इसे नौकरी से हटा दिया जाए।

जनमेजय : ब्रह्मचारी जी! क्या अहीर आर्य नहीं होते?

उत्तंग : राजन्! अहीर आर्य नहीं होते हैं। ये अनार्य हैं। नागवंश की दूसरी शाखा का नाम अहिवंश है जहाँ इन दोनों शाखाओं में मेल-मिलाप है। वहाँ नागवंशी व अहिवंशी नाम से पुकारे जाते हैं, किन्तु जहाँ आपसी हितों में टकराव है, वहाँ ये अहीर *('अहि' का अर्थ नाग और 'इर' का अर्थ शत्रु अर्थात् नागों के शत्रु)* आर्य नाम से पुकारे जाते हैं। इसी धोखाधड़ी में या प्रेम के वशीभूत कुछ विवाह-शादी आर्यों से हो गई हैं। अतः कुछ व्यक्ति अहीर को आर्य ही समझने लगे हैं।

कश्यप : राजन्! इन अहीरों की सबसे बड़ी नागवंशी, आदिवंशी होने की पहचान यह है कि इनके जन्म, मृत्यु, विवाह, शादी व खुशी, प्रीतिभोज आदि सब संस्कार नागों की भाँति ही होते हैं।

जनमेजय : यह तो मैं भली प्रकार से जानता हूँ कि अहीरों की जातीय पहचान नागों व आदिवासियों की जातीय अस्मिता एक ही है, जैसे जातीय चौधरी, जातीय पंचायतें, जातीय दंड, अन्तेवासी, डोला पैपुजी, विधवा विवाह, घर बैठा, छुट्टा-छुट्टी, केवल एक ही मृतक भोज, आदिदेव (महादेव शंकर) व आदिमाता *(भुइयाँ माता, नाग माता)* की पूजा आदि-आदि।

उत्तंग : *(उल्टी मुस्कान से)* चोबदार! 'उत्तंग समिति' का क्या मतलब है?

चोबदार : ब्रह्मचारी जी, 'उत्तंग समिति' का मतलब है—'हाथी के दाँत दिखाने के और खाने के और'। आप सरीखे ढोंगी सुधारक। सुधार-सुधार की केवल बातें ऊपरी मन से करते हैं। कार्य रूप में परिणत करने में आप सबकी नानी मरती है।

कश्यप : *(उल्टी मुस्कान से)* चोबदार, 'कश्यप समिति' का क्या मतलब है?

चोबदार : पुरोहित जी! 'कश्यप समिति' का मतलब है—'सादा मुँह, सीधी बात'। दकियानूसी पंडित या सनातनी आर्य

ब्राह्मण। बनावटी ईश्वर व स्वार्थी धार्मिक आज्ञाओं के विरुद्ध किसी भी प्रकार का सुधार करना ही नहीं चाहता है यानी लकीर का फकीर।

जनमेजय : *(कुछ शर्मिन्दगी के साथ)* चोबदार! 'जनमेजय समिति' का क्या मतलब है?

चोबदार : *(दोनों हाथ जोड़कर)* राजन क्षमा करें। 'जनमेजय समिति' का मतलब है—'दिया तले अँधेरा'। आपको मंगोलियन डकैतों, अरबियन कज्जाकों, बलूची कबाइलियों की आतंकपूर्ण हरकतों, कम्बोडिया के गृहयुद्ध व ब्रह्मा के दुर्भिक्ष (अकाल) की सदा चिन्ता लगी रहती है, परन्तु नागों, द्रविड़ियनों तथा आदिवासियों (शूद्रों व महाशूद्रों) का आपके आर्यगण दिन-रात हर प्रकार से धार्मिक, सामाजिक, आर्थिक एवं राजनीतिक दोहन-शोषण-उत्पीड़न करते हैं। इसके लिए आपके कानों में जूँ तक नहीं रेंगती है।

जनमेजय : प्रधानामात्य, बताओ, चोबदार का कहना सच है या झूठ?

अजीत : राजन्! करीब करीब सही है।

सोमश्रवा : राजन्! बिलकुल सही है।

सभासद : राजन्! मैं बुन्देलखंड प्रदेश के पूर्वी भाग का सभासद हूँ। चोबदार का कहना बिलकुल सही है।

कुछ ग्रामीण : *(एक साथ)* राजन्! चोबदार का कहना सही है।

जनमेजय : *(कुछ रुककर, सोच-समझकर)* प्रधानामात्य! यह सब हमारी सिधाई व भोलेपन के कारण राज्य में जो गड़बड़ी चल रही है, उसका कभी भी परिणाम निकल सकता है, गृहयुद्ध या बाहिरीयुद्ध।

[सहसा कारागार के दूत का हाँफते हुए प्रवेश]

दूत : *(दोनों हाथ जोड़कर)* राजन्! प्रणाम। गजब हो गया।

जनमेजय : *(उतावले होकर)* बोलो, जल्दी बोलो! क्या नाग महाराज तक्षक ने कारागार पर चढ़ाई कर दी?

दूत : नहीं राजन्! अश्वसेन कारागार से रफूचक्कर हो गया है।

जनमेजय : *(क्रोधित होकर)* कैसे रफूचक्कर हो गया?

दूत : राजन्! कल दिन के तीसरे पहर कारागार के मंत्री महोदय पधारे थे। उनके स्वागत के लिए स्थान-स्थान पर कारागार

के भीतर कदली के खम्भों के द्वार बनाए गए थे। आज दिन के प्रथम पहर जब भंगी अपनी टट्टी वाली गाड़ी भर कर चलने लगा, तो उसके ऊपर केले के पेड़ भी लाद दिए। इसी बीच अश्वसेन रक्षकों से आँख छिपा कर पीछे से लपककर गाड़ी के नीचे दोनों पहियों की दोनों धुरों को मिलानेवाले लम्बे गुर्रा के सहारे साँप की तरह चिपक गया। भंगी देख न पाया। कारागार के द्वारपाल ने रोजाना की तरह टट्टी की दुर्गन्ध की वजह से दूर से ही बिना तलाशी लिए कह दिया, 'गाड़ी ले जाओ।' भंगी गाड़ी ले गया...।

जनमेजय : *(पूर्ववत् बीच में ही)* भंगी ने गाड़ी खाली करते समय क्यों नहीं देखा?

दूत : गाड़ी खाली करने के पहले ज्यों ही मेहतर ने सुनसान जंगल में गाड़ी रोकी, त्यों ही अश्वसेन दूसरी ओर से बेतहाशा भाग खड़ा हुआ। भंगी ने तुरन्त पीछा किया। वह अति शीघ्र लपककर समीपी चढ़ी नदी में मरने की परवाह न कर के बिलकुल ही निर्मोही बनकर कूद पड़ा और उस पार निकल गया। नाग, राजकुमार अश्वसेन के मुकाबिले में कम तनख्वाह वाला बाल-बच्चेदार मेहतर बहुत कमजोर पड़ता था। फिर भी उस नौजवान भंगी ने नदी में कूदकर काफी दूर तक जितनी उसमें ताकत थी, पीछा किया। आखिरकार थक कर असफल लौट आया। यह सम्पूर्ण अशुभ समाचार अभी-अभी कारागार-निरीक्षक को कह सुनाया। बन्दियों की गिनती की गई, तब पता चला कि भागे हुए कैदी का नाम है, 'नागराजकुमार अश्वसेन'।

जनमेजय : *(पूर्ववत्)* प्रधान सेनापति! अश्वसेन को बहुत जल्द बन्दी बनाने के लिए तीन सेनापति छः सैनिक टुकड़ियों और दो सेनापति चार घुड़सवार सैनिक टुकड़ियों सहित नदी के उस पार भेजो।

चंडभार्गव : *(शीघ्रतापूर्वक)* राजन्! शीघ्र आज्ञा पालन करता हूँ।

[प्रधान सेनापति के इशारे पर पाँच सेनापतियों का दोनों हाथ जोड़कर महाराजा को प्रणाम करते हुए प्रस्थान।]

जनमेजय : *(दूत से)* वापस जाओ। शेष बन्दी नागों की कड़ाई से निगरानी रखी जाए। *(प्रधानामात्य से)* कारागार के उन सभी कर्मचारियों को जिनकी गफलत से अश्वसेन भागने में सफल हुआ है, बाद में जाँचकर मुनासिब दंड दिया जाए।

अजीत : राजन्! अक्षरशः पालन किया जाएगा।

[कारागार के दूत का हाथ जोड़कर प्रणाम करते हुए प्रस्थान।]

[अचानक हाँफते हुए, गुप्तचर का केवल लंगोटी लगाए, जटाधारी साधुवेश में कुल शरीर में भभूत लपेटे हुए प्रवेश।]

गुप्तचर : *(घबड़ाई दशा में दोनों हाथ जोड़कर)* राजन्, प्रणाम। बड़ा ही जरूरी काम है।

जनमेजय : *(उतावले होकर)* बताओ, जल्दी बताओ, नाग महाराज कहाँ है? कहीं कुछ पता?

गुप्तचर : राजन्! नाग महाराज तक्षक अपने प्रधान सेनापति वासुकि सहित कोई आगामी लड़ाई की योजना हेतु देवराज इन्द्र के पास गए हैं। मैंने अपने को फलाहार वाला महान त्यागी साधु बताकर जंगल वाले कुएँ पर उन्हें पानी पिलाकर बातों ही बातों में उनका सब भेद ले लिया।

जनमेजय : शाबाश! ऐसा गुप्तचर होना चाहिए। *(प्रधानामात्य से)* इसे उचित पुरस्कार दो।

[प्रधानमंत्री ने गुप्तचर को उचित पुरस्कार दिया।]

उत्तंग : राजन्! *(शीघ्रतापूर्वक)* अच्छा हो, देवराज इन्द्र, नाग महाराज तक्षक व नाग सरदार वासुकि—तीनों को अति शीघ्र बन्दी बनाया जाए। देरी की दशा में उनकी पहाड़ी सेना का मुकाबला करना हम लोगों के बस की बात नहीं है।

कश्यप : राजन्! यही मैं भी कहना चाहता था।

जनमेजय : प्रधान सेनापति! आप स्वयं इस गुप्तचर तथा अधिकाधिक द्रुतगामी सेना सहित इन्द्रपुरी को आधी रात में चारों ओर से अचानक घेर लो। उत्तंग ब्रह्मचारी के सुझाव के अनुसार तीनों को बन्दी बनाकर शीघ्र इन्द्रप्रस्थ वापस

लौटो। सूचना इन तीनों को बन्दी बनाते ही तत्काल भेजना। तुम्हारी सूचना मिलते ही यहाँ अति शीघ्र अन्तिम नाग यज्ञ होगा, जिसकी पूर्णाहुति में होंगे तीनों बन्दी।

चंडभार्गव : राजन्! साथ में ब्रह्मचारी जी को भी भेज दीजिए।

जनमेजय : ब्रह्मचारी जी! आर्य वंश का यह पेचीदा युद्ध है। तक्षशिला विजय में आपने इन्द्रप्रस्थ राज्य की जो अभूतपूर्व सेवाएँ की हैं, उन्हें भावी आर्य सन्तानें युग-युगान्तरों तक भुला नहीं सकतीं। जाइए! इन्द्रपुरी की लड़ाई में चंडभार्गव के हाथ मजबूत कीजिए।

उत्तंग : राजन्! कल्याण हो। आपकी आज्ञा सहर्ष स्वीकार।

[प्रधान सेनापति चंडभार्गव का उत्तंग ब्रह्मचारी, गुप्तचर एवं मुख्य सेनापतियों सहित महाराजा जनमेजय को उचित अभिवादन करते हुए प्रस्थान।]

कश्यप : राजन्! मुझे तक्षशिला विजय की खुशी में एक सहस्त्र स्वर्ण-मुद्रा मिलनी चाहिए। तब मैं राज परिवार की पुरोहिताई करूँगा अन्यथा नहीं।

जनमेजय : *(चौंककर)* ऐं! कदापि नहीं। जनता का पैसा आज नहीं तो कल, जनता के ही कामों में खर्च किया जाएगा।

कश्यप : *(रूठा-सा मुँह बनाकर)* लूट का माल देने में भी इतनी किन्न-भिन्न? मैंने इसी किन्न-भिन्न की वजह से महाराजा परीक्षित की पुरोहिताई कुछ दिनों के लिए छोड़ दी थी। प्रधानामात्य के समझाने पर पुनः स्वीकार कर ली थी। अब मैं पुरोहिताई नहीं करूँगा। मेरा भी साफ उत्तर है।

जनमेजय : प्रधानामात्य! अब पुरोहिताई कौन करेगा?

अजीत : राजन्! चिन्ता न करें। सोमश्रवा की योग्यता, अनुभव और बर्ताव कश्यप से कई गुना बढ़-चढ़कर है। वह कई आर्य परिवारों का अब भी पुरोहित है। तिकड़मी भी नहीं है।

जनमेजय : प्रधानामात्य! तिकड़मी आदमी मुझे भी अच्छा नहीं लगता है, मगर क्या करें? मजबूरियाँ सब कुछ कराती हैं।

अजीत : राजन्! मैं भली भाँति जानता हूँ। जिसकी बात न मानो, वही शत्रु बन जाता है, आदि-आदि। *(सोमश्रवा से)* तुम्हें राज्य परिवार की पुरोहताई स्वीकार है?

सोमश्रवा : सहर्ष स्वीकार है।

अजीत : आज से सोमश्रवा राज पुरोहित नियुक्त किए गए।

सोमश्रवा : बहुत-बहुत धन्यवाद।

जनमेजय : प्रधानामात्य! चंडभार्गव की सूचना के पश्चात प्रथम होगा अन्तिम नाग यज्ञ। तत्पश्चात् अश्वमेध यज्ञ। राज्यसभा समाप्त हो।

[पटाक्षेप]

दृश्य-7

स्थान : आस्तीक मुनि का आश्रम
समय : दोपहर के बाद

[आश्रम में झोंपड़ी के पास वाले पीपल के पेड़ के नीचे कई तख्त पड़े हुए हैं। एक तख्त पर माता मनसा व पुत्र आस्तीक बैठे हैं। समीपी दूसरे तख्त पर मणिमाला व शीलमाला बैठी हैं।]

[मनसा अपने पुत्र को समझा रही है।]

मनसा : *(साधारणतया)* बेटा! मैंने तुझे नौ मास पेट में रखा। तीन माह गोदी में रखा। तुझे पाला-पोसा। जब तू जाड़ों में सोते में दाईं ओर पेशाब कर देता था—तब बाईं ओर, जब बाईं ओर पेशाब कर देता था—तब दाईं ओर। जब पेट पर पेशाब कर देता था, जब पेट पर ही बाईं-बाईं करवटें बदलकर तुझे सुलाती थी, जब तू रात में बार-बार पतली टट्टी कर देता था, तब उसी समय उतना कपड़ा एक ओर करके तुझे छाती से लगाकर गरम रखती थी। मैं सदा गीले में सिकुड़-सिकुड़कर, ठिठुर-ठिठुरकर, सी-सी करके रातें काटती थी। अब तू युवा है। मेरी बात पर तनिक भी ध्यान नहीं देता है।

आस्तीक : माताश्री! जब से आप इस बार चार दिन से यहाँ आई हैं, तब से रोज-रोज आपकी बातें सुन रहा हूँ। अब और

कौन-सी बातें सुनाने को रह गई हैं *(कुछ क्रोधित होकर)* जिन पर मैं ध्यान नहीं देता—उन्हें भी सुना डालें।

मनसा : *(प्यारपूर्वक)* मैंने तो तुझे छठी के दिन क्रोध करने की घुट्टी नहीं पिलाई थी। पता नहीं, तेरा स्वभाव क्रोधी कैसे बन गया? तू यही बात बार-बार कहता है, सुना डालो। मैं क्या सुना डालूँ? कलेजा जला जा रहा है। मैं बुड्डी हूँ। पतिश्री गए। माता-पिता पहले ही चल बसे। तेरी ननसाल के नाग परिवारों को महाराजा जनमेजय ने योजनाबद्ध पूर्व से पश्चिम तक क्रमशः जलाया, लूटा, कत्ल किया। बन्दी नागों को जीवित ही जलती आग में जलाकर गाँव गाँव में नाग यज्ञ किए। तुझे कहाँ तक समझाएँ? तेरा तो अनोखा पत्थर दिल है जो इतनी पेरशानियों पर तनिक भी नहीं पिघलता है।

आस्तीक : मैं आपकी, ननसाल की, ननसाल के परिवारों की, तक्षशिला राज्य की, निरीह गरीब जनता पर किए गए अमानवीय क्रूर हमले की सभी परेशानियों की जो महाराजा जनमेजय द्वारा पैदा की गई हैं, सबको अच्छी तरह से जानता हूँ, समझता हूँ, सोचता हूँ, विचारता हूँ।

मनसा : *(बड़े प्यार से)* बेटा! जानने-समझने, सोचने-विचारने पर किस नतीजे पर पहुँचे, बताओ?

आस्तीक : वही कल शाम वाले नतीजे पर। मैं महाराजा जनमेजय के विरुद्ध युद्ध नहीं करूँगा। हाँ, कोई मेल-मिलाप की रूप रेखा आपके दिमाग में हो, तो बताइए।

[माणवक का प्रवेश]

माणवक : *(प्रसन्नतापूर्वक दूर से ही दोनों हाथ जोड़कर)* बुआश्री एवं बड़े भैया! सादर प्रणाम।

मनसा : *(प्रसन्नतापूर्वक)* मंगल हो तात।

[सभी ने माणवक को क्रमशः गले लगाकर प्रेम प्रदर्शित किया।]

मणिमाला : कहो भैया, कैसी बीती?

माणवक : जो बीती सो ठीक बीती। जब सम्पूर्ण सेना चली गई तब मैं लाशों के नीचे से निकला। गुप्तगृह ढूँढ़ने में तीन दिन लग गए। वहाँ से पता लगने पर आप लोगों के पास अब पहुँच पाया हूँ। भाई अश्वसेन का है कुछ पता?

मणिमाला : वह तो महाराजा जनमेजय के कारागार में है।

माणवक : कोई छुड़ाने की तरकीब है?

मणिमाला : उसी हेतु हम सब पधारे हैं।

[अचानक अश्वसेन का प्रवेश]

अश्वसेन : *(प्रसन्नतापूर्वक दूर से ही दोनों हाथ जोड़कर)* बुआश्री एवं बड़े भैया को सादर प्रणाम।

मनसा : *(प्रसन्नतापूर्वक)* मंगल हो तात।

[सभी ने अश्वसेन को क्रमशः गले लगाकर प्रेम प्रदर्शित किया।]

अश्वसेन : कैदखाने से भंगी की टट्टी वाली गाड़ी के नीचे चिपक कर बड़े मजे से निकल आया। पाखाने की बदबू के कारण कारागार के द्वारपाल ने प्रतिदिन की भाँति दूर से ही कह दिया—"गाड़ी ले जाओ।"

मनसा : बेटा! कारागार से छूटकर तुमने नया जन्म पाया।

[अश्वसेन को आश्रम में पिताश्री व नाग सरदार के न दिखाई पड़ने पर]

अश्वसेन : बुआश्री! मैंने तो वास्तव में नया जन्म पाया। मगर यह तो बताओ, पिताश्री एवं नाग सरदार कहाँ हैं?

मनसा : नाग महाराज एवं नाग सरदार, दोनों तुझको छुड़ाने के लिए देवराज 'इन्द्र' के पास मदद के लिए गए हैं।

[सहसा घबड़ाई हुई दशा में हाँफते हुए नाग सरदार वासुकि का प्रवेश]

वासुकि : *(नीचे सिर किए अति उदास मन से दोनों हाथ जोड़कर)* बहन जी, प्रणाम्।

[नाग सरदार के नीचा सिर किए होने के कारण मनसा को पहिचानने में कुछ समय लगा।]

मनसा : *(कुछ देर से)* मंगल हो, तात। अरे, कौन है वासुकि? क्या देवराज इन्द्र ने सहायता देने से इनकार कर दिया?

वासुकि : *(पूर्ववत्) (चुपचाप)*

मनसा : बता न, क्या बात है?

वासुकि : *(पूर्ववत्)* क्या बतावें बहिनजी! समय अर्द्धरात्रि का था। इन्द्रपुरी में इन्द्र भवन के इन्द्रासन पर हम तीनों विराजमान थे। देवराज सेना सहित स्वयं सहायता करने के लिए तैयार थे। अचानक उसी समय चंडभार्गव ने सेना सहित

इन्द्रपुरी एवं इन्द्र भवन को चारों ओर से घेर लिया। इन्द्र भवन का पीछे वाला छोटा दरवाजा तोड़ दिया। देवराज व नाग महाराज को बन्दी बना लिया। मैं इन्द्रासन के पीछे वाले पुस्तकालय की बाईं खिड़की के दो लोहे के सरियों को टेढ़ा कर के गन्दे नाले वाली दीवाल के सहारे सरकता हुआ, गन्दे नाले में गोते खाता हुआ, सेना की दृष्टि से छिपकर रास्ते में भी लुकता-छिपता व मुश्किल तमाम आप लोगों तक आ पाया हूँ। ऐसी दशा में मुझे आप लोगों को मुँह दिखाने में शर्म लगती है। मैंने देवराज व नाग महाराज, दोनों को सदा के लिए खो दिया।

अश्वसेन : *(सुनकर कुछ बेहोशी में)* चाचाश्री! गजब हो गया।

[कहकर अश्वसेन पूर्णतया बेहोश होकर तख्त पर लेट जाता है। मणिमाला पंखा से हवा करती है। शीलमाला मुँह में थोड़ा-थोड़ा पानी डालती है। वासुकि सीने पर हल्की-हल्की हथेली फेरते हैं। आस्तीक हाथ की नाड़ी देखते हैं। सभी अधिकाधिक बेचैन हैं।]

मनसा : *(उदास मन से)* बेटा! नाड़ी क्या बता रही है?

आस्तीक : *(चुपचाप)*

मनसा : *(पूर्ववत्)* बेटा! कुछ तो बता। *(पुनः पूर्ववत्)* अरे! बोलता क्यों नहीं है? कुछ तो बोल!

आस्तीक : *(उदास मन से)* माताश्री! क्या बताऊँ? क्या बोलूँ? नाड़ी तो बड़ी ही गड़बड़ चल रही है।

[आस्तीक मुनि के मुँह से 'गड़बड़' शब्द सुनकर मणिमाला फूट-फूटकर जोर-जोर से रोने लगती है।]

[नास्तिक मुनि का सवेग प्रवेश]

नास्तीक : *(दोनों हाथ जोड़कर मनसा से)* चाचीश्री! प्रणाम्।

मनसा : *(पूर्ववत् उदास मन से)* मंगल हो, तात्।

नास्तीक : अरे! कौन रो रहा है मणिमाला?

[मणिमाला पूर्ववत् रो रही है।]

नास्तीक : *(मनसा से)* चाचीश्री! आप ही बताएँ, क्या बात है? *(अश्वसेन की ओर देखते हुए)* यह अचेत कौन पड़ा है?

मनसा : बेटा! *(कहकर सम्पूर्ण परिस्थिति बताती है।)*

[मणिमाला धीरे-धीरे रोना बन्द करके सिसकियाँ भरने लगती है।]

नास्तीक : *(अश्वसेन के कान के पास अपना मुँह ले जाकर बार-बार)* उठो-उठो, नाग महाराज व देवराज को हम बन्धन-मुक्त कराएँगे।

अश्वसेन : *(कुछ होश आने पर सँभलकर)* कैसे?

मणिमाला : *(अति ही तृषित नेत्रों से)* कैसे?

नास्तीक : कैसे? अक्ल से, और कैसे?

मणिमाला : *(ससम्मान)* वह अक्ल कौन-सी है, बताइए?

नास्तीक : अक्ल तो हम बताएँगे। *(आस्तीक की ओर त्योरी चढ़ाकर देखते हुए)* आप सब लोग मेरी अक्ल के मुताबिक चलेंगे भी, विश्वास दिलाओ?

आस्तीक : अब चूँकि तुम सब दुखियों की टोली पिताश्री के आश्रम पर पधारी है, इसलिए आश्रम की इज्जत बचाने के लिए नाग महाराज व देवराज को बन्धन मुक्त करने के लिए सभी उचित काम करने के लिए विश्वास दिलाता हूँ।

मनसा : बेटा नास्तीक! अभी तक मैं आस्तीक को ही अपना पुत्र समझती थी। अब जाना, बेटा वह है जो दु:ख में हाथ बटावे। मैं घोषणा करती हूँ कि मेरे दो पुत्र हैं—आस्तीक व नास्तीक। *(इस घोषणा के पश्चात् आस्तीक ने दोनों हाथ जोड़कर मनसा को पुनः प्रणाम किया। मनसा ने आस्तीक की पीठ पर हाथ रखकर)* बेटा! आयु बड़ी हो। *(शुभ आशीर्वाद दिया)*

आस्तीक : *(नास्तीक)* अब तो तुम्हें आश्रमवासियों की ओर से विश्वास हो गया, अक्ल बताओ। हम सब सुनें। अमल करें।

नास्तीक : बड़े भैया! आप तो केवल अगुवा भर बने रहें। मैं सदा आपके साथ छाया बनकर रहूँगा। *(मणिमाला से)* बहनश्री! बताइए। सम्पूर्ण अक्ल बताइए, जो आप अपने पिताश्री *(नाग महाराज)* को गुप्तगृह में बताना चाहती थीं।

मणिमाला : *(साधारणतया)* आप लोग ध्यान से सुनें। अन्तिम नाग यज्ञ में ठीक पूर्णाहुति के एक क्षण पहले बड़े भैया आस्तीक व छोटे भैया नास्तीक कुछ साथियों सहित जा धमके। तत्काल अपने कमंडल से हाथ के चुल्लू में पानी लेकर

अधिकाधिक क्रोधित होकर लाल-लाल आँखें करके महाराजा जनमेजय से डाँटकर कहें, 'रे जनमेजय, उठ, शीघ्र खड़ा हो जा।' जब वे खड़े हो जाएँ तब कहें, 'तूने मेरे पिताश्री की हत्या के समय भविष्य में सदैव विश्व मैत्री भावना का पालन करेगा', प्रण किया था, किन्तु तक्षशिला विजय के समय गाँव-गाँव में भीषण अग्नि कांड, लूटपाट, कत्लेआम व बन्दी नागों, आदिवासियों को जीवित ही आग में जलाकर जो नाग यज्ञ किए हैं, तेरी इस क्रूर निर्दयता से विश्व की मानवता कराह उठी है। अतः स्वार्थियों सहित मेरे श्राप से भस्म होने के लिए शीघ्र तैयार हो जा।

वासुकि : बेटी! अब जनमेजय का दिमाग तक्षशिला विजय के बाद बहुत बढ़ गया है। उन्हें अपनी क्रूरता व निर्दयता पर बड़ा घमंड है। वे अब ऐसी गीदड़ भभकी में आनेवाले नहीं।

मणिमाला : चाचाश्री! जिन राजाओं पर तनिक भी धर्म का भूत सवार हो जाता है, उनकी ब्राह्मणों, ऋषियों व मुनियों के श्राप का नाम सुनते ही पोंक सरक जाती है। देखा नहीं, धरा ही रहा महाराजा हरिश्चन्द्र का फौज फाटा? लंगोटी वाले विश्वामित्र ने उन्हें कालू ढोम के मरघट की चौकीदारी करने पर मजबूर कर दिया तो जनमेजय किस ताल के बथुआ हैं? *(एक प्रकार की सब्जी वाली घास का नाम बथुआ है।)*

नास्तीक : *(कुछ रोष में)* नाग सरदार! आप निश्चिन्त रहें। जम्बूद्वीप में किसी के भी भुजदंडों में वह शक्ति नहीं है, जो मेरी भुजदंडों में है। वह होगी आस्तीक के साथ।

[कहकर नास्तीक ने समीपी पड़ी पत्थर की एक मोटी-सी चट्टान पर जोर से घूँसा दे मारा। चट्टान टूक-टूक हो गई। मणिमाला आदि सभी बहुत प्रसन्न हुए]

आस्तीक : क्यों नास्तीक, इसकी क्या जरूरत थी? मुझे आपके बल पौरुष का पहले से ही पता था।

मनसा : *(मणिमाला)* लंगोटी वाले विश्वामित्र ने वर्षों पहले अपने अनुकूल वातावरण बना रखा था।

मणिमाला : बुआश्री! अनुकूल वातावरण दो प्रकार का होता है। एक वर्षों पहले व दूसरा दिनों, पहरों, घड़ियों व कुछ क्षण पहले अपने अनुकूल तैयार किया जाता है। मैं अन्तिम नाग यज्ञ की पूर्णाहुति के ठीक आधी घड़ी पहले आस्तीक मुनि के अनुकूल एवं महाराजा जनमेजय के प्रतिकूल वातावरण तैयार कर लूँगी।

मनसा : केवल आधी घड़ी में ऐसा वातावरण तैयार होना मेरी समझ में बहुत टेढ़ी खीर है।

मणिमाला : बुआश्री! आसान, बिलकुल आसान। शत्रु की सभा में जाने के लिए थोड़ी-सी हिम्मत चाहिए। कमजोर से कमजोर शत्रु दूर से पहाड़ मालूम होता है। जब प्रबल से प्रबल शत्रु मुकाबिले में आ जाता है तो तनिक हिम्मत व थोड़ी-सी अक्ल की बदौलत तिनका-सा दिखाई पड़ता है।

अश्वसेन : ठीक कहा बहन जी! मामला दो मूँठ पर तो है ही। 'नदी में घुसे—पार गए तो पार, नहीं तो डूबे मझधार।'

वासुकि : अच्छा बेटी! अपने अनुकूल वातावरण इतनी जल्दी कैसे बनाएगी, ठीक ढंग से समझा?

मणिमाला : नाग सरदार! विदित हो, आप स्वयं, अश्वसेन, माणवक एवं पचास छट्टा गोरे, गेहुआँ रंग के नागवंशी व आदिवंशी युवकों को आर्य सैनिक भेस में लेकर अन्तिम नाग यज्ञ की पूर्णाहुति में ठीक आधी घड़ी पहले महाराजा जनमेजय के बगल में उनकी आँख बचाकर दो लाइन में जरा से तिरछे खड़े हो जाएँ। आस्तीक व नास्तीक आदि ऋषियों तथा साथियों के आते समय बड़े भैया आदि तीनों जनें लपक कर अगली नई कतार बना लें। इससे बड़े भैया का साहस अनन्त गुना बढ़ जावेगा और मैं...।

वासुकि : *(बीच में ही)* और आप स्वयं क्या करेंगी?

मणिमाला : और मैं स्वयं, बुआ मनसा, शीलमाला आदि पच्चीस स्त्रियों एवं पच्चीस युवकों सहित आर्य वेशभूषा में आपके साथ-साथ चलकर आर्य महिलाओं व आर्य पुरुषों के गोल के बीच बीच में बैठ जावेंगी, जो समयानुसार बड़े भैया *(आस्तीक)* को हर प्रकार का

सहयोग देंगी। उनके इशारे मात्र पर जान की बाजी तक लगा देंगी।

आस्तीक : माताजी! इतने पर मैं सब काम बना लूँगा।

नास्तीक : आप झगड़े-बखेड़े में मुझे आगे रहने दीजिएगा।

मनसा : *(नास्तीक से)* जुग-जुग जियो मेरे प्यारे लाल!

वासुकि : अब सब काम आसान हो गया। शीघ्रता करो।

मणिमाला : *(आस्तीक से)* आप अपने साथियों सहित निश्चित समय पर पहुँचें। वातावरण तैयार मिला तो अपने शुभचिन्तक व्यास जी को भी गुप्त रूप से सूचित कर दें।

आस्तीक : माताश्री! आप बेफिक्र रहें। देवराज व नाग महाराज को बन्धन मुक्त कराने की मेरी पूरी जिम्मेदारी है, चाहे मुझे हिंसा का सहारा क्यों न लेना पड़े। इसके अतिरिक्त मैं दोनों महाराजाओं का आपस में मेल भी करा दूँगा ताकि नागों व आर्यों का झगड़ा सदा-सदा के लिए समाप्त हो जाए।

मनसा : *(प्यारपूर्वक)* बड़ी अच्छी बात है बेटा! सबका मंगल हो।

[पटाक्षेप]

दृश्य-8

स्थान : इन्द्रप्रस्थ में आर्य महाराजा जनमेजय का अन्तिम नाग यज्ञ
समय : मध्याह्न के पहले

[आज अन्तिम नाग यज्ञ है। आर्य महाराजा जनमेजय यज्ञकुंड के पास व उनकी बगल में पीछे शौनक ऋषि याज्ञिक बैठे हैं। यज्ञ सामग्री [घी, मेवा व काष्ठ आदि] के ढेर कुछ दूर पर लगे हैं। अजीत प्रधानमंत्री, सोमश्रवा नया पुरोहित, कश्यप पुराना पुरोहित, सभासद, सम्मानित भद्र पुरुष ग्रामीण तथा दर्शक नर-नारी अपनी-अपनी जगह विराजमान हैं।]

जनमेजय : प्रधानामात्य! इस नाग यज्ञ का कुंड किस कारीगर ने बनाया है क्योंकि यह कुंड धुआँ रहित है?

अजीत : राजन्! निधड़क नामक चतुर बन्दी नाग कारीगर ने इसे बनाया है। इसमें नीचे-नीचे कई सुरंगें हवा आने-जाने के लिए बनाकर उनका सीधा ताल्लुक नदी की कगार से रखा है, ताकि हवा के सहारे कुंड की आग आसानी से जल सके। इस अत्यन्त महत्त्वपूर्ण कार्य के लिए उसे माफी मिलनी चाहिए।

जनमेजय : *(बीच में ही चौंककर)* प्रधानामात्य, क्या कहा? माफी? माफी किसी भी नाग कैदी को कदापि नहीं दी जा सकती।

अजीत : क्षमा करें राजन्! कोई चतुर कारीगर ऐसा विचित्र कुंड बनाने के लिए मिला नहीं। तब बन्दी नाग से यह कुंड बनवाया गया। मैंने उससे माफी दिलाने का वायदा किया है। कृपया पुनः विचार करें।

[गुप्तचर का प्रवेश]

गुप्तचर : *(दोनों हाथ जोड़कर)* याज्ञिकश्री एवं महाराजाश्री! प्रणाम।

शौनक : मंगल हो! प्रधान सेनापति चंडभार्गव कितने समय पश्चात् यहाँ इस यज्ञ भूमि में पधारेंगे?

गुप्तचर : वे ढाई घड़ी *(एक घंटा पश्चात्)* बन्दी देवराज व नाग महाराज सहित आपकी सेवा में उपस्थित होंगे।

जनमेजय : कहो मार्ग की कुशलता?

गुप्तचर : राजन्! आपके बल पौरुष के सामने किसी की मजाल नहीं, जो मार्ग में प्रधान सेनापति चंडभार्गव को जरा भी छेड़ सके।

जनमेजय : और नाग सरदार वासुकि?

गुप्तचर : नाग सरदार अति शीघ्र इन्द्रासन के पीछे वाले पुस्तकालय की दाईं खिड़की के दो लोहे के सरियों को टेढ़ा करके ऊपरी खंड से नीचे गन्दे नाले में कूद पड़े। प्रातः होने पर तलाश की गई। कोई पता नहीं चला।

जनमेजय : अच्छा! यज्ञ मंडप के द्वारपाल की सहायता के लिए मुख्य द्वार पर जाओ।

[गुप्तचर का दोनों हाथ जोड़कर दोनों को प्रणाम करते हुए प्रस्थान]

जनमेजय : याज्ञिके! नाग यज्ञ प्रारम्भ करो।

[उत्तंग का प्रवेश]

जनमेजय : *(खड़े होकर दोनों हाथ जोड़कर)* इन्द्रप्रस्थ का आर्य महाराजा जनमेजय उत्तंग ब्रह्मचारी जी को प्रणाम करता है।

उत्तंग : राजन, कल्याण हो! चंडभार्गव सवा दो घड़ी पश्चात् राज बन्दियों सहित उपस्थित होंगे। उन्होंने मुझे भेजा है। नाग यज्ञ शीघ्र प्रारम्भ किया जाए।

शौनक : ब्रह्मचारी जी, आइए। याज्ञिक का आसन अब आप ग्रहण करें। मैं वृद्ध हूँ। कुछ अस्वस्थ हूँ।

जनमेजय : ब्रह्मचारी जी! आपकी उपस्थिति में यह पद आप सरीखे नव-जवान को ही शोभा देता है। स्वीकार करें।

उत्तंग : राजन! जो आज्ञा।

[उत्तंग ने याज्ञिक का स्थान ग्रहण किया। उत्तंग के संकेत पर अग्नि प्रज्वलित की जाती है। अब आग की लपटें अति प्रचंड वेग पकड़ चुकी हैं।]

उत्तंग : *(रक्षकों से)* तुम लोग भी अपना काम प्रारम्भ करो।

[एक रक्षक अपने दोनों हाथों में बन्दी, आदिवासियों के दोनों हाथ, दूसरा रक्षक अपने दोनों हाथों से उसके पैर पकड़कर हाथों से बँधी रस्सियों सहित झुलाते हुए नाग यज्ञ के जलते हुए कुंड में फेंक देते हैं।]

उत्तंग : *(मंत्री के बजाय)* महाराजा परीक्षित की मृत्यु का बदला।

जनमेजय : '*स्वाहा!*'

[एक के बाद दूसरा, दूसरे के बाद तीसरा, तीसरे के बाद चौथा, पाँचवाँ आदि क्रम क्रमशः चालू है। नाग सरदार, अश्वसेन व माणवक का पचास साथियों सहित आर्य-सैनिक भेस में और मनसा, मणिमाला का पच्चीस युवकों व पच्चीस युवतियों सहित आर्य स्त्री भेस में साधारण दर्शकों की भाँति प्रवेश।

यज्ञ भूमि में दुर्गन्धयुक्त धुएँ का साम्राज्य है। इसलिए सभी नाक मसलते हुए आँसू पोंछ रहे हैं। अपने-पराए की पहचान करना अति ही कठिन है।]

माणवक : *(बनावटी धीमी आवाज से धुएँ का बहाना प्रदर्शित करते हुए, तिरछा मुँह करके आँखें मसलते हुए)* ब्रह्मचारीश्री एवं महाराजश्री! सादर सविनय प्रणाम।

उत्तंग : *(आँसू पोंछते हुए)* सबका मंगल हो।

जनमेजय : *(धुएँ के कारण बिना पहचान किए)* आप लोग (उचित) स्थान ग्रहण करें।

[पुरानी योजनानुसार सबने अपना-अपना स्थान ग्रहण किया।

बन्दी नाग सेनापति 'निधड़क' ने नाग सरदार, अश्वसेन, माणवक, मनसा व मणिमाला आदि सबको पहचान लिया।]

एक रक्षक : राजन्! यह है निधड़क नाग-कारीगर। प्रधानामात्य ने वायदा माफी पर पुनर्विचार की प्रार्थना आप से की है।

निधड़क : राजन्! यह तो मैंने प्रधानामात्य से हँसते-हँसते में माफी की चलताऊ बात कही थी। कारागार के अध-पेट, रूखे-सूखे भोजन एवं एकान्त वास के साथ अन्य कष्टों के बजाय हम लोग नाग यज्ञ द्वारा अति शीघ्र मरना अच्छा समझते थे। इसलिए यज्ञ कुंड मैंने अपनी खुशी से जल्दी ही अपना व अपने साथी बन्दी नागों व आदिवासियों का निर्दयी से पीछा छुड़ाने के लिए बनाया था।

अजीत : क्यों बे बदमाश! निर्दयी किसको बना रहा है?

निधड़क : इन्ही आँसू पोंछनेवाले, रोती शक्ल-सूरत वाले महाराजा जनमेजय को, जिन्होंने तक्षशिला विजय के समय बेगुनाह नागों व आदिवासियों को गाँव-गाँव में जलाया, लूटा, कत्लेआम किया। अब अपने दुर्मुख से जप रहे हैं नाग यज्ञ स्वाहा। आह, महाराजा परीक्षित की मृत्यु का ऐसा क्रूर, नीच व अमानवीय बदला!

जनमेजय : तुम लोग भी तो नीच हो, जो हमारे पिताश्री को धोखे से मार डाला।

निधड़क : यह तो हमारी आजादी की लड़ाई थी। नाग इन सभी प्रदेशों के राजा-महाराजा थे। आपको हम लोगों की धन, धरती छीनने में शर्म आनी चाहिए थी। मैं अपने घोड़े के घायल हो जाने से बन्दी बना अन्यथा आपका सर धड़ से उड़ा कर बन्दी बनता।

जनमेजय : *(क्रोधित होकर रक्षकों से)* इसे भी जल्दी झोंक दो।

[रक्षक आगे बढ़ते हैं।]

निधड़क : राजन्! नाग आजादी की रक्षा के लिए लड़ना जानते हैं। देखो! समय पर मरना भी जानते हैं।

[कहकर खुद ही जल्दी से छलाँग मारकर उठती लपटों के उस पार कुंड के भीतर निश्चित दिशा की ओर कूद पड़ता है। यह कुंड इसी कारीगर ने बनाया है। अपने बनाए गुप्त मार्ग द्वारा नदी की कगार की ओर से निकल गया। जला नहीं। शीघ्रता के कारण आग की लपटों से झुलसा तक नहीं।]

[चंडभार्गव का बन्दी देवराज इन्द्र व नाग महाराज तक्षक सहित प्रवेश]

चंडभार्गव : *(दोनों हाथ जोड़कर)* राजन्, प्रणाम!

जनमेजय : मंगल हो!

चंडभार्गव : राजन्! बन्दी इन्द्र व नाग महाराज तक्षक उपस्थित हैं। आज्ञा प्रदान करें—पूर्णाहुति की।

जनमेजय : प्रधान सेनापति! इन्द्र व तक्षक, दोनों की एक साथ पूर्णाहुति शीघ्र दो।

[चंडभार्गव रक्षकों को आज्ञा देने ही वाले थे, अचानक हाथ में कमंडल लिए आस्तीक मुनि का नास्तीक आदि पचास नवजवान ऋषियों, मुनियों एवं अन्य साथियों सहित सवेग प्रवेश। नाग सरदार, अश्वसेन व माणवक ने स्थान बदलकर प्राचीन योजना के अनुसार, विभिन्न स्थानों पर नवीन स्थान ग्रहण किए।]

आस्तीक : *(ठीक महाराज जनमेजय के सामने खड़े होकर बाएँ हाथ के कमंडल से दाहिने हाथ के चुल्लू में पानी लेकर क्रोधपूर्वक प्रधान सेनापति से जोर से)* चंड!

ठहर जा। *(जनमेजय से)* दोनों को एक साथ पूर्णाहुति देनेवाले, ओ निर्दयी जनमेजय, उठ। शीघ्र खड़ा हो जा। *(महाराज जनमेजय चुपचाप खड़े हो जाते हैं)* तूने मेरे पिताश्री जरत्कारु की हत्या के समय आश्रमवासियों के सामने भविष्य में सदैव विश्वमैत्री भावना पालन करने का प्रण किया था, किन्तु तक्षशिला विजय के क्रूर हमले द्वारा गाँव-गाँव में भीषण अग्नि-कांड, लूट-पाट, कत्लेआम, बन्दी नागों, आदिवासियों को जीवित ही आग में नाग यज्ञ के नाम से जला देने के कारण संसार की मानवता जोर-जोर से चीत्कार कर रही है कि विश्व का सबसे बड़ा निर्दयी महाराजा है जनमेजय। अतः स्वार्थियों सहित मेरे श्राप से भस्म होने के लिए तैयार हो जा।

[महाराज जनमेजय श्राप का नाम सुनकर थर-थर, थर-थर काँपने लगते हैं। पाठकों ने देखा, धर्म के नकली भूत का तमाशा।]

जनमेजय : *(चुपचाप)*

सोमश्रवा : *(काँपते हुए, दोनों हाथ जोड़कर)* मुनिवर! आपको आस्तीक मुनि का मौसी जात भाई सोमश्रवा प्रणाम करता है।

आस्तीक : *(पूर्ववत्)* अच्छा, तुम हो नए पुरोहित सोमश्रवा? मंगल हो। मुझे तुम्हारी सच्चाई पर भरोसा है। बताओ, इस भोले-भाले नवयुवक महाराज जनमेजय को किन-किन स्वार्थियों ने बरगला कर ऐसा भीषण रक्तपात कराया है?

सोमश्रवा : मुनिवर! आपको सब पता है। *(कहकर चुपचाप)*

आस्तीक : *(पूर्ववत्)* मालूम होता है, पुरोहित के मानी है, चापलूस नम्बर एक। *(अजीत से)* प्रधानामात्य! आप बीच के आदमी हैं, राजा के और प्रजा के भी। मैं वास्तव में सब कुछ जानता हूँ, मगर मैं चाहता हूँ, सत्य की विशेष गवाही देने की बात के लिए आप सोमश्रवा को शीघ्र समझावें वर्ना टाल-मटल का मतलब है— झूठी गवाही। मैं इस नए पुरोहित को पहले भस्म करूँगा, बाद में जनमेजय को।

अजीत : पुरोहित जी! नौकरी अंड (अरंड) की जड़ है। हवा का झोंका लगा, गिरे। प्रत्येक समय राजा-महाराजाओं को खुश रखना मुझ जैसे बुड्ढों के काबू के बाहर की बात है। फिर तुम्हारा तो नया खून है। आगे बनी-बनी, न-बनी। सच-सच बता दो कि महाराजा को किस-किस ने बरगला कर तक्षशिला का रक्तपात कराया है?

सोमश्रवा : *(निर्भयपूर्वक)* मुनिवर! मैं अकेला क्या बताऊँ! उपस्थित सम्पूर्ण जनसमूह भली भाँति जानता है। सीधे-साधे महाराजा जनमेजय को अश्वमेध यज्ञ व नाग यज्ञ हेतु बरगलाया है, स्वार्थी पुराने पुरोहित कश्यप व ब्रह्मचारी उत्तंग ने।

बनावटी आर्यगण : *(वास्तविक नागवंशी व आदिवंशी एक साथ)* मुनिवर! सोमश्रवा का कहना बिलकुल सत्य है।

जनसमूह : *(एक साथ)* मुनिवर! सोमश्रवा का कहना बिलकुल सत्य है।

आस्तीक : *(पूर्ववत् क्रोधित दशा में, माणवक से)* ऐ सेनानायक! तुम कश्यप को, *(अश्वसेन से)* तुम सेनानायक इस उत्तंग को शीघ्र बन्दी बनाकर जनता के इस न्यायालय में इसी समय उपस्थित करो।

जनसमूह : *(एक साथ)* मुनिवर! आपका न्याय बहुत सराहनीय है।

[सम्पूर्ण जनसमूह का विरोध देखकर कश्यप व उत्तंग सवेग भाग खड़े हुए। माणवक व अश्वसेन ने पीछा किया। भागते हुए कश्यप के पैर की एड़ी पर माणवक ने लम्बी छलाँग मारकर अपनी एड़ी पटककर कमर पकड़ ली। काबू पाने के लिए झकझोरते हुए जोर से भूमि पर दे पटका। इत्तिफाक से भूमि थी कड़ी। कश्यप सदा के लिए चल बसा। उत्तंग भाग गया। अश्वसेन की पकड़ में नहीं आया।]

प्रथम सेना नायक : मुनिवर, क्षमा करें! भागते हुए कश्यप पर काबू पाने के लिए मैंने उसके एक अच्छी-सी पटक लगाई। इत्तिफाक से जमीन थी कड़ी। वह सदा के लिए चल बसा।

आस्तीक : *(पूर्ववत् क्रोधित दशा में)* अच्छा! क्षमा। जाओ, स्थान ग्रहण करो।

[माणवक ने अपना स्थान ग्रहण किया।]

द्वितीय सेनानायक : मुनिवर, क्षमा करें! मैं जूता पहने था। उत्तंग नंगे पैर था। तेजी से भागते हुए उत्तंग का पीछा किया। दृष्टि से ओझल हो गया। पकड़े नहीं मिला।

आस्तीक : *(पूर्ववत्)* क्षमा! भाग जाना सामाजिक मृत्यु है। जाओ, स्थान ग्रहण करो।

[अश्वसेन ने अपना स्थान ग्रहण किया।]

आस्तीक : *(पूर्ववत् क्रोधित दशा में)* सोमश्रवा! बताओ, अब तक्षशिला विजय के भीषण नर संहार का दोषी जनमेजय के अतिरिक्त और कौन है?

सोमश्रवा : मुनिवर! मेरी समझ में अब और कोई नहीं। उपस्थित जनसमूह अपने हृदय की बात स्वयं कहे।

आर्य स्त्री भेस में एक नागवंशी लड़की : *(मणिमाला अकड़कर जोर से)* मुनिवर! तक्षशिला विजय के भीषण नर संहार का दोषी जनमेजय के अतिरिक्त एक और दोषी है। वह है, प्रधान सेनापति चंडभार्गव।

जनसमूह : *(एक साथ)* मुनिवर! बिलकुल ठीक है।

आस्तीक : *(पूर्ववत् क्रोधित दशा में, नाग सरदार वासुकि से)* ऐ सेनापति! तुम आजन्म के लिए चंड की तलवार छीनकर नाग यज्ञ में फेंक दो।

[आस्तीक मुनि के मुँह से 'छीन' शब्द निकलते ही नाग सरदार वासुकि ने पूरी ताकत से पलक झपकते-झपकते चंडभार्गव की तलवार छीनकर नाग यज्ञ के कुंड में फेंक दी। चंडभार्गव पत्थर की मूर्ति की तरह हक्का-बक्का-सा खड़ा का खड़ा ही रह गया। अब आस्तीक मुनि की धाक और भी अधिक जम गई।]

आस्तीक : *(पूर्ववत् क्रोधित दशा में, मणिमाला से)* लड़की! आजन्म के लिए चंडभार्गव की तलवार छीनना योद्धाओं के लिए मृत्यु से भी अधिक बढ़कर है।

आर्य स्त्री भेस में एक नागवंशी लड़की : *(मणिमाला साधारणतया)* मुनिवर! आप द्वारा खोजे न्याय के लिए उपस्थित जनसमूह बलिहार है।

आस्तीक : *(पूर्ववत् क्रोधित दशा में)* अच्छा! जनमेजय, अब तेरी बारी है। बोल, तू क्या चाहता है?

जनमेजय : *(पूर्ववत्)* मुनिवर! अपराधी जनमेजय क्षमा चाहता है।

आस्तीक : *(पूर्ववत् क्रोधित दशा में)* रे जनमेजय! तू अपने को बड़ा चतुर समझता है, मगर है नहीं। स्वयं तो क्षमा चाहता है। दूसरों को भी क्षमा करने का पाठ पढ़ा है या नहीं?

जनमेजय : *(पूर्ववत् चुपचाप)*

आस्तीक : *(पूर्ववत् क्रोधित दशा में)* रे दुर्बुद्धि जनमेजय! तू बड़ा मतलबी है। स्वयं तो क्षमा चाहता है, परन्तु इन निर्दोषी राजाओं तक्षक व इन्द्र को भी बन्धनमुक्त करेगा या नहीं? बोल, सच बोल। जल्द बोल।

[यकायक वयोवृद्ध महामुनि व्यास का सवेग प्रवेश]

[व्यास को देखते ही सम्पूर्ण जनसमूह खड़ा हो जाता है। अपने अपने ढंग पर नाना प्रकार से स्तुति-वन्दना करता है।]

व्यास : *(साधारणतया)* शान्ति! शान्ति!! शान्ति!!! सबका मंगल हो। आप लोग अपना-अपना स्थान ग्रहण करें।

[सभी अपने-अपने स्थानों पर चुपचाप बैठ जाते हैं।]

व्यास : राजन्! अब समय आ गया है। सोचा-विचारा समाप्त करें। नाग महाराज तक्षक व देवराज इन्द्र को तत्काल बन्धनमुक्त करें।

जनमेजय : *(पूर्ववत्)* प्रधानामात्य! नाग महाराज व देवराज को तत्काल बन्धनमुक्त करो।

अजीत : *(शीघ्रतापूर्वक)* प्रधान सेनापति! राजाज्ञा का शीघ्र पालन करो!

[प्रधान सेनापति चंडभार्गव ने स्वतः क्रमशः दोनों को तत्काल बन्धनमुक्त किया।]

इन्द्र व तक्षक : *(दोनों एक साथ, दोनों हाथ जोड़कर)* महा मुनिवर व्यास व मुनिवर आस्तीक! प्रणाम्।

व्यास व आस्तीक : *(एक साथ साधारणतया)* मंगल हो।

आस्तीक : *(महाराजा जनमेजय से)* अब सद्‌बुद्धि आई तुझे, जनमेजय? *(मणिमाला से)* ऐ चतुर लड़की! बता, सद्‌बुद्धि महाराजा जनमेजय को कम से कम क्या दंड दिया जाए?

आर्य स्त्री भेस में एक नागवंशी लड़की : *(मणिमाला साधारणतया)* मुनिवर! वही पुराना प्रण पुनः दुहराना ही सबसे बड़ा दंड है। क्या आप भूल रहे हैं, बड़े भैया। मेरा नाम है—मणिमाला!

[मणिमाला नाम सुनते ही महाराजा जनमेजय की जान में जान आ गई। सम्पूर्ण जनसमूह भी मणिमाला का नाम सुनते ही चौकन्ना हो गया कि इस नाग यज्ञ के जनसमूह में नागवंशी व आदिवंशी पूरी-पूरी मुस्तैदी के साथ अन्तिम शक्तिपूर्वक स्थान-स्थान पर डटे हुए हैं।]

आस्तीक : *(साधारणतया)* बोल जनमेजय, तैयार है या नहीं?

जनमेजय : *(पूर्ववत् दोनों हाथ जोड़े हुए)* मैं महाराजा जनमेजय आज पुनः आस्तीक मुनि की अध्यक्षता में उपस्थित जनसमूह के सामने प्रण करता हूँ कि मैं महाराजा जनमेजय भविष्य में सदैव विश्व मैत्री भावना का पालन करूँगा।

[आस्तीक मुनि ने हाथ के चुल्लू का पानी एक कोने में भूमि पर धीरे से डाल दिया जिससे एकदम आग की लपटें उठने लगीं। यह अद्‌भुत तपोबल देखकर सभी दंग रह गए।

[अब व्यास जी ने भी शान्ति भाव से उचित आसन ग्रहण किया।]

जनमेजय : *(पूर्ववत् दोनों हाथ जोड़े हुए)* मुनिवर, अन्य आज्ञा?

आस्तीक : हाँ, हैं, अभी कई आज्ञाएँ।

जनमेजय : मुनिवर! व्यक्त करें, मैं प्रतीक्षा में हूँ।

आस्तीक : राजन्! भावी आज्ञा का सम्बन्ध आप एवं महारानीश्री दोनों से है। महारानीश्री को बुलाओ।

जनमेजय : *(चुपचाप)*

आस्तीक : *(प्रधानमंत्री से)* प्रधानामात्य, राजमहिषी को बुलाओ।

अजीत : *(चुपचाप)*

आस्तीक : सोमश्रवा! क्या बात है? सब चुप क्यों हैं?

सोमश्रवा : *(उदास मन से)* मुनिवर व राजन्! क्षमा करें। बड़ों की बात है। ब-दर्जे मजबूरी कहना ही पड़ता है। ज्यों ही अश्वसेन द्वारा नागों को सूचना मिली कि तक्षक व इन्द्र बन्दी बनाए जा चुके हैं, त्यों ही नागों ने महारानीश्री वपुष्टमा का अपहरण कर लिया है।

आस्तीक : *(क्रोधपूर्वक)* मणिमाला, बता, राजमहिषीश्री वपुष्टमा कहाँ हैं? यह अपहरण किसने किया? क्यों किया?

मणिमाला : *(चुपचाप। सहम जाती है)*

आस्तीक : *(पूर्ववत्)* माताश्री! यह क्या मामला है? यह कृत्य नागवंश के लिए अति अशोभनीय है, जिसे मैं कदापि सहन नहीं कर सकता।

मनसा : बेटा! क्षमा करो। देवराज व नाग महाराज के बन्दी बनाने के बदले की भावना से मणिमाला की सहेली शीलमाला के निजी गुप्तचर ने राजमहिषी को जब वे पूजा करने मन्दिर में गई थीं, रास्ते से गायब करके यहीं समीपी गुप्तगृह में छिपा रखा है। वे तत्काल उपस्थित हो रही हैं। *(शीलमाला से)* जा! महारानीश्री को ससम्मान शीघ्र लिवा ला।

[शीलमाला सवेग जाकर वपुष्टमा राजमहिषी को सम्मानपूर्वक लिवा लाती है।]

शीलमाला : मुनिवर! क्षमा करें। वपुष्टमा राजमहिषी उपस्थित हैं।

आस्तीक : राजमहिषी! कहो, बन्धन की कुशलता?

वपुष्टमा : मुनिवर मुझे बन्धन की दशा में कोई कष्ट नहीं हुआ।

आस्तीक : *(राजमहिषी से)* आप महाराज जनमेजय के समीप स्थान ग्रहण करें। *(शीलमाला से)* अच्छा! तुम्हें क्षमा किया जाता है। स्थान ग्रहण करो। *(वपुष्टमा व शीलमाला ने अपना-अपना स्थान ग्रहण किया। इन्द्र से)* देवराज! आप क्या चाहते हैं?

इन्द्र : आपको धन्यवाद है। आपकी बदौलत प्राणदान मिला। अधिक कुछ नहीं चाहिए।

आस्तीक : नाग महाराज! आप अपना शेष शान्तिमय जीवन कहाँ बिताना चाहते हैं?

तक्षक : वहीं, अपने नए नर्मदा प्रदेश में।

आस्तीक : *(महाराज जनमेजय से)* राजन्! घोषणा करें।

जनमेजय : मैं इन्द्रप्रस्थ का महाराजा घोषणा करता हूँ कि नाग महाराज तक्षक पहले की तरह नर्मदा प्रदेश के महाराज घोषित किए जाते हैं।

तक्षक : मुनिवर, आपको व महाराज जनमेजय को बहुत-बहुत धन्यवाद।

जनमेजय : नाग महाराज, मैं नहीं। वास्तव में धन्यवाद के पात्र हैं—*(हाथ के संकेत से)* आप मुनिवर! आस्तीक।

आस्तीक : *(महाराज जनमेजय से)* राजन्! मैं नहीं। *(हाथ के संकेत से)* वास्तव में धन्यवाद के पात्र हैं—आप महामुनिवर व्यास जी।

नास्तीक : धन्यवाद के पात्र हैं—महामुनिवर व्यास जी, जिन्होंने ऐसी उलझी गुत्थी सुलझाने की अचानक अनुकम्पा की।

जनसमूह : धन्यवाद के पात्र हैं—महामुनिवर व्यास जी।

आस्तीक : *(नाग महाराज से)* अन्तिम इच्छा?

तक्षक : नाग राजकुमारी मणिमाला के लिए योग्य वर तथा नाग राजकुमार अश्वसेन के लिए योग्य वधू।

आस्तीक : *(मनसा से)* माता श्री! व्यवस्था कीजिए।

मनसा : मणिमाला के लिए महाराज जनमेजय से बढ़कर कोई अन्य वर नहीं और अश्वसेन के लिए महारानी वपुष्टमा की भतीजी चतुष्टमा देवी (आर्य कुमारी) से बढ़कर अन्य योग्यतम वधू नहीं।

आस्तीक : राजन्! आपकी क्या सम्मति है?

जनमेजय : जो महारानी जी की सम्मति हो, वही मेरी सम्मति है।

आस्तीक : *(वपुष्टमा से)* महारानीश्री! आपकी क्या सम्मति है?

वपुष्टमा : मैं महाराजा को सहर्ष सम्मति देती हूँ कि वे युद्धनीति एवं राजनीति प्रवीण नाग राजकुमारी मणिमाला को स्वीकार करें। उसके जिम्मे राज-कार्य और मेरे जिम्मे गृह-कार्य

तथा मेरी भतीजी चतुष्टमा देवी का शुभ विवाह अश्वसेन के साथ होना महानतम् शुभ है।

आस्तीक : *(सोमश्रवा से)* पुरोहित जी! दोनों के पाणिग्रहण की रस्म शीघ्र अदा करो।

[पुरोहित सोमश्रवा की आज्ञा के अनुसार मणिमाला ने जनमेजय को व चतुष्टमा देवी ने अश्वसेन को जयमाला पहनाई। तत्पश्चात् जनमेजय ने मणिमाला को व अश्वसेन ने चतुष्टमा देवी को पुष्पमाला पहनाई।]

सोमश्रवा : *(दोनों वर-वधू को आशीर्वाद देते हैं)* मंगल हो!

जनसमूह : *(एक साथ)*

'नागवंश की जय!'
'आर्यवंश की जय!'
'जम्बूद्वीप की जय!'

[यवनिका पतन]